LE SUCRE, UNE HISTOIRE DOUCE-AMÈRE

Elizabeth Abbott

LE SUCRE
UNE HISTOIRE DOUCE-AMÈRE

Traduit de l'anglais par Benoît Patar
et Richard Dubois

FIDES

Illustrations (couverture et intérieur) : Gérard Dubois
Direction artistique : Gianni Caccia
Mise en pages : Yolande Martel

Catalogage avant publication de Bibliothèque et Archives nationales du Québec et Bibliothèque et Archives Canada

Abbott, Elizabeth

Le sucre, une histoire douce-amère

Traduction de : Sugar.

ISBN 978-2-7621-2869-7

1. Sucre - Industrie - Histoire. 2. Sucre - Histoire. 3. Canne à sucre - Industrie - Histoire. 4. Sucre, Travailleurs du - Histoire. 5. Sucre - Aspect social. I. Titre.

HD9100.5.A2214 2008   338.1'73609   C2008-941365-2

Dépôt légal : 3ᵉ trimestre 2008
Bibliothèque et Archives nationales du Québec

Titre original : Sugar. A Bittersweet History
© Elizabeth Abbott, 2008
© Éditions Fides, 2008, pour la traduction française

Les Éditions Fides reconnaissent l'aide financière du Gouvernement du Canada par l'entremise du Programme d'aide au développement de l'industrie de l'édition (PADIÉ) pour leurs activités d'édition. Les Éditions Fides remercient de leur soutien financier le Conseil des Arts du Canada et la Société de développement des entreprises culturelles du Québec (SODEC). Les Éditions Fides bénéficient du Programme de crédit d'impôt pour l'édition de livres du Gouvernement du Québec, géré par la SODEC.

IMPRIMÉ AU CANADA EN SEPTEMBRE 2008

À mon fils bien-aimé Ivan Gibbs.
J'ai écrit cet ouvrage en pensant à toi,
en mémoire de tes ancêtres antillais.

INTRODUCTION

À une certaine époque, la canne à sucre n'était connue que dans des contrées très éloignées du monde occidental. Cette plante est d'abord apparue en Polynésie, puis elle s'est répandue en Inde, où les adultes et les enfants mâchaient ses tiges crues comme un bonbon fibreux. En Chine, les hommes désireux d'accroître leur puissance sexuelle les mastiquaient pour leurs vertus aphrodisiaques. En Europe, où la canne à sucre était encore inconnue, les gens sucraient leur nourriture avec du miel, beaucoup plus cher à produire. La classe privilégiée le consommait également sous forme d'hydromel, un vin de miel fermenté et enivrant.

Les siècles ont passé, jusqu'à ce qu'au xviiie siècle, une Anglaise fait un geste qui allait transformer le monde[1]. Je l'appellerai Gladys Brown. Femme de cultivateur souffrant d'une toux sèche, elle avait trois enfants aux yeux chassieux et pratiquait un rituel quotidien qui changea le cours du monde. Ce que faisait Gladys, lorsqu'elle pouvait dérober quelques minutes à la routine écrasante de ses tâches quotidiennes, était de s'étendre sur la banquette se trouvant près de son feu de cuisson, pour se réconforter en buvant une tasse de thé. Cette infusion capiteuse avait déjà séduit l'Europe, sans toutefois changer le monde. Mais lorsque Gladys, comme le feraient des millions d'autres Européens, décida de laisser tomber un morceau de sucre dans sa tasse, elle redessina la carte démographique, économique, environnementale, politique, culturelle et morale du monde.

Tout en buvant son thé à petites gorgées, Gladys arrachait des générations d'hommes et de femmes à l'Afrique pour les transporter au-delà de l'Atlantique et les soumettre à l'esclavage. Elle imposa la culture de la canne aux fertiles colonies de la mer des Antilles. Elle redessina la carte de l'Amérique du Nord, faisant en sorte que New York, qui était alors contrôlée par les Hollandais, et le Canada, qui l'était par les Français, reviennent dans le giron de la Grande-Bretagne. C'est elle qui façonna la nature et les tendances de la cuisine occidentale, surtout en ce qui a trait à ses sauces, bonbons, boissons, pâtisseries et préparations. C'est elle qui a mis une sucette dans la bouche de tous nos enfants, et nous a prédisposés à l'obésité, un des principaux problèmes de santé auquel doivent faire face l'Amérique du Nord et l'Europe. Elle a aussi attiré mes ancêtres du comté de Fermagh en Irlande du Nord à Antigua, où ils s'installèrent pour cultiver la canne à sucre.

Antigua est un bon endroit pour prendre congé de Gladys et faire un bond de quelques siècles jusqu'au jour de ma naissance, où je vins au monde avec du sucre dans le sang. Au début du XXe siècle, mon grand-père Stanley Abbott, qui était alors adolescent, décida de quitter son pays en pleine crise économique et de s'embarquer pour le Canada. Dans l'intimité de sa famille, il évoquait la mère patrie, qu'il ne devait jamais revoir; mais lorsque des étrangers le questionnaient sur son accent, il prétendait avoir émigré de Blackpool en Angleterre.

J'ai reçu en héritage la Bible de mon grand-père, un cadeau d'adieu signé par sa mère, qu'il ne revit jamais, ainsi que deux tasses à thé en argent sterling ouvragé. Ces tasses avaient été remises en 1845 à son propre grand-père, Richard Abbott, par la Société occidentale d'agriculture d'Antigua, la première « pour avoir obtenu le meilleur rendement sucrier au coût le plus bas », et la seconde « pour avoir obtenu la meilleure qualité de sucre au meilleur coût ». Richard était également abonné à la publication à potins de Madame Flannigan, *Antigua and the Antiguans*, qui parut pour la première fois en 1844.

J'ai cultivé une passion pour mon héritage antillais. J'ai repris contact avec des membres de la parenté qui avaient été perdus de vue. À St. John's, capitale d'Antigua, j'ai dormi dans le lit de mon arrière-grand-mère Mary Johnston Abbott. J'ai écouté, avec fascination, ma grand-tante Millicent Abbott Sutherland me raconter sa misère de veuve qui dut subvenir aux besoins de ses enfants en travaillant dans les champs de canne à sucre de l'usine de Gunthropes à l'île d'Antigua.

J'ai écouté de la musique calypso et lu la littérature des Antilles. En 1983, j'ai déménagé à Haïti.

Haïti a renforcé mon intérêt pour le sucre, et je me suis promis d'écrire un jour un livre à ce sujet. À mes débuts comme journaliste, j'ai souvent rédigé des textes axés sur le sucre. J'ai exploré la vie et les (més)aventures de milliers de Haïtiens qui ont traversé les frontières de la République dominicaine pour y aller récolter la canne à sucre. Je me suis rendue dans un champ de canne local, où j'ai photographié des hommes à moitié nus, dégoulinant de sueur, qui donnaient des coups de machette sur d'immenses tiges. J'ai interviewé leurs épouses, qui m'ont invitée tantôt dans leur cour, tantôt dans l'intérieur sombre de leurs huttes de boue à plafond bas. Dans l'entrepôt géant de la Haitian American Sugar Company (HASCO), j'ai, abasourdie par les pyramides immaculées de sucre raffiné que j'avais sous les yeux, interrogé les responsables de la direction sur la disparition prochaine de l'entreprise. J'ai visité des *guildives* clandestines, dont le *clairin* — un rhum tord-boyaux produit à partir de sucre de canne distillé — était tout ce que les Haïtiens pouvaient se permettre. J'ai visité les locaux climatisés de l'impressionnante distillerie de rhum Barbancourt et, de retour à ma maison de Port-au-Prince, j'ai ajouté à mon café une mesure de rhum foncé trois étoiles. J'ai interviewé un cadre expatrié de HASCO au sujet de la culture de la canne, et j'ai lu les livres qu'il m'a prêtés. Je me suis informée sur le recépage, l'érosion du sol et les différents pourcentages de sucre produits par chacune des récoltes de canne.

Des années après avoir quitté Haïti pour revenir au Canada, j'ai visité en Afrique de l'Ouest la mère patrie de millions d'esclaves du sucre. À Abomey (qui se nommait autrefois Dahomey, un ancien royaume situé sur le territoire de l'actuel Bénin), un prince conservateur a parcouru avec moi les ruines du palais qui était celui de ses ancêtres à l'époque précoloniale. Dans le port d'esclaves de Whydah, je me suis recueillie sur le site des baraquements où étaient détenus les esclaves nouvellement capturés ; les entraves et les chaînes rouillées qui les retenaient y sont toujours exposées. Un beau matin du mois de juin, j'ai également parcouru la Route des esclaves, un long sentier, aujourd'hui recouvert de mauvaises herbes, qui menait au bord de la mer, là où les esclaves garrottés pouvaient jeter un dernier regard sur l'Afrique en traînant leurs pieds entravés jusqu'aux marchands d'esclaves qui les attendaient.

Au fur et à mesure que mon livre commençait à prendre forme, j'ai dévoré quantité de documents traitant du sucre. J'ai également visité le Musée du sucre de Berlin, de même que le Musée du sucre Redpath à Toronto, étudiant les différents objets qui font partie de l'histoire de la production du sucre. Je me suis également rendue en République dominicaine, où j'ai visité cinq *bateys*, qui sont les hameaux où vivent les coupeurs de canne haïtiens. J'ai été témoin, sans jamais en faire vraiment l'expérience, de la vie de ces travailleurs affamés ainsi que de leurs privations. Contrairement à eux, je ne coupais pas la canne — «trop dangereux pour vous», disaient-ils — et je ne ressentais pas le désespoir qui aurait été le mien si j'avais été prisonnière de ce monde lugubre, dangereux et inconfortable.

Le livre issu de ces recherches et de ces expériences porte sur les changements que le sucre a produits dans le monde qui existait avant que des millions de personnes comme Gladys ne soient séduites par la douceur du sucre. La culture de la canne à sucre a provoqué la destruction des peuples autochtones Arawak et Caraïbe; elle est responsable de la dégradation de leur environnement et de la création d'un Nouveau Monde peuplé d'Européens, d'esclaves africains et, plus tard, de millions d'Indiens, de Chinois et de Japonais engagés. Le racisme servit à justifier l'esclavage des Noirs et, nouvelle forme d'esclavage, le travail des coolies.

Le commerce du sucre a entretenu des liens économiques, financiers et sociaux étroits avec la révolution industrielle. Cette dernière favorisa en Europe le développement d'entreprises où l'on troquait des biens manufacturés et des babioles contre des Africains capturés puis vendus aux plantations de canne à sucre. L'Amérique du Nord participa à ce commerce en fournissant des aliments et d'autres biens aux colonies produisant du sucre. Le lobby du sucre était un élément constitutif de ce système, faisant la promotion du protectionnisme au moyen de tarifs préférentiels accordés au sucre, et convainquant les autorités de la nécessité de fournir du sucre et du rhum aux pauvres et aux marins de la Royal Navy.

Le sucre en tant que marchandise se fraya un chemin en faisant la conquête des papilles gustatives, et en s'imposant comme une nécessité dans le monde culinaire, malgré son absence de valeur nutritionnelle. Ce phénomène entraîna la prolétarisation du sucre: celui-ci, qui avait commencé sa carrière comme un plaisir noble, devint par la suite la béquille quotidienne et le délice des masses laborieuses. Des rituels sociaux se développèrent autour du sucre : les gâteaux de mariage au glaçage abondant ; les lapins en chocolat à Pâques ; les cornes d'abondance de sucreries pour fêter l'Halloween ; des chocolats pour la fête des Mères ; les cannes en sucre d'orge à Noël. Le sucre modifia la nature et la composition des repas, la manière de les prendre et de les partager ; ceux-ci, à leur tour, entraînèrent des changements importants dans la vie familiale.

La canne à sucre eut également des rivaux, dont le premier fut la betterave sucrière, grandement appréciée par Napoléon et, plus tard, par Hitler, qui, tous deux, prirent conscience du besoin urgent de trouver un substitut au sucre de canne, auquel ils n'avaient plus accès à la suite de leurs guerres avec l'Angleterre et en raison de la supériorité navale de celle-ci. Par la suite, le sucre dut affronter la concurrence de la saccarine ainsi que de multiples produits de substitution à faible teneur calorique. Le sirop de maïs, très calorique mais bon marché, fut également une menace à la suprématie du sucre.

Le dernier chapitre fait état de la situation actuelle. Au fur et à mesure que le monde occidental prend du poids, le lobby du sucre, toujours puissant, cherche à remettre en cause les recommandations d'organismes tels que l'Organisation mondiale de la santé, qui limitent la quantité de sucre dans une saine alimentation. De nos jours, comme par le passé, le sucre est l'un des principaux ingrédients du fast-food, les boissons sucrées faisant consommer plus de sucre aux Occidentaux que tout autre aliment. Dans plusieurs régions, l'industrie du sucre exploite les travailleurs à un point tel que la situation rappelle celle de l'esclavage des siècles passés.

Au cours de la longue période de rédaction de cet ouvrage, j'ai été hantée par deux incidents qui se sont produits en République dominicaine. Le premier s'est produit au cours d'une incursion dans un champ de canne. En dépit de mes chaussures à grosses semelles New Balance, j'ai glissé en bas d'une colline entièrement recouverte de restes de cannes dépouillées de leurs tiges. J'ai d'abord essayé de retrouver mon équilibre en me redressant, mais je suis retombée. C'est alors que le groupe de jeunes qui m'avaient accompagnée s'est mis à crier et à rire en glissant près de moi ; leurs sandales en plastique ne leur étaient d'aucun secours dans le feuillage glissant. Le temps que nous arrivions au bas de la colline sur nos fesses, notre mésaventure commune était devenue une hilarité partagée.

Le second incident s'est produit à Saint-Domingue, que j'ai visitée avec deux anciens coupeurs de canne haïtiens, pères d'enfants qui, en principe, ne quittent jamais leur *batey*. Nous pique-niquions sur une banquette de la plage publique, lorsqu'un vendeur créole s'approcha de nous avec son plateau de cigarettes et de bonbons. Pendant que je lui achetais une poignée de grandes sucettes à motif spiralé qui auraient été trop chères pour mes invités, il me raconta qu'il s'était récemment échappé de son *batey* pour connaître une meilleure vie à la ville. Ensuite, mes invités emballèrent soigneusement les sucettes pour leurs enfants. En dépit du fait qu'ils souffraient tous deux de la « maladie du sucre », le diabète qui afflige un grand nombre de travailleurs de la canne, et qu'ils connaissaient les dangers d'une trop grande consommation de sucre, ils ne pouvaient refuser à leurs enfants le plaisir de manger ces bonbons outrageusement colorés. Dans mon souvenir, ces énormes sucettes colorées sont une image des aspects contradictoires du sucre et de son pouvoir de transformer le monde.

Dans les toutes dernières étapes de la rédaction de mon livre, après avoir lu plusieurs articles au sujet d'une entreprise effectuant des tests d'ADN, j'ai décidé tout à coup de prendre contact avec elle. Je lui ai soumis deux bâtonnets de coton imprégnés de mon ADN (pour m'assurer qu'il y en avait en quantité suffisante, j'ai frotté vigoureusement l'intérieur de mes joues) ; quelques semaines plus tard, j'ai reçu une enveloppe épaisse contenant les résultats. L'analyse révélait la présence de lignages provenant d'Europe, d'Afrique noire et d'Asie orientale. C'est dire que mon héritage antillais s'enracine mystérieusement dans la nuit des temps. Lorsque j'écris à propos des planteurs de canne à sucre, de leurs esclaves ou des coolies engagés, je parle donc, encore et toujours, de mes ancêtres.

PREMIÈRE PARTIE

Le délice oriental conquiert l'Occident

CHAPITRE 1

L'avènement du sucre

La canne à sucre surpasse le rayon de miel

Avant que la canne à sucre n'ait entamé les pérégrinations qui allaient l'amener à quitter ses patries du Pacifique Sud et de l'Asie pour traverser les océans et les continents, le monde connaissait déjà le miel, dont il appréciait la douceur. À l'origine, les Anciens se contentaient de dérober aux abeilles le sirop collant des ruches. Mais, progressivement, ils réussirent à domestiquer les petites créatures travailleuses : l'apiculture était née. Dans le livre IV de ses *Géorgiques*, Virgile, le célèbre poète romain du Ier siècle, fournit une description de l'élevage des abeilles qui a contribué à étendre cet art méditerranéen aux autres régions friandes de miel.

Le miel intéressait les deux religions en expansion, le christianisme et l'islam. Les chrétiens l'utilisaient pour sucrer leurs médicaments ou pour épicer leur nourriture, et le faisaient fermenter pour en tirer un hydromel enivrant. Au Moyen Âge, les gros buveurs de Bavière, de Bohême et de l'Europe baltique consommaient des « quantités industrielles » d'hydromel[1]. Obsédés par la virginité, les théologiens chrétiens déclarèrent sacrés la cire et le miel produits par des abeilles non intégrées à une ruche (et donc toujours vierges) ; pour les liturgies chrétiennes, ils n'utilisaient que des bougies de cire d'abeilles pure. Les monastères se mirent à l'apiculture et fabriquèrent des bougies, de l'hydromel et d'autres produits dérivés du miel. Les apiculteurs avaient leurs saints particuliers, comme le fameux « docteur à la langue de miel », Ambroise de Milan ou Valentin, dont la fête se célébrait sous les auspices du sucre.

Contrairement à Jésus de Nazareth et aux dirigeants chrétiens qui permettaient la consommation de vin, le prophète Mahomet interdit à ses disciples de faire usage de l'alcool. Les musulmans, dont le nombre n'a jamais cessé de croître, durent se rabattre sur les boissons non alcooliques. Le thé à la menthe, servi très chaud et additionné de miel, que le Coran recommandait pour ses vertus médicinales, devint très populaire.

Le miel demeure un édulcorant important au Moyen-Orient, qui l'importe du Pakistan et même des États-Unis. Fait à noter, la fortune du terroriste saoudien Oussama Ben Laden provient surtout d'un vaste réseau de mielleries. Avec d'autres membres d'Al-Qaeda, il a également dissimulé de la drogue, des armes et de l'argent dans les chargements de miel. « Les inspecteurs ne veulent pas inspecter ce produit. C'est trop salissant », affirme un fonctionnaire de l'administration américaine[2].

Dans le Pacifique Sud, d'où la canne à sucre semble provenir, les légendes rapportent différentes versions d'un conte qui relate comment la canne à sucre aurait engendré une femme et un homme d'où serait issue l'humanité. Dans un de ces contes, deux pêcheurs, To-Kabwana et To-Karvuvu, avaient attrapé à maintes reprises un bout de canne à sucre au lieu d'un poisson. Fatigués de le rejeter à l'eau pour le voir réapparaître dans leur filet, ils décidèrent de le planter. La canne prit racine et se transforma en une femme qui s'unit à un des deux hommes et devint la mère de l'humanité. Une légende semblable des îles Salomon raconte comment des boutures de canne ont engendré un homme et une femme qui ont fondé la race humaine.

La canne fut d'abord cultivée en Nouvelle-Guinée et peut-être aussi, de façon indépendante, en Indonésie. Avec le temps, les voyageurs transportèrent des variétés de canne vers l'ensemble des régions tropicales de la planète. En Inde, les hymnes védiques évoquent le sucre de canne ; autour de 325 av. J.-C., Kautilya, un membre du gouvernement, parle des cinq sortes de sucre, y compris le *khanda*, dont dérive le mot *candy*. Les connaissances de l'Inde touchant le sucre de canne se diffusèrent en Chine, où des sources datant de 286 av. J.-C. évoquent sa fabrication. Au fur et à mesure que le bouddhisme se répandait, le sucre en faisait autant, car le bouddhisme parlait de ses propriétés curatives, lesquelles étaient déjà connues en Inde. La littérature chinoise du bouddhisme Mayahana allait jusqu'à désigner Bouddha comme le «roi du sucre». La canne à sucre avait également des utilisations religieuses ; par exemple, elle servit à adoucir l'ascension du Roi de la Cuisine vers le ciel, où il monta sur des tiges de canne pour rendre compte des actions de chacune des familles.

Au VIᵉ siècle, un hybride de la canne indienne atteignit la Perse, qui commença à la produire au début du VIIᵉ siècle. L'Égypte l'a plantée à partir du milieu du VIIIᵉ siècle ; au Xᵉ siècle, le sucre de canne était devenu une culture importante au Moyen-Orient. L'expansion des Arabes et leurs conquêtes ont contribué à répandre la canne dans toute la Méditerranée. Au XVᵉ siècle, la canne à sucre était cultivée à Madère, dans les îles Canaries, dans les îles du Cap-Vert, dans l'île de São Tomé et en Afrique de l'Ouest.

Parmi les six espèces de sucre de canne, le *Saccharum officinarum*, le «sucre des apothicaires» ou «la noble canne», fut considéré comme la plus importante. Toutes les sortes de sucre, y compris le *Saccharum officinarum*, font partie de la famille des plantes graminées. Le *Saccharum officinarum* est une grande plante solide ; ses tiges ont jusqu'à 2 pouces (5 cm) d'épaisseur et peuvent mesurer jusqu'à 15 pieds (5 mètres) lorsqu'elles atteignent leur maturité. La plante est couverte de nœuds et très douce au goût ; lorsqu'on la coupe, elle libère une sève sucrée et juteuse. Suivant la nature du sol et du climat, les tiges peuvent être jaunes, vertes ou rousses ; sous les rayons du soleil, cette plante herbeuse est d'un vert éclatant.

La canne à sucre procède par multiplication asexuée au moyen de boutures de tiges qui doivent inclure un des nœuds, ces bandes qui encerclent la tige. Les boutures sont plantées dans le sol ; les bourgeons qui poussent commencent alors à prendre racine et à produire leurs propres tiges. La canne est une culture qui exige un arrosage constant. Par exemple, dans la sèche Égypte, elle était irriguée vingt-huit fois par saison. La canne prospère dans la chaleur, et ne supporte pas le froid.

À partir du moment de la première plantation, la canne a besoin de douze à dix-huit mois pour arriver à maturité, en fonction des variétés, de la condition du sol, du climat, du degré d'irrigation, de l'efficacité des fertilisants utilisés pour nourrir la plante, de la sévérité des attaques de la vermine ou des maladies, ainsi que d'autres facteurs liés au milieu. Vivace, la canne pousse pendant plusieurs saisons sans avoir besoin d'être replantée ; cependant, cette culture de repousse fournit progressivement moins de sucre, jusqu'au moment où il devient plus économique de replanter la canne et d'amorcer un nouveau cycle.

Les visiteurs sont souvent frappés par la beauté des champs de canne non coupée, qui ondule dans le vent. Une Écossaise du XIXᵉ siècle raconte avoir navigué à Antigua sur un « tapis d'un vert luxuriant, car un peu de pluie […] avait revêtu les champs d'un merveilleux costume de verdure[3] ». Les travailleurs de la canne qui passent leurs journées à parcourir les champs de canne sous un soleil brûlant ne les voient pas comme une merveille chatoyante de la nature. Toutefois, ces travailleurs, affamés et sous-payés, apprécient la disponibilité, le goût et les effets de la sève sucrée qui s'écoule doucement au fur et à mesure qu'ils coupent la pulpe hérissée de pointes de la canne brute ; ils peuvent ainsi au moins assouvir leur soif, calmer leur faim et refaire des réserves d'énergie au moyen de ces précieuses calories.

La canne traitée est très différente des tiges coupées dans les champs. Elle est liquéfiée et réduite par un procédé de cuisson jusqu'à ce qu'on obtienne une mélasse d'une texture semblable au miel, ou des sirops plus raffinés. Elle est finalement cristallisée en un concentré de douceur dont l'attrait est quasi universel. Celui-ci provoque chez de nombreuses personnes des envies irrésistibles, étant beaucoup plus polyvalent sur le plan de ses utilisations que le jus de canne. Dans sa forme finale, celle de grains blanchis, le sucre ressemble à tel point au sel que les accidents culinaires où l'un est utilisé à la place de l'autre sont monnaie courante.

Les premières étapes du processus de transformation de la canne en sucre ont été réalisées vraisemblablement à différents moments dans différentes sociétés humaines. Le processus est le suivant : la sève est extraite au moyen de presses mécaniques qui sont souvent très rudimentaires ; elle est ensuite réduite plusieurs fois, puis écumée jusqu'à ce qu'elle se transforme en une substance visqueuse, facile à transporter et que l'on peut utiliser pour cuisiner. Il est probable que les techniques plus complexes nécessaires à cristalliser le sucre proviennent d'une seule source, même si, comme le géographe Jock Galloway l'affirme dans *The Sugar Cane Industry*, on manque de preuves pour retracer l'origine de cette découverte. Ce que nous savons, c'est que ces techniques ont été mises au point dans le nord de l'Inde, et que c'est à partir de là qu'elles ont été diffusées sur les routes commerciales conduisant à l'Extrême-Orient, à la Perse, à l'Occident et, finalement, au Nouveau Monde.

Le sucre de canne s'est répandu progressivement dans tous les continents et a traversé les océans. Avec le temps, il a concurrencé et parfois même remplacé le miel comme édulcorant de prédilection. Le goût caractéristique du miel peut être trop fort pour certains aliments ou boissons; avant que des processus de raffinage améliorés ne soient mis au point au XIXe siècle, il contenait souvent des morceaux apparents de cire d'abeille, ce qui était assez désagréable. Le sucre est plus « neutre »; il relève le goût du thé, du chocolat et des autres substances à sucrer sans en altérer la saveur. En 1633, dans *Klinike, or the Diet of the Diseased*, James Hart écrivait: « Le sucre l'emporte maintenant sur le miel, et on le tient en plus grande estime, car il est beaucoup plus agréable au palais; il est donc fréquemment utilisé partout, aussi bien chez les malades que chez les personnes en santé [...]. À la différence du miel, le sucre n'est ni trop fort ni trop sec[4]. » De plus, les réactions allergiques au miel, qui contient des substances allergènes, ont forcé certaines personnes à accorder leur préférence au sucre.

Au cours des siècles, une pléthore d'arguments a favorisé la prédominance du sucre sur le miel. Au fur et à mesure que les techniques de raffinage étaient mises au point, suscitant l'intérêt et l'habitude de consommer du sucre, les pâtissiers ont montré à quel point il était possible de le transformer jusqu'à obtenir des produits élaborés, impossibles à réaliser au moyen du miel ou de la mélasse, sous-produit plus brut du sucre. Même si on ne tient aucunement compte des qualités intrinsèquement différentes du miel et du sucre, les questions, étroitement liées, de l'utilisation, de l'approvisionnement, de la technologie, de la culture et du coût furent décisives dans la concurrence que se livrèrent ces deux produits et finirent par faire pencher la balance en faveur du sucre.

Au fil du temps, le sucre a connu de nombreux usages. Dans *Sweetness and Power: The Place of Sugar in Modern History*, le spécialiste du sucre, Sidney Mintz, en présente six. S'intéressant surtout au cas de l'Europe, Mintz décrit le sucre comme un médicament, une épice ou un condiment, un matériel décoratif, un agent de conservation, un édulcorant, et, finalement, un aliment. Dans son livre *Agro-Industries: Sugarcane Technology*, qui est une histoire de la technologie chinoise, Christian Daniels allonge la liste de Mintz, en notant que dans les régions où pousse la canne à sucre, le sucre de canne non raffiné a des utilisations supplémentaires importantes. Les tiges de canne tissées donnent un matériau de construction solide, les feuilles de la canne pouvant se transformer en bardeaux pour les toits ou en fourrage pour les bestiaux. Aux îles Fiji, les guerriers utilisent les tiges aiguisées comme lances. Les tiges servent également à mettre en attelle un membre brisé ; elles peuvent aussi, sous forme de pulpe, servir à panser les blessures. La sève de la canne à sucre peut être une boisson dans les régions où l'eau potable n'est pas accessible sur une grande échelle. C'est un médicament et une boisson rafraîchissante que l'on offre aux invités dans les cérémonies officielles. Dans les sociétés traditionnelles, elle a le pouvoir de chasser les mauvais esprits ; elle donne aussi aux potions d'amour une dimension magique. Jusqu'à tout récemment, la culture de la canne à sucre, en Asie, accompagnait celle du chou chinois et du riz, étant considérée, elle aussi, comme un aliment riche en calories. Pour des raisons qui demeurent mystérieuses, de nombreux Asiatiques apprécient le sucre sans en devenir dépendants. Les Asiatiques utilisent également le sucre pour soigner les maux de gorge, les rhumes et les problèmes menstruels.

La propagation de la canne à sucre dans le monde fut une longue marche sinueuse, progressant à la vitesse de la mélasse en hiver, comme dit le proverbe. L'approvisionnement était souvent irrégulier, de qualité inégale ; quant à la technologie nécessaire pour la traiter et la raffiner, elle était lourde ou inexistante. Ce sont les religions, particulièrement ces grandes rivales que sont l'islam et le christianisme, qui se sont avérées les principaux véhicules de propagation des connaissances sur la canne à sucre, et, surtout, de l'attrait pour le sucre de canne. Comme le rappelle Mintz, « le sucre, nous dit-on, a suivi le Coran[5] ».

Des siècles après la mort du prophète Mahomet en 632, sa vision de la conquête du monde a continué d'inspirer les militaires arabes ainsi que le mouvement d'expansion économique qui a englobé la Syrie, puis (ce que nous appelons aujourd'hui) l'Irak, l'Égypte et le Maroc, et, à partir de 711, l'Europe. En Espagne, le pouvoir musulman s'est maintenu en partie jusqu'en 1492. Les Arabes commercèrent également avec l'Afrique et la Chine ; ils furent à plusieurs égards de véritables agents cosmopolites, réussissant à imposer une sorte de « *pax islamica*[6] ». Partout où les Arabes se rendaient, le sucre et les accessoires technologiques et administratifs essentiels qui l'accompagnent suivaient : techniques d'irrigation complexes, capitaux nécessaires pour les mettre en place, réseaux de distribution d'eau et régimes fonciers. Même après la défaite et le départ des Arabes, l'industrie sucrière qu'ils avaient fondée s'est perpétuée, son exploitation étant assurée par le personnel local qu'ils avaient formé avec soin.

Les Arabes s'intéressaient particulièrement à l'irrigation, essentielle à la canne à sucre, laquelle manque toujours d'eau. Ils adoptèrent tous les dispositifs d'arrosage qu'ils purent découvrir au cours de leurs conquêtes. Ceux-ci comprenaient la roue hydraulique ou *noria*, le *qanat* persan, un système d'irrigation qui permettait d'éviter de perdre l'eau s'évaporant du sol brûlant et desséché. Au lieu de s'évaporer, l'eau était véhiculée par un système de tunnels souterrains appelés *qanats*. Ces *qanats*, qui seraient utilisés plus tard en Égypte et en Inde, étaient construits sur le versant des montagnes et faisaient appel à la gravité pour amener l'eau jusque dans les champs de canne.

Nous en savons juste assez au sujet des techniques de raffinage auxquelles avaient recours les Arabes pour dire qu'elles étaient relativement peu spécialisées. Toutefois, en certaines occasions, comme lors de la célébration de la fin du jeûne du ramadan en 990, les pâtissiers égyptiens avaient confectionné des arbres, des animaux, ainsi que des châteaux en sucre. Le sucre nécessaire pour ces préparations fut traité plusieurs fois ; très fin et blanchi, il était facile à travailler. Toutefois, comme c'était également le cas en Europe, le sucre fut, pendant plusieurs siècles, un objet de luxe et une rareté. Le genre de sucre qui suivait le Coran était surtout employé pour masquer le goût amer des médicaments, ou utilisé comme médicament ou comme une épice servant à relever les mets préparés et d'autres aliments. Les méthodes plus complexes pour broyer la canne et obtenir des cristaux légers et de texture égale ont été mises au point plus tard ; leur origine est probablement chinoise plutôt qu'européenne.

La composition de la main-d'œuvre de la canne à sucre est également incertaine. L'historien du sucre Noel Deerr est d'avis que «bien que l'islam ait admis l'esclavage, l'industrie méditerranéenne ne s'est pas vu reprocher le caractère impitoyable et meurtrier de l'esclavage organisé, qui a entaché, pendant 400 ans, la production du Nouveau Monde[7]». Les spécialistes du sucre contestent cette affirmation, rappelant que des travailleurs du sucre ont été réduits en esclavage au Maroc et dans d'autres pays d'Afrique. Ce qui est certain, c'est que l'esclavage était rare dans le monde musulman de la culture de la canne à sucre. La plus grande part du travail était faite par des métayers ou du personnel engagé pour travailler sur de grandes propriétés, ou par les paysans eux-mêmes sur leurs petits lopins de terre.

Au milieu du XIe siècle, la règle islamique a commencé à s'affaiblir. Les chrétiens de l'Europe de l'Ouest fulminaient contre certains de ses enseignements, notamment en ce qui a trait à la polygamie et au concubinage, de même que contre son emprise sur la Terre sainte où Jésus-Christ est né. Le ressentiment des chrétiens et leur impatience ont donné lieu aux Croisades, qui ont commencé en 1095 et se sont poursuivies jusqu'à la fin du XIIIe siècle, au milieu de massacres et de représailles, avec un mélange de victoires militaires et d'échecs cuisants. À la faveur de leur avancée en territoire musulman, les croisés ont été initiés au sucre de canne. Au cours de la première croisade, alors qu'ils étaient assiégés par leurs ennemis musulmans et « tourmentés par une faim redoutable », les croisés rongeaient la canne à sucre et survivaient grâce à sa sève[8]. Dans les régions qu'ils ont envahies, particulièrement à Chypre, les croisés ont acquis les compétences nécessaires pour gérer l'industrie sucrière, aussi bien la culture de la canne que la production du sucre de canne.

Dans la victoire comme dans la défaite, les croisés sont retournés chez eux en ayant pris goût au sucre aussi bien qu'aux autres épices et aliments. Les croisades en tant que telles ont donné naissance à des ordres religieux prosélytes qui étaient motivés autant par l'ambition d'acquérir des biens et du pouvoir politique que par la ferveur chrétienne. L'ordre des chevaliers de Malte fut l'un des ordres militaires dont les membres ont planté la canne à sucre. Les croisades ont transformé les Européens en producteurs de sucre ; elles ont également jeté les fondements d'une conquête mondiale qui, une fois laïcisée, les a conduits au Nouveau Monde, où ils ont trouvé de nouvelles terres.

L'industrie méditerranéenne du sucre a survécu aux croisades, mais la nature de la propriété foncière a changé au fur et à mesure que les seigneurs féodaux, les ordres militaires religieux, l'Église catholique et même les cités italiennes s'en sont emparés. Pour compenser les déboursés nécessaires à la culture de la canne à sucre, ces nouveaux propriétaires plantaient souvent leur canne sur les terres domaniales. Ensuite, ils imposaient aux paysans une corvée, les obligeant à effectuer un travail obligatoire non rémunéré, et, dans le cas qui nous occupe, les contraignant à travailler dans les champs de canne et dans les moulins. En Crète comme à Chypre, la plupart des terres étaient domaniales ; les « patrons » avaient souvent recours à la corvée pour la culture du sucre.

La peste noire, qui a duré de 1347 à 1350, a tué une personne sur trois, vidant les villes, les commerces, les fermes et les plantations, et modifiant le visage et le fonctionnement de l'Europe. L'effondrement des institutions sociales et la réduction des familles engendrèrent une grave pénurie de travailleurs, ce qui favorisa les survivants, qui pouvaient désormais demander de meilleurs salaires et des conditions plus avantageuses. Certains employeurs, notamment les planteurs de canne à sucre, préférèrent acheter des esclaves grecs, bulgares, turcs ou tartares, qui étaient souvent des prisonniers de guerre.

En 1441, Antam Gonçalvez, le très jeune capitaine d'un très petit bateau voguant vers le sud le long de la côte africaine, pensa se faire bien voir du prince Henri du Portugal en capturant quelques autochtones. La première victime de l'équipée fut un gardien de chameaux, qui était nu et qui fut blessé lorsqu'il tenta de se défendre. « Lance contre lance : tel est le compte rendu de la première escarmouche entre Européens et Africains au sud du Sahara », écrit l'africaniste Basil Davidson[9].

Un autre jeune Portugais, Nuño Tristão, se joignit à Gonçalvez dans une rafle d'esclaves. Au cri de « Portugal ! », ils se jetèrent sur les autochtones ahuris et en ramenèrent douze au Portugal. Les habitants de Lisbonne se mirent à demander d'autres Africains du même genre. Au milieu des années 1440, deux cent trente-cinq Africains furent kidnappés par les Portugais ; c'est « avec ce pathétique triomphe que l'on peut dire que le commerce de l'esclavage outremer a vraiment commencé[10] ». Les choses allèrent si loin que le mot « travail » en portugais devint « travailler comme un Maure ».

Dans l'île de São Tomé, au large de la côte de Guinée, les planteurs portugais ont cultivé la canne à sucre en faisant appel au travail des esclaves. En 1493, le Portugal a même obligé deux mille enfants juifs, âgés de deux à dix ans, à travailler avec les esclaves du sucre. Leurs parents venaient tout juste d'arriver au Portugal, fuyant l'Espagne où l'Inquisition forçait les juifs à se convertir au catholicisme romain. Au bout d'un an, six cents seulement de ces enfants avaient survécu ; contrairement aux attentes, ils refusèrent de se convertir. Comble de l'ironie, l'Inquisition poussa bientôt de nombreux adultes juifs à quitter le Portugal ; certains se rendirent au Brésil où, malgré leur statut apparent de « nouveaux chrétiens », ils purent, à l'abri des interférences de l'Église, pratiquer leur religion en toute quiétude et gagner leur vie dans l'industrie sucrière.

Le sucre méditerranéen était, lui aussi, fréquemment cultivé par des esclaves. Son organisation générale était telle que l'on peut y «retrouver les antécédents de l'agriculture de plantation», selon l'estimation de Galloway[11]. Cependant, le raffinage du sucre restait si rudimentaire que l'on peut parler d'«arriération technologique[12]». Des moulins à sucre efficaces et puissants nécessitaient de grandes quantités de bois facilement accessible pour les alimenter en combustible. Avant même la conquête arabe, la déforestation avait atteint un niveau critique en Méditerranée. Le manque de combustible est probablement ce qui explique que l'industrie sucrière ait été incapable de mettre au point des processus de raffinage plus efficaces.

Dans les faits, un des moulins d'usage courant était composé uniquement d'une paire de meules, la meule supérieure écrasant la canne sur la meule inférieure, qui restait immobile. Un autre type de moulin était le broyeur à meule verticale : la meule en forme de roue se trouvant dans une fosse peu profonde était activée par le travail d'un homme ou d'un animal. Les morceaux de canne non coupés étaient déchargés dans la fosse, où un arbre d'entraînement faisait tourner la roue qui les écrasait. Il pouvait arriver qu'en plus des moulins, on utilise des presses servant à extraire l'huile des olives ou à écraser le raisin, afin d'obtenir encore plus de jus de canne.

Une fois les tiges de canne écrasées, l'étape suivante consistait à faire bouillir le jus plusieurs fois de suite à très haute température, à l'écumer pour enlever les impuretés, puis à le faire bouillir une nouvelle fois. Un observateur du XVIᵉ siècle a décrit ce processus : «Il y a […] des bâtiments, qu'on appelle *trapetti*, où le sucre est solidifié. Si on s'y introduit, c'est comme si on pénétrait dans les forges de Vulcain, car on y voit de grands feux qui brûlent de façon continue, afin de permettre au sucre de se solidifier. Les hommes qui y travaillent sont noirs de suie, ils sont sales, couverts de sueur et brûlés. Ils ressemblent plus à des démons qu'à des hommes[13]. »

À la fin de ce processus abominable, d'autres ouvriers, ressemblant eux aussi à des diables, versaient le sirop dans des récipients coniques en terre cuite renversés, où il refroidissait et se cristallisait sous forme de pain. La mélasse tombait goutte à goutte à travers un trou situé à la pointe du cône, ce qui permettait d'obtenir un pain de sucre plus sec et plus pur. La mélasse pouvait alors être utilisée sous forme de sirop, ou être cuite à nouveau pour obtenir plus de sucre. Au Maroc et dans d'autres régions où on cultivait la canne à sucre, un raffinement supplémentaire était l'« argilage ». On plaçait de l'argile très humide sur le haut des cônes. L'eau s'infiltrait doucement dans le sucre, évacuant les restes de mélasse. Le produit final était un pain blanc sur le dessus, et de plus en plus foncé dans sa partie inférieure.

Le sucre était vendu sous plusieurs formes : en poudre, en morceaux et en pains, fabriqués à l'aide d'argile ou non. Le sucre était un aliment de luxe, à tel point qu'au XIIIe siècle, quand le roi Henri III en commanda trois livres, il ajouta « s'il est possible d'en avoir autant ». Mais au XIVe siècle, les commerçants de Venise commencèrent à l'exporter en grandes quantités. En 1319, Nicoletto Basadona transporta 100 000 livres de sucre et 1 000 livres de sucre candi à Londres. Le commerce du sucre en gros s'étendit au Danemark en 1374, et à la Suède en 1390.

Le sucre était d'un coût prohibitif; il servait surtout à masquer le goût exécrable de certains médicaments. Sans le sucre, la plupart des éléments de la pharmacopée européenne — qui comprenait des ingrédients comme des excréments ou de l'urine d'animaux, des asticots hachés, de la bile de sanglier castré, de la peau de vipère rôtie, ainsi que des poisons comme la cigüe — avaient un goût au moins aussi désagréable que le tristement célèbre sirop Buckley contre la toux.

Avec l'augmentation des exportations de sucre, un changement décisif dans le raffinage du sucre modifia profondément les relations entre le producteur de sucre et le raffineur. Jusqu'au XVe siècle, la canne était broyée et raffinée aussi près que possible des champs, car la canne doit être traitée dans un délai d'un jour ou deux après avoir été récoltée, et aussi parce que la masse qu'elle représente n'était pas facile à transporter. Toutefois, des importateurs européens ambitieux décidèrent de changer la manière de faire. Autour de 1470, ils commencèrent à importer uniquement du sucre brut pour le raffiner dans leurs propres raffineries installées à Venise, Anvers et Bologne. Plus tard, des raffineries de sucre furent construites dans tout le nord de l'Europe.

D'un côté, cela permit de réduire sensiblement les pertes de sucre raffiné attribuables aux dégâts d'eau. De plus, le combustible était moins cher et plus abondant dans le nord, qui avait moins souffert de la déforestation. Toutefois, avec ce nouveau système, les producteurs de sucre perdaient le contrôle de leur marchandise; ils se retrouvaient avec leurs associés européens dans une relation que nous décririons aujourd'hui comme une relation de dépendance coloniale.

Cette nouvelle relation entre le producteur de sucre et le raffineur servit de modèle pour la production sucrière dans les autres régions. C'est ce que fait remarquer Galloway:

> L'organisation de l'industrie méditerranéenne telle qu'elle a évolué au cours des XIVe et XVe siècles laissait présager l'organisation des industries coloniales de l'Atlantique et de l'Amérique. En effet, l'industrie sucrière méditerranéenne peut être vue comme une école pour les colonisateurs de Madère, des Canaries et de l'Amérique tropicale […]. [Elle constitue] un lien important dans la chaîne de diffusion et de développement qui a fait passer la canne à sucre de l'état de plante sauvage dans les jardins de Nouvelle-Guinée à un produit de l'agro-industrie dans les régions chaudes du monde d'aujourd'hui[14].

L'industrie sucrière méditerranéenne a donc préparé le terrain pour la mise en place d'une infrastructure équivalente dans le Nouveau Monde. Mais un élément crucial manquait encore: une demande pressante et continue pour le sucre, qui engendrerait des sociétés entièrement vouées à la production sucrière et transformerait une grande proportion des habitants de la planète en consommateurs acharnés et irresponsables de délices sucrés.

Les familles royales et les nobles furent les premiers à succomber à la consommation excessive de sucre. Un visiteur persan prétend qu'en 1040, les pâtissiers du sultan avaient utilisé 73 300 kilos de sucre pour confectionner un arbre grandeur nature ainsi que d'autres répliques en sucre. Au XIe siècle, les sculptures en sucre étaient courantes en Afrique du Nord musulmane. Le calife du siècle, al-Zahir, avait à son service des *sukker nakkasarli* – artistes du sucre – qui, avant les fêtes musulmanes, étaient occupés des semaines durant à sculpter des «objets d'art» en sucre pour ses invités. Une de ces expositions présentait 157 statues et 7 châteaux en sucre de la dimension d'une table. Au début du XVe siècle, un autre calife ajouta un thème religieux en commandant la construction d'une mosquée en sucre; il offrit plus tard cette création unique à des mendiants, qui se gavèrent de ses coupoles et minarets. Le sultan Murad III célébra la circoncision de son fils en ordonnant aux *sukker nakkasarli* de confectionner une procession d'énormes girafes, lions, objets célestes et châteaux en sucre[15].

Les pâtissiers des cours européennes se transformèrent aussi en artistes sucriers. Ils mélangeaient le sucre, l'huile, les amandes broyées ou d'autres types de noix à des gommes végétales pour produire une argile malléable qu'ils sculptaient ou pressaient dans des moules ayant la forme «de châteaux, de tours, de chevaux, d'ours ou de singes», et qu'ils cuisaient ou séchaient ensuite[16]. Ces pièces en sucre complexes et voyantes appelées *soteltes* − de subtils entremets − décoraient et dominaient les tables de banquets, où les invités les admiraient puis les dévoraient. Le 18 novembre 1515, le cardinal anglais Thomas Wolsey célébra son installation à l'abbaye de Westminster au moyen de *soteltes* extraordinairement somptueux, qui représentaient des châteaux et des églises, des oiseaux ainsi que d'autres animaux, des chevaliers au combat, des dames dansant et même un jeu d'échecs exquis, le tout étant fabriqué à partir de «pièces épicées» ou de sucre durci. Une mode bizarre, populaire en Angleterre et en France, consistait à servir des reproductions en sucre des organes sexuels masculins ou féminins. Même les chrétiens n'étaient pas à l'abri de cette forme d'humour douteux: jusqu'à ce que l'Église d'Angleterre interdise cette pratique en 1263, des commerçants confectionnaient des hosties de sucre en forme de testicules[17]!

Cette virtuosité sucrière s'exprima aussi dans des paraboles politiques ou «avertissements», pour lesquels on glaçait des textes ou des figurines qui dénonçaient les dissidents de l'Église ou des chevaliers rivaux. Mintz explique qu'en mangeant les garnitures complexes et délicieusement sucrées proposées par leurs hôtes, les invités reconnaissaient que ces «symboles étranges du pouvoir» contribuaient justement à «valider ce pouvoir[18]».

Au XVIe siècle, cette relation entre sucre et pouvoir était si évidente aux yeux des invités comme de leurs hôtes que les tables de la classe marchande émergente ployaient sous les «multiples confections excentriques à base de sucre[19]». La famille royale, les nobles, les chevaliers et les responsables religieux n'étaient plus les seuls à pouvoir se payer ces *soteltes*. Entre 1350 et 1500, le prix de cent tonnes de sucre passa de 35 à 8,7 % de la valeur d'une once d'or. Les livres de recettes classiques montrent comment, à la fin du XVIe siècle, des familles de commerçants ambitieux réclamaient des recettes de gâteaux sucrés, des décorations en forme de fruits, voire d'argenterie, de verres et d'assiettes que leurs invités pouvaient utiliser puis déguster à la fin du repas.

Plus d'un siècle s'écoula avant que les joies du sucre ne se répandent dans la masse de la population et dans les classes ouvrières qui commençaient à en revendiquer l'usage. Au XVe siècle, la production de sucre avait pris de l'expansion, en particulier à Chypre, qui était devenue une source importante d'approvisionnement pour Venise. Au moins une des plantations était si étendue qu'elle nécessitait 400 agriculteurs[20]. À la fin du XVe siècle, les planteurs espagnols produisaient aussi du sucre dans leurs colonies des îles Canaries.

En 1493, Cristoforo Colombo, Génois quadragénaire, mieux connu sous le nom de Christophe Colomb, refit le voyage vers le Nouveau Monde, toujours persuadé qu'il avait atteint l'Asie ou les Indes. Pour ce second voyage, sa cargaison comprenait de la canne à sucre des îles Canaries, ainsi qu'une directive surréaliste aux peuples autochtones, signée par le roi Ferdinand et Jeanne « la folle », sa fille démente qui était également reine de Castille. Cette lettre informait le peuple Taïno que « le précédent pape a donné ces îles ainsi que le continent océanique, de même que tout ce qu'ils renferment au roi et à la reine précités, tel que certifié par écrit, et vous pouvez voir ces documents, si vous le souhaitez ». Les monarques prévenaient le peuple Taïno qu'en cas de contestation du pouvoir papal de disposer de leur patrie,

> [...] nous vous réduirons en esclavage et nous ferons de même avec vos femmes et vos fils, nous vous vendrons ou nous disposerons de vous, suivant la volonté du roi ; nous nous emparerons de vos biens et nous vous ferons autant de mal que possible, si vous vous comportez comme des vassaux désobéissants ou si vous résistez. En outre, nous vous considé-rerons comme coupables des décès ou des blessures qui s'ensuivront, en disculpant Ses Majestés, nous-mêmes ainsi que les gentilshommes qui nous accompagnent de toute faute[21].

Cette missive menaçante autorisa Christophe Colomb à christianiser les autochtones qui l'avaient précédemment reçu avec courtoisie en 1492, à installer des Européens sur leurs terres expropriées et à planter des cultures européennes.

Le deuxième débarquement de Christophe Colomb fut très différent du premier. D'abord, il apprit que le peuple Taïno était si furieux de l'arrogance des colons espagnols qu'il avait laissés sur place en 1492 dans un petit fortin, qu'ils les avaient tous massacrés. Mais Colomb avait ramené avec lui un vaste contingent de renforts. Ceux-ci étaient constitués de douze mille colons potentiels, parmi lesquels des fonc-tionnaires, des prêtres, des soldats, des fermiers, des experts en agricul-ture et des « gentilshommes ». Cet arrivage comprenait aussi une grande variété d'animaux domestiques, de graines et de plantes, dont notamment la canne à sucre qu'il avait appris à connaître sur les propriétés de sa belle-mère à Madère (la Couronne ayant exigé que tous les colons plantent de la canne dans leurs concessions).

Dans le nouveau village, qu'il appela «Isabella», pour des motifs diplomatiques, Colomb supervisa la culture de la canne à sucre et s'émerveilla de la vitesse à laquelle elle prenait racine et poussait. Dans une lettre à ses commanditaires Ferdinand et Isabelle, il fait une prévision : « La rapidité à laquelle croissent les vignes, le blé et la canne à sucre qui ont été plantés permet de croire que les produits de cette contrée n'auront rien à envier à ceux de l'Andalousie ou de la Sicile », ces contrées étant reconnues pour la douceur concentrée de leur canne à sucre[22].

Cependant, dans les premières années, les Espagnols s'intéressaient beaucoup plus à l'or d'Hispaniola qu'à l'agriculture. Sous le commandement de Colomb, ils obligèrent les autochtones à leur fournir des pépites et de la poussière d'or, et firent des efforts considérables pour exploiter des mines. Ils ne récoltèrent que le chaos et la misère. Dans le tourbillon de perfidie, de carnage et de terreur favorisé par le gouvernement brutal de Colomb et le fanatisme religieux, la colonie échoua et la canne à sucre subit le même sort.

Les autochtones connurent la maladie et la mort. De nombreux colons souffrirent de la faim sur leurs concessions ; désespérés, ils se rebellèrent contre le despotisme de Colomb et de son frère Diego. Des échos de la situation sinistre d'Hispaniola parvinrent aux oreilles de Ferdinand et d'Isabelle, qui confièrent à Francisco de Bobadilla, chevalier commandeur de l'ordre militaire de Calatrava, la mission d'aller enquêter sur place. Le 23 août 1500, Bobadilla arriva dans le port de Saint-Domingue où il vit, se balançant au vent, les corps de sept rebelles espagnols qu'on avait pendus. Après avoir débarqué, Bobadilla apprit que les frères Colomb avaient condamné à mort dix-sept autres Espagnols. Bobadilla reprit alors le contrôle du gouvernement et renvoya les frères Colomb, chargés de chaînes, en Espagne.

Ferdinand et Isabelle accordèrent leur pardon à Colomb. (Celui-ci, qui souffrait d'arthrite sévère, exagérait sa propre importance en portant une bure franciscaine attachée par une ceinture de corde.) Ils allèrent jusqu'à commanditer de nouveaux voyages. Mais ils désignèrent un chevalier commandeur de l'ordre militaire d'Alcantara, un *véritable* frère franciscain séculier, comme gouverneur d'Hispaniola et de la plupart des autres colonies espagnoles.

Les explorateurs en provenance d'Espagne et des autres nations européennes — le Portugal, la France, l'Angleterre, le Danemark, la Hollande et la Suède — se déployaient déjà sur les terres « découvertes » par Colomb, qu'ils réclamaient pour leurs propres monarchies. L'histoire sordide et violente de la conquête des îles Caraïbes et du continent sud-américain est bien connue. On connaît également l'étonnant partage du « monde non chrétien » par le pape Alexandre VI, en vertu duquel il octroyait l'ensemble du Nouveau Monde à l'Espagne, en réservant l'Afrique et l'Inde au Portugal. Un an plus tard, en 1494, l'Espagne et le Portugal modifièrent cette entente dans le traité de Tordesillas, en plaçant le Brésil dans la sphère d'influence du Portugal. À vrai dire, le Portugal et l'Espagne n'avaient aucune idée de l'immensité réelle des territoires désignés ou de la nature des peuples qu'ils se partageaient avec autant d'insouciance.

Ces droits présumés de propriété, revendiqués par l'Europe sur le Nouveau Monde, ont planté le décor de la culture de la canne à sucre que Colomb avait tenté d'introduire. La culture de la canne à sucre commença sérieusement au XVIe siècle à Hispaniola, lorsque des colons plantèrent de la canne rapportée des Canaries. Le premier grand planteur de canne à sucre était un chirurgien, Gonzalo de Velosa, qui incita les spécialistes du sucre des îles Canaries à venir à Hispaniola, les payant de sa propre poche. Puis, en s'associant à deux frères, Christoval et Francisco Tapia, il construisit un moulin actionné par des chevaux. Les nouveaux administrateurs de la colonie, des frères de l'ordre hiéronymite, encouragèrent la production du sucre de canne au moyen d'un prêt de 500 *pesos* d'or pour la construction des moulins. Dix ans plus tard, de nombreux moulins traitaient la canne, qui était exportée vers l'Espagne. En 1516, Gonzalo Fernández de Oviedo y Valdés, historien en titre de la colonie et inspecteur des fonderies d'or (jusqu'à ce que les gisements d'or soient épuisés), avait eu l'honneur de rapporter en Europe le premier sucre attesté du Nouveau Monde ; comme cadeau personnel, il remit six pains de sucre à Charles Quint. En 1517, les frères hiéronymites envoyèrent à leur roi plusieurs autres pains.

Diego, le fils de Colomb, ainsi que son petit-fils Luiz furent deux autres planteurs qui connurent du succès. Leurs plantations étaient les plus belles d'Hispaniola ; elles étaient parfaitement bien situées pour les expéditions de marchandises par mer. En 1520, Diego, qui avait fait un mariage stratégique avec la petite-nièce du roi Ferdinand, Marie de Tolède, fut nommé gouverneur d'Hispaniola, où il présida aux réjouissances de sa cour coloniale tout en dirigeant sa plantation de sucre florissante. Suivant Oviedo, en 1546, Hispaniola se vantait d'avoir vingt « moulins puissants et quatre moulins à chevaux [...]; des bateaux arrivent d'Espagne et y retournent fréquemment avec des cargaisons de sucre; les écumes et les mélasses qui sont perdues suffiraient à enrichir une grande province[23] ».

En prenant racine, la culture de la canne à sucre a déraciné pratiquement tout ce qui l'avait précédée: les peuples et leurs civilisations, l'agriculture, le sol et la topographie du Nouveau Monde. L'environnementaliste américain Kirkpatrick Sales considère, à juste titre, que les rencontres de Colomb avec les autochtones ont joué un rôle déterminant dans le déroulement de « tous les événements importants des 500 années qui suivirent », à savoir « le triomphe du capitalisme [...], la mise en place d'une monoculture mondiale, le génocide des peuples autochtones, l'esclavage des gens de couleur, la colonisation du monde, la destruction des milieux primitifs[24] ». Peuvent être ajoutés à cette liste: la création des principales routes de commerce, notamment le célèbre commerce triangulaire entre les pays du sucre, l'Europe, l'Afrique et l'Amérique du Nord; la création des nouvelles sociétés créoles, la redéfinition des normes gustatives et la dépendance de millions de gens aux produits sucrés et aux régimes malsains entraînant la maladie; la négation des droits de l'homme; ainsi que les torts irréparables causés à la flore et à la faune planétaires. Un rapport de 2004 du World Wildlife Fund affirmait que « la culture de la canne à sucre pourrait avoir causé plus de tort à la faune que toute autre monoculture sur la planète[25] ». Le vecteur de la plupart de ces transformations fut la culture de la canne à sucre, dans sa version européenne.

L'esclavage des Taïnos, un prototype de l'organisation du travail dans le Nouveau Monde

Tout ce qui reste des millions de Taïnos, qui s'exprimaient en arawak, et de leur mode de vie, ce sont les mémoires de témoins européens ainsi que les récits des enquêteurs de l'histoire et de l'archéologie. Voici un exposé condensé de ce qui fut perdu. Colomb est notre premier observateur. Les Taïnos vont nus, tels qu'ils étaient lorsque leurs mères les ont mis au monde [...] ils sont très bien bâtis, ont des corps superbes et de très beaux visages ; leurs cheveux sont épais et soyeux comme le crin de la queue de cheval. Ils laissent pousser leurs cheveux jusque par-dessus leurs sourcils, tout en les gardant courts, sauf pour une petite portion de cheveux à l'arrière, qu'ils laissent allonger et ne coupent jamais.

Ils avaient également une intelligence vive, écrit-il, mais étaient « extraordinairement timides », au point qu'une cinquantaine d'Espagnols pouvaient les maîtriser et les contrôler[26].

Les Taïnos étaient des agriculteurs moissonnant des cultures abondantes tout au long de l'année, la plupart des travaux agricoles étant effectués par les femmes. Ils cultivaient le sol sans épuiser les nutriments ou l'approvisionnement en eau, et protégeaient leurs cultures de l'érosion en les plantant à la manière *conuco*, avec de hauts monticules recouverts de feuilles. Ils s'assuraient contre les mauvaises récoltes en semant une grande variété d'aliments comme le manioc, le maïs, les courges, les patates douces, les fèves, les piments et les arachides ; la farine de manioc servait à faire le pain pita. Dans leurs nombreux temps libres, les hommes taïnos complétaient cette corne d'abondance avec des fruits de mer, du gros gibier et du poisson qu'ils capturaient au moyen de filets de coton.

Les Taïnos vivaient dans des habitations circulaires, construites autour d'une cour agrémentée d'un terrain de jeu. Ils s'assoyaient sur des chaises et dormaient dans des hamacs en coton ou sur des matelas de feuilles de bananes. Ils vivaient en commun et pratiquaient la polygamie ; tous les hommes avaient plusieurs femmes et enfants qui partageaient la même maison. Patriarcale, leur société était dirigée par les *caciques* et les anciens du village.

Les Taïnos sculptaient des reproductions de leurs dieux, les *zemi*, sous forme de crapauds, de reptiles ou d'humains grimaçants, apaisant ces êtres de l'au-delà au moyen d'offrandes de pain et autres rituels. Ils s'appliquaient de la peinture corporelle, portaient des plumes et se chatouillaient la gorge avec des bouts de bois pour se faire vomir et éliminer les impuretés. Ils organisaient des cérémonies élaborées, rythmées au son des tambours. Les *zemi* répondaient aux appels des êtres humains, prodiguant leurs conseils ou leurs soins par l'intermédiaire des *chamans*.

Les Taïnos conservaient la mémoire de l'histoire de leur village grâce à l'historien local, qui la leur communiquait au moyen de chants épiques. L'histoire du village était une caractéristique essentielle de la vie des Taïnos. Les restes de leurs ancêtres y étaient enterrés, et c'est là que leurs âmes résidaient. Ils n'avaient pas la moindre notion de la propriété privée ; la terre, comme le ciel et la mer, faisaient partie de l'univers sacré et appartenaient à tout le monde. « D'une manière que peu d'Européens pouvaient comprendre, la terre *était* la culture indienne : elle donnait aux Indiens d'Amérique du Nord le sentiment d'avoir une place précise dans l'ordre du monde qui leur permettait de pratiquer leur religion et de croire durablement dans une communauté unie en dépit des luttes qu'elle pouvait connaître, par opposition à une collection d'individus ambitieux et âpres au gain », comme le fait valoir une étude récente[27].

Avant l'arrivée des Européens, la population taïno comptait entre 3 et 8 millions d'habitants[28]. Lorsque Bartolomé de Las Casas arrive en 1502, leur disparition est déjà prévisible. En 1514, les conquérants espagnols ne dénombrent que 20 000 survivants. En 1542, Las Casas n'en compte plus que 200 et vingt ans plus tard, les Taïnos d'Hispaniola avaient tous disparu.

Las Casas fut le principal commentateur de la vie et de la mort du peuple taïno. Diacre, puis prêtre, Las Casas était un homme de la Renaissance ; il fut planteur de canne à sucre, administrateur, historien et anthropologue. Ses expériences devaient, en définitive, le transformer jusqu'à faire de lui un avocat des droits de l'homme. Au début de l'année 1502, à dix-huit ans, il partit pour Hispaniola, où son père s'était vu accorder une *encomienda*, concession de terre comprenant les autochtones qui y vivaient et tout tribut qu'il était possible d'en tirer. Les colons devaient fournir un service militaire en cas d'urgence, et ils étaient tenus d'évangéliser les indigènes dont ils avaient la charge. Plus tard, après qu'il eut aidé à réprimer un soulèvement autochtone, le jeune Las Casas se vit accorder une *encomienda* par Diego Colomb.

L'holocauste taïno est une tragédie à plus d'un titre, car elle a servi de modèle pour l'esclavage qui a détruit les vies et la culture de millions d'Africains et autres peuples qu'on força à émigrer pour aller travailler dans les plantations de sucre. D'autres producteurs de marchandises adoptèrent également cette forme de travail obligatoire, qui se répandit dans toutes les Amériques, y compris ce qui allait devenir les États-Unis.

« La politique de l'Espagne envers les Indiens servit de leçon aux successeurs des Espagnols dans les Antilles, lesquels eurent vite fait de dépasser leurs maîtres. Cela marqua d'une façon indélébile l'organisation du travail dans les Antilles », conclut l'historien trinidadien Eric Williams[29].

Contrairement aux Africains qui, après avoir été arrachés à leurs patries, leur ont succédé, les Taïnos n'ont pas eu besoin de quitter leur territoire pour perdre leur identité et être exterminés. Les conquérants européens ont exproprié leurs terres et démantelé leur agriculture pour des cultures étrangères, telles que les pois chiches, le blé, les oignons, les haricots, la laitue, les raisins, le melon et l'orge. Ils ont déshonoré leurs *caciques*, humilié les hommes et violé les femmes. Ils ont méprisé les croyances religieuses et les valeurs sociales des Taïnos, leur structure familiale fondée sur la polygamie, ainsi que leurs institutions politiques ; ils ont dénigré leur histoire, qui avait été soigneusement conservée, comme s'il s'agissait de sornettes de sauvages. Ils ont jeté des Taïnos enchaînés dans les bateaux en partance pour l'Europe où ils étaient vendus comme esclaves. Colomb lui-même expédia 500 Taïnos vers un marché d'esclaves de Séville.

Les Taïnos qui ne succombaient pas à la surcharge de travail, à la malnutrition, à la brutalité ou au désespoir ne pouvaient résister aux maladies importées par les Européens. Ils ne disposaient d'aucune défense immunitaire face à la variole, à la peste bubonique, à la fièvre jaune, au typhus, à la dysenterie, au choléra, à la rougeole et à la grippe qui sévissaient à bord des bateaux crasseux, chargés de marins et de colons malades et répugnants, sans compter les aliments avariés bourrés d'asticots, le bétail malade, les chiens et les chats infestés de puces et les légions de rats audacieux. Une seule épidémie pouvait tuer plus de la moitié des habitants d'un village. En 1518, la variole faucha 90 pour cent des derniers Taïnos d'Hispaniola. Au milieu du xvie siècle, ils avaient disparu. Dans d'autres colonies, jusqu'à 90 pour cent des populations autochtones avaient disparu bien avant le xviie siècle. En 1611, par exemple, 74 autochtones seulement avaient survécu à la colonisation espagnole de la Jamaïque[30].

Seule la cruauté foncière de l'esclavage survécut. Las Casas estimait que lorsque les Espagnols punissaient un Taïno en lui coupant les oreilles, leur sauvagerie « marquait le début d'un bain de sang qui se transformerait plus tard en rivière de sang, d'abord sur cette île et ensuite aux quatre coins des Indes[31] ». Pendant des siècles encore, l'ablation des extrémités ou des membres fera partie de l'arsenal des punitions des propriétaires d'esclaves.

Las Casas relate la première fois où des chiens furent utilisés contre des esclaves rebelles. Lorsque des Taïnos tentèrent de renverser un énorme crucifix qui symbolisait pour eux l'horreur de leur condition sous l'occupation espagnole, les Espagnols ripostèrent furieusement en libérant vingt mastiffs métis entraînés à tuer. Les bêtes énormes se ruèrent sur les autochtones pour les attaquer à la gorge et les éviscérer. Les Espagnols applaudirent les chiens qui grognaient et décidèrent d'en importer quelques centaines de plus. Les chiens redoutables furent des armes courantes dans la lutte impitoyable pour soumettre les esclaves au travail forcé.

Las Casas cite le *cacique* Hatuey, qui mettait son peuple en garde contre le danger de la religion chrétienne. « Ces tyrans nous disent qu'ils adorent un Dieu de paix et d'égalité, et, pourtant, ils usurpent nos terres et font de nous leurs esclaves. Ils nous parlent d'une âme immortelle, de récompenses ou de punitions éternelles, et, pourtant, ils volent nos biens, séduisent nos femmes et violent nos filles[32]. »

La colère de Hatuey en ce qui concerne le viol des femmes allait trouver un écho des siècles durant. Dès le départ, le droit du propriétaire d'esclaves de violer toute femme esclave fut un des fondements de l'institution esclavagiste au Nouveau Monde. La dimension raciale de l'esclavage et par conséquent du viol, était patente, même si les lois coloniales interdisaient expressément les relations sexuelles interraciales. Le nombre croissant d'enfants de sang mêlé était la preuve vivante de la virulence du problème. Le nom du premier de ces enfants est inconnu, mais la tradition mexicaine parle de Martin Cortès, né en 1522 du *conquistador* Hernán Cortès et de sa maîtresse indienne Malinche, une autochtone d'ascendance noble qui, suivant le conseiller et traducteur du *conquistador*, aurait joué un rôle crucial dans ses succès militaires.

La naissance du petit garçon ne fut pas un événement heureux pour ses parents. Cortès n'avait plus besoin des conseils et du réconfort de Malinche, et il craignait que sa relation avec elle ne lui fît perdre un titre de noblesse très attendu. Il la renvoya, et s'assura qu'on prendrait soin d'elle en la mariant à un de ses capitaines, Juan Jaramillo, lui accordant de surcroît un grand lotissement de terre. Mais le nouvel époux de Malinche regretta ce mariage et jura qu'on avait profité de lui alors qu'il était en état d'ébriété. Malinche mourut quelques années plus tard, et Juan Jaramillo s'empressa de se remarier quelques semaines plus tard.

Encore aujourd'hui, les Mexicains éprouvent une grande amertume lorsqu'ils songent à la conquête espagnole. Ils vilipendent Malinche et Martin; elle leur apparaît comme une traîtresse et lui comme le symbole de la trahison raciale et sexuelle de sa mère. Les Mexicains continuent à dénoncer ceux qu'ils considèrent comme des renégats et qu'ils appellent les *malinchistas*. Lorsque Clifford Krauss, journaliste du *New York Times*, réussit à retrouver la maison où Malinche avait vécu avec Cortès, son occupant lui fit savoir que «pour les Mexicains, faire de cette maison un musée serait comme si les habitants d'Hiroshima décidaient d'ériger un monument à l'homme qui a lancé la bombe atomique[33]». L'écrivain Octavio Paz traite Malinche de «cruelle incarnation de la condition féminine. La persistance étrange de Cortès et de La Malinche dans l'imaginaire mexicain et sa sensibilité montre bien qu'ils sont [...] les symboles d'un conflit secret que nous n'avons toujours pas résolu[34]». Dans les années 1980, des manifestants furieux ont détruit un monument de Coyoacan représentant la célèbre famille formée de Cortès, Malinche et Martin.

D'autres Amérindiens, notamment des Aztèques, des Incas et des Mayas, ont survécu à la conquête européenne et aux mauvais traitements. Les Caraïbes ont également échappé de justesse à l'extermination. Ces fiers guerriers peuplaient les îles qui portent maintenant les noms de Trinidad, Guadeloupe, Martinique et Dominique; ils vivaient dans des villages en bordure de la mer, habitant des maisons solides, recouvertes de feuillages et construites autour d'un foyer central. Comme les Taïnos, les Caraïbes pratiquaient l'agriculture et la pêche, et dormaient dans des hamacs. En fait, leur culture domestique ressemblait beaucoup à celle des Taïnos, car les Caraïbes avaient coutume de kidnapper les femmes des communautés taïnos pour en faire leurs épouses. Sur le plan religieux, les Caraïbes rejetèrent avec mépris le christianisme et le prosélytisme des Européens, préférant conserver leurs propres croyances animistes.

Pour le reste, les Caraïbes étaient belliqueux et avaient peu de points communs avec les paisibles Arawaks. Il leur arrivait souvent d'effectuer des expéditions contre les tribus voisines, à l'aide de canoés creusés dans un tronc d'arbre; ils terrorisaient les tribus voisines d'Arawaks aussi bien que les Européens. En 1610, ils attaquèrent Antigua et, d'après ce qu'on rapporte, ils réussirent à s'enfuir avec la femme du gouverneur et ses deux enfants. En 1666, ils assassinèrent l'ancien gouverneur d'Antigua et firent griller sa tête, qu'ils ramenèrent avec eux à Dominique.

Les Caraïbes se distinguaient également des Arawaks par leur cannibalisme. Le goût des Caraïbes pour la chair fraîche était légendaire et il a donné lieu à d'innombrables histoires. Dans l'une d'elles, un guerrier caraïbe prétend que la « viande » française est tendre, mais que la « viande » espagnole est dure; dans une autre histoire, le guerrier caraïbe se vante de préférer les Arawaks aux Européens, qui lui donnent des maux de ventre. Le cannibalisme des Caraïbes s'explique probablement par le fait qu'ils croyaient qu'en ingérant des parties du corps d'un ennemi, ils s'appropriaient également sa force, son courage ou ses talents; ce qui expliquerait pourquoi ils prenaient tant de risques pour retirer les corps de leurs compagnons des champs de bataille, sans doute pour éviter que leurs ennemis ne les mangent.

Même après que les Européens furent bien installés dans les Indes occidentales, ils ne réussirent jamais à réduire les Caraïbes en esclavage; ceux-ci se révoltaient ou préféraient se suicider collectivement plutôt que de vivre comme des esclaves. À Grenade, une bande de 40 Caraïbes sautèrent ensemble dans le vide depuis un rocher abrupt auquel on a par la suite donné le nom de Morne des Sauteurs. Au fur et à mesure que les champs de canne à sucre s'étendaient, les Caraïbes se retiraient. Au début du XVIIe siècle, les Caraïbes ne contrôlaient plus que la Guadeloupe, la Dominique et la Martinique. Il leur arrivait de se marier avec des fugitifs noirs; leurs descendants étaient connus sous le nom de Caraïbes noirs. Il était fréquent que les Caraïbes se retirent dans les montagnes; quittant ces camps fortifiés pour leurs excursions, ils attaquaient les établissements européens, brûlant les plantations et massacrant les Blancs. Certains historiens pensent que Vendredi, le personnage du roman de Daniel Defoe, *Robinson Crusoe* (1719), fut conçu sur le modèle d'un Arawak capturé par une bande de Caraïbes en maraudage.

Les maladies européennes et les persécutions décimèrent les Caraïbes, mais les survivants finirent par trouver de nouveaux modes de vie. Plusieurs d'entre eux s'installèrent sur une réserve de 232 acres qui leur fut allouée par les Anglais, qui avaient repris la Dominique aux Français en 1763. Aujourd'hui, on retrouve encore des Caraïbes à la Dominique et à Saint-Vincent.

Bartolomé de Las Casas, planteur de canne à sucre et témoin coupable

La cruauté de l'esclavage dans le Nouveau Monde fut dénoncée au moment même où elle fut mise en place. Les premiers à oser dénoncer ouvertement cette pratique furent les frères dominicains, qui arrivèrent en 1510 et menèrent une vie apostolique, habitant des huttes, couchant sur des lits de branches, consommant du bouillon de choux et portant des habits grossiers. Ces hommes ne possédaient en tout et pour tout que deux boîtes, lesquelles étaient remplies de psautiers et de tout un attirail liturgique. Le 21 décembre 1511, le frère Antón Montesino, « la voix dans le désert de cette île », dénonça le système de l'*encomienda*, qui permettait d'octroyer aux Espagnols des concessions comprenant des villages entiers, y compris les autochtones qui y vivaient. Les bénéficiaires de ces concessions pouvaient exiger des villageois un tribut de pépites d'or ou d'autres objets précieux, et ils étaient tenus de les évangéliser. Le système de l'*encomienda*, fulminait le frère Montesino, maintenait les autochtones dans un état de « servitude cruelle et horrible », anéantissant « un nombre infini d'entre eux au moyen d'homicides et de carnages comme il ne s'en est jamais produit auparavant. [...] Pourquoi les maintenez-vous dans cet état d'oppression et d'épuisement, sans les nourrir suffisamment et sans soigner les maladies qu'ils contractent à la suite de la surcharge de travail que vous leur imposez, et des suites desquelles ils meurent, pour ne pas dire que c'est vous qui les tuez ainsi[35] ? », demanda-t-il.

Le jeune Las Casas, qui était producteur de canne à sucre cultivée par des esclaves, ne fut pas touché par ce discours ; il continua d'exploiter ses esclaves, même s'il essaya de se montrer compatissant. Cependant, en 1514, Las Casas eut une prise de conscience : « Tout ce qu'on a fait subir aux Indiens dans les Indes occidentales était injuste et tyrannique. » Il remit ses esclaves au gouverneur et consacra sa vie à se documenter, à prêcher et à faire des pressions pour que cessent les abus du système de l'*encomienda*. Las Casas fut nommé Protecteur des Indiens, mais, en 1522, profondément découragé et frustré de son impuissance à arrêter le génocide, il se résigna, puis se joignit à l'ordre des dominicains.

Devenu religieux, Las Casas fit porter ses efforts sur la rédaction de son *Historia General de las Indias* et autres histoires et traités influents qui attisèrent les flammes de la réforme de la politique coloniale. Las

Casas était un écrivain persuasif et érudit, étayant ses arguments de détails dramatiques tirés de son observation personnelle de la répression sanglante exercée par les colons espagnols du Nouveau Monde.

Las Casas contribua à la diffusion de la bulle pontificale *Sublimis Deus*, rédigée en 1537, qu'on appelle souvent la *Magna carta* (Grande Charte) des droits des Indiens, même si elle ne fut pas officiellement promulguée dans les colonies. Les Indiens sont «véritablement des hommes», déclare la bulle. Ils peuvent devenir de véritables chrétiens et ils ont le droit de jouir de leur liberté et de la possession de leurs biens, qu'ils soient chrétiens ou païens.

En 1550, Charles Quint décida que seul un débat public face à un jury de jurisconsultes et de théologiens pourrait résoudre la question centrale de la conversion forcée des peuples conquis. Ce grand spectacle intellectuel eut lieu à Valladolid, au centre de l'Espagne, et opposa Las Casas à l'intellectuel et humaniste Juan Ginés de Sepúlveda. De Sepúlveda soutint que la conversion par la conquête était légitime, et dénigra les autochtones en qui il voyait des «esclaves par nature, non civilisés, barbares et inhumains[36]». Las Casas rejeta cette thèse au moyen d'une référence biblique, puis il défendit la conversion paisible, car, dit-il, «ils sont nos frères, et le Christ a donné Sa vie pour eux[37]». Le jury ne parvint pas à un consensus: ni Sepúlveda ni Las Casas n'avaient réussi à convaincre une majorité de gens. Cependant, le débat contribua à diriger l'attention sur le Nouveau Monde et les traitements qu'y subissaient les autochtones.

À l'âge de soixante ans, Las Casas publia son sensationnel *Brevissima Relación de la Destrución de las Indias* (*Très Brève Relation de la destruction des Indes*) (1552), où il donne un émouvant témoignage personnel de l'extermination des autochtones, qui a causé la mort de 15 millions d'entre eux, suivant son évaluation. Il rédigea également des ouvrages impressionnants à propos des Incas du Pérou et il travailla jusqu'à sa mort, à l'âge de 82 ans, à la rédaction de son *Historia de las Indias*. Las Casas n'a pas craint de défier l'Inquisition espagnole en publiant certains livres sans en avoir l'autorisation.

Las Casas prêchait une version seiziémiste de la théologie de la libération, laquelle considère l'activisme en faveur des droits de l'homme et de la justice sociale comme une dimension essentielle de la foi chrétienne. Pour Las Casas, les droits de l'homme étaient indissociables de la pratique et de la vie chrétiennes. Récemment, Mary Ann Glendon et

Paolo Carroza, deux professeurs de droit, enseignant respectivement à l'Université Harvard et à l'Université Notre-Dame, ont désigné Las Casas comme «le maïeuticien du discours moderne sur les droits de l'homme[38]».

Las Casas introduisit également le principe de restauration pour violation des droits de l'homme. Son *Confesionario* de 1546, qui fut vivement décrié, expliquait très clairement la manière dont il fallait s'y prendre. Lorsqu'un *conquistador* ou un *encomendero* ira se confesser, son confesseur devra immédiatement faire venir un notaire. Le pénitent devra alors affirmer, sous serment, devant le prêtre et le notaire, que ses péchés l'ont conduit à accorder à son confesseur un titre de mandataire l'autorisant à faire tout ce qui est nécessaire pour réparer en son nom les injustices commises, y compris — c'était le principal point — «en restituant tout son domaine aux Indiens [...] sans conserver quoi que ce soit pour ses héritiers[39]». Le pénitent devait également libérer les autochtones se trouvant sur son *encomienda*; il autorisait le notaire à révoquer toutes ses volontés et tous ses testaments antérieurs. Las Casas justifiait cette restitution totale des biens matériels par un argument théologique: le pape Eugène III avait émis un décret dans lequel il affirmait que les «confesseurs ne peuvent donner l'absolution aux voleurs, ce que sont tous les conquistadors des Indes, à moins qu'ils ne rendent d'abord tout ce qu'ils ont volé».

Bien que le *Confesionario* n'ait réussi qu'à exciter la fureur et que nul pénitent ne se soit mis en ligne pour signer la restitution de ses biens matériels à ses victimes autochtones, la formulation du principe de restitution par Las Casas constitua une contribution importante à la question des droits de l'homme. Il s'agissait également d'une reconnaissance des forfaits énormes qui avaient été perpétrés.

Ce n'est que lorsqu'il fut parvenu à un âge très avancé que Las Casas s'attaqua à une autre grande injustice, à savoir la réduction des Africains en esclavage pour remplacer les Taïnos et les autres autochtones, reconnaissant sa part de responsabilité à cet égard. Voici la version que Las Casas donne des événements. Certains planteurs de canne à sucre demandèrent l'autorisation d'acheter des esclaves noirs d'Espagne, sous prétexte que «les Indiens se faisaient rares». Après tout, les esclaves africains travaillaient déjà dans plusieurs autres plantations de sucre espagnoles. De plus, certains planteurs assurèrent à Las Casas que, s'il pouvait s'arranger pour qu'ils puissent importer une douzaine d'esclaves noirs, « ils renonceraient à leurs Indiens et leur rendraient la liberté ».

Las Casas sauta sur l'offre et fit des pressions pour que l'affaire réussisse. En 1517, les responsables espagnols, parmi lesquels les frères hiéronymites, décidèrent que 4 000 esclaves noirs seraient répartis entre les quatre colonies d'Hispaniola, de Cuba, de Jamaïque et de San Juan. Ce fut le premier *asiento*. Ce système de licences commerciales devint instantanément ce que Basil Davison décrit comme un « aspect absolument essentiel de toute l'entreprise hispano-américaine, le roi d'Espagne bénéficiant de ce commerce[40] ». Dans son effort pour libérer les Indiens, Las Casas avait contribué à l'asservissement des Africains, donnant d'une main à l'humanité ce qu'il lui retirait de l'autre.

Des dizaines d'années plus tard, ayant progressivement réalisé que la captivité des Africains était aussi injuste que celle qu'on avait fait subir aux Indiens, Las Casas plaida « coupable par négligence ». Il avait facilité le début d'un des plus grands bouleversements démographiques de l'histoire, le transfert forcé de millions de jeunes Africains vers le Nouveau Monde, où ils devraient peiner dans la condition d'esclaves. L'*asiento* ouvrit les vannes de l'esclavage africain, qui passa de 10 à 12 Noirs au début des années 1500 à plus de 30 000 à Hispaniola et plus de 100 000 dans les autres îles appartenant à l'Espagne. « Comme le nombre des moulins à sucre augmentait tous les jours, nous dit Las Casas, le besoin d'y affecter des nègres croissait, car chaque moulin à sucre utilisant de l'eau nécessite au moins quatre-vingts nègres, et les moulins à sucre utilisant des chevaux en nécessitent trente ou quarante[41]. »

Le plan original, qui prévoyait l'importation d'esclaves noirs pris sur le seul territoire espagnol, fut rapidement abandonné en faveur de l'idée d'aller les quérir directement en Afrique. Cette décision fut prise parce qu'au moment même où les mines et les plantations de sucre prenaient de l'expansion, les Africains se mettaient à mourir, tout comme les Indiens avant eux. « Dans cette île, nous avions coutume de penser que, si un nègre ne mourait pas pendu, il ne mourrait jamais, écrit Las Casas, car nous n'avions jamais vu un nègre mourir de maladie, et nous étions persuadés que, tout comme les oranges, ils avaient trouvé leur habitat, que cette île leur était plus naturelle que la Guinée. » Mais les Africains moururent dans les champs de canne à sucre, dans les moulins et dans les maisons de cuisson de l'île. « La charge excessive de travail qu'ils devaient assumer, ainsi que les boissons à base de canne à sucre qu'ils consommaient les conduisaient à la mort et à la pestilence», reconnut Las Casas[42].

Les marchands d'esclaves répondaient avec empressement à la croissance de la demande. Les marchands d'esclaves portugais «s'empressaient – et s'empressaient tous les jours – de les enlever et de les capturer en utilisant les pires subterfuges», écrivait Las Casas. Les tribus africaines qui vendaient leurs ennemis aux Européens agissaient de même. «C'est ainsi que nous sommes la cause de tous les péchés qu'ils ont commis les uns contre les autres, comme de notre propre faute, commise en les achetant», conclut-il, distribuant le blâme entre les Portugais avides et les Africains sans cœur[43]. Eric Williams rejette cette apologie qu'il juge boiteuse et tardive, et note que Las Casas «n'est jamais devenu le Protecteur des Nègres», qui n'ont eu personne pour assurer leur protection[44].

Le roi sucre commence ses exactions

En 1566, lorsque Las Casas mourut, les esclaves noirs étaient si nombreux «dans les sucreries [que] [...] la terre semblait être un emblème ou une image de l'Éthiopie elle-même», comme l'observe avec étonnement un contemporain[45]. La culture de la canne à sucre se répandit rapidement dans le Nouveau Monde, dès que les colons des autres nations européennes qui arrivaient virent les possibilités et se mirent à conquérir et à planter. Grâce à des aventuriers zélés comme Colomb et Cortès, les Espagnols furent les premiers à revendiquer les terres d'Hispaniola, de la Jamaïque, de Cuba, de Puerto Rico et de Trinidad, ainsi qu'une partie des Amériques, du Texas à la Patagonie. Grâce au traité de Torsedillas, qui leur octroyait si généreusement le Brésil, les Portugais n'étaient dépassés que par les Espagnols.

De 1630 à 1660, l'Angleterre, la France et la Hollande se joignirent au pillage frénétique des terres du Nouveau Monde en créant leurs propres colonies de canne à sucre. Pendant trente ans, les Hollandais dominèrent la scène. Toutefois, au moment où la colonisation se poursuivait, les nations européennes connurent la guerre; les colonies changèrent de main et de nationalité, souvent à plusieurs reprises. La Dominique et la Grenade jouèrent au yoyo entre l'Angleterre et la France. En 1655, la Jamaïque espagnole passa sous le contrôle de l'Angleterre. En 1763, la colonie française de Saint-Vincent fut cédée à la Grande-Bretagne, avant que la France ne la récupère en 1779, pour la perdre à nouveau au profit de l'Angleterre en 1783, en vertu du traité de Versailles.

Dans les premiers temps de la colonisation, seule une portion des terres était consacrée à la culture de la canne, le reste étant réservé au pâturage, à la forêt, aux cultures servant à nourrir la main-d'œuvre ou aux cultures commerciales. Cependant, au fur et à mesure que les connaissances sur la culture de la canne à sucre se répandaient et qu'augmentaient les profits qu'on en tirait, la culture de la canne à sucre accapara toutes les nouvelles terres et donna aux colonies antillaises leur surnom : les Îles à sucre.

Ainsi que nous l'avons déjà signalé, l'expérience de la culture du sucre acquise à Madère, dans les îles Canaries et dans l'île de São Tomé apporta certaines réponses et servit de modèle, comme l'avaient fait, à leur façon, les Espagnols pour imposer la culture de la canne à sucre dans le Nouveau Monde. D'autres modèles coloniaux allaient être mis au point pour répondre de manière précise à l'évolution des besoins et de la demande.

La question de la main-d'œuvre était la plus urgente de toutes. Pendant près d'un siècle, les indigènes et les Africains ne furent pas les seules victimes. Au début, les mères patries fournissaient comme ouvriers des *engagés*, à savoir des hommes et quelques femmes désespérant de trouver un gagne-pain décent et avides de recevoir la concession de terre ou les 10 £ qu'on leur promettait à la fin de leurs années de service, d'une durée de trois à dix ans, dans les colonies françaises.

La réalité différait beaucoup des promesses des recruteurs. L'asservissement des engagés était « assuré par l'utilisation répétée de la force et de la violence, en toute légalité[46] ». Un grand nombre d'émigrants mouraient au cours de la traversée de l'Atlantique, et il était de pratique courante de jeter les malades par-dessus bord, afin d'éviter qu'ils ne contaminent leurs compagnons de voyage. Une fois arrivés dans les colonies, ils devaient se mettre aussitôt au travail, sans qu'on leur accordât le moindre temps pour récupérer ou pour se préparer à leur travail. Comme le remarque un historien catholique du XVIIe siècle, « [...] leur charge de travail est excessive ; ils sont mal nourris et on les oblige souvent à travailler en compagnie des esclaves, ce qui les afflige plus encore que le dur labeur ; [...] je connais un [maître] à la Guadeloupe qui en a enterré plus de cinquante dans sa plantation, après les avoir tués au travail et avoir négligé de les soigner lorsqu'ils sont tombés malades. Cette cruauté s'explique par le fait [que les maîtres] ne les possèdent que pour trois années, ce qui les conduit à épargner les nègres plutôt que ces pauvres créatures[47] ! »

À la Barbade, un planteur, William Dickson, se rappelle que les serviteurs engagés étaient « spoliés de leur nourriture et très mal traités [...][48] ». Dans une pétition présentée au Parlement en 1659, les serviteurs engagés de la Barbade, suppliant qu'on les secoure, décrivaient leur vie comme se passant « à moudre dans les moulins et à s'occuper des fourneaux ou à creuser la terre sous un soleil torride, avec pour toute nourriture (malgré leur dur labeur) des racines de pommes de terre, et, pour seule boisson, l'eau ayant servi à laver ces racines [...], étant achetés et vendus d'un planteur à l'autre, ou attachés comme des chevaux et des bêtes de somme pour les dettes de leurs maîtres, étant attachés au pilori (comme les filous) pour le plaisir de leurs maîtres, et dormant dans des porcheries pires que celles d'Europe ». Des dizaines d'années plus tard, rien n'avait changé. « Ils sont écrasés et utilisés comme des chiens », rapporte le gouverneur de la Barbade[49].

Chaque fois qu'ils le pouvaient, ces travailleurs blancs s'échappaient, feignaient la maladie, attaquaient leurs maîtres ou, le plus souvent, mettaient le feu aux champs de canne à sucre qu'ils abhorraient. Ceux qui ne se rebellaient pas mouraient, souvent de la fièvre jaune ; certains étaient libérés à la fin de leur contrat ou de leur sentence, après quoi ils demandaient le lotissement de terre qu'on leur avait promis à l'expiration de leur engagement. Certains devinrent des fermiers ; quelques-uns acceptèrent de continuer de travailler dans les plantations de sucre. Vers la fin du XVIIe siècle, le sucre avait englouti toutes les terres disponibles sur la plupart des îles, ce qui signifie que les engagés n'avaient même plus l'espoir de devenir un jour fermiers. Le gouverneur de la Barbade craignait que les pauvres Blancs n'émigrent en masse, pendant que les derniers à rester sur place seraient « assassinés par les nègres[50] ».

En plus de fournir des serviteurs engagés, l'Europe transférait les détenus des prisons vers les plantations de canne à sucre du Nouveau Monde, exportant des criminels qui avaient été incarcérés pour des délits mineurs, par exemple le vol d'une miche de pain pour nourrir une famille affamée. À Bristol, qui avait au XVIIe siècle des intérêts importants dans le commerce du sucre, les juges et les magistrats ayant des intérêts dans les plantations d'outre-mer réglaient les questions de manque de main-d'œuvre dans celles-ci en ajoutant des années aux peines de prison. Huit ans de travaux forcés représentaient une peine tout à fait convenable.

Les prisonniers politiques accusés ou soupçonnés de déloyauté envers leur souverain et les réformistes religieux étaient également dirigés vers les champs de canne. En 1649, Oliver Cromwell expédia à la Barbade les survivants catholiques du massacre de Drogheda ; il fut si satisfait de cette politique qu'il en fit usage le plus souvent possible pour se débarrasser de ses ennemis. Il arracha des hommes et des femmes à l'Écosse et à l'Irlande pour les envoyer travailler dans les plantations de sucre de la Barbade, de la Jamaïque et d'ailleurs. Certains de ses successeurs adoptèrent sa politique. « Le manque de sensibilité manifesté dans le travail obligatoire des Blancs servit d'école pour le travail forcé des Noirs[51] », écrit Williams.

À la fin du XVIIe siècle, au moment où le travail obligatoire des Blancs commençait à disparaître, la proportion des Blancs par rapport aux Noirs était d'un Blanc pour deux Noirs à Saint Kitts, Montserrat et Grenade, d'un pour trois à Nevis, d'un pour quatre à Antigua, d'un pour six en Jamaïque, d'un pour dix-huit à la Barbade. Les responsables des planteurs et des résidents comprirent qu'il leur était désormais impossible d'attirer de nombreux Blancs pour travailler dans les champs de canne ; en même temps, ils étaient de plus en plus inquiets des dangers que représentait le déséquilibre énorme entre Blancs et Noirs.

Le sucre était le premier responsable de ce déséquilibre : dans les colonies dépendant de cultures différentes, comme Cuba avec son tabac et Puerto Rico avec son café, par exemple, les Blancs étaient plus nombreux que les Noirs. « Là où le sucre était le roi, l'homme blanc était ou bien un propriétaire ou bien un surveillant. Sinon, il était de trop », note Williams[52].

À cette époque, les répercussions environnementales de la culture de la canne à sucre étaient également évidentes. La culture intensive de la canne épuisait les sols et les nappes phréatiques. En fait, c'est elle qui est à l'origine du ruineux processus de déforestation. Le surpâturage du bétail européen a contribué à la dégradation des herbes indigènes, causant la disparition d'au moins une espèce de tiges graminées. Les bovins, les moutons et les chèvres piétinaient les sillons de leurs pâturages, tassant la terre au point où la pluie glissait sur le sol sans être absorbée par lui. Les canaux qui étaient ainsi créés provoquèrent un processus d'érosion, phénomène qui ne se serait jamais produit «dans le système indien *conuco*, de l'époque préhispanique, qui était conservateur du point de vue environnemental[53]», comme le fait remarquer l'historien géographe David Watts.

Un autre terrible changement fut l'arrivée des rats, les rats noirs, les rats bruns et les rats de greniers, porteurs de puces infectées et s'attaquant à la faune locale et aux nouvelles cultures. La canne à sucre était particulièrement vulnérable, car elle était facilement accessible et naturellement attirante. Les premiers rats qui sautèrent de la *Nina*, de la *Pinta* et de la *Santa Maria* sur la terre d'Hispaniola constituaient l'avant-garde d'une force qui allait modifier en profondeur l'agriculture autochtone et ses productions agricoles. Dans l'Haïti actuelle, tenaillée par la faim, par exemple, les rats dévorent jusqu'à 40 % des cultures que les fermiers peinent à tirer du sol desséché et érodé. Comme le note avec tristesse Eric Williams, «le roi sucre avait commencé ses exactions[54]».

CHAPITRE 2

La prolétarisation du sucre

La noble gourmandise

Le sucre commença sa vie en Europe comme un aristocrate. C'était un luxe réservé aux nobles qui rivalisaient de virtuosité dans le domaine de la sculpture sur sucre. On accordait alors une telle valeur au sucre que des courtisans obséquieux cherchaient à se faire bien voir des rois en leur offrant en cadeau des pains de sucre. Le sucre symbolisait la richesse; il faisait le délice de ceux qui étaient assez fortunés pour l'acquérir.

Jetons un coup d'œil sur une fête donnée par Marie de Hongrie, régente des Pays-Bas, en l'honneur de Philippe II, fils et héritier de Charles Quint. Nous sommes en 1549, et Charles subit des pressions énormes en vue d'une action décisive dans le dossier des droits des Indiens du Nouveau Monde. Le clou de la soirée est une «collation sucrée», une orgie gastronomique offerte après le banquet et le bal. Les invités de Charles et de Marie peuvent voir que chaque plat est posé sur des tables fixées à d'énormes piliers, dans un bruit de tonnerre accompagné d'éclairs, des petits morceaux de sucre candi simulant la pluie et la grêle. Les tables sont chargées de sucreries, comprenant 100 variétés de confiseries blanches. Les sculptures les plus impressionnantes représentent un cerf, un ours, un sanglier, des oiseaux, des poissons, un rocher sculpté dans le sucre, ainsi qu'un laurier chargé de fruits en sucre. La conscience de Charles est-elle le moindrement titillée à l'idée du coût humain de toutes ces douceurs étalées devant ses yeux? Lui rappellent-elles le débat de Valladolid, auquel Bartolomé de Las Casas et Juan Gines de Sepulveda se préparent au moment même?

Quelles qu'aient pu être les pensées de Charles ce soir-là, la fête donnée par Marie de Hongrie n'était pas ce qui se faisait de plus spectaculaire en matière de présentation de sucreries. En 1566, lorsque Maria de Aviz épousa Alexandre Farnèse, duc de Parme, les plateaux en sucre de leur réception de mariage étaient garnis d'une collection impressionnante de sucreries que les invités dévorèrent dans de la vaisselle et des verres en sucre, coupant les gros *bonbons* au moyen de couteaux et de fourchettes en sucre, ramassant le sirop coulant avec du pain sucré. Même les chandeliers étaient en sucre. Pourtant, tout cela parut bien modeste lorsque le cadeau de mariage de la ville d'Anvers fut dévoilé: plus de 3 000 sculptures commémorant le voyage de Maria depuis Lisbonne jusqu'à sa nouvelle demeure aux Pays-Bas. Il y avait là des baleines et des serpents de mer, des orages et des bateaux, des villes qui lui avaient souhaité la bienvenue tout au long de sa route, et même une statue en sucre représentant Alexandre. En partant, chacun des invités au mariage se vit remettre une pièce de la scène royale.

Ce spectacle était lui-même modeste, si on le compare à un «banquet de sucre» qui fut donné en 1591 en l'honneur de la Reine Vierge d'Angleterre (Elizabeth Ire), qui était friande de sucreries. Cet événement spectaculaire a probablement inspiré le drame de Shakespeare, *Songe d'une nuit d'été*. Jetons encore un coup d'œil. Ce songe d'une nuit d'été eut lieu à Elvetham dans le Hampshire, et il dura quatre jours. L'hôte empressé de ce banquet, Edward, comte d'Hertford, avait déjà été incarcéré dans la Tour de Londres pour bigamie. Sa disgrâce politique durait depuis longtemps et il avait besoin des bonnes grâces de la reine pour légitimer ses enfants naturels et retrouver la sécurité. Pour recevoir convenablement Elizabeth ainsi que ses 500 courtisans, il fit construire plusieurs pavillons, ainsi qu'un lac artificiel en forme de croissant de lune, illuminé par des feux d'artifice. Au moment où la soirée commence, Elizabeth est assise sur une tribune à flanc de coteau, le regard dirigé vers le spectacle dans la vallée.

Le spectacle est axé sur des reproductions en sucre de tout ce qui, selon Hertford, est susceptible d'impressionner sa redoutable invitée royale (cette femme qui a connu des histoires d'amour passionnées, mais non consommées, n'a jamais pris le risque de partager son immense pouvoir avec un quelconque mari). Le spectacle comprend un défilé de

200 gentilshommes flanqués de 100 porteurs de flambeau, chargés de confections représentant des châteaux, des soldats armés suivis d'«animaux» et «de tout ce qui peut voler», de «tout ce qui rampe», de «toutes les espèces de poissons» en pâte d'amandes. Et pour qu'une exposition trop modeste ne risque pas d'offenser Sa Majesté, on présente également un assortiment de délices sucrés, comprenant des gelées et des marmelades, des fruits confits, des noix et des graines, des friandises et même — une audace pour l'époque — des fruits frais!

Elizabeth grignotera sérieusement de longues heures durant, car elle a un goût insatiable pour les friandises sucrées. Il n'est pas étonnant que ses portraitistes prennent soin de la peindre bouche close. À près de 60 ans, Elizabeth est toujours attirante et d'allure majestueuse. Hélas, comme le rapporte au moins un courtisan étranger, ses dents *sont* effectivement cariées, la cause en étant probablement son goût prononcé pour le sucre.

Cette friande de sucre a régné sur une nation soumise aux mêmes fringales de sucre que sa reine. Chose étonnante, ces «collations sucrées», comme on les appelait, sont d'abord apparues en Angleterre, pays pourtant reconnu pour avoir une cuisine épouvantable. Elles constituent un rare exemple, dans l'histoire de la cuisine, «où quelque chose de nouveau et d'unique fut conçu en Angleterre pour la première fois», écrit Roy Strong, un historien de l'alimentation[1]. Au XVIIe siècle, les collations sucrées créèrent un «vide» qui se métamorphosa en dessert.

Ce «vide», c'était le bref intervalle qui existait entre les services ou après le repas, pendant que les serviteurs «vidaient» la table. Les hôtes qui avaient de l'imagination remplissaient ce vide au moyen de pièces ornementales moulées à base de sucre et de confections mêlant les fleurs, les noix, les épices et les fruits, les invités faisant passer le tout en buvant du vin sucré. Au début, ces entremets se prenaient debout, pour permettre aux serviteurs de faire leur travail. Plus tard, on proposa ce service dans une pièce séparée. Le «vide» était un divertissement axé sur le sucre plutôt que sur l'aspect nutritif, son originalité et les dépenses engagées reflétant le statut de l'hôte. Selon Kim F. Hall, spécialiste de la Renaissance, les entremets sucrés étaient une forme de «consommation ostentatoire d'abord réservée à l'élite des courtisans, qui se communiqua ensuite à ceux qui n'étaient que très riches[2]».

Au milieu du XVIe siècle, le sucre rattrapa les classes moyennes, à l'aide de manuels domestiques ou de livres de recettes où l'on prétendait dévoiler les astuces culinaires et les recettes des classes supérieures, qui faisaient l'envie des classes moyennes. Ces livres de recettes constituaient un phénomène nouveau; ils bénéficiaient de grands tirages et étaient écrits en langue vernaculaire; ils étaient aussi populaires que la Bible, soutient Kim F. Hall. En France, par exemple, entre 1651 et 1789, on publia 230 éditions de livres de recettes. Les livres de recettes d'Europe continentale ciblaient les chefs (des hommes), alors que les auteurs masculins d'Angleterre dédiaient leurs livres aux femmes. *The Queen-Like Closet, or Rich Cabinet* (1684), et *Rare and Excellent Receipts* (1690), par exemple, permirent aux Anglaises cultivées de servir à leur famille les mêmes gâteries que celles que les aristocrates dégustaient; les recettes qu'elles préféraient étaient celles qui révélaient les secrets des confections sucrées.

D'adorables desserts sucrés firent également leur apparition sur les tables européennes. En France, deux reines Médicis, nées en Italie, eurent une influence profonde sur la cuisine française. La reine Catherine, qui épousa le futur Henri II en 1533, alors qu'elle n'était encore qu'une adolescente rondelette de 14 ans, fit venir des «virtuoses» italiens pour superviser les cuisines de la cour. Ces hommes étaient particulièrement habiles dans «l'art de confectionner des desserts et de travailler le sucre. Catherine était à la fois gloutonne et friande de sucre; on lui doit d'avoir popularisé l'idée de porter un repas à son point culminant en servant de délicieuses confections sucrées.

En 1600, Marie de Médicis épousa le roi de France Henri IV, qui détestait cette blonde sans attraits. Les courtisans du roi se moquaient d'elle en l'appelant «la grosse banquière». Marie échappait aux tourments de son mauvais mariage et de son milieu en trouvant refuge dans la nourriture, et surtout dans les sucreries. Elle fit venir Giovanni Pastilla, le pâtissier du clan Médicis, à la cour de France, où ses préparations firent les délices des Français aussi bien que de leur reine. Le mot «bonbon» tire son origine du nom que les enfants de la reine donnaient aux friandises de Pastilla; il en va de même pour le mot «pastilles», ces petites dragées sucrées aux fruits qui étaient une spécialité de Pastilla.

Au fur et à mesure que les desserts se répandaient, les différentes variétés de sucre faisaient également leur apparition. Le sucre se présentait habituellement sous forme de pain, que l'on pouvait raffiner sous forme de petits granules immaculés. Si l'on en croit Kim F. Hall, «cette époque connut des variétés de sucre rarement égalées. Les dénominations tenaient compte à la fois des différents degrés de pureté du sucre et des lieux où ceux-ci étaient produits : sucre muscovado, sucre purifié à l'argile, sucre raffiné, sucre doublement raffiné, sucre de Madère, sucre de la Barbade[3] ». Le sucre brésilien, par exemple, était considéré comme inférieur au sucre importé de la Barbade ou de la Jamaïque, qui était plus blanc. Le livre de recettes que la ménagère conservait précieusement l'éduquait et la rendait plus exigeante en l'initiant aux secrets des aristocrates.

The Accomplisht Cook, or the Art Mystery of Cookery, publié en 1678, présente un cas extrême. Cet ouvrage fournissait des instructions complexes pour la création d'un monde sucré comprenant des châteaux ainsi que leurs tourelles et leurs douves, des navires de guerre dotés de canons et de drapeaux, et une forêt d'animaux errant dans un parc forestier, le tout à servir sur des tartes. Des grenouilles et des oiseaux vivants devaient être emprisonnés à l'intérieur de la confection. Ainsi, « lorsque les convives détacheront la croûte de la tarte, quelques grenouilles s'échapperont, ce qui fera sursauter et crier les dames ; puis […] les oiseaux sortiront à leur tour, eux dont l'instinct naturel est de se diriger vers la lumière éteindront les bougies ; ainsi, le vol des oiseaux et le sautillement des grenouilles, le premier par-dessus, le second par-dessous, réjouiront et plairont grandement à toute la compagnie[4] ». De nos jours, cette confection serait considérée comme trop compliquée, antihygiénique et inhumaine, mais quelle inspiration pour une mère ambitieuse du XVIIe siècle à la recherche d'idées originales pour ses desserts !

Le sucre était en passe de devenir l'élément essentiel de l'alimentation de la classe anglaise moyenne. Les Anglais, plutôt que d'épicer leur nourriture, la sucraient ; d'autre part, c'était la *raison d'être* de leur dessert. Contrairement aux Français, qui réservaient le sucre pour les desserts et ne s'en servaient qu'avec modération pour la préparation des mets principaux, les Anglais aimaient le sucre sans modération. En 1603, une délégation d'Espagnols fut étonnée de « cette prédilection des hommes et des femmes de notre pays pour les sucreries », constatant qu'« ils ne mangent rien qui ne soit additionné de sucre ; ils ont l'habitude de boire leur vin sucré et d'ajouter du sucre à leur viande[5] ». Les dictons populaires dans plusieurs langues européennes soutenaient que « le sucre ne gâche jamais une soupe » et qu'« aucune viande n'est gâchée par le sucre». Les Anglais, qui adorent la viande, ont pris ces adages au sérieux.

Le pudding était une des principales préparations sucrées. « Béni soit celui qui a inventé le pudding, car c'est une manne pour les palais de quantité de personnes », s'exclamait Henri Misson, un des rares visiteurs français à avoir apprécié la cuisine anglaise[6]. Le pudding était une réponse directe au prix désormais abordable du sucre, qui se vendait autour de 6 pence la livre, faisant le bonheur du nouveau siècle, le XVIIIe. Alors que les gens avaient l'habitude de faire durer leurs maigres provisions en grattant les précieux granules de leur pain ou des morceaux de sucre qu'ils s'étaient procurés chez l'épicier, ils pouvaient maintenant l'utiliser avec ce qui semblait être de l'extravagance. Le sucre n'était plus considéré comme une épice fine que l'on saupoudre sur la pâte à tarte, mais il était employé comme un ingrédient à part entière. C'est ce qui donna naissance au pudding.

Au début, les puddings ne faisaient pas partie du dessert, mais ils étaient intégrés au deuxième ou au troisième service, qui comprenaient du poisson, de la viande et des légumes, voire des tourtes, des tartes ou des fruits. Au début du XVIIIe siècle, les puddings se composaient de farine et de suif, qui est la graisse solide entourant les reins et les rognons des moutons ou du bétail. Ce mélange épais était ensuite sucré avec des fruits secs et du sucre, puis on le liait et on le faisait lever avec un mélange d'œufs et de petite bière ou de levain. Cette base servait à la préparation de centaines de variétés de puddings. Comme l'écrit l'historienne de l'alimentation Elisabeth Ayrton, « [...] même les dîners les plus ordinaires, situés juste au-dessus du seuil de pauvreté, ne pouvaient s'achever sans un pudding : puddings chauds, froids, à la vapeur, cuits au four, tourtes, tartes, crèmes, pièces moulées, charlottes, turlupines, bagatelles, mousses, sabayons, barbotines, fromages frais sucrés, glaces, puddings au lait, puddings au suif. En fait, le terme "pudding" désignait une telle quantité de plats traditionnels de la cuisine anglaise qu'on en a la tête qui tourne[7]. » Le pudding devint également un dessert, que l'on avait l'habitude de servir au moins une fois par jour.

En 1747, une ménagère du nom de Hannah Glasse publia *The Art of Cookery Made Plain and Easy*, qui fut un classique à fort tirage. Madame Glasse s'efforçait de faire de l'argent avec son livre, en le destinant « aux plus humbles », ces domestiques laissés de côté par leurs employeurs, qui n'auraient pas perdu leur temps précieux à les instruire. Elle présentait de façon claire et même amusante 972 recettes personnelles, ainsi que 342 recettes tirées de plusieurs livres. Un de ses desserts les plus intéressants est le très anglais «hérisson», une petite créature en pâte d'amandes sculptée dans le sucre et la pâte au beurre, que l'on recouvre ensuite d'amandes effilées rappelant les piquants du hérisson. Avec une préparation plus élaborée, remarquait Madame Glasse, on pouvait même servir le hérisson en entrée.

En 1760, dans *The Compleat Confectioner*, Madame Glasse répondait à la demande de recettes de desserts. Elle incluait même des directives sur la manière de disposer les plats : «Chaque jeune fille devrait savoir comment préparer toutes sortes de confections et comment présenter un dessert [...]. Mais pour les dames vivant en province, c'est une distraction amusante que de confectionner des friandises et de préparer un dessert; il n'en tient qu'à leur fantaisie, et la dépense est minime[8].» Elle suggérait une gamme de douceurs sucrées, comprenant des crèmes glacées de différentes couleurs, «un ingrédient qui entre dans la composition de tous les desserts[9]». En éduquant les ménagères dans l'art de confectionner des plats, Madame Glasse et les autres auteurs de livres de recettes faisaient découvrir à leurs lectrices les plaisirs du sucre.

La crème glacée, qui avait de plus en plus d'adeptes, fut une nouvelle occasion d'introduire du sucre (celui-ci représentait habituellement 12 à 16 % de tous les ingrédients entrant dans la composition d'un plat). La crème glacée est apparue probablement au XVIIe siècle, en Italie et plus tard en France, d'où elle est passée en Angleterre vers 1671, lorsque Charles II dégusta de la crème glacée à l'occasion de la fête de saint George. En 1718, une recette de crème glacée fut publiée, mais il fallut que l'immense lectorat de Madame Glasse (à la fin du siècle, son livre avait connu 17 éditions) prenne connaissance de ce dessert pour qu'il devienne très populaire.

La crème glacée devait atteindre l'Amérique du Nord au milieu du XVIIIe siècle. Thomas Bladen, gouverneur du Maryland de 1742 à 1747, servit «une fine crème glacée qui, accompagnée de fraises et de lait, est un pur délice[10]», rapportait un invité satisfait. La crème glacée devint populaire dans la ville de New York. En 1774, Philip Lenzi avise ses clients que sa boutique de confiserie en offre désormais presque tous les jours. Les Pères fondateurs dégustaient de la crème glacée à la table de George Washington; au cours de l'été 1790, sa maisonnée et ses invités firent une abondante consommation de cette friandise glacée, qui s'éleva à environ 200 $. La crème glacée Washington, un mélange gelé de crème, d'œufs et de sucre, était peut-être une adaptation d'une recette du livre de Madame Glasse, que Martha Washington avait en sa possession. Quant à Thomas Jefferson, il avait ramené de France sa version très complexe de crème glacée, et il se plaisait à la manger sous forme de pâtisserie fourrée.

La crème glacée connut un succès encore plus retentissant après que Dolley, l'épouse du président James Madison, en eut servi lors du bal organisé à l'occasion de la prestation de serment de son mari, en 1813. La légende veut que Dolley l'ait découverte à Wilmington, au Delaware, dans un salon de thé dirigé par Betty Jackson, une Noire dont la belle-fille, Aunt Sallie Shadd, avait mis au point la recette. À la fin des années 1820, l'Afro-Américain Augustus Jackson, alors cuisinier à la Maison Blanche, quitta son emploi pour s'occuper de restauration à Philadelphie, où il vendait sa crème glacée à des vendeurs ambulants. À la fin du XVIIIe siècle, un Français ayant fui la France révolutionnaire offrait de la crème glacée dans les rues de New York ; un voyageur français rapporte que « rien n'était plus amusant que de regarder [les dames] sourire d'un air suffisant et minauder en y goûtant. Elles ne pouvaient comprendre comment on pouvait la garder aussi froide[11]. » En 1837, le capitaine de navire et romancier Frederick Marryat rapporte qu'il existe « un grand luxe en Amérique […] même durant la saison la plus chaude […] les crèmes glacées sont en vente partout et à un prix modique[12] ». L'Angleterre mit plus de temps à apprécier la crème glacée ; les vendeurs ambulants commencèrent à la proposer aux passants à partir des années 1850. Dans le froid Canada, Thomas Webb fut le premier à vendre de la crème glacée ; c'était à Toronto, au XIXe siècle. En 1893, William Neilson commença à la produire commercialement[13].

Les compagnons amers du sucre : le thé, le café et le chocolat

Malgré l'augmentation spectaculaire des desserts, chauds ou froids, et en dépit de la tendance à sucrer toute nourriture, la véritable révolution dans la consommation du sucre ne vint qu'après que les Européens furent initiés à trois produits étrangers, aussi amers que stimulants — le thé, le café et le chocolat — et qu'ils eurent découvert que le sucre pouvait les transformer en de succulentes boissons.

Au milieu du XVIIᵉ siècle, les Européens découvrirent d'abord le thé chinois. Au début, ils le buvaient à la manière chinoise, sans sucre. Quelques dizaines d'années plus tard, avant même que le thé noir soit devenu une denrée populaire, ils commencèrent à le sucrer, probablement influencés par les marins britanniques qui avaient emprunté cette habitude du thé sucré aux habitants de l'Inde, ce qui donna naissance à des légions de buveurs de thé. En 1662, Charles II épousa Catherine de Braganza, qui importa en Angleterre son habitude portugaise de boire du thé, offrant du thé à la cour anglaise à la place de l'alcool « qui échauffait ou abrutissait leur cerveau matin, midi et soir[14] ». La consommation de thé se répandit chez les dames de la cour, de même que chez quelques courtisans. Catherine devint une reine adulée que ses sujets associèrent toujours à sa boisson préférée. Le poète-politicien Emund Waller exprimait son enthousiasme en ces vers :

Vénus a son myrte et Phébus ses baies ;
Le thé les surpasse tous deux et c'est à lui qu'elle accorde ses louanges.
C'est à la meilleure des reines que nous devons la meilleure des herbes.
À cette nation intrépide, elle a montré la voie.

Nous ne pouvons situer avec précision le moment où les gens ont commencé à sucrer leur thé, mais le spécialiste du thé Roy Moxham pense que les Anglais l'ont toujours fait. À la fin du XVIIᵉ siècle, ajouter du sucre à son thé était à la mode. La dégustation du thé se répandit rapidement dans toutes les couches sociales. L'avènement des cafés, qui servaient du thé aussi bien que du café, a contribué à populariser ces boissons comme jamais auparavant (les salons de thé ne sont apparus qu'à la fin du XIXᵉ siècle). Comme dans le cas du thé, les clients sucraient leur café avec du sucre. L'habitude de diluer le café et le thé au moyen de lait chaud prit plus de temps à se répandre. Au XVIIᵉ siècle, la marquise de Sévigné, qui était très tendance, prenait ces boissons avec du lait ; mais il fallut des siècles avant que l'association du lait avec le thé et le café se généralise.

Le premier café ouvrit ses portes à Londres en 1652. À la fin du XVIIᵉ siècle, il en existait un pour cent Londoniens. Les cafés se multiplièrent dans toute l'Angleterre, puis sur le continent. Un visiteur français à Londres écrivait, de façon approbatrice : « Vous trouvez ici tout ce qui est nouveau : un bon feu de foyer, devant lequel vous pouvez vous asseoir aussi longtemps que vous le désirez ; vous pouvez vous faire servir du café ; vous pouvez rencontrer vos amis pour parler affaires ; et pour tout cela, il ne vous en coûtera qu'un penny si vous ne voulez pas dépenser plus[15]. »

Les cafés devinrent des lieux de rendez-vous pour parler affaires et politique. Samuel Butler les considérait comme « une espèce d'école athénienne ». Les politiciens et ceux qui voulaient prendre connaissance des dernières nouvelles et des derniers potins se regroupaient dans les cafés. Dans le Paris du XVIIIe siècle, Voltaire, Diderot, Rousseau, Condorcet et autres penseurs des Lumières se réunissaient de préférence au Café Procope, où on servait à Voltaire son mélange préféré de café et de chocolat.

Comme le thé et le café étaient relativement bon marché, les employés modestes avaient les moyens de fréquenter les cafés. Cette ouverture nouvelle aux classes laborieuses n'était pas appréciée de l'élite de la clientèle. Un observateur mécontent émit ce commentaire : « De même que vous avez une grande variété de boissons, il en va de même de la compagnie, car chacun semble être égalitariste et agit comme il l'entend [...] sans égard pour le rang ou pour l'ordre ; de telle sorte que vous pouvez avoir un stupide dandy et un honorable juge, un fumiste ardent et un citoyen honnête, un avocat digne de respect et un voleur à la tire, un révérend non conformiste et un charlatan hypocrite, tous mélangés dans un pot-pourri d'impertinences[16]. »

Quant aux boissons elles-mêmes, elles provoquaient des réactions extrêmes. Le thé avait ses détracteurs les plus féroces. Un de ces critiques soutenait que le thé dépouillait les femmes de leur beauté, de telle sorte que « même vos femmes de chambre ont perdu leur éclat en sirotant du thé ». Le thé ne convenait pas non plus aux guerriers anglais, qui risquaient de devenir comme « le peuple le plus efféminé qui existe sur Terre, les Chinois, qui sont également les plus grands buveurs de thé[17] ».

De leur côté, ceux qui faisaient la promotion de la tempérance louaient dans le thé « la boisson qui réjouit sans enivrer ». Les défenseurs du thé et du café faisaient valoir que ces produits créaient des entreprises commerciales vitales outremer, et qu'ils étaient une source de joie et d'énergie. Mais leurs critiques rétorquaient que le thé et le café concurrençaient l'agriculture et les boissons existantes, qu'ils pourrissaient les dents et causaient des maladies.

Le sucre et la science

Jusqu'à sa métamorphose comme édulcorant, voire comme aliment, le sucre était utilisé comme épice ou médicament. Les rédacteurs scientifiques montraient comment le sucre pouvait, par échauffement, modifier l'équilibre humoral et provoquer la colère, mais aussi comment il pouvait interagir avec d'autres médicaments et augmenter leur efficacité. Plusieurs médecins croyaient que le thé était salutaire pour la santé, même pris en grande quantité; le fait que le sucre rendait le thé plus savoureux était donc un aspect positif.

À la fin du XVIIe siècle, les professionnels de la santé avaient une vision plus négative du sucre. Les alarmistes prétendaient que les Antillais, friands de sucre, ainsi que les commis d'épicerie qui coupaient les blocs de sucre importés semblaient particulièrement vulnérables au scorbut. Les médecins Thomas Tryon et Thomas Willis émirent d'autres réserves. Tryon, végétarien dont les célèbres manuels pratiques préconisaient une consommation modérée et adéquate, soutenait que le sucre était salutaire lorsqu'on le prenait en petites quantités; le fait que les gens le considéraient comme un pur délice constituait, selon lui, une preuve du «caractère foncièrement sain et nécessaire du goût sucré». Toutefois, il prévenait ses lecteurs que la consommation excessive de sucre, sa fermentation ou le mélange du sucre avec des gras, tel le beurre, étaient dangereux. Les arguments les plus troublants de Tryon avaient trait à la production du sucre. Il avait visité une plantation de sucre de la Barbade et avait pu constater par lui-même le sort qui était fait aux esclaves en cet endroit. Il écrivait que les esclaves du sucre étaient brutalisés et opprimés, et que cela constituait déjà une bonne raison de s'abstenir de consommer du sucre produit par des esclaves.

Le Dr Thomas Willis, un des plus grands esprits scientifiques de son temps, formula ce qui est maintenant considéré comme l'argument incontournable qui s'oppose à la consommation excessive de sucre — sa relation directe avec le diabète. En 1674, dans *Phamaceutice rationalis*, Willis dit avoir décelé la présence de sucre dans l'urine des patients souffrant de diabète; le surnom qu'il donna à cette maladie, «le mal de la pisse», est passé dans l'usage populaire. Bien que cette maladie ait été connue depuis des siècles en Asie et au Moyen-Orient, il fallut encore un siècle avant que le lien entre le diabète et le sucre présent dans le sang soit clairement établi. Toutefois, Willis avait intuitionné assez de choses pour sonner l'alarme contre la consommation excessive de sucre.

Un autre médecin, le Dr Frederick Slare, contesta les vues de Willis et réussit à convaincre un grand nombre de gens. *A Vindication of Sugars Against the Charge of Dr. Willis, Other Physicians, and Common Prejudices: Dedicated to the Ladies*, publié en 1715, était un panégyrique du sucre employé comme poudre pour se nettoyer les dents, comme lotion à main, comme poudre pour soigner les blessures bénignes et, par-dessus tout, comme une gâterie indispensable pour les poupons et «les dames» auxquelles Slare dédiait son traité. Comme leur palais était plus délicat que celui des hommes, étant à l'abri du tabac et des autres substances grossières, Slare applaudissait leur consommation accrue de sucre. Il faisait particulièrement l'éloge des déjeuners de thé, de café ou de chocolat sucré, chacune de ces boissons lui paraissant «dotée de vertus exceptionnelles[18]».

Au moment où le débat sur le sucre faisait rage, le nombre d'Européens consommant du sucre avec leur thé, leur café ou leur chocolat ne cessait d'augmenter. Dans l'Allemagne brassicole, la *Cantate du café* de Jean-Sébastien Bach, présentée au café Zimmerman de Leipzig, opposait un père exaspéré à sa fille Lieschen, qui avait manifesté une accoutumance au café. «Si je ne peux avoir mes trois bols de café par jour, clamait Lieschen, mon tourment sera tel que je me dessécherai comme un morceau de chèvre rôtie.» Bach le savait très bien: des légions de gens partageaient la passion de Lieschen pour le café. Les cafés florissaient et les commerçants ambitieux cherchaient à passer des contrats pour acquérir le sucre des Antilles, le thé de Chine et, plus tard, celui des Indes, le café d'Afrique et le chocolat d'Amérique du Sud.

Dans le dernier quart du XVIIᵉ siècle, le chocolat était également devenu une denrée de base des cafés de l'Europe entière. C'est le conquistador Cortès qui l'introduisit dans son pays d'origine, l'Espagne. Le *chocolatl* était une boisson aztèque amère que l'empereur Moctezuma (qui serait bientôt vaincu par les conquistadors) servait dans des gobelets en or. Car il s'agissait là, après tout, d'une nourriture pour les dieux. Jusqu'à ce que Cortès ajoute du sucre à cette âcre boisson, les Espagnols ne l'aimaient pas. Mais le chocolat enrichi de sucre et plus tard de vanille, de muscade, de cannelle et d'autres épices, devint, servi chaud, une boisson appréciée de tous, qui avait la réputation de posséder des vertus aphrodisiaques et médicinales. Cortès gardait toujours une chocolatière pleine sur son bureau.

Les Espagnols chérissaient leurs chocolatières, dans lesquelles ils brassaient un nectar enchanteur composé d'eau et de cabosses réduites en poudre, qu'ils assaisonnaient avec du sucre, de la cannelle et de la vanille. Les Espagnoles refusaient de se rendre à la messe du dimanche sans avoir bu une tasse de chocolat. Cette situation obligea les ecclésiastiques à se prononcer sur la nature du chocolat. Le chocolat était-il un aliment que les catholiques devaient éviter de consommer lorsqu'ils jeûnaient, ou était-il plutôt un liquide assaisonné qu'ils pouvaient continuer d'absorber, puisque «*liquidum non frangit jejunium*» («les liquides ne brisent pas le jeûne»)? Plusieurs prêtres déclarèrent que le chocolat était un simple liquide, ce qui leur permit de garder leurs églises remplies de fidèles. Cette question du chocolat rappelle la question du café soulevée au xiiie siècle, qui fut réglée par ce jugement de Thomas d'Aquin concernant la médecine, même épicée: «Bien qu'elles soient nutritives en elles-mêmes, les épices sucrées ne sont pas absorbées en vue de se nourrir, mais plutôt pour faciliter la digestion; par conséquent, elles ne brisent pas plus le jeûne que ne le fait l'absorption de tout autre médicament[19].»

Les Espagnols ne communiquèrent pas leur précieux secret au reste du monde. Il ne fut connu qu'un siècle plus tard, lorsque deux infantes espagnoles, Anne d'Autriche, mariée à Louis XIII, et Marie-Thérèse d'Espagne, épouse de Louis XIV, l'introduisirent en France. (Les courtisans qui en savaient beaucoup plus sur le récent mariage du roi prétendaient que le chocolat était la seule passion de Marie-Thérèse!) Le chocolat séduisit les Français tout autant qu'il avait conquis les Espagnols. Comme le café et le thé, il se répandit rapidement dans les cafés, en dépit de son prix élevé (à la fin du xviie siècle, il coûtait le double du thé ou du café, à savoir 8 sous dans les cafés de la rive gauche).

Le chocolat était un délice qui pouvait aussi être objet de terreur. Un jésuite affirmait qu'au Mexique, le chocolat était responsable d'«un certain nombre de meurtres perpétrés par des dames espagnoles instruites par des Indiennes qui leur avaient montré comment utiliser le chocolat pour communiquer avec le diable[20]. En France, Madame de Sévigné écrivit à sa fille, qui était enceinte, que «la Marquise de Coëtlogon prit tant de chocolat étant grosse l'année passée, qu'elle accoucha d'un petit garçon noir comme le diable, qui mourut». (Certains ont subodoré que la couleur foncée de l'enfant avait plus à voir avec le séduisant esclave africain qui servait son chocolat à la marquise lorsqu'elle était au lit.) Les alarmistes ne réussirent pas à effrayer les gens, et le chocolat continua de gagner la faveur populaire. Dès lors, la consommation de sucre, elle aussi, augmenta dans la même proportion.

« Le thé » arrive à la maison

Après les cafés, la maison devint le deuxième lieu où on buvait du thé et, dans une moindre mesure, du café ou du chocolat, ces trois boissons étant additionnées de sucre. Certains critiques craignaient que les boissons amères ne servent d'excuse pour consommer du sucre, alors que d'autres s'inquiétaient de la consommation excessive de substances sucrées. L'Angleterre, qui était la nation la plus blâmable, en importait environ 10 000 tonnes en 1700 ; un siècle plus tard, elle en importait 150 000 tonnes, ce qui représentait une augmentation énorme.

Le rôle du sucre était prédominant quand venait le moment de prendre « le thé » à la maison ; les rituels du thé de Catherine de Braganza furent repris d'abord par l'aristocratie et la haute bourgeoisie, puis par les familles de classe moyenne. Au XVIIIe siècle, le thé (au cours duquel on pouvait également servir du café ou du chocolat) commença à être un usage bien établi. Ce furent surtout les jardins où on servait le thé qui contribuèrent à sa notoriété. À Londres, l'ouverture de la Rotonde et des jardins Ranelagh eut lieu en 1742 ; pour une demi-couronne, on pouvait les visiter et se faire offrir du thé et du café, ainsi que du pain et du beurre, tout simplement. (On pense que l'idée de « pourboire » pourrait tirer son origine des jardins de thé, où chaque table comportait une boîte en bois, fermée à clef, appelée « TIPS » (*To Insure Prompt Service*) (« Pour assurer un service rapide »), afin d'inciter et peut-être d'obliger les convives à donner quelques pièces de monnaie.) Les femmes se regroupaient dans les jardins pour bavarder autour d'une tasse de thé. Peu de temps après, elles prirent l'habitude de servir le thé chez elles.

Avant d'évoluer vers le « thé d'après-midi » et le « thé bas » au XIXe siècle, « le thé » était probablement servi aux femmes après le repas de midi, au moment où les hommes et les femmes se dirigeaient vers des pièces différentes, afin de permettre aux hommes d'aller prendre un verre de vin ou de brandy. Mintz cite P. Morton Shand, historien britannique de l'alimentation, qui remarque que « cette évolution purement féminine d'une tasse de thé en "petite collation", peut être considérée comme une imitation de l'ancien "goûter" français, à l'occasion duquel on servait aux hommes et aux femmes du vin sucré [...], des biscuits et des petits-fours[21]». Avec le temps, les membres des deux sexes restèrent dans la même pièce (qu'on appela salon puisque les femmes s'y retiraient après le repas) et prirent ensemble leur thé et leur vin.

Durant les trente premières années du xviie siècle, «le thé» additionné de sucre et souvent de lait ou de crème, accompagné de divers plats qui pouvaient aller du simple pain beurré aux délicates pâtisseries, était devenu un rite dans les maisons anglaises et hollandaises des classes privilégiées et de la classe moyenne. Dès lors, les importations de thé et de sucre ne cessèrent d'augmenter à un rythme effarant. En 1660, la Grande-Bretagne consommait le tiers des 3 000 barriques (en gros, une barrique = 63 gallons) importées de ses colonies où l'on cultivait le sucre. En 1730, la consommation était passée à 104 000 barriques sur les 110 000 barriques importées[22].

Le thé eut ses propres «ornements». Les très riches se procuraient des services à thé en argent sterling comprenant une théière et un pot à eau chaude, accompagnés souvent d'une cafetière, d'un sucrier et d'un petit pot à crème assortis. Jusqu'à la fin du xviiie siècle, ces services à thé étaient considérés comme des objets de luxe, car la coutume voulait que les invités fournissent leurs propres ustensiles ; lors de leurs déplacements, ils apportaient leur *nécessaire*, une boîte aux lignes élégantes destinée à recevoir un couteau et une fourchette. On pouvait également se procurer des services à thé en terre cuite, moins luxueux et moins onéreux. Antoinette Poisson, marquise de Pompadour et maîtresse du roi de France Louis XV, conçut également des services à thé en porcelaine de style rococo pour la manufacture de Sèvres. Bientôt, les services à thé fabriqués à Sèvres furent appréciés de toute l'Europe, les ambassadeurs français prenant l'habitude de les offrir comme cadeaux d'État.

Le thé bu à petites gorgées dans une tasse en porcelaine de Sèvres, ou servi dans un bol de thé au café du coin, avait conquis l'Angleterre, la Hollande, puis les autres nations européennes (la Manufacture royale de Meissen, en Allemagne, qui ouvrit ses portes en 1710, produisait également d'admirables services à thé). Symbole de prestige, le thé exprimait la respectabilité tout autant que la légitimité du cercle familial et des convives qui participaient à la cérémonie. Le rituel du thé et du sucre était l'occasion de faire preuve de bon goût et de raffinement ;

les hôtes devaient savoir comment préparer le thé et le servir, et ils devaient posséder l'équipement nécessaire. Les bonnes manières étaient également importantes ; le rituel devint, « dans une certaine mesure, une démarche de formation pour les adolescents et [...] pour les adultes, un rappel de la manière dont il convient de se comporter dans le monde en général[23] », affirme l'historien Woodruff D. Smith. Fait révélateur, les femmes étaient au centre du rituel du thé, tout comme elles étaient au cœur de sa préparation.

Le thé était devenu un signe de retenue et de modération, le sucre étant offert en saine quantité (sans encourager la gloutonnerie), voire de tempérance, puisque l'alcool et le vin étaient absents. De plus, le thé constituait un geste patriotique, car le sucre et le thé (contrairement au café et au chocolat) étaient désormais fournis, de façon monopolistique, par les colonies britanniques. « Le thé sucré et le café [...] représentaient un des ensembles dynamiques de biens de consommation les plus importants dans l'Europe du XVIIIe siècle », conclut Smith ; ainsi, « ils devinrent les "drogues douces" les plus prisées en Europe occidentale, car ils permettaient d'accéder à la respectabilité et au statut social bourgeois [...][24]. »

L'institution du « thé d'après-midi » (par opposition au thé servi après le souper), ne prit son essor qu'au début du XIXe siècle. On raconte qu'Anna, la septième duchesse de Bedford, confessa qu'elle éprouvait — comme probablement des milliers d'autres personnes — un « sentiment d'accablement » au cours de la période qui séparait alors les deux repas quotidiens, le dîner et le souper tardif. Pour soulager son affliction, la duchesse ordonna qu'on lui serve un repas composé de thé et de sucreries dans son boudoir à Woburn Abbey. Cela lui fit tant de bien qu'elle commença à inviter quelques amies. Elles arrivaient vers 17 heures, et profitaient de cette légère collation au salon. La duchesse leur servait du thé dans un service à thé européen au goût du jour, ainsi que du pain et des sandwichs au beurre, des petits gâteaux délicats et d'autres sucreries. Les invitations à prendre le thé chez la duchesse étaient si réjouissantes qu'elle les renouvelait fréquemment. Bientôt, les autres dames organisèrent leurs propres séances de thé, et c'est ainsi que le thé d'après-midi ou thé bas (« *low tea* ») fut institué.

Le thé de l'après-midi fut appelé *thé bas* du fait qu'il était servi au salon sur une table basse, de la hauteur des tables basses modernes. Le thé bas se mit à ressembler à un quasi-repas, composé de « petits gâteaux

[…], le véritable attrait, la *pièce d'abandon* […] ». Le thé était « un pré-texte pour manger un morceau […] une pause, une manière de surmon-ter les heures creuses, remplissant un trou dans la journée ». Un autre de ses avantages était sa grande mobilité dans l'horaire, puisqu'on pouvait « le prendre de 16 h à 18 h 30[25] ». L'hôtesse utilisait une seule théière, qu'elle remplissait au moyen d'un pot d'eau bouillante. (Dans la lointaine Russie, le rituel du thé évoluait autour du samovar, une bouilloire en métal munie d'un robinet, dont les dimensions étaient souvent suffisantes pour servir une vingtaine de tasses de thé bouillant additionné de sucre ou de miel. Certains Russes prirent l'habitude de serrer un morceau de sucre entre leurs dents en buvant leur thé, le liquide chaud faisant fondre les granules au passage.) Jusqu'en 1870, moment où les marchands de thé commencèrent à offrir des variétés standardisées, les mélanges de thés, tels que les pratiquaient les ambi-tieuses hôtesses, furent gardés secrets. En prenant ce repas, on prit l'habitude de jouer aux cartes et de bavarder ; les hôtesses pouvaient même distraire leurs invités en leur offrant des petits concerts de harpe ou de piano-forte.

Ce qui importait le plus était que la séance de thé occasionnait rela-tivement peu de dépenses, si on la comparait à celle du café ; le thé était également si facile à préparer et à servir que, tout au long du xviie siècle, il fut adopté par un nombre grandissant de personnes de la petite classe moyenne, puis par les classes laborieuses et les classes à faible revenu, voire par les gens les plus pauvres qui pouvaient se débrouiller pour réunir un minimum d'ingrédients nécessaires. À une époque de révo-lutions, cette activité domestique apparemment innocente était, sans le vouloir, révolutionnaire à sa manière.

Le thé haut et la révolution industrielle

La seconde moitié du xviiie siècle a connu deux transformations sociales et économiques fondamentales : la révolution industrielle et la révolution du thé sucré qui a pris naissance au même moment. L'Angleterre ayant donné l'exemple de la révolution industrielle, l'Europe à prédominance agricole se restructura dans le sens d'une société urbanisée fondée sur le capitalisme, le commerce outre-mer, l'augmentation de la consom-mation et l'apparition de nouvelles mœurs. Les innovations techniques, notamment l'égreneuse à coton, la Spinning Jenny, et la machine à vapeur transformèrent la manière de produire le coton anglais. L'historien David Landes nous en dresse un panorama éloquent :

> L'abondance et la variété des innovations de cette époque se résument difficilement. Elles se ramènent à trois éléments fondamentaux : la mise au rancart des compétences et des efforts humains et leur remplacement par des machines rapides, régulières, précises, infatigables ; le remplacement de l'animé par l'inanimé, en particulier par l'introduction d'engins servant à convertir la chaleur en travail, cette initiative ouvrant la voie à une source d'approvisionnement énergétique pratiquement illimitée ; l'utilisation de matières brutes nouvelles et beaucoup plus abondantes, comme, par exemple, le recours aux minéraux à la place des substances végétales ou animales. Ces améliorations sont au cœur de la révolution industrielle[26].

La nature du travail fut modifiée. Les produits de fabrication artisanale, qui étaient confectionnés par les familles sur leur lieu de résidence, connurent un déclin. Les manufactures, où les travailleurs peinaient dur aux côtés d'étrangers, poussèrent comme des champignons. La standardisation devint la norme : les heures de travail, la productivité, les salaires et les conditions de travail, tout fut contrôlé. La vie sociale se modifia radicalement. Les travailleurs ruraux, chassés des terres par les lois anglaises imposant la clôture des champs entre 1760 et 1830, s'entassèrent dans les villes, qui arrivaient à peine à les absorber ; la pauvreté força les femmes et les enfants à aller travailler dans les manufactures. La vie de famille se désintégra et fut transformée en vie urbaine stressante, crasseuse et sans pitié, mais combien excitante, car, dans ces villes, parfois, des miracles pouvaient se produire.

La population anglaise doubla presque. Des millions d'hommes, de femmes et d'enfants travaillaient dur de 6 heures du matin à 7 heures du soir ou plus tard, les pauses étant rares. La poussière et la saleté empoisonnaient le milieu de travail. Les machines, dépourvues de dispositifs de sécurité, mutilaient les travailleurs, lesquels étaient ensuite congédiés sans dédommagements ; plusieurs mouraient des suites de leurs blessures. Les travailleurs devaient effectuer des tâches répétitives et énergivores, compromettant leur santé et provoquant épuisement et déformations physiques. Les contremaîtres étaient des hommes brutaux qui battaient leurs subalternes, les condamnaient à l'amende et les punissaient pour des infractions comme le manque de ponctualité, le bavardage ou les erreurs commises. Le climat de la plupart des manufactures était épouvantable et violent.

La vie domestique constituait rarement un refuge pour les parents épuisés et leurs enfants chétifs, rachitiques et sous-alimentés. La mortalité infantile grimpa en flèche, frôlant les 50 % avant l'âge de cinq ans. Les survivants entraient en général à la manufacture à cinq ou six ans ; ils étaient très recherchés par certains employeurs. « Les doigts des jeunes enfants sont très souples ; on peut plus facilement leur enseigner les routines qui se rapportent aux tâches de leur poste[27] », faisait remarquer un réformiste du XIXe siècle. Des lois visant à améliorer le sort des enfants travailleurs furent promulguées en 1833, mais il fallut attendre des dizaines d'années avant qu'elles s'étendent à tous les lieux de travail et qu'elles s'appliquent effectivement.

L'obscure Londres, la plus grande et aussi la pire des villes anglaises, était peuplée « de masses considérables et difficiles à gérer d'habitants misérables et abattus[28] ». Dans toutes les villes industrielles, les taudis offerts en location étaient chers, surpeuplés et insalubres, trop froids en hiver et trop chauds en été. L'approvisionnement en eau et les installations sanitaires étaient insatisfaisants, avec un seul robinet pour répondre aux besoins de plusieurs rues. La maladie et la dépression étaient endémiques. Les rues étaient dangereuses et peuplées de voleurs à la tire. Les prostituées, qui étaient souvent des couturières ou des vendeuses cherchant à compenser leur maigre salaire, traînaient au coin des rues.

Dans la vie qu'ils avaient connue auparavant, la plupart des agriculteurs avaient un jardin où ils pouvaient cultiver des légumes et des fruits ; certains d'entre eux pouvaient même posséder des poules, voire une vache. Dans les villes et même dans les régions rurales touchées par les lois de clôture des terres, les travailleurs devaient acheter leur nourriture ; ils changeaient souvent de régime alimentaire, pour s'adapter au coût des aliments et à leur disponibilité. Pour la première fois, ils avaient accès à des aliments d'origine non européenne, autrefois réservés aux classes privilégiées ; bientôt, les pommes de terre, le riz, le maïs, le thé, le café, le chocolat, le sucre et le tabac firent partie du régime alimentaire des Anglais. La combinaison de ces facteurs d'évolution indique « un temps de grands changements au niveau des habitudes de consommation et d'alimentation[29] », écrit Carole Shammas, spécialiste de l'histoire de l'économie.

Le sucre, désormais moins cher et plus abondant, eut d'énormes répercussions sur le régime alimentaire de la classe laborieuse. En 1680, le sucre coûtait deux fois moins cher qu'en 1630. En 1700, la proportion des aliments importés, notamment le thé, le café et le sucre, avait plus que doublé, passant de 16,9 à 34,9 %, la cassonade et la mélasse occupant la première place. Ces importations se traduisaient par une consommation de sucre qui semble avoir quadruplé entre 1700 et 1740, et qui a plus que doublé, encore une fois, entre 1741 et 1775. À peu près à la même époque, de 1663 à 1775, l'Angleterre et le pays de Galles consommèrent six fois plus de sucre, bien que leurs populations eussent presque doublé; la consommation de sucre et de produits connexes (mélasse, sirop et rhum) connut une augmentation plus importante que jamais auparavant, dans une proportion qui dépasse largement l'augmentation de la consommation de pain, de viande ou de produits laitiers[30]. L'historien Noel Deerr estime que la consommation de sucre par habitant était de 4 livres en 1700, de 8 livres en 1729, de 12 livres en 1789, au moment de la Révolution française, et de 18 livres en 1809[31].

Examinons l'usage du sucre par rapport au régime alimentaire de la classe laborieuse. Ce régime comprenait normalement du pain de blé, des pois, des fèves, parfois des navets et du chou, de la bière, du thé (de qualité inférieure), des petites portions de viande (laquelle était très appréciée, mais coûtait cher) sous forme de bacon, de poisson salé ou mariné, et, finalement, du beurre et du fromage. Les fruits étaient considérés comme malsains pour les enfants, voire nuisibles à la santé; c'est pourquoi on évitait dans une large mesure de les consommer. La bière et le thé étaient les boissons de prédilection; au XVIIIe siècle, la consommation de thé surpassait celle de la bière. Le sucre était l'édulcorant universel, ce qui était particulièrement vrai dans le cas du thé. « L'utilisation sans précédent du sucre était sans conteste le changement le plus important, écrit Shammas, car il rendait les puddings de blé, d'avoine ou de riz beaucoup plus délectables [...]. Le thé était un autre sous-produit de la révolution du sucre; ensemble, le thé et le sucre ont réussi à modifier la composition des déjeuners et des soupers. Le pain brun, le fromage et la bière ont cédé la place à la nouvelle boisson et à son édulcorant, ainsi qu'au pain blanc avec du beurre[32]. »

Lorsque les salaires étaient peu élevés, ou lorsqu'un travailleur était au chômage, le pain et le thé devenaient les aliments de base. Le pain, en effet, rapportait le révérend David Davies, en 1795, « constitue l'essentiel de l'alimentation des familles pauvres; les familles nombreuses [...] n'ont pratiquement rien d'autre à manger[33]». Le pain était sec et compact; lorsque la levure venait à manquer, il était assez lourd. On ne s'étonnera pas que les travailleurs aient été heureux de le délaisser au profit du pain blanc plus léger et plus moelleux, qui était fabriqué à partir de farine raffinée. L'augmentation du prix du combustible faisait que, souvent, le pain blanc acheté chez un boulanger coûtait moins cher que le pain brun cuit à la maison, sans compter que cela permettait de gagner un temps précieux. Les travailleurs voyaient dans le pain blanc un symbole de prestige, associant sa blancheur aux privilèges des classes aisées. De même, ils préféraient le sucre blanc raffiné à la cassonade et à la mélasse, se le procurant chaque fois qu'ils en avaient les moyens.

Le Dr James Phillips Kay, un physicien contemporain avisé, décrit la journée typique d'un travailleur du coton: debout à 5 h, il avale un petit-déjeuner composé de thé et d'un porridge d'avoine ou de pain, puis il se précipite à la manufacture. Le dîner se compose de pommes de terre assaisonnées de lard ou de beurre, parfois de gras de bacon. À son retour à la maison, tard dans la soirée, il soupe de pommes de terre, de pain ou de flocons d'avoine, faisant passer le tout avec un faible thé sucré[34]. Il pouvait arriver que les feuilles de thé aient déjà été utilisées une première fois; on pouvait se les procurer auprès de certains employés de maison qui vendaient les fonds de théière de leurs employeurs. Les « feuilles de thé » pouvaient également être constituées de miettes de pain brûlé qu'on brassait avec de l'eau bouillante, pour obtenir un triste succédané de thé. Quant au sucre, il était bien réel; il rendait le thé buvable, voire délicieux.

Alors qu'au Moyen Âge, on avait coutume de se limiter à deux repas par jour, au XVIIIe siècle, on passa à trois repas, même dans les pensionnats, les hôpitaux et les hospices pour nécessiteux. Toutefois, au même moment, le nombre de repas préparés à la maison diminua. Les femmes travaillaient et disposaient de moins de temps; les ingrédients essentiels et le combustible leur manquant, elles finirent par perdre la science des bouillons et des ragoûts qui mijotaient naguère dans les âtres médiévaux. Elles perdirent aussi l'habitude de cuisiner tous les jours, se contentant de pain acheté chez le boulanger, qu'elles servaient, lorsqu'elles en avaient les moyens, avec de la viande froide ou du fromage, le tout accompagné de bière ou de thé sucré, parfois additionné de lait.

Pendant la révolution industrielle, l'approvisionnement en eau des villes était irrégulier, l'eau étant souvent insalubre. Le fait de bouillir l'eau pour le thé servait donc à la purifier aussi bien qu'à la chauffer (quant au lait, il était notablement impur et souvent corrompu par une eau sale). La bière était salubre et nutritive, mais un mouvement croissant en faveur de la tempérance dénonça son omniprésence dans le régime alimentaire de la classe laborieuse. D'autre part, le thé, stimulant, rafraîchissant et très sucré, fournissait les calories dont avait besoin la classe laborieuse sous-alimentée. Durant le second quart du XIXᵉ siècle, l'amélioration des approvisionnements en eau et la chute des prix permirent au thé de devenir la boisson la plus appréciée en Grande-Bretagne. Le sucre était largement responsable de cette considération accordée au thé. Comme le fait remarquer l'historien britannique D. J. Oddy, « le principal changement par rapport à la fin du XVIIIᵉ siècle fut l'augmentation de la consommation de sucre. Au milieu du XIXᵉ siècle, cette consommation atteignit une demi-livre (0,2 kg) par habitant par semaine[35]. » Cela représentait une bonne quantité de sucre. L'augmentation se poursuivit encore pendant des dizaines d'années, si bien qu'à la fin du XIXᵉ siècle, la consommation individuelle de sucre par semaine dépassait une livre[36].

Ces données sont toutefois trompeuses, car elles présupposent faussement que la consommation de sucre était également répartie parmi tous les membres de la famille. Or, en réalité, comme il n'y avait pas assez de nourriture pour tout le monde, les femmes et les enfants consommaient plus de sucre, alors que les hommes mangeaient beaucoup plus de viande, de lait et de pommes de terre. Le Dr Edward Smith, médecin du XIXᵉ siècle, se faisait constamment dire que « le mari a droit au pain et aux meilleurs aliments ». Selon ce médecin, le travailleur mangeait de la viande et du bacon presque tous les jours, alors que sa femme et ses enfants n'en avaient qu'une fois par semaine. Le travailleur « était convaincu, de même que sa femme, qu'il était nécessaire d'agir ainsi afin de lui permettre d'effectuer son travail[37] ».

Mais ce n'est pas tout, car les sources du Dr Smith semblent indiquer que les hommes étaient seuls à travailler. Pourtant, d'autres enquêtes ont montré que même les femmes travaillant dans les manufactures se contentaient de pain, de sucre et de gras ; leurs rations de viande et poisson (qui pouvaient aller des côtelettes aux pieds de bœuf, aux pieds de mouton, aux oreilles de cochon ou aux harengs rouges) et de pommes de terre représentaient le quart des portions qu'elles servaient à leurs maris[38]. En 1895, « The Diet of Toil », publié dans la revue médicale *The Lancet*, confirmait que les femmes travaillant dans les manufactures se nourrissaient surtout de pain et de confiture ou de mélasse, ainsi que de thé sucré ; les femmes interrogées consommaient chaque semaine 21 onces de sucre (68 ¼ livres par année), alors que les hommes en consommaient 15 onces (48 ¾ livres par année)[39]. Tout en étant savoureux, ce régime pauvre était représentatif des familles à faible revenu. « Nous *voyons*, écrivait B. Seebohm Rowntree dans son ouvrage paru en 1901, *Poverty : A Study of Town Life*, que « nombre d'ouvriers ayant une femme et trois ou quatre enfants sont en bonne santé et exécutent bien leur travail, même s'ils ne gagnent qu'une livre par semaine. Ce que nous *ne voyons pas*, c'est que pour qu'il reçoive une nourriture suffisante, la mère et les enfants doivent se priver, car la mère sait que tout dépend du salaire de son mari[40]. »

Aussi étonnant que cela puisse paraître, ces chiches repas déséquilibrés et saturés de sucre non seulement alimentaient les classes laborieuses, mais stimulaient également la révolution industrielle rendue possible par leur labeur. Au cours des décennies qui suivirent, l'Angleterre fut moins affamée, son niveau de vie et son apport calorique augmentant, ainsi que l'éventail de ses choix. Comme les travailleurs mangeaient plus, ils « s'amélioraient » eux-mêmes, satisfaisant d'autres besoins qu'ils découvraient, comme l'estime de soi et la respectabilité.

L'historien Sidney Mintz a montré que le sucre était au cœur de cette évolution. Le sucre était beaucoup plus qu'un simple édulcorant. Comme le tabac, il fut, pendant des siècles, un luxe réservé aux riches, avant de devenir « la consolation générale de toutes les classes sociales », et tout particulièrement celle « de la classe prolétarienne émergente, qui trouvait dans le sucre et dans ce genre d'aliments une manière d'oublier son dur travail dans les mines et les manufactures[41] ». À ce propos, on peut rappeler la condition de la blanchisseuse au XVIIIe siècle, « cette créature repoussante et éreintée arrivant chez le marchand avec ses deux enfants [...] demandant un penny de thé et un demi-penny de sucre, en ajoutant qu'elle ne pourrait pas survivre sans cette boisson quotidienne[42] ». En 1750, « le sucre, compagnon inséparable du thé, prit possession de la plus pauvre des ménagères[43] » (vous souvenez-vous de Gladys ?). La dimension consolatrice du sucre — l'aliment de réconfort par excellence — lui donnait une portée psychologique dépassant les considérations de goût et d'apport calorique. La possibilité pour le travailleur salarié d'acheter ce qui était jusque-là un luxe inaccessible mettait en relation «la volonté de travailler et la volonté de consommer». Les pauvres travailleurs avaient dorénavant la possibilité de se choyer, comme les riches le faisaient depuis longtemps.

Une manière pour les familles des classes laborieuses de se choyer était de s'adonner au rituel du *thé haut*, un nouveau repas, très modeste et différent du *thé bas*. Le thé était servi sur la haute table de la salle à manger, et *non pas* au salon sur des tables basses installées à proximité des sofas et des chaises. C'est ainsi que le thé haut devint le souper familial, que l'on préparait après le retour des parents à la maison.

Pour une femme surmenée et épuisée, le thé haut était facile à préparer. Il permettait d'épargner de l'argent et du combustible, tout en faisant l'économie de la réfrigération. À court terme, on avait là un substitut satisfaisant d'une alimentation véritable. Le haut thé nécessitait du thé sucré, ainsi que du pain recouvert de beurre et de confitures, ou accompagné de conserves, de viandes froides, de fromage ou d'un œuf. Quelle que fût la nourriture qui était servie, elle avait meilleur goût et paraissait plus substantielle lorsqu'on la faisait passer au moyen de tasses de thé sucré, même lorsque celui-ci était très dilué. «Le thé, le café et le sucre étaient des éléments essentiels de la présentation et de la perception de sa propre respectabilité, qui constituait un élément important, voire décisif, de la conscience bourgeoise», écrit Woodruff D. Smith. C'est ce qui explique que le thé sucré et, dans une moindre mesure, le café, soient devenus «les "drogues douces" de prédilection de l'Europe occidentale. [...] elles permettaient d'accéder à la respectabilité et au statut de bourgeois[44].»

Le sucre soutenait également les ouvriers pendant leurs journées de travail ternes et difficiles; lors de courtes pauses, ils se remontaient en avalant rapidement une tasse de thé sucré. Mintz souligne l'importance du thé sucré, «la première substance à avoir fait partie d'une pause-travail[45]». Les pauses de thé sucré furent un élément essentiel dans la façon dont les manufactures s'y prenaient pour gérer et motiver leur main-d'œuvre. En fait, selon Mintz, ces pauses-thé avaient plusieurs fonctions. D'abord, elles furent introduites parce que les nouvelles méthodes de production modifiaient le régime de travail des prolétaires, en prévoyant des pauses-thé qui donnaient aux classes laborieuses de «nouvelles occasions de savourer, de manger et de boire[46]».

Dans cette optique, le thé sucré favorisait l'estime de soi, ainsi que l'impression illusoire d'une ascension sociale. Il procurait également un surcroît d'énergie en fournissant un apport calorique aux ouvriers, qui reprenaient ensuite le travail avec une vigueur accrue. La pause de thé sucré avait également d'autres fonctions. Elle incitait les ouvriers à travailler plus fort afin de pouvoir se procurer plus de thé sucré et d'autres douceurs ; cette dynamique les transformait en consommateurs désireux de consommer toujours plus. Mintz voit dans ce phénomène une double signification. D'abord, il représente «un aspect crucial de l'évolution des modèles alimentaires modernes» — *quoi* manger et *de quelle façon* manger. Au départ, le thé et le sucre représentaient la nouveauté, l'exotisme, des aliments auparavant inaccessibles qui se transformaient rapidement en quelque chose d'essentiel, comme la pause à laquelle ils étaient associés. Le thé et le sucre étaient également les principaux ingrédients du déjeuner et, pour les femmes et les enfants des ouvriers, ils étaient également les principaux ingrédients du dîner et du souper.

L'acceptation de ces aliments, qui se transforma bientôt en dépendance, multiplia les occasions d'en consommer au point que les travailleurs prirent bientôt l'habitude nouvelle de manger au travail plutôt qu'à la maison. Ceci les aidait à s'adapter à d'autres changements importants : de nouveaux horaires de travail, de nouvelles tâches, ainsi qu'un nouveau mode de vie qui découlait de ces transformations.

À vrai dire, le sucre joua auprès des gens le rôle néfaste d'un opiacé. C'était une substance qui à la fois favorisait la dépendance et fournissait énergie et plaisir ; c'était également un coupe-faim qui pouvait calmer les tiraillements d'estomac des pauvres gens ; il ouvrait la porte à de nouvelles avenues de consommation et de respectabilité sociale pour des groupes qui en avaient été préalablement exclus.

Les bonbons faisaient partie de ces possibilités nouvelles : cuits jusqu'à une consistance solide, aromatisés et prenant différentes formes, ils étaient délicieux. Dans les années 1840, l'introduction d'une nouvelle technologie permit la production en grande série de bonbons durs qui étaient, selon le spécialiste de l'histoire de la confiserie Tim Richardson, «de bonne qualité, uniformes, fiables, offerts à des prix abordables [...], emballés et portant la marque du fabricant au lieu d'être simplement vendus en vrac dans la rue ou au marché[47]». Les classes laborieuses, qui n'étaient plus tenues à l'écart des délices de la confiserie, pouvaient satisfaire joyeusement leurs envies de sucreries avec des centaines de sortes de bonbons.

Cette nouvelle manne rejoignait même les matelots de la marine de Sa Majesté ; au milieu du XIXᵉ siècle, ils recevaient deux onces de sucre par jour, ce qui représente plus de 44 livres par année. Même les pauvres confinés dans les hospices pour indigents en recevaient 23 livres par année. Les résidents de l'hospice Nacton étaient si friands de sucre qu'ils rédigèrent une pétition pour qu'on remplace leurs repas habituels, composés de purée de pois, par du pain blanc et du beurre, ainsi que du thé et du sucre. Grâce au thé sucré, note un observateur intéressé, ce maigre régime était devenu « leur repas préféré[48] ». Dans la dernière moitié du XIXᵉ siècle, les gens les plus pauvres d'Angleterre, les indigents aussi bien que les travailleurs, consommaient même plus de sucre que les riches, faisant de l'Angleterre le plus grand consommateur de sucre du monde.

Au fur et à mesure que les autres nations européennes s'urbanisaient et s'industrialisaient, le même modèle de transformations s'imposa. Les manufactures engouffraient les travailleurs, modifiant leurs repas et les heures de leurs repas pour les adapter aux nouveaux horaires de travail. Les travailleurs, qui, autrefois, mangeaient chez eux, prirent l'habitude de manger au travail ou dans des établissements commerciaux se trouvant à proximité de leur travail. La composition de leur repas se modifia pour intégrer une plus grande part d'aliments apprêtés comme le pain, les viandes froides, les confitures et les conserves ; leur consommation de sucre augmenta également.

Dans sa recherche sur la signification profonde du sucre au moment où il est transformé en un produit de nécessité quotidienne par le capitalisme et la révolution industrielle, Mintz résume ainsi ce qui en fait une substance idéale : « Le sucre [...] faisait qu'une vie occupée paraissait l'être moins ; lors de la pause qui rafraîchit l'ardeur au travail, il facilitait ou paraissait faciliter les mouvements d'aller-retour entre travail et repos ; il permettait d'atteindre plus rapidement un sentiment de satiété ou de satisfaction que les hydrates de carbone complexes ; il se combinait facilement à d'autres aliments, et pouvait même entrer dans la composition de certains mets (thé et biscuits ; café et petit pain ; chocolat, pain et confitures). [...] Il n'est pas étonnant que les riches et les puissants aient aimé autant le sucre, et que les pauvres aient appris à l'aduler[49]. »

Histoire du rhum

Le pouvoir énorme du sucre, que l'on pourrait désigner, d'une façon générale, par l'appellation « les intérêts du sucre », et même, ici, par l'appellation tout court de « l'intérêt », avait une autre dimension, qui englobait les planteurs des Indes occidentales, les esclaves vendus comme esclaves du sucre, les propriétaires des navires transportant la canne à sucre, les banquiers qui finançaient la production du sucre, les courtiers qui l'assuraient, les importateurs, les grossistes et les épiciers qui le vendaient, et même les agents, les débardeurs, les boulangers et les pâtissiers qui faisaient des affaires avec le sucre. Cet intérêt allait si loin qu'il avait des répercussions politiques. C'est ainsi que le rhum, fabriqué à partir de la mélasse, un sous-produit du sucre, en vint à faire partie des rations distribuées aux matelots de la marine anglaise.

Jusqu'au milieu du XVIIe siècle, les rations liquides de la marine anglaise consistaient surtout en bière, qui s'accompagnait parfois de brandy. Après la conquête de la Jamaïque par les Britanniques en 1655, plusieurs navires remplacèrent le brandy par le rhum jamaïcain, obtenu par distillation à partir de la mélasse jamaïcaine. (Le mot *rhum* fut forgé au XVIIe siècle, à la Barbade ; cette boisson était également connue sous le nom de *tue-diable*, « un alcool fort, infernal et terrible », remarque un visiteur[50].) En 1731, cette boisson infernale fut intégrée aux « Regulations and Instructions Relating to His Majesty's Service at Sea » (« Règlements et directives concernant le service de la marine de Sa Majesté »).

Les matelots qui en faisaient la demande recevaient le huitième d'une chopine de rhum dont le volume d'alcool oscillait entre 70° et 75° (alors qu'aujourd'hui, les rhums font en moyenne 40°). Les officiers prenaient des dispositions pour éviter l'ivresse et les beuveries qui minaient la discipline et occasionnaient la chute des marins œuvrant sur les mâts. La barrique de rhum était hissée deux fois par jour, à midi et à 16 h 30, le rhum étant distribué dans des godets en métal qui faisaient partie de l'attirail de chaque marin. Comme les « spiritueux » devaient être dilués avec de l'eau, le rhum était distribué avec de l'eau ou, souvent, avec du jus de lime. Cependant, les officiers prenaient leur rhum pur. Pour être sûrs que les choses se passent en toute justice, trois officiers supervisaient la préparation et la distribution du grog, au son d'un air entraînant de Nancy Dawson, par exemple « *Here We Go Round the Mulberry Bush* » (« Tournons autour de la bruyère ») ou « *I Saw Three Ships Go Sailing*

By» («J'ai vu trois navires prendre la mer»). Les hommes qui désiraient faire des économies ainsi que ceux qui étaient «tempérants» pouvaient s'inscrire sur la liste T (pour tempérance) et recevoir trois pence de plus par jour en échange de leur renoncement à leur ration de rhum. Afin d'encourager la sobriété, les rations de rhum diminuèrent avec le temps, jusqu'à une once seulement par jour[51]. Ce n'est qu'en 1970 que la ration de rhum fut abolie, le «Jour noir du p'tit verre de rhum» (*Black Tot Day*), après que les partisans de la ligue antialcoolique eurent remporté au Parlement le grand débat sur le rhum.

Depuis qu'en 1805, le corps de l'amiral Horatio Nelson fut ramené dans un baril de rhum (et non à côté dudit baril), les rations de rhum marin ont reçu un étrange surnom. On raconte qu'après que Nelson eut reçu une balle mortelle au cours de la bataille de Trafalgar, durant laquelle il écrasa la flotte de Napoléon et permit à l'Angleterre d'échapper à une invasion française, les officiers de son navire, le *Victory*, se hâtèrent de plonger son corps dans un baril de rhum. Les marins s'empressèrent aussitôt de boire le rhum d'embaumement; depuis lors, le rhum marin est également connu sous le nom de «sang de Nelson».

La distribution de rhum sur les navires avait plusieurs buts. Il tuait les bactéries contenues dans l'eau, qui serait normalement devenue corrompue après quelques semaines dans les réserves du navire. Il compensait le manque d'approvisionnement alimentaire en fournissant un apport calorique. On croyait que le rhum possédait des qualités nutritives. Bien qu'il créât une dépendance, qu'il rendît de nombreux marins insensés et colériques, il contribuait à calmer et à réjouir, même de façon temporaire, d'autres matelots. (Évidemment, tout autre alcool aurait eu les mêmes effets.) Finalement, ceux qui profitaient le plus des rations de rhum sur les navires étaient les planteurs de sucre des Indes occidentales. La ration de rhum leur garantissait des ventes régulières de mélasse, un produit qui n'était pas facile à vendre; cela représentait une occasion commerciale importante; c'était également une victoire sur le brandy dont la France, qui pratiquait la culture de la vigne, faisait la promotion avec autant de constance que les Indes occidentales défendaient leur rhum fabriqué à partir de la canne à sucre.

Les intérêts impérialistes du sucre favorisèrent la propagation de ce produit qui créait la dépendance. Ils firent en sorte que de l'autre côté de l'Atlantique, des millions d'Africains réduits en esclavage peinent dans les champs de canne, enchaînés pour la vie, afin de satisfaire l'attirance des Anglais pour le sucre. Maguelonne Toussaint-Samat, spécialiste de l'histoire de l'alimentation, loue le génie culinaire qui s'est construit autour du sucre, tout en déplorant le coût humain de cette évolution : « Tant de larmes ont été versées pour le sucre qu'il aurait dû, à vrai dire, en perdre sa douceur[52]. »

DEUXIÈME PARTIE

Le sucre noir

CHAPITRE 3

L'africanisation des champs
de canne à sucre

Le point de non-retour

Faisons la connaissance maintenant du prince Apongo, l'un de ces Africains qui coupèrent la canne et en firent du sucre pour les tasses de thé suaves des Européens. Nous sommes au milieu du XVIIIe siècle, en Jamaïque, où les champs de canne sont maintenant fortement africanisés[1]. Comme de nombreux autres Africains, le prince Apongo a appris à son détriment qu'il est dangereux de fraterniser avec les marchands d'esclaves européens. Il fut un des invités du gouverneur John Cope, au château fort de Cape Coast, où 1 500 esclaves étaient entassés dans des donjons obscurs, humides et froids, équipés de bouches d'aération d'à peine 10 pouces carrés, où les captifs suffoquaient jusqu'à ce qu'ils fussent poussés de l'autre côté de «la porte de non-retour», vers les négriers. Assis en haut avec Cope, le prince Apongo a dû entendre les cris d'affolement provenant de l'étage inférieur (même les citadins se plaignaient du bruit). Ni le prince ni son hôte ne pouvaient ignorer l'odeur nauséabonde des effluves humains qui montait vers eux.

La réputation du château fort était si sinistre qu'Apongo s'y présenta avec 100 guerriers armés jusqu'aux dents. Plus tard, il fut capturé, au moment où il chassait dans la forêt, et fut gardé prisonnier soit dans le donjon du château soit à Whydah, qui était un port situé plus à l'ouest. À Whydah, les baraquements d'esclaves étaient plus simples, mais tout aussi sinistres. Contrairement au donjon du château fort, ils étaient situés à bonne distance des bateaux. Lorsque venait le temps de les faire

monter à bord, rien n'était plus affligeant que de voir ces esclaves
enchaînés qui trébuchaient en marchant dans la verte campagne, jusqu'à la porte de non-retour et les navires négriers.

À la Jamaïque, Apongo n'oublia jamais son rang et n'accepta jamais
sa condition d'esclave. Pourtant, il semble avoir pardonné à John Cope
d'avoir contribué à sa capture. Cope avait pris sa retraite de la fonction
publique pour planter du sucre à la Jamaïque. Apongo trouva le moyen
de visiter sa plantation où, comme autrefois, Cope le reçut «à sa table
avec une nappe, etc., mise pour lui». Des années plus tard, le fils de
Cope, qui était également planteur de sucre, prétendit que son père avait
envisagé d'acheter Apongo pour lui permettre de retourner en Afrique.
À vrai dire, s'il l'avait fait avant 1760, Apongo ne serait pas devenu un
des meneurs de la rébellion de Tacky, qui causa la mort de 60 Blancs et
de 400 Noirs, dont Apongo lui-même.

Le prince Apongo était un des millions d'Africains à avoir été vendus
le long de la côte de 3 400 milles (5 472 km) située entre le Sénégal et
l'Angola. Durant plus de quatre siècles, le commerce international des
esclaves a arraché au moins 13 millions d'Africains à leurs demeures et
en a tué près de 2 millions. Des 11 millions d'Africains qui furent sacri-
fiés à l'esclavage étranger, le sucre, avec 6 millions, eut de loin la plus
grande part[2].

Les Africains qui arrivaient dans les champs de canne à sucre avaient
grandement souffert lors de leur traversée de l'Atlantique, qui les conduisait vers le Nouveau Monde et l'esclavage. L'esclavage était un marché
concurrentiel dont les intérêts financiers étaient énormes. On pouvait
faire fortune, mais on pouvait également tout perdre, à cause du volume
de capitaux nécessaires pour acheter et transporter les Africains d'un
continent à l'autre. On dut élaborer des directives pour la conception
et la gestion des vaisseaux, les cargaisons humaines et les relations avec
les marchands africains. L'expérience de la traversée de l'Atlantique que
durent subir les Africains reflétait tous ces facteurs.

Les Africains étaient sélectionnés en fonction des demandes des
acheteurs relativement à l'âge, à la condition physique, au sexe et même
à l'origine ethnique. Les planteurs de sucre avaient une préférence pour
les hommes forts et en santé, de 15 à 30 ans, mais ils ne s'entendaient
pas sur les tribus qui fournissaient les meilleurs esclaves : les Coromantees
étaient considérés par plusieurs comme rebelles mais compétents, alors
que les Ibos étaient dociles mais suicidaires. Le métier importait peu;

les marchands d'esclaves capturaient tous ceux qu'ils pouvaient, qu'ils soient fermiers, pêcheurs, chasseurs, artisans, commerçants, hommes de métier, serviteurs, esclaves, chamans, scribes, chefs de tribu ou dignitaires. Deux reines furent vendues comme esclaves, l'une par un beau-fils envieux et l'autre par un mari jaloux. Il pouvait arriver que les marchands d'esclaves reçoivent des «commandes spéciales». C'est ainsi que Molly, l'épouse du planteur jamaïcain John Cope, précisa qu'elle voulait «une fille Ibo, ayant autour de 12 ans, avec des petits pieds, des jambes non arquées, des dents sans caries, des mains étroites et longues, des doigts fuselés, etc., pour s'en servir comme couturière [...][3]».

Le sort des Africains était scellé lors du triage précédant l'embarquement. Le médecin de bord ou un autre officier examinait les captifs, pour détecter les défauts, comme des dents abimées, des éruptions cutanées ou autres symptômes de maladie. Les captifs qui avaient des déformations ou des doigts manquants pouvaient avoir la chance (!) d'être rejetés et relâchés.

L'examen avait pour but d'humilier les captifs aussi bien que de les sélectionner. Les esclaves nus devaient sauter et se livrer à d'autres exercices. Le médecin leur faisait ouvrir la bouche pour en inspecter l'intérieur, et «il devait examiner les parties sexuelles des hommes comme des femmes avec le plus grand soin». Un examinateur tordait, frappait et poussait, «pinçant sans merci les seins et les testicules[4]», soi-disant en vue d'expulser les captifs ayant des organes génitaux pendants. Les marchands trafiquaient souvent leur marchandise, en masquant les cheveux gris ou la peau squameuse des esclaves âgés; les testicules rasés et huilés étaient donc suspects. Les Africains qui étaient acceptés au terme de cette inspection étaient marqués au fer rouge, puis conduits comme un troupeau sur les navires qui les attendaient.

À bord, les hommes, qui représentaient les deux tiers de cette cargaison humaine, étaient mis aux fers et poussés dans l'entrepont, dans des cellules où régnait une «pestilence absolue», selon le souvenir qu'en a conservé l'ancien esclave Olaudah Equiano[5]. Le nombre d'esclaves ainsi «empilés tassés» ou «empilés non tassés» était tel que leur situation était insupportable. Les «dimensions» normales des navires négriers prévoyaient «5 pieds de longueur, 11 pouces de largeur et 23 pouces de hauteur» par esclave. Sur la plupart des bateaux, les esclaves étaient contraints de coucher en cuillère près de leurs compagnons d'infortune, dans des quartiers contaminés par les vomissures, l'urine et les excréments. Les femmes et les enfants, non enchaînés, étaient enfermés à part. Les matelots, maltraités et sous-alimentés, abusaient des femmes et les violaient.

Dans ce bourbier de misère, les capitaines cherchaient à obtenir le maximum de profit, ce qui signifiait qu'ils devaient garder leur cargaison vivante et en état d'être vendue : un esclave mort était une perte sèche. Pour éviter que cela se produise, ils tentaient de mettre en place de prétendues mesures d'hygiène et de soins, sous le contrôle d'un conducteur d'esclaves, armé d'un fouet à neuf lanières. Les mesures sanitaires consistaient à obliger les esclaves à gratter et à laver à grande eau leurs cellules dégoûtantes ; pour les garder en santé, on les faisait monter sur le pont, où on les forçait à faire des exercices et à danser, souvent de façon grotesque.

Mais il n'y avait rien d'hygiénique ou de sain dans ce voyage. La nourriture et l'eau étaient toujours en quantité insuffisante, surtout lorsque les bateaux devaient attendre des mois avant de remplir leur cargaison d'Africains. Aigris et désespérés, quand ils n'étaient pas terriblement malades, les Africains refusaient souvent de s'alimenter. Les matelots les nourrissaient alors de force, et il arrivait que leurs efforts se soldent par quelques dents brisées ou une crise d'étouffement. La maladie, le suicide et les mauvais traitements causèrent la mort d'au moins deux millions de captifs. Sur certains bateaux, seuls une poignée d'esclaves mouraient ; d'autres arrivaient chargés de mourants, après avoir jeté par-dessus bord ceux qui étaient déjà morts[6]. Un capitaine perdit 320 Africains sur une cargaison de 700 ; mécontent, il maudit ceux qu'il considérait comme un « lot de créatures encore plus horribles que les porcs [...][7] ».

En plus des défis que représentait le fait de devoir nourrir, de donner à boire et de faire faire de l'exercice à leur cargaison tout en se débrouillant pour la garder en vie, les capitaines devaient aussi affronter les mutineries des esclaves. Plus d'un million d'entre eux se rebellèrent. Un négrier sur dix dut réprimer une insurrection. « Enchaînez [les esclaves] et mettez-leur des fers aux mains, afin d'éviter qu'ils se soulèvent ou qu'ils se jettent par-dessus bord[8] », prescrivait un capitaine. Les navires négriers devinrent des « prisons flottantes », dirigées par des matelots guerriers qui considéraient leur cargaison humaine comme hostile et dangereuse.

Les femmes africaines jouèrent un rôle déterminant dans ces révoltes. Comme elles n'étaient pas enchaînées et qu'elles pouvaient glaner des renseignements auprès des matelots qui les violaient, elles soutenaient et avertissaient les instigateurs en leur fournissant des renseignements. Ces révoltes commençaient dès que les navires avaient quitté la côte africaine, et se poursuivaient pendant toute la traversée de l'Atlantique. L'historien David Richardson a répertorié 485 insurrections : 93 furent organisées par des Africains qui attaquèrent les navires à partir de la côte, tandis que 392 furent le fait de soulèvements d'esclaves tenus captifs à bord des navires. Comme les rebelles n'étaient pas armés, ils remportaient rarement la victoire, mais chacune des insurrections était un geste de défi et une déclaration de haine, qui donnait le ton à la nouvelle vie qui attendait les esclaves.

Cette nouvelle vie commençait partout dans un délai allant de cinq semaines à deux ou trois mois. Les marchands d'esclaves nettoyaient et préparaient leur marchandise, nourrissant ceux qui étaient trop maigres, rasant et huilant ceux qui étaient grisonnants, masquant du mieux qu'ils le pouvaient les ravages du scorbut, de la gale et de la syphilis, allant jusqu'à obstruer les anus de ceux qui souffraient de dysenterie. Certains marchands revêtaient leur marchandise de vêtements bon marché, d'autres présentaient les esclaves nus.

Les acheteurs potentiels piquaient, serraient les membres, palpaient les organes génitaux, examinaient les orifices. Ils inspectaient l'intérieur des bouches pour détecter les signes de maladie, comme des gencives ou des lèvres pâles, et pour s'assurer de l'absence de dents effilées ou taillées, habitude africaine que les Blancs avaient en horreur et considéraient comme barbare. Les planteurs de la Barbade avaient la réputation d'agripper les femmes qui avaient de gros seins.

Les ventes d'esclaves, à bord des navires ou dans les baraquements situés sur la côte, étaient le point culminant avant le terrible passage de l'Atlantique. En règle générale, la marchandise était mise aux enchères suivant la méthode du «scramble» ou celle de «la vente à la bougie». Equiano décrit l'horreur des captifs lorsque les acheteurs se ruaient sur eux pour «attraper» les proies de leur choix, en criant et en tentant de se les arracher mutuellement. Dans les «ventes à la bougie», les clients pouvaient enchérir jusqu'à ce qu'une bougie allumée ait diminué d'un pouce. Les témoins, qu'ils soient de race noire ou de race blanche, n'oublièrent jamais les hurlements déchirants des esclaves qui, une fois vendus, étaient séparés de leur famille et de leurs amis.

Les champs de canne

La prochaine étape de leur calvaire était le processus d'assujettissement. Les nouveaux esclaves étaient désorientés, accablés de douleur et présentaient «tous les symptômes d'une personnalité traumatisée[9]». Pour effacer leur sentiment d'identité et briser leur volonté, leurs maîtres commençaient par leur donner un nouveau nom: le prince Apongo fut renommé Wager, et Olaudah Equiano devint Gustavus Vassa. Ils les revêtaient ensuite de vêtements identiques, sans forme, faits à partir de lin brut et bon marché osnaburg, puis ils procédaient à nouveau à un marquage au fer, imprimant impitoyablement leur logo sur les joues ou sur les épaules des esclaves qui leur appartenaient. La marque du contremaître et propriétaire d'esclaves jamaïcain Thistlewood était un «TT» à l'intérieur d'un triangle inversé, celle de la Société pour la propagation de la Bible était «Société».

Venait ensuite la triste marche vers la plantation. Les nouveaux arrivants étaient logés avec des esclaves créoles qui les guidaient, leur enseignaient les rudiments de la vie sur la plantation et réussissaient peut-être à diminuer l'esprit récalcitrant que manifestaient un grand nombre d'Africains. Les contremaîtres blancs les accueillaient avec la cravache, les railleries et les humiliations; quant aux femmes, elles devaient subir leurs agressions sexuelles.

Les Africains ne «s'assujettissaient» pas facilement. On estime que deux esclaves sur sept sont morts de maladie ou de désespoir. Ceux qui réussissaient à survivre refusaient d'obéir aux ordres, répondaient aux coups des conducteurs ou des contremaîtres en les frappant à leur tour, et s'enfuyaient. Ils ne cessaient jamais de déplorer le gâchis de leur vie, la perte de leurs proches et de leur patrie en Afrique. Il est étonnant de voir le nombre de ceux qui se suicidèrent pour échapper à l'esclavage. Les planteurs frustrés et enragés eurent recours à la cravache et à d'autres formes de punition pour les forcer à travailler et à obéir aux règlements de la plantation. Puisqu'ils étaient leur investissement en capital le plus important, les esclaves se devaient d'être productifs.

La dimension et la structure des plantations de canne à sucre variaient en fonction de l'époque et de l'emplacement. Toutefois, qu'elles aient été situées au Brésil, au Mexique, à la Jamaïque, à Antigua, à la Barbade, à Cuba, à la Martinique ou à Saint-Domingue (plus tard à Haïti), les plantations avaient des caractéristiques communes qui leur étaient dictées par la nature de la culture, les demandes des consommateurs de sucre et les objectifs des planteurs.

Les plantations étaient des villages autonomes pourvus de dizaines de structures comprenant un moulin, une maison de cuisson, une maison de séchage et, souvent, une distillerie de rhum. Il y avait des hangars où l'on veillait à l'entretien et à la réparation de l'équipement, des remises et des granges pour la canne et ses résidus — désignés sous le nom de *bagasse* — ainsi que pour le bétail et les vivres de la plantation. Il y avait une grande maison pour le planteur ou son représentant, ainsi que des logements, plus modestes, pour le contremaître, le pharmacien et les autres employés de race blanche. Il y avait également les quartiers des esclaves, situés à distance des habitations des Blancs; c'étaient des baraquements ou des rangées de cases aux toits de chaume. Au Brésil — mais rarement dans les autres pays —, il y avait une petite chapelle et une maison pour l'aumônier de l'endroit. Dans la plupart des plantations, il y avait un «hôpital» d'esclaves, ainsi qu'une «prison» ou un donjon.

La plantation était entourée de champs de canne à sucre s'étendant sur des centaines ou des milliers d'acres, comprenant les parcelles de canne, les pâturages, le boisé pour le combustible, et souvent, des terrains réservés aux esclaves. Les champs de canne étaient situés à proximité des moulins; ils étaient divisés en rectangles limités par des chemins qui pouvaient recevoir des chariots tirés par des bœufs et qui servaient également de coupe-feu. Les planteurs avisés effectuaient une rotation de leur échéancier de plantation afin que les plants de canne parvenus à maturité ne dépassent pas les capacités des esclaves et des moulins.

La plus importante caractéristique des plantations de canne à sucre, c'était leur fonctionnement réglé sur des horaires et une spécialisation du travail comme dans les manufactures. Sidney Mintz pense que les plantations furent les premières à instaurer le travail à la chaîne. Les esclaves, qui représentaient «la principale force d'une plantation de sucre[10]», étaient répartis en bandes — la «grande bande», la «deuxième bande» et parfois la «troisième bande», chacune ayant son propre conducteur. D'autres esclaves travaillaient comme chauffeurs de chaudière, tonneliers, charrons, charpentiers, mécaniciens, forgerons, maçons, charretiers, chargeurs, conducteurs de mules, magasiniers, cuisiniers, tondeurs de pelouses, chasseurs de rats, infirmiers, gardiens d'enfants, pêcheurs et gardiens de sécurité. Les membres de la «bande de la viande de porc », composée d'enfants, de vieux et de handicapés, fouillaient les détritus à la recherche de nourriture pour les animaux, désherbaient les jardins et effectuaient des corvées. Les intendants, les cuisiniers, les blanchisseuses, les gardiens d'enfants et d'autres domestiques dirigeaient la grande maison.

Les membres des bandes étaient sélectionnés avec soin, leur force et leur compétence devant correspondre au travail qui leur était assigné[11]. La grande bande était la plus importante et celle qui devait travailler le plus fort. La deuxième bande était une copie de la première, en plus petit. Les esclaves épuisés de la grande bande pouvaient se retrouver dans la deuxième bande ; un esclave de la deuxième bande qui ne présentait pas de signes de fatigue pouvait être transféré dans la grande bande. La troisième bande, lorsqu'il y en avait une, comprenait des adolescents et des esclaves trop vieux ou malades pour répondre aux exigences des deux premières bandes. Dans la plupart des exploitations, ces travailleurs étaient affectés à « la bande de la viande de porc », qui comprenait également tous les enfants âgés de quatre à douze ans[12].

L'âge était un facteur primordial. « Les maîtres évaluaient leurs esclaves, qu'ils considéraient comme leur propriété et leur capital humain, en fonction de l'âge essentiellement[13] », fait remarquer l'historien B. W. Higman. On considérait que les meilleurs travailleurs avaient entre quatorze et quarante ans. Sauf durant les premières années où régna l'esclavage, lorsque les hommes étaient deux fois plus nombreux que les femmes, les femmes composèrent la plus grande partie des bandes travaillant dans les champs. Les esclaves masculins avaient plusieurs autres possibilités. On pouvait les former pour en faire des tonneliers, des maçons, des chauffeurs de chaudière ou des mécaniciens ; ils pouvaient également exercer un grand nombre de fonctions voisines de celles occupées par les femmes. Les seules promotions auxquelles les esclaves féminines pouvaient accéder étaient celles de liquoristes ou de meneuses d'esclaves. Le meneur de la « bande de la viande de porc » était souvent « une vieille femme expérimentée[14] ».

La couleur de la peau jouait un rôle important dans les travaux assignés. En règle générale, les métis et les mulâtres étaient exemptés des travaux exigeant beaucoup d'efforts ; on ne les envoyait travailler aux champs que pour les punir. Ainsi, en 1790, le mulâtre Ned, un garçon d'étable qui se conduisait mal, fut « dépouillé de sa livrée, et envoyé travailler dans les champs avec les nègres ; pendant six mois, il

dut creuser des trous de canne, sarcler et couper la canne avec un poids
de cinquante livres attaché à son corps[15] ». La « petite amie mulâtre » du
gestionnaire blanc de la plantation ayant été surprise à tromper son
maître avec un esclave noir fut « enchaînée au cou et envoyée aux
champs[16] ». Ce n'est qu'après l'abolition du commerce des esclaves en
1807, que les planteurs, pour pallier la pénurie de main-d'œuvre qui
s'ensuivit, envoyèrent des esclaves à la peau plus pâle travailler dans les
champs de canne.

Le travail de la grande bande était pénible et dangereux. Il s'effectuait
par un soleil brûlant sous la supervision de conducteurs au tempéra-
ment bouillant ; il était particulièrement débilitant. En juillet ou en août,
les esclaves devaient préparer les terres à planter, tailler et brûler les
herbes, les arbustes et les vieux plants de canne. C'était là un travail
spécialisé, qu'il valait mieux effectuer par temps calme. Même en l'absence de vent, les esclaves pouvaient se blesser avec leurs machettes ; ils
pouvaient aussi être incommodés par la fumée, subir une insolation ou
être mordus par les serpents et les rats en fuite. Même quand tout allait
bien, les champs de canne pouvaient être envahis par des armées de
rats ; ceux-ci étaient si dévastateurs pour les plants non coupés que les
planteurs les appelaient « l'ennemi le plus ruineux du planteur ». Par
exemple, dans la plantation jamaïcaine de Matthew Lewis, les esclaves
chasseurs de rats en attrapèrent 3 000 en six mois, sans parler du grand
nombre de rats capturés par les chats.

L'étape suivante était la plus difficile. Elle consistait à préparer le sol
pour planter les fanes de canne à sucre. Rares étaient les planteurs qui
acceptaient de laisser reposer leurs champs en introduisant des périodes
de jachère, car ils auraient ainsi réduit leur production de sucre. Toutefois,
les effets de l'aridité du sol et de l'érosion galopante firent comprendre
aux planteurs qu'il valait mieux planter la canne dans des trous que
dans des tranchées. Mais le creusage des trous de canne était un travail
pénible et éreintant. Les superviseurs blancs divisaient la terre en carrés
de 5 pieds, à l'intérieur desquels ils installaient des cordes nouées,
tendues le long des rangées de canne. À l'emplacement de chaque nœud,
les esclaves devaient creuser un trou de 6 à 9 pouces de profondeur sur
2 ou 3 pieds de long ; ils utilisaient la terre retirée du sol pour former
une crête autour de chacun des trous.

Les esclaves, qui étaient tous équipés d'une binette, travaillaient par
équipes de deux ; parfois, ils étaient « appareillés en fonction de leur

grandeur et de leur force[17] ». À d'autres occasions, on jumelait un travailleur fort avec un travailleur plus faible. Les esclaves devaient placer
trois fanes de canne dans chacun des trous ; dans plusieurs plantations,
ils devaient ensuite remplir le trou de fumier, d'algues ou de détritus
avant de le recouvrir de terre[18] (un planteur martiniquais considérait
que la terre fertilisée produisait 31 % plus de canne, et les repousses
fertilisées, 36 % de plus)[19]. Quarante esclaves plantaient un acre de
canne, ce qui représentait environ 3 500 trous de canne par jour[20]. Au
milieu du XVIIIe siècle, à la Jamaïque, qui était la première colonie
anglaise de sucre, la superficie moyenne des plantations était de plus de
mille acres. Chaque esclave devait creuser 100 trous de canne par jour.
Dans les Antilles françaises, où le sol était moins compact, la norme
était de 28 trous à l'heure. Les esclaves qui ne parvenaient pas à fournir
ces résultats recevaient des coups de fouet, suivant le système de motivation habituel des planteurs. À Antigua, un jeune officier de l'armée
vit « un énorme conducteur d'esclaves flageller sans pitié une vieille
négresse décrépite qui semblait ployer sous la misère et le labeur pénible ;
[…] elle faisait partie d'une bande d'esclaves […] travaillant à la bêche
sous le soleil tropical de midi[21] ».

Les esclaves possédaient leurs propres outils de motivation. En dépit
de la surveillance continue exercée par les Blancs, ils scandaient et
chantaient leur rage et leur peine. « Le dur travail tue le nègre, ô mon
cher, il doit mourir. » Une « bande de la viande de porc » chantait : « Un
lundi matin, ils m'ont étendu par terre / Et ont porté trente-neuf coups
de fouet sur mes fesses à nu. » Certains esclaves scandaient, séditieuse-
ment : « Un, deux, trois / Noirs, Blancs, Bruns / Tous les mêmes / Tous
les mêmes / Un, deux, trois[22]. » Les esclaves cubains, qui étaient déjà
dans les champs avant le lever du soleil, surprenaient les visiteurs de la
grande maison en les réveillant au son de « longues cadences plaintives
de leurs chants barbares[23] ». « A-a-b'la ! », « E-e-cha ! E-e-cha ! », criaient
les chaudières aux chauffeurs ; de leur côté, les bandes qui effectuaient
le chargement des chariots ou remplissaient les auges le faisaient en
scandant « une intonation barbare et discordante[24] ».

Les esclaves étaient parfois réduits au silence. À Saint-Domingue, le
voyageur suisse Girod-Chantrans put voir des esclaves transpirant dans
la chaleur cuisante, nus ou vêtus de haillons, creusant les trous de canne
dans « un silence de mort […]. L'œil sans merci du régisseur [contre-
maître] surveillait les travailleurs pendant que plusieurs surveillants

[conducteurs] circulaient au milieu des travailleurs en frappant durement ceux qui paraissaient trop fatigués pour tenir le rythme [...] ceux
qui n'arrivaient pas à suivre ne pouvaient espérer échapper aux coups
de fouet[25]. »

Creuser des trous de canne était si épuisant que plusieurs chefs
d'équipe engageaient des bandes de travailleurs journaliers pour les
aider. Ceux-ci appartenaient à un ou plusieurs colons blancs qui louaient
des esclaves, ou à de petits fermiers qui cherchaient à gagner de l'argent
entre les récoltes. Dans un système cruel, ces travailleurs étaient ceux
à qui on demandait le plus et dont on abusait aussi le plus. Les esclaves
d'un planteur étaient son principal investissement en capital; pour cette
raison, il avait tout intérêt à les garder en vie. Le creusage des trous de
canne, « bien qu'il ne fût pas moins ardu pour les nègres engagés [...]
avait au moins l'avantage de reposer les miens[26] », reconnaissait le
planteur jamaïcain Matthew Lewis.

Les esclaves du sucre redoutaient tellement cette opération que les
bandes de travailleurs journaliers recevaient de plus hauts salaires que
les pâtissiers ou les prostituées. Dans les champs de canne des planteurs
absentéistes, supervisés par des contremaîtres qui n'étaient nullement
concernés par leur bien-être, les bandes de travailleurs journaliers
étaient presque toujours composées d'Africains surmenés, fouettés,
sous-alimentés, qui devaient passer la nuit dans les champs. Une fois
intégrés à une bande, ces esclaves avaient une espérance de vie de sept
ans. Un observateur du XIXe siècle déplore qu'ils doivent mourir comme
« des chevaux surmenés ou éreintés[27] ».

Durant les douze mois suivants (quinze dans le cas d'une repousse),
les esclaves devaient renforcer la canne en croissance en imprimant une
inclinaison au sol, sarclant les milliers de rangées entre les trous de
canne et retirant les tiges séchées. Lorsque le sol était desséché, comme
c'était souvent le cas aux Indes occidentales, ils devaient l'irriguer.
Lorsque la canne poussait, ils devaient la tailler. Plusieurs plantations
échelonnaient leurs échéanciers de plantation pour assurer l'approvisionnement constant des moulins. Cela signifiait que les esclaves n'avaient
pas sitôt terminé leur travail pénible qu'ils devaient se remettre à
l'ouvrage dans un champ voisin.

En plus de leur travail, des privations et des punitions, les femmes
esclaves tombaient enceintes, devaient mettre leurs enfants au monde
et s'acquitter de la plus lourde tâche, celle d'éduquer leurs enfants.

Jusqu'à l'abolition du commerce des esclaves, les planteurs de canne à sucre considéraient les enfants esclaves (ainsi que les vieux esclaves) comme une charge pour les coffres de la plantation; même les femmes qui étaient très avancées dans leur grossesse n'avaient aucun répit. Les enfants de deux semaines à deux mois qui avaient survécu étaient suspendus au dos de leurs mères (à la manière africaine), qui devaient les garder avec elles pendant qu'elles travaillaient au champ. Certaines femmes travaillaient ainsi toute la journée, courbées sous leur petit fardeau. D'autres devaient déposer leurs bébés sur le sol, «dans des corbeilles placées sous une tonnelle de branches» ou sur un tissu doux, une peau de chèvre ou de mouton; ils étaient là «comme des têtards», nus, exposés au climat et aux moustiques, tétant un morceau de canne à sucre, sous la surveillance d'une vieille esclave, une «grande» (une gouvernante ou une gardienne)[28]. Dans certaines plantations, les mères qui allaitaient se relayaient; elles s'occupaient des poupons pendant deux heures, puis elles retournaient travailler. Dans d'autres planta-tions, les conducteurs «les injuriaient, elles et leurs gosses brailleurs, lorsqu'elles les allaitaient[29]».

Lorsque les enfants étaient sevrés ou que leurs mères n'étaient pas autorisées à les allaiter dans les champs de canne, les poupons devaient se contenter de pain «*parrada*», une bouillie de farine et de sucre. Il était difficile et dangereux de prendre soin des tout-petits dans les champs de canne. La plupart des femmes préféraient les laisser dans les quartiers des esclaves, à la «pouponnière», un euphémisme désignant une pièce poussiéreuse où les enfants plus âgés et les vieilles femmes esclaves les surveillaient. Dans quelques plantations, des mères déter-minées «installaient leurs enfants sur leur dos, comme saint Georges à dos de cheval [...] et poursuivaient leur travail, penchées dans une posture douloureuse[30]», désherbant et creusant des trous de canne.

Les grandes plantations cubaines gardaient les enfants dans des «chambres d'enfants» se trouvant dans les sinistres quartiers des esclaves ou baraquements; les mères étaient autorisées à quitter les champs deux ou trois fois par jour afin de les allaiter. Selon une Américaine, les tout-petits étaient «exceptionnellement tranquilles et dociles[31]», tandis qu'un visiteur masculin les décrivait comme de «petits pêcheurs noirs, nus, courant et trébuchant les uns sur les autres dans la plus grande pagaille[32]».

Au service de la canne

Au fur et à mesure que la canne poussait, les esclaves entretenaient les champs de maïs, et d'autres cultures servant à nourrir les hommes et le bétail; ils réparaient les routes, les clôtures, les bâtiments et les équipements, tout en finissant d'expédier la récolte de canne de l'année précédente. Lorsque la canne était parvenue à maturité, les bandes la récoltaient en coupant les tiges de manière experte à coups de hache, au moyen de coutelas ou de couteaux de fascine connus sous le nom de *bills*. Durant les cinq mois de la récolte, les esclaves travaillaient jour et nuit. La canne, coupée en tronçons d'environ 4 pieds, était immédiatement mise en ballots et devait être moulue dans un délai de deux jours, tout retard contribuant à assécher la canne et à réduire sa teneur en sucre.

Après avoir chargé les lourdes tiges de canne sur les chariots, les esclaves se relayaient pour conduire les bœufs, qui gémissaient en traînant avec effort les chariots pleins jusqu'au moulin. Depuis l'instant où les chariots étaient amenés au moulin jusqu'au moment où on déchargeait la cargaison de canne brute, les esclaves travaillaient sans répit, chargeant et déchargeant les chariots qu'on leur amenait. Pendant ce temps, les charrons et les forgerons réparaient les chariots et les menuisiers les gouttières en bois.

La canne passait par une série de chaînes de production manœuvrées par les esclaves. Elle était broyée dans le moulin pour en extraire la sève sucrée. Cette opération était extrêmement dangereuse. Les esclaves, dont plusieurs étaient des femmes, travaillaient de 18 à 20 heures par jour; il leur arrivait souvent de tomber de fatigue ou de chanceler en faisant passer la canne dans les énormes rouleaux. Ceux-ci pouvaient facilement happer une main imprudente, voire tout le corps de la femme, qui périssait écrasée. Ce genre d'accident arrivait si souvent que les surveillants conservaient une machette ou un sabre prêts à couper le membre prisonnier, afin de sauver la vie de l'esclave. Au Brésil et à Saint-Domingue, les femmes esclaves avec des bras, des mains ou des doigts en moins étaient monnaie courante. Thérésa, une reine africaine vendue aux Brésiliens comme esclave, eut les deux bras amputés après que le terrible rouleau les eut happés l'un après l'autre. À la Barbade, deux femmes qu'on avait enchaînées ensemble pour les punir alimentaient le moulin lorsque l'une d'entre elles se fit happer le bras dans le rouleau. Bien que l'on « ait tenté par tous les moyens d'arrêter le moulin,

on n'y parvint pas avant que l'autre négresse n'ait été décapitée[33] ».
Makandal, un rebelle marron d'Haïti, né en Afrique, s'enfuit de sa
plantation après que sa main eut été sectionnée lors d'un accident de
travail survenu au moulin à sucre. Dans *Candide* (chap. 19), de Voltaire,
un esclave surinamien estropié raconte comment il a perdu un bras et
une jambe : « Quand nous travaillons aux sucreries, et que la meule nous
attrape le doigt, on nous coupe la main ; quand nous voulons nous
enfuir, on nous coupe la jambe : je me suis trouvé dans les deux cas.
C'est à ce prix que vous mangez du sucre en Europe. »

L'impressionnante plantation cubaine Ingenio Hormiguero, de
3 000 acres, avait un salon directement à l'intérieur du moulin. Les
femmes des propriétaires, installées dans des chaises berçantes avec en
mains leurs travaux de couture, surveillaient « chaque tronçon de canne
qui passait dans les rouleaux [...] à l'intérieur du moulin. [...] Ces
dames [...] pouvaient évaluer avec précision la quantité de jus produit
par la canne ; elles pouvaient voir si la machine fonctionnait sans interruption et si la nouvelle équipe de mulets donnait de bons résultats[34]. »

Après que la canne eut été broyée, sa sève était acheminée par un
long système de gouttières en bois, jusqu'à la maison de cuisson, où elle
était recueillie dans un récipient en cuivre, le premier et le plus gros
d'une série de récipients en cuivre appelé le *Jamaica Train*. Dans les
moulins animés par les mulets, les conducteurs de mules fouettaient les
animaux qui devaient tourner sans arrêt. Dans une chaleur intolérable,
les esclaves enfournaient le bois de chauffage ou la *bagasse* séchée pour
alimenter la chaudière. La sève était chauffée avec de la chaux vive pour
la clarifier. Le jus était écumé plusieurs fois et déposé à la louche dans
des récipients de plus en plus petits. La sève contenue dans le dernier,
la batterie, était un sirop collant et épais comme de la tire. Ce processus
de clarification, lui aussi, était dangereux ; il épuisait les esclaves qui
étaient souvent ébouillantés par le liquide brûlant.

Les esclaves travaillant à la maison de cuisson étaient très compétents ; s'ils faisaient des erreurs, le sucre pouvait être gâté. Le chef
chauffeur d'une plantation était indiscutablement son plus grand atout.
Il devait déterminer la nature de la canne à l'arrivée : l'espèce à laquelle
elle appartenait, s'il s'agissait de canne parvenue à maturité ou de
repousses, dans quelle espèce de sol la canne avait poussé, à quelle
fréquence elle avait été arrosée et fertilisée, si elle avait été attaquée par
des insectes nuisibles ou des rats, combien de temps avait été consacré

à sa croissance, et quel degré de maturité elle avait atteint au moment de la coupe. Ces renseignements lui permettaient de déterminer la quantité de chaux qu'il convenait d'utiliser — 100 livres de canne nécessitaient de 2 onces à 3 livres de chaux — et la durée de cuisson de la sève. C'était le chef chauffeur qui était le premier responsable de la qualité du sucre qui serait exporté en Europe. Le produit serait-il indiqué pour le thé bas de la duchesse de Bedford, ou obtiendrait-on l'espèce de sucre brut que Gladys pouvait acheter ? Lorsque Thomas Thistlewood engagea le « célèbre chauffeur » Witte, appartenant à une plantation voisine, il fut si heureux de son travail qu'il le récompensa en lui donnant quatre pièces de monnaie (la moitié d'un dollar espagnol ou américain) et deux bouteilles de rhum. Cela représentait le double de ce qu'il donnait aux femmes esclaves avec lesquelles il avait des relations sexuelles et correspondait à ce qu'il accordait à celles dont il s'était entiché[35].

L'étape suivante consistait à refroidir le sirop et à éliminer les impuretés, suivant un procédé qui a été décrit dans le premier chapitre. Une partie de la mélasse qui s'écoulait des tonneaux appelés « foudres » était recueillie pour être cuite à nouveau. Plusieurs plantations distillaient également le rhum ; on faisait fermenter des quantités égales de mélasse et d'écume de sève recueillie lors de la première cuisson, puis on distillait deux fois ce mélange pour produire un rhum véritable (contenant 50 % d'alcool par volume). Les femmes esclaves travaillaient dans les distilleries et pouvaient même espérer devenir distillatrices, car les planteurs croyaient qu'elles étaient moins portées à picoler avec le produit fini.

Dans les grandes plantations, le cycle du coupage, du broyage, de la cuisson et de la distillation se poursuivait nuit et jour durant cinq mois. Chaque segment de cette chaîne de production agro-industrielle dépendait du segment qui le précédait, chaque esclave devant se plier à ses exigences. À vrai dire, les esclaves étaient soumis à un horaire de travail inhumain. À Puerto Rico, « on peut voir les Noirs se rendant au moulin à 3 heures du matin, pour travailler jusqu'à 8 ou 9 heures du soir, avec, pour seule compensation, le plaisir de manger de la canne. Ils n'ont jamais droit à une seule pause de 24 heures au cours de l'année[36] », notait l'abolitionniste français Victor Schoelcher. À Cuba, un visiteur demanda à un surveillant si le fait de n'accorder que trois heures de sommeil aux esclaves ne contribuait pas à raccourcir leur espérance de vie. « *Sin duda* » (« Sans aucun doute »), répondit le surveillant.

Sans les «limites physiologiques», les planteurs auraient contraint les esclaves à travailler encore plus longtemps. Les choses étant ce qu'elles sont, ils assouplissaient leurs règles et cherchaient à motiver leurs esclaves épuisés en leur permettant de goûter le jus de canne chaud et sucré, et en leur donnant parfois de petits verres de rhum aromatisé au sucre. Stimulés et réconfortés, les esclaves redoublaient d'efforts pour réaliser l'impossible et achever la production de sucre.

« *La musique du nègre est le claquement du fouet* » : la vie laborieuse des esclaves du sucre

Le Martiniquais Pierre Dessalles parlait au nom de milliers d'autres planteurs de canne à sucre en déclarant que la raison «est un langage que le nègre ne saurait comprendre. La musique du nègre est le claquement du fouet[37].» Dans tous les quartiers d'esclaves, où qu'ils fussent situés, c'était avec cette musique que les esclaves commençaient leur journée; ce serait l'origine de l'expression «*the crack of dawn*» («le claquement du jour»), qui était le moment où le conducteur faisait claquer son fouet pour donner le signal du réveil collectif (d'autres surveillants soufflaient dans une conque ou faisaient sonner la cloche). À Cuba, où les planteurs et les responsables de la colonie croyaient que «pour qu'un homme soit aimé de ses esclaves, il doit leur inspirer la crainte[38]», un visiteur américain évoqua ces «lieux horribles à l'intérieur de l'île, où le claquement du fouet ne cesse que quatre heures sur vingt-quatre, et où, pour ainsi dire, le sucre dégage l'odeur du sang des esclaves[39]».

Avant de prendre en traînant la direction des champs de canne, les esclaves devaient accomplir des tâches autour de la plantation. Ce boulot comprenait le ramassage du crottin animal et la tâche pénible de trouver du fourrage pour le bétail. Après quoi, ils prenaient leur houe et se traînaient jusqu'aux champs, où avait lieu l'appel. Les retardataires, même les mères qui devaient s'occuper de leurs enfants, étaient fouettés. Et pourtant, tous les matins, certains esclaves se présentaient en retard[40]. Après l'appel, les esclaves, qui n'avaient pas encore mangé, devaient travailler dans les champs jusqu'à 10 h. Ils s'arrêtaient alors pour avaler les provisions qu'ils avaient grappillées et apportées avec eux. La faim était omniprésente; pendant la saison de maturation de la canne, ils risquaient le fouet pour satisfaire leur faim. Quelques coups de machette suffisaient à transformer une tranche de canne en collation rapide qui les soutiendrait durant la prochaine période de travail. Ceux qui se faisaient prendre recevaient une grêle de coups. Le surveillant jamaïcain Thistlewood condamna les esclaves Phillis, Egypt, Hector, Joe et Pomona à la «dose Derby», qui était sa manière malsaine de punir les esclaves surpris à manger de la canne, obligeant l'esclave Derby à déféquer dans la bouche des autres esclaves.

Après le déjeuner, les esclaves devaient donner un autre coup de collier. Le travail s'interrompait pendant deux heures pour le dîner, au moment où le soleil était le plus fort; le reflet de la lumière dans les champs était éblouissant et les esclaves, qui avaient travaillé durant six à huit heures, étaient épuisés. Cette période de repos était pour eux l'occasion (si on peut utiliser cet euphémisme) de faire du jardinage, car beaucoup d'esclaves en profitaient pour s'occuper des maigres cultures qui étaient souvent leur seule source de nourriture et de revenu. Ils nourrissaient aussi leurs poules et leurs porcs avec les herbes et les plantes que leurs enfants avaient ramassées. Le claquement du fouet ou le son mélancolique de la conque les ramenait aux champs.

La séance de l'après-midi durait jusqu'au coucher du soleil. La grande bande, la deuxième bande et parfois même la troisième peinaient au milieu des rangées serrées de canne. Les contremaîtres blancs parcouraient les champs, surveillant les cultures et contrôlant les esclaves. Les conducteurs — communément appelés les conducteurs de chiens, qui étaient pour la plupart des Noirs ou des mulâtres dotés des pires dispositions — marchaient aux côtés des esclaves, les menaçant et les fouettant pour en extraire la dernière goutte d'énergie. Janet Schaw, une visiteuse écossaise qui n'éprouvait aucune sympathie pour les esclaves, décrit un champ de canne de Saint Kitts: «Chaque groupe de dix nègres a un conducteur, qui marche derrière eux, portant un fouet court et un fouet long. [...] Les hommes et les femmes sont nus jusqu'à la ceinture et vous pouvez toujours voir où le coup [de fouet] a porté[41].»

Les conducteurs d'esclaves, qui étaient presque toujours des hommes, faisaient partie des travailleurs les plus importants de la plantation. Ils étaient des «tyrans officiels» qui commandaient le respect ou, à tout le moins, inspiraient la crainte des esclaves que, littéralement, ils traînaient, les planteurs ou les contremaîtres s'assurant que les conducteurs puissent satisfaire leur intérêt dans cette opération. Certains contremaîtres ou planteurs toléraient la prédation sexuelle des femmes esclaves par les conducteurs, pour autant que ces derniers se montrent efficaces. Certains planteurs allaient jusqu'à demander leur avis aux conducteurs concernant les nouveaux esclaves, les invitant même à les accompagner lors des ventes aux enchères d'esclaves. Les conducteurs étaient souvent les maris, les frères ou les pères des esclaves qui travaillaient dans les champs, ce qui compliquait grandement les relations familiales.

Une ancienne esclave antiguaise, Mary Prince, entendit Henry, un conducteur noir, se confesser à l'église «d'avoir traité les esclaves avec une grande cruauté; mais il dit qu'il était forcé d'agir ainsi pour obéir aux ordres de son maître. […] Il dit que c'était une chose horrible […] que de devoir parfois battre sa propre femme ou sa propre sœur; mais qu'il devait le faire pour obéir à son maître.» Pire, ajouta Mary, il devait les dénuder, même «les femmes qui avaient eu des enfants, pour leur infliger le châtiment honteux à la vue de tous ceux qui étaient dans le champ[42]!» Un missionnaire wesleyen regarda «une femme d'environ 40 ans, qu'on fit allonger sur le sol sur le ventre; ses vêtements furent retroussés de manière inconvenante pendant que deux personnes lui tenaient les mains et une autre les pieds […]; le conducteur la fouetta coup après coup[43]».

Le contremaître de ce surveillant aurait sûrement approuvé sa conduite. Les contremaîtres et les planteurs ne toléraient aucune clémence de la part des conducteurs. Pendant la période de la moisson, un Pierre Dessalles furieux punit un conducteur qui lui avait dit qu'«il n'avait pas l'habitude de tuer les gens». Dessalles «fit planter trois piquets dans le sol, auxquels il fut attaché; il reçut cinquante coups de fouet. […] Mais il persista à dire qu'il continuerait d'agir comme avant. Je lui ai donc mis un collier de fer[44].» La plupart des conducteurs se pliaient aux ordres; lorsque les esclaves travaillaient moins, de façon délibérée ou parce qu'ils étaient malades, handicapés ou qu'ils n'avaient pas les aptitudes pour fournir un rendement suffisant, ils devaient subir leur rage.

Après la moisson, une fois qu'ils avaient préparé le sucre à expédier et avant le début de la nouvelle saison, les esclaves, épuisés, pouvaient profiter d'un court répit pour célébrer. Les planteurs et les surveillants les récompensaient en leur donnant du rhum, du sucre et parfois de la nourriture. «Donnez aux nègres 15 chopines de rhum du tonneau qui se trouve dans la salle de séchage, ainsi que 2 grands fonds de sucre pour les rendre joyeux, maintenant que la récolte est terminée[45]», disait

Thistlewood. Les esclaves en vinrent à attendre ces symboles d'appréciation, et ils se rebellaient lorsqu'ils en étaient privés.

Bétail humain et cheptel

Les champs de canne étaient le cœur de chaque plantation de canne à sucre, mais pour produire du sucre, on avait besoin d'autre chose que de la canne. Le cheptel était essentiel à l'exploitation, tout particulièrement pour les moulins, fonctionnant grâce à la traction animale. En moyenne, les grandes propriétés des Antilles françaises employaient de 35 à 50 bœufs et autant de mulets, tandis que les petites propriétés possédaient 25 animaux des deux espèces, et parfois moins. Ces bêtes travaillaient dur, transportant la canne et faisant fonctionner les moulins. En outre, leurs excréments produisaient un engrais excellent pour la canne.

Malgré la valeur qu'ils représentaient pour l'exploitation sucrière, les planteurs traitaient leurs animaux comme leurs esclaves (ces derniers étant enregistrés dans leurs livres comptables comme bétail humain), leur fournissant le strict minimum de nourriture, des abris inadéquats, les traitant avec cruauté et négligeant d'en prendre soin. Les enclos étaient construits sur des terres peu propices à la culture de la canne, sans tenir compte de la présence de pâturages adéquats et de sources d'eau suffisantes; ils étaient souvent mal conçus, avec des enceintes à ciel ouvert où les animaux sous-alimentés et surmenés n'avaient aucune protection, même pendant la saison des pluies. Les régions du sucre comptaient peu ou pas de vétérinaires; quant aux soins médicaux, ils étaient improvisés ou inexistants. Les planteurs faisaient preuve de la même insensibilité à l'endroit des animaux qu'à l'endroit des esclaves; ils se servaient de la douleur infligée par les coups de fouet pour les forcer à accomplir des prouesses herculéennes de force et d'endurance. Par conséquent, la durée de vie d'un mulet dans une plantation de canne était de six à huit ans, celle d'un bœuf de quatre à six ans, ce qui est moins que la moitié de leur espérance de vie dans des conditions normales.

Indépendamment du surmenage, de la sous-alimentation et de la brutalité, la dynamique étrange et contre-intuitive du système des plantations opposait les esclaves au cheptel qu'ils auraient dû entourer de soins. Ainsi, les esclaves s'en prenaient aux animaux, les estropiant, les mutilant, les affamant, les empoisonnant, volant du fourrage pour le donner à leurs propres animaux, les vendant subrepticement ou les abattant pour les manger. Les surveillants et les planteurs devaient s'opposer constamment aux esclaves qui maltraitaient leurs animaux.

Le problème était aggravé par le fait que les surveillants dépendaient énormément des bandes de travailleurs surmenés pour procurer du fourrage aux animaux. Après une journée épuisante dans les champs, les esclaves devaient parcourir les prés ou les autres champs à la noirceur, pour ramasser leur lot d'herbes. L'entretien des animaux était prioritaire, même les dimanches, alors que les esclaves étaient libérés pour s'occuper de leurs propres jardins et que ceux qui en avaient la chance pouvaient aller vendre quelques patates douces ou bananes plantains excédentaires au marché local. « Le dimanche matin, comme le rappelle Mary Prince à propos d'une plantation antiguaise, chaque esclave devait sortir pour aller ramasser un gros ballot d'herbages ; à son retour, il devait attendre à la porte du gérant jusqu'à ce que celui-ci daigne sortir ; l'attente pouvait parfois se prolonger jusqu'à midi, sans que l'esclave ait déjeuné[46] ». Les esclaves ne pouvaient manger, jardiner ou faire des affaires que lorsque le gérant avait approuvé leur lot d'herbes.

Les esclaves détestaient le ramassage de l'herbe. Comme tous les documents historiques le soulignent, ils répugnaient à accomplir cette tâche qui leur prenait du temps ; ils devaient faire des efforts éreintants au milieu de champs inhospitaliers et pierreux, à la recherche de fourrage et de mauvaises herbes pour nourrir le bétail. « Même dans les meilleures conditions climatiques, le fait d'avoir à chercher "autour des clôtures, dans les montagnes, les terres en friche ou les terrains vagues" était épuisant, écrit l'historienne antillaise Elsa Goveia. Par temps sec, cette tâche constituait un fardeau quasi intolérable[47]. »

Le révérend Ramsey et le révérend Caines, des observateurs de l'époque, estimaient que le ramassage de l'herbe était si pénible qu'une loi aurait dû le réglementer. Caines le dénonçait comme « une coutume inutile et abominable qui, toutefois, comme les autres coutumes, est impossible à éradiquer par la seule force du raisonnement[48] ». Caines et Ramsey prétendaient que de nombreux esclaves s'enfuyaient, de peur d'être punis pour n'avoir pas ramassé assez d'herbe.

Pendant ce temps, en dépit des efforts immenses des esclaves, les animaux étaient souvent sous-alimentés et trop faibles pour faire leur travail, dont les esclaves devaient alors se charger. Lorsque le cheptel ne pouvait le faire, les esclaves devaient engraisser les champs, escalader les coteaux en chancelant, avec de pleins paniers de fumier sur la tête. Caines est d'avis que ces marches pénibles «causaient [aux esclaves] plus de douleurs atroces et de maux d'estomac incurables que toutes [leurs] autres tâches réunies[49]». De plus, les propriétaires préféraient souvent ménager leur cheptel en faisant transporter par les esclaves les charges les plus lourdes le long des collines abruptes. Les lois sur les esclaves, comme celle de Saint Kitts, qui stipulait qu'«on ne doit jamais faire exécuter par les esclaves une tâche qui pourrait être faite par le cheptel», n'étaient pour ainsi dire jamais respectées. L'exemple le plus frappant était celui du pénible creusage des trous de canne, qui aurait pu être exécuté «avec beaucoup plus de facilité et de promptitude au moyen d'une charrue [tirée par des bœufs] qu'à la bêche[50]», comme le faisait remarquer le planteur jamaïcain Bryan Edwards. Au lieu de cela, les esclaves épuisés devaient biner à la main chaque acre de terrain.

Les esclaves étaient si occupés à prendre soin des champs et du bétail de la plantation qu'ils avaient peine à trouver assez d'herbe, de fanes de canne et autre végétation de *bagasse* pour leurs propres animaux. Ils craignaient que la faim ne pousse leurs vaches ou leurs porcs à se rendre dans les pâturages de la propriété pour les brouter. Lorsqu'un tel incident survenait, le surveillant punissait l'animal fautif ou l'abattait.

La bande de l'enclos

Les esclaves de l'enclos se consacraient entièrement à l'entretien du cheptel; ils étaient aidés par la «bande de la viande de porc». Contrairement aux esclaves des champs de canne, qui étaient enrégimentés de façon militaire, les esclaves de l'enclos effectuaient leur travail de façon relativement indépendante; de plus, leur travail était stable et régulier. Ils devaient accomplir des tâches quotidiennes: ramasser et distribuer le fourrage, planter l'herbe de Guinée et le maïs, balayer, nettoyer, réparer les clôtures, marquer les animaux au fer rouge. Ceux qui vivaient à cette époque s'entendaient pour dire que le travail de l'enclos était beaucoup plus facile que celui des champs; il arrivait parfois qu'on envoie les jeunes femmes travailler dans l'enclos plutôt que dans les champs de canne, car le travail éreintant des champs contribuait au faible taux de natalité des esclaves. «Un enclos est un endroit qui convient beaucoup mieux à la reproduction des nègres que les champs, où il n'existe pas de travaux légers pour les négresses[51] », estimait le planteur Simon Taylor.

Les esclaves de l'enclos, eux aussi, sabotaient les biens de leurs propriétaires en martyrisant le cheptel qui leur était confié. Pour éviter les attaques contre les animaux, les surveillants soudoyaient les esclaves de l'enclos en leur faisant de petits dons en argent. Toutefois, les esclaves de l'enclos étaient punis lorsque les animaux mouraient, même si c'était à la suite d'une maladie non diagnostiquée, ou lorsqu'un bœuf ou un mulet étaient estropiés ou avaient disparu.

Les enfants esclaves étaient appelés *piccaninnies*, cette expression venant de l'espagnol *pequeños niños* (« petits enfants »). Leur enfance prenait fin à quatre ou cinq ans. Selon un visiteur jamaïcain absentéiste qui avait effectué une visite de sa plantation afin de chercher à savoir pourquoi sa propriété n'était pas plus profitable, les enfants, à partir de cet âge, étaient enrégimentés pour « nettoyer les chemins, apporter du bois de chauffage à la cuisine, etc., sous la surveillance étroite d'un jeune garçon muni d'une baguette ou d'une verge blanche[52] ». Vers l'âge de neuf ans, les filles et les garçons étaient intégrés à la « bande de la viande de porc », ramassant l'herbe, s'occupant du cheptel et exécutant d'autres corvées. Dès qu'ils étaient devenus plus grands, les planteurs et les surveillants les envoyaient travailler avec les bandes d'adultes. Il n'était pas rare que des jeunes filles de douze ans dussent aller travailler dans les champs de canne.

Un visiteur anglais à Cuba fut stupéfait de voir une bande de cinquante ou soixante enfants travaillant à l'extérieur d'une maison de broyage, empilant la canne dans un élévateur qui la transportait jusqu'à la roue de broyage. « Luttant pour leur vie sous le soleil brûlant, les pauvres petits malheureux ne perdaient jamais de vue le fouet en cuir de vache brandi par un nègre qui se tenait à proximité, prêt à frapper leurs fesses nues aussitôt qu'ils s'arrêtaient ou étaient surpris à manger de la canne à sucre[53] », écrit Frederick T. Townshend.

La « bande de la viande de porc » devait effectuer plus que des travaux de routine. C'était aussi l'occasion d'introduire les petits nouveaux aux réalités de l'esclavage. Les femmes qui étaient promues à la direction de la « bande de la viande de porc » étaient fières de leur rôle de surveillantes, mais leurs propriétaires s'attendaient plutôt à ce qu'elles enseignent aux nouveaux leurs devoirs d'esclaves. Un planteur français « bienveillant » s'attendait à ce que la surveillante leur « enseigne comment bien remplir toutes leurs obligations [...]. Elle doit également leur enseigner à obéir aux ordres sans poser de questions, et à éviter de se chamailler entre eux. [...] Les jeunes enfants sont très réceptifs. Dès lors, les personnes qui exercent l'autorité ont une grande responsabilité ; elles peuvent les modeler en bons ou en mauvais sujets[54]. »

Les esclaves du sucre ne vivaient pas vieux ; pourtant, certains d'entre eux défiaient les statistiques en survivant au-delà de cinquante, soixante ans, voire plus. En dépit de leur grand âge, on leur laissait peu de répit. Les planteurs affectaient les femmes âgées au soin des enfants, elles devaient aider à la cuisine ou à l'hôpital des esclaves, ou ramasser de l'herbe pour le fourrage. Les hommes âgés étaient envoyés aux champs pour y travailler comme « amarreurs » de canne, une tâche qui était effectuée uniquement par les coupeurs de canne les plus âgés. Les amarreurs se tenaient près des charrettes où d'autres esclaves déposaient la canne coupée. Ils devaient alors mettre en tas et attacher les lourdes tiges mouillées et les soulever pour les déposer dans la charrette. Ce travail épuisant et ininterrompu était très difficile à exécuter par ces hommes âgés.

D'autres hommes âgés étaient affectés à la surveillance des plantations, qui étaient constamment la proie des voleurs. Chaque gardien était affecté à un endroit précis : la grande maison, l'enclos, le moulin, la maison de cuisson, les immenses granges et réserves, les champs, les jardins. Durant toute la nuit, le gardien devait supporter les piqûres des moustiques et combattre le sommeil. Si un cambrioleur furtif − un esclave de sa connaissance, des esclaves renégats appartenant à d'autres plantations ou des esclaves fugitifs à la recherche de provisions − réussissait à dévaliser la plantation, le gardien subissait une punition sévère. Thistlewood, « ayant aperçu plusieurs maïs coupés à la racine, et constatant le vol des épis, fouetta durement Pompey [le gardien][55] ».

Certains vieux esclaves étaient incapables de travailler. Quelques planteurs leur donnaient du plantain, mais la plupart d'entre eux étaient nourris par les esclaves ou n'avaient rien à manger. Beaucoup de planteurs chassaient les vieux esclaves de leurs plantations, les laissant se débrouiller seuls, souvent après les avoir cyniquement affranchis. À la Barbade, ces vieux esclaves des champs « rampaient » jusqu'à Bridgetown pour quêter. On les voyait « souvent dans les rues, parvenus au dernier stade de la misère humaine, nus, affamés, malades et abandonnés[56] ». Le recours à l'affranchissement pour se défaire des esclaves âgés ou infirmes était si courant que les lois coloniales l'interdirent, mais elles ne furent pas respectées. Un planteur brutal du XVIIIᵉ siècle se contentait de jeter ses vieux esclaves en bas d'une falaise.

Les esclaves domestiques

Les esclaves domestiques travaillaient dans la grande maison, située à la périphérie des quartiers d'esclaves. La plupart des femmes à la peau plus pâle, qui, souvent, faisaient partie de la progéniture du maître de maison, étaient des domestiques. Les Noirs talentueux ou les favoris, un cuisinier habile ou une couturière aux doigts agiles pouvaient également se retrouver dans la domesticité. Bien que le travail des domestiques fût moins épuisant que le travail des champs ou celui de l'enclos, la présence constante des Blancs le rendait très stressant. Il n'y avait aucun moment de répit. Les domestiques étaient toujours en service et, souvent, il leur était défendu de se rendre dans les quartiers des esclaves. Ces hommes et ces femmes dormaient dans la grande maison, dans le placard, dans la cuisine, ou sous l'escalier; certains étaient obligés de ne dormir que d'un œil sur le plancher, à la porte de la chambre à coucher de leurs maîtres, afin de pouvoir, sur un simple claquement de doigts, se presser de leur servir un verre d'eau, de tirer le pot de chambre placé sous le lit ou de chasser les moustiques qui pouvaient les importuner.

Les femmes domestiques étaient des cibles sexuelles, «forcées sous peine de sévices corporels de se plier aux volontés du maître[57]». Thistlewood «prenait» des vingtaines de femmes, des domestiques ou des femmes travaillant dans les champs, puis il regardait son employeur ivre en faire autant. «Monsieur C[ope] a fait une de ses crises hier soir, note-t-il. Il a violenté Egypt Susanah dans la cuisine; il était comme fou toute la nuit, etc.» La plupart des femmes esclaves qui résistaient à leurs agresseurs étaient punies pour leur «impudence[58]». Cope fit fouetter Egypt Susanah et une autre femme parce qu'elles avaient refusé d'avoir des relations sexuelles avec lui et un visiteur concupiscent.

Les domestiques étaient les seuls esclaves de la plantation qui n'intervenaient pas dans la production du sucre, leur contribution se limitant à assurer le bien-être et le confort du planteur ou de son représentant. Les grandes maisons avaient des domesticités très nombreuses. «Voir vingt, trente ou quarante personnes accomplir le travail de cinq ou six domestiques n'a rien d'inhabituel», notait un observateur[59]. Clemens

Caines, résident de Saint Kitts et critique du système esclavagiste, posait la question : « Était-il vraiment nécessaire qu'ils [les esclaves] doivent attendre dans nos maisons, prêts à nous servir ? » Il répondait : « Non, ce n'était nullement nécessaire. Et pourtant, c'est ainsi que les choses se passaient[60] », ce qui est un exemple parfait de la logique tordue qui était au cœur de l'esclavage du sucre.

Cette flopée de domestiques occupait une foule de positions : major-domes, cochers, valets de pied, assistants, magasiniers, serviteurs, femmes de chambre, blanchisseuses ; les plus privilégiés étaient les cuisiniers, les bonnes d'enfants, les couturières et les gouvernantes. Les maîtres devaient avoir la certitude que leurs cuisiniers ne les empoisonneraient pas, que leurs bonnes d'enfants ne feraient pas de mal à leurs petits enfants blancs et que les couturières ne gâteraient pas les tissus importés en les cousant de travers. La gouvernante, qui était souvent la maîtresse du maître, était la domestique la plus importante, et cela aussi longtemps qu'elle pouvait conserver sa place grâce à son charme et à sa loyauté, en échappant aux pièges de la cohabitation avec l'épouse en titre, qui supervisait son travail.

Les domestiques avaient beaucoup plus de vêtements, et de meilleure qualité, que les esclaves des champs ; ils profitaient des vêtements dont les maîtres ne voulaient plus, ils portaient des bijoux et étaient beaucoup mieux nourris ; les Blancs ne voulaient pas d'hommes ou de femmes sales et en haillons sous leur toit. Plusieurs domestiques recevaient des petits montants d'argent en cadeau, qu'ils utilisaient pour acheter des babioles ou qu'ils économisaient. En dépit de ces avantages, la plupart des domestiques peinaient sans répit, dans la crainte d'être rétrogradés au travail des champs. Le sentiment d'insécurité était répandu, car ils étaient constamment réaffectés à d'autres tâches. Selon un observateur, les domestiques étaient « les créatures les plus misérables que nous possédions, les plus corrompues comme les plus dangereuses[61] ».

Les contremaîtres

En dehors de la grande maison, le Blanc le plus envahissant dans la vie d'un esclave du sucre était le contremaître. Contrairement aux planteurs (même ceux qui n'étaient pas absents), les contremaîtres passaient beaucoup de temps dans les champs ; durant la saison de la canne, ils passaient aussi beaucoup de temps au moulin ainsi qu'à la maison de cuisson. Ils résidaient à plein temps dans la plantation ; lorsque le planteur s'absentait, ils occupaient *de facto* la fonction de maître. Seuls les gérants mandataires avaient plus de pouvoir que les contremaîtres ; mais comme ils supervisaient plusieurs plantations, ils étaient plutôt des visiteurs ne résidant dans aucune plantation particulière.

Les contremaîtres étaient des Créoles ou des expatriés ; ces derniers étaient souvent des jeunes fils de familles qui avaient voulu tenter leur chance dans les colonies, ou des jeunes hommes ambitieux qui avaient peu de perspectives d'avenir en Écosse ou en Irlande. Lorsque les contremaîtres entraient en fonction, ils savaient souvent bien peu de chose concernant la culture du sucre, qui était une activité très complexe, difficile, risquée et qui nécessitait des capitaux importants. Ils parcouraient les îles du sucre de long en large, établissant des contacts, échangeant des informations, étendant leur expérience et recherchant un emploi. Une fois qu'ils étaient engagés, ils négociaient leur salaire annuel, qui pouvait aller de 50 à 300 £, plus l'hébergement et d'autres avantages.

En règle générale, les contremaîtres étaient célibataires ; plusieurs planteurs refusaient d'« engager des hommes mariés, car les familles consommaient plus de sucre que les célibataires et multipliaient le nombre de personnes résidant dans la grande maison[62] ». Le planteur absent de Nevis, John Frederick Pinney, craignait que des contremaîtres mariés « ne négligent [sa] propriété par paresse, restant au lit les matins et les après-midis (une coutume créole trop répandue) ou visitant leurs amis et recevant des visites[63] ». Même s'ils n'étaient pas mariés, les contremaîtres étaient rarement célibataires ; il était bien connu qu'ils violaient les femmes esclaves, qu'ils avaient des maîtresses esclaves et des enfants mulâtres. Thistlewood, qui, heureusement pour nous, a pris des notes détaillées sur toutes ses rencontres sexuelles, a confirmé l'exactitude du stéréotype. Et il en va de même pour les contremaîtres dont Pierre Dessalles se plaignait constamment.

Les contremaîtres étaient les chefs de discipline de la plantation, et ils commettaient souvent des actes de brutalité envers les esclaves. Ils n'avaient pour ainsi dire rien à craindre, car les planteurs ne les punissaient pas s'ils faisaient preuve d'efficacité dans leur travail. Les planteurs vivaient dans la crainte des soulèvements d'esclaves, et ils estimaient qu'il était important de manifester leur solidarité avec les autres Blancs. Comme ils vivaient dans un grand isolement, entourés de Noirs qu'ils opprimaient, qu'ils exploitaient et qu'ils humiliaient, plusieurs Blancs considéraient que la répression était encore la meilleure politique pour assurer leur sécurité. Dès lors, la plupart des planteurs n'intervenaient que lorsque la cruauté d'un contremaître hypothéquait le travail des esclaves, la production de sucre et la sécurité générale.

C'est ce qui se produisit en 1824, lorsque Dessalles congédia son contremaître après les doléances prolongées des esclaves en colère. Ce qui fit pencher la balance fut le suicide d'un esclave poussé à bout. « Dites bonjour à M. Chignac, et dites-lui qu'il ne pourra plus battre Césaire », s'écria celui-ci en se jetant du haut de la roue du moulin. Les autres esclaves avertirent Dessales : « Vos nègres s'abandonnent au désespoir, plus rien ne les amuse, ils ne s'habillent plus et, lorsqu'ils pensent à M. Chignac, l'hôpital se remplit et ils se laissent mourir. » Même si Dessalles considérait que « la race d'hommes que nous devons commander est diabolique et traîtresse », il congédia Chignac, car « tous nos malheurs ont pour cause la haine que les esclaves lui vouent[64] ».

Thistlewood était un contremaître sans pitié, ce qui ne l'empêcha pas de dénoncer un collègue qui s'était comporté « comme un fou avec les nègres, fouettant Dago, Primus, etc., sans raison ». Thistlewood congédia un autre contremaître « à qui il arrivait de rentrer chez lui au milieu de la nuit, ivre, pour se quereller avec sa bonne d'enfants [une esclave africaine], et tirer sur elle avec une carabine à plombs, deux décharges l'atteignant au sommet du crâne et à la cheville[65] ».

Les contremaîtres étaient les initiateurs et les dispensateurs des punitions imposées aux esclaves ; leur politique aussi bien que leur personnalité avaient une incidence directe sur la vie des esclaves. Le journal de Thistlewood, qu'il a tenu pendant 36 ans, est une litanie de châtiments violents imposés aux esclaves domestiques comme à ceux qui travaillaient dans les champs. On peut penser qu'il donne une image juste de la vie des esclaves dans les autres plantations de canne à sucre.

Comme la plupart des contremaîtres, Thistlewood était particulièrement dur avec les fugitifs. Il enserra les pieds du fugitif Hazat « dans des *bilboes* [une longue barre de fer munie de chaînes coulissantes], il le bâillonna, lui attacha les mains, le badigeonna de mélasse et l'exposa, nu, aux morsures des moustiques pendant toute une journée et toute une nuit, sans feu ». Il soumit un autre fugitif à la flagellation, « puis il le lava et le frotta dans le sel de marinade, le jus de citron vert et le piment d'oiseau ». Après que la justice eut exécuté le fugitif Robin et eut envoyé sa tête à Thistlewood, celui-ci la piqua sur une perche, afin que les autres esclaves puissent réfléchir sur le destin de Robin. Il fit également fouetter un vieil esclave qui avait partagé un repas avec Robin alors que celui-ci était en fuite. Lorsque le fugitif Port Royal fut retrouvé, Thistlewood « le fouetta modérément [et] il le roula soigneusement dans la marinade[66] ».

Thistlewood fouettait les esclaves pour une foule d'autres infractions : manger de la canne à sucre, manger de la boue (on sait maintenant qu'il s'agit d'un symptôme des infections à ankylostomes), ne pas réussir à capturer assez de poisson, « pour avoir grondé et importuné M. Wilson », « pour avoir laissé le bétail briser le tronc des bignonias, pour s'être enivré pendant la nuit et avoir fait le pire tintamarre qu'il m'ait été donné d'entendre », « pour bassesse et négligence », « pour avoir joué du tambour la nuit dernière ». Il ordonna qu'on coupe à la machette l'oreille, la joue et la mâchoire d'un esclave qui avait volé du maïs[67]. À la Martinique du XIXe siècle, un Pierre Dessalles punissait des délits semblables en utilisant le fouet, les chaînes, le collier de fer, les *bilboes* ainsi que le *cachot*, un donjon aux allures de tombeau. Il considérait le vol de nourriture comme un crime grave, qu'il punissait durement : « J'ai puni mes nègres en les privant de leur demi-samedi, car ils m'ont volé trois régimes de bananes[68] », note-t-il.

Durant tous ces siècles d'esclavage, les esclaves de la canne à sucre moururent des suites d'une foule de punitions cruelles et souvent grotesques : ils furent grillés vifs, écorchés, pendus, démembrés ou enterrés vivants. Le planteur jamaïcain Tom Williams tua une jeune esclave qui souffrait de diarrhée en « bouchant son c… au moyen d'un épi de maïs[69] ». Les autres formes de punition comprenaient la castration, la mutilation des organes génitaux, l'amputation de membres ou de sections de membres — la moitié d'un pied pour avoir pris la fuite, par exemple —, le rivetage d'anneaux de fer autour du cou ou d'un éperon dans la bouche. Les violences qu'on faisait subir aux esclaves ébranlaient les observateurs les plus endurcis. En 1790, le capitaine Hall de la Royal Navy, qui avait l'habitude des durs traitements infligés aux matelots, déclara laconiquement que les traitements qu'on faisait subir aux esclaves dans les plantations étaient « plutôt inhumains[70] ».

Les quartiers des esclaves : la vie après le travail

La canne à sucre régnait sur la vie des esclaves jusque dans leurs quartiers, là où ils avaient leur propre monde. Ces hommes, ces femmes et ces enfants étaient le moteur principal d'un seul projet, « un des rares exemples d'une société humaine créée artificiellement en vue de satisfaire un objectif clairement défini : celui de faire de l'argent en produisant du sucre[71] », note le sociologue Orlando Patterson.

Durant des siècles, cette société humaine fut marquée par des guerres, des rébellions, des politiques, par l'abolitionnisme, par les ouragans et les sécheresses. Mais les plus durs moments furent l'abolition du commerce des esclaves, ainsi que l'abolition de l'esclavage lui-même, qui s'échelonna sur cinquante ans. Malgré tous ces changements, le cœur du monde du sucre fut si peu touché qu'un coupeur de canne du Brésil au XVIIe siècle aurait compris immédiatement le mode de vie de son homologue jamaïcain du XIXe siècle, et qu'un contremaître jamaïcain du XVIIIe siècle se serait senti chez lui à Saint-Domingue. L'aperçu de la vie dans les quartiers des esclaves que nous présentons ici reflète les points communs des expériences multiples qui composaient la vie des esclaves du sucre et donne une bonne idée du monde qui était le leur.

Les quartiers des esclaves étaient installés assez loin (habituellement à environ un kilomètre) de la grande maison pour la séparer des sons, des odeurs et des activités des esclaves, mais ils étaient suffisamment proches pour éviter qu'ils échappent à la surveillance du contremaître. D'ordinaire, les cabanes étaient constituées simplement de boue et de clayonnage, soit sous forme de cabanes isolées soit dans le style des casernes, avec des toits de chaume et des sols de terre battue. Plusieurs de ces cabanes n'avaient qu'une porte et une fenêtre non obturée ; ou bien, comme c'était le cas à Saint-Domingue, elles étaient dépourvues de fenêtres, ce qui les privait d'aération en dépit de la chaleur tropicale. Si le propriétaire de la plantation fournissait de la chaux, les murs étaient blanchis ; dans le cas contraire, ils étaient jaunes, rouges ou gris pâle, suivant la couleur du torchis utilisé pour le plâtre. La plupart des cabanes étaient si basses que les esclaves les plus grands ne pouvaient s'y tenir debout. Elles étaient de dimensions très réduites, une ou deux chambres par unité, chacune abritant plusieurs esclaves.

Ces logements étaient équipés de matelas, d'ustensiles de cuisine et parfois d'une petite table, de chaises basses, et d'un morceau de tissu que l'on réservait pour les occasions spéciales comme une danse ou des funérailles. De nombreux esclaves couchaient sur le sol, ce qui faisait dire aux Blancs que les esclaves n'allaient pas au *lit*, mais qu'ils allaient *dormir*. Dans les Indes occidentales danoises, ils étaient « étendus sur le sol, mêlés les uns aux autres comme du bétail[72] ». Durant la saison des pluies, les toits coulaient et les sols se transformaient en boue suintante. Les cabanes étaient torrides, infestées de moustiques et sans intimité aucune. Le sol à l'extérieur servait de cuisine, le bois avoisinant de toilettes, et pour faire l'amour, on allait un peu plus loin, sur les tertres ou dans les champs.

Les esclaves les plus privilégiés — les charrons, les charpentiers, les tonneliers, les forgerons, les maçons, les mécaniciens ainsi que certains domestiques autorisés à quitter la grande maison pour la nuit — avaient des maisons plus grandes et plus solides, reflétant leur position et leur permettant de faire usage de leurs biens, ce qui se manifestait par de fréquents changements de vêtements. Ces habitations avaient parfois des planchers de bois et possédaient un mobilier que ces esclaves s'étaient acheté avec leur propre argent, mobilier que les observateurs blancs considéraient comme très confortable. Certains avaient des moustiquaires de lit leur permettant de tenir à distance les moustiques qui tourmentaient tous les autres habitants des quartiers.

Les vastes plantations cubaines hébergeaient leurs esclaves dans des baraquements lugubres, insalubres, étouffants, faits de bois ou de ciment. L'esclave fugitif Esteban Montego les décrit de la façon suivante :

> L'endroit fourmillait de puces et de tiques qui infectaient et rendaient malades tous les travailleurs [...]. Il y avait toujours aux alentours quelque chien errant à la recherche de nourriture. Les gens devaient demeurer dans les chambres [...]. Les chambres ! En réalité, c'était de véritables fourneaux [...]. Les baraquements étaient d'une saleté repoussante, vides et isolés. Un Noir ne pouvait s'y habituer [...]. Les esclaves devaient faire leurs besoins dans les latrines [...] qui se trouvaient dans un coin du baraquement [...]. Après, on devait utiliser des plantes comme la grande camomille ou la rafle de maïs pour s'essuyer[73].

Comme s'ils ne connaissaient pas suffisamment la misère, les esclaves cubains étaient enfermés à clef la nuit, prisonniers de leurs cellules, sous la surveillance de deux gardiens qui rapportaient toute activité suspecte. L'Américaine Julia Louisa Woodruff décrit sa troublante visite dans un baraquement :

Nous jetons un coup d'œil dans les chambres et il y a de quoi se demander s'il vaut la peine de vivre avec si peu de confort ou de biens. Il y a un simple lit de planche avec une couverture par-dessus, une chaise ou deux, quelques casseroles, deux ou trois vêtements grossiers accrochés au mur, parfois un petit crucifix ou une image de la Vierge – c'est tout! [...] il s'agit simplement d'un endroit pour manger et dormir, où les esclaves [...] sont conduits tous les soirs comme un troupeau de moutons à l'enclos et enfermés jusqu'au matin, au moment de retourner au travail[74].

La nourriture des esclaves

La plupart du temps, les esclaves épuisés se pressaient de quitter les champs pour se rendre dans leurs quartiers, afin de préparer leur nourriture et de se coucher pour prendre le peu du sommeil dont ils avaient désespérément besoin. Les esclaves avaient toujours faim. « Nous avons la preuve que du début de l'économie du sucre jusqu'à la fin de l'ère coloniale, les esclaves ne reçurent jamais de rations suffisantes[75] », écrit Stuart Schwartz à propos des esclaves brésiliens, et on peut en dire autant de tous les esclaves du sucre, dans toutes les colonies.

Les politiques des planteurs concernant l'alimentation de leurs esclaves étaient très différentes les unes des autres. Plusieurs ne fournissaient que de maigres rations, espérant que les esclaves les compléteraient en faisant pousser des légumes et en élevant des animaux sur les « terres vivrières », des petits lotissements de terre qui leur étaient alloués à cette fin. D'autres planteurs ne fournissaient que les terres vivrières, laissant les esclaves se nourrir eux-mêmes. Certains refusaient que les esclaves aient du temps libre et préféraient les nourrir eux-mêmes. D'autres encore ne faisaient ni l'un ni l'autre: ils ne nourrissaient pas leurs esclaves et ne leur donnaient pas de terres vivrières. En 1702, un des planteurs les plus riches d'Haïti disait que « les nègres volent la nuit parce que leurs maîtres ne les nourrissent pas ». Quatre-vingts ans plus tard, un observateur estimait que « les trois quarts des maîtres ne nourrissent pas leurs esclaves[76] ». Plusieurs planteurs de la Barbade suivaient la même politique, ne fournissant aucune nourriture et s'attendant à ce que leurs esclaves « survivent comme ils pouvaient en commettant des délits nocturnes dans les plantations de canne à sucre voisines[77] ».

Les planteurs lésaient leurs esclaves en ne leur fournissant pas les quantités et la qualité de nourriture prévues par les lois coloniales sur l'esclavage. À Cuba, la loi sur les esclaves prévoyait un régime quotidien de six à huit plantains ou une quantité équivalente de tubercules farineux, huit onces de poisson et quatre onces de riz ou de farine. À vrai dire, la nourriture distribuée aux esclaves consistait en deux ou trois repas misérables, un déjeuner de *tassajo* − viande de bœuf séchée et salée − et un dîner composé de plantain et de maïs, ou un potage de patates douces. Dans d'autres régions de Cuba, les cultures vivrières étaient le salut des esclaves. « C'était des petites bandes de terre pour jardiner [...] ; elles étaient très proches des baraquements, à l'arrière, se souvient l'ancien esclave Montego. On y faisait tout pousser : des patates douces, des courges, de l'okra, du maïs, des pois, des fèves à cheval, des légumineuses comme les fèves de lima, des citrons verts, du yucca et des arachides. On élevait également des porcelets[78]. » Ceux-ci se nourrissaient de pommes de terre ; lorsqu'ils étaient parvenus à maturité, les esclaves les mangeaient ou les vendaient.

À la Barbade, à Antigua, à Saint Kitts et Nevis, où la majorité des terres étaient utilisées pour la culture de la canne, ainsi que dans les colonies qu'on appellera plus tard la Guyane britannique, les esclaves devaient se contenter de maigres rations, étant donné qu'on ne leur accordait que des petits jardins, ou *polinks*, à proximité de leurs huttes. Ces rations restreintes, farineuses, devenaient, lorsqu'on les cuisinait, une bouillie grossière qui rendait malade. En fait, la nourriture était toujours la même : « Missié me donne trop souvent du sorgho, se plaint un esclave. Sorgho aujourd'hui, sorgho demain, sorgho tous les jours[79]. » En outre, la morue salée, qui devint un aliment de base du régime des esclaves, était rance et de qualité inférieure « propre à nulle autre consommation [que celle des esclaves][80] ». Quant aux harengs, ils étaient « aussi peu nutritifs que la saumure dans laquelle ils baignaient[81] ». En 1788, les esclaves de Saint Kitts recevaient, *une fois par semaine*, entre 4 et 5 chopines de farine, de maïs, de pois ou de fèves, et de 4 à 8 chopines de poisson salé. Ces rations étaient moindres lorsqu'on leur donnait du sirop de canne comme complément alimentaire. Les esclaves compétents recevaient une double ration et les enfants, une demi-ration.

Le vol de nourriture, avec, en tête de liste, la canne facile d'accès et réconfortante, était une pratique courante dans la plupart des plantations. À Antigua comme au Brésil et dans les autres colonies sucrières, « les esclaves mangeaient tout ce qu'ils pouvaient trouver. Pour compléter leurs rations, les esclaves cajolaient, quêtaient et volaient pour un surplus de nourriture[82] ». Chose étonnante, certains maîtres préféraient distribuer du rhum de qualité inférieure à la place de nourriture. Cela entraînait des conséquences assez prévisibles : certains esclaves vendaient leur rhum pour acheter des aliments, mais beaucoup d'autres le buvaient, et, comme ils avaient encore faim, ils devaient voler pour survivre.

Les esclaves sans terres vivrières étaient les plus affamés et les plus affectés. En règle générale, leurs maîtres utilisaient presque toutes les terres disponibles pour y planter de la canne, se contentant d'importer la nourriture, laquelle provenait, le plus souvent, des colonies américaines. Durant les périodes de guerre et autres chamboulements économiques, les esclaves souffraient de famine ; lorsque le déclenchement de la Révolution américaine interrompit les importations de vivres, des centaines d'esclaves antiguais ou antillais moururent de faim.

Les cultures vivrières fournissaient plus d'aliments de meilleure qualité, mais elles coûtaient cher aux esclaves déjà submergés de travail ; au lieu de se reposer ou de se détendre, ils devaient consacrer le peu de temps libre qu'ils avaient à s'occuper de leurs cultures. Lorsque leurs cultures vivrières se trouvaient sur des terres marginales et qu'elles remplaçaient les rations, comme c'était le cas à la Martinique, les esclaves devaient lutter pour assurer leur survie. La pratique habituelle consistait à leur laisser un peu de temps pour jardiner, souvent la moitié de la journée du samedi et le dimanche. Dans plusieurs exploitations, ils s'empressaient, pendant la pause-déjeuner, d'aller s'occuper de leurs jardins au lieu de se détendre et de manger. Lorsqu'ils avaient la chance d'avoir des poules et un petit cheptel, ils en prenaient bien soin.

En dépit des difficultés évidentes que représentait ce système, il avait la préférence des esclaves, et de leurs maîtres également. À vrai dire, « le maître en bénéficiait directement, car les dépenses engagées pour entretenir une population d'esclaves constituaient un lourd fardeau économique pour lui, écrit le spécialiste de l'histoire de l'économie, Dale Tomich. Le fardeau de la responsabilité était transféré directement aux esclaves eux-mêmes […] juste assez pour s'assurer que les besoins vitaux fondamentaux étaient satisfaits[83]. » Lorsque les ouragans, l'appauvrissement du sol, le maraudage des animaux ou des esclaves, la sécheresse, la négligence ou une foule de conditions provoquaient l'échec des cultures, les planteurs offraient rarement d'augmenter les rations des esclaves, même si ceux-ci étaient affamés.

Les cultures vivrières représentaient beaucoup plus qu'un surplus de nourriture. Plus que tout autre aspect de la vie des esclaves, elles leur donnaient de l'espoir, ce qui était particulièrement vrai pour les femmes qui jardinaient assidûment. Si une esclave travaillait fort et si la terre coopérait, elle pouvait cuisiner des plats appétissants, qui étaient un mélange de recettes créoles et de recettes africaines dont elle avait gardé le souvenir. Elle pouvait aussi vendre des petites quantités de patates douces, de plantains, de noix de coco, de citrouilles, de bananes, de céleri, d'okras, d'épinards, de fruits ou d'autres aliments, voire de poulets qu'elle avait élevés sur place; elle pouvait dépenser ses profits comme elle voulait, pour acheter du poisson de meilleure qualité, de la viande, des œufs, des articles pour ses enfants, du tabac, un morceau de tissu, des casseroles et des ustensiles de cuisine, une babiole ou un bijou.

Il arrivait souvent que son meilleur et son plus sûr client soit son maître si, comme c'était le cas de la plupart des planteurs, il plantait la canne sur presque toutes ses terres sans faire de cultures vivrières. Le désavantage était que le maître ou son épouse usaient de leur autorité pour tricher lors de la pesée et pour payer moins. Un autre inconvénient était que, durant les périodes de mauvaise récolte, ni le maître ni l'esclave ne disposaient d'une nourriture suffisante, à moins qu'elle ne soit importée. Au XIXᵉ siècle, avec l'entrée en vigueur des lois sur l'amélioration de la condition des esclaves, ces derniers purent posséder des vaches; ils furent ainsi les principaux pourvoyeurs de bétail et de volaille.

Avec le temps, les esclaves réussirent à élargir leur clientèle. Au lieu de simplement proposer leur marchandise à leurs maîtres ou aux Blancs du voisinage, ils « barguignaient » ou vendaient leurs provisions à la criée dans les marchés des villes avoisinantes. Le jour du marché était vital pour les esclaves; c'était « un jour de rires et de récréation, alors que toute la population nègre semblait se mettre en mouvement[84] ». Du début du jour jusqu'au milieu de l'après-midi, au moment de l'ouverture des bars à rhum, la place du marché était envahie de marchandeurs noirs, marrons ou blancs et de leurs clients. Puis la plupart des esclaves quittaient le marché en mettant de côté le profit de leurs ventes, même si certains d'entre eux succombaient à la tentation de noyer leurs soucis dans le rhum ou d'utiliser leurs profits pour parier. Mais quelle que fût la façon dont les esclaves disposaient de leurs gains, le jour du marché modifiait leur conception de la vie; ceux qui réussissaient à économiser suffisamment d'argent pour acheter leur émancipation et s'affranchir inspiraient aux autres des rêves de liberté.

Les cultures vivrières produisaient non seulement des légumes et des fruits, mais également des traditions. Dans plusieurs plantations des colonies anglaises, les esclaves réussirent à devenir propriétaires de leur lopin de terre et à le léguer à leurs descendants, une pratique respectée par plusieurs maîtres. Le planteur jamaïcain William Beckford note que «les nègres ont un respect absolu de la primogéniture; les fils aînés prennent possession de la propriété de leurs pères sitôt après leur décès[85]». Les maîtres se servaient aussi des cultures vivrières pour punir les esclaves, les privant de temps libre pour cultiver leur jardin, ou refusant de leur donner un «billet» ou sauf-conduit leur permettant de quitter la plantation pour la journée afin de se rendre au marché.

Les marchandeurs esclaves ne se limitaient pas toujours aux produits de leurs lopins de terre. Comble de l'ironie, un des produits qui rapportaient le plus était le sucre, que les citadins, quelle que fût la couleur de leur peau, avaient de la difficulté à se procurer. Les esclaves entreprenants avaient vite fait de répondre à cette demande en volant le sucre entreposé dans les magasins de la plantation, qu'ils transportaient en ville en le dissimulant dans des calebasses. Ils vendaient tout ce qu'ils pouvaient à leurs consommateurs avides, comme, par exemple, les tissus grossiers qu'on leur distribuait une ou deux fois par année et qu'ils détestaient.

La vie familiale des esclaves

Le monde créé par les esclaves du sucre reflétait toutes les tensions que l'on rencontre dans n'importe quelle autre société d'immigrants. Au début, tous les esclaves étaient Africains, et ils se distinguaient en fonction de leur appartenance tribale. Peu à peu, les Créoles prédominèrent; lorsque le commerce des esclaves prit fin, les Africains ne comptaient plus que pour 40 pour cent du contingent d'esclaves. Au fur et à mesure que les Africains mouraient, la plupart des esclaves restants étaient créoles. Les conflits habituels étaient présents. Certains Créoles se moquaient des nouveaux arrivants, en les traitant de «nègres à l'eau salée» et «d'oiseaux de la Guinée». Ils raillaient leurs cicatrices tribales, leurs dents effilées et leurs efforts hésitants pour communiquer dans une langue nouvelle. En même temps, ils enviaient les connaissances des Africains et respectaient leur refus d'accepter la servitude et la structure sociale de la propriété. Malgré leur condition d'esclave, les Africains restaient étrangers à leur nouveau monde hostile.

D'autres tensions subsistaient dans les quartiers. Il existait une hiérarchie sociale, dans laquelle les esclaves travaillant dans les champs occupaient la position la plus basse ; les esclaves ayant des compétences jouissaient, quant à eux, d'un statut plus élevé, bénéficiaient de meilleurs logements, de garde-robes plus fines et mieux fournies et pouvaient jouir de certains agréments de la vie. Ces esclaves étaient vendus plus cher au marché, environ le double d'un esclave des champs. Les esclaves privilégiés s'attendaient à être traités avec déférence par leurs compagnons. Par exemple, « la fille d'un esclave compétent n'aurait jamais eu l'idée de se marier ou d'avoir des relations avec un esclave des champs[86] », écrit l'universitaire haïtienne Carolyn Fick.

Les domestiques qui se rendaient dans les quartiers ajoutaient une autre dimension à ce mélange social. Certes, ils étaient les mieux nourris et les mieux habillés, les meilleurs parleurs et les plus assimilés, mais ils étaient aussi les plus enchaînés à la grande maison et à ses manières de vivre. La plupart avaient la peau plus pâle que les habitants des quartiers, ce qui soulignait leur relation spéciale avec les Blancs comme avec les femmes noires qui leur avaient donné naissance.

Les esclaves essayaient de naviguer au milieu des tensions de leur société. En étudiant leurs conditions d'hébergement, on peut voir comment ils se regroupaient en familles et en associations. Les unités sociales les plus élémentaires étaient les familles nucléaires. Les grandes familles vivaient seules ; les familles plus petites partageaient leur logement avec les hommes ou les femmes célibataires ou avec les Africains nouvellement arrivés qui leur étaient confiés. Les femmes âgées qui étaient seules, et souvent veuves, vivaient avec les jeunes hommes célibataires pour lesquels elles cuisinaient et faisaient le ménage. Quelques chambres abritaient les solitaires, qui étaient souvent des hommes africains ou des femmes âgées[87].

Les familles nombreuses étaient fréquentes, mais, vu les dimensions réduites des maisons, tous leurs membres ne vivaient pas sous le même toit. Les fils vivaient souvent près de leur mère, alors que les filles quittaient la maison, souvent pour vivre à proximité de leurs belles-mères. Les grandes familles d'esclaves pouvaient comprendre aussi des sœurs, des frères, des tantes ou des oncles qui n'étaient pas consanguins, mais adoptés. Par ailleurs, ceux qui étaient venus sur le même bateau se considéraient toujours comme faisant partie de la même famille.

La complexité de la vie d'esclave incitait certains esclaves à pratiquer la polygamie. La situation la plus courante était qu'un homme vendu à une autre plantation s'unissait à une femme de sa nouvelle plantation. Toutefois, lorsqu'on lui donnait un « billet » pour aller passer quelques jours dans son ancienne maison, il reprenait ses relations conjugales avec son ancienne épouse.

Au fur et à mesure que les circonstances de la vie des esclaves évoluèrent, la vie conjugale se modifia également. Au début de la production sucrière, la majorité des esclaves étaient des hommes. Le rapport était alors de deux hommes pour une femme ; plusieurs hommes ne pouvaient trouver de femme et les femmes étaient fortement demandées. Ceux qui visitaient Cuba à cette époque constataient la quasi-absence de femmes dans les champs, « où les travailleurs épuisés ne jouissent même pas des privilèges des animaux, mais sont traités comme des machines humaines, exploités et gardés sous surveillance. Ils n'ont même pas un semblant de liens conjugaux et d'ambiance familiale pour adoucir les difficultés de leur douloureuse existence[88]. »

Même lorsque la créolisation rééquilibra le nombre de représentants de chaque sexe, les esclaves ne purent épouser qui ils voulaient quand ils le voulaient. Leurs maîtres intervenaient pour contrôler cette intime dimension de leur être comme ils contrôlaient les autres aspects de leur vie. Les planteurs des colonies sucrières désapprouvaient les mœurs sexuelles des esclaves, mais ils ne parvenaient pas à décider si le mariage était la solution. L'enjeu était important. En reconnaissant le mariage des esclaves, tout particulièrement dans le cadre des rites chrétiens, on aurait pu donner des idées aux esclaves, par exemple, celle que toutes les âmes sont égales devant Dieu. Le mariage des esclaves posait de gros problèmes concernant le droit à la propriété. Les mariages entre des esclaves appartenant à différents propriétaires, ou entre une esclave et un Noir affranchi ou une personne de couleur affranchie, pouvaient entraîner des complications. Les époux voulaient se rendre visite. Ils demandaient qu'on ne les vende pas séparément. L'Église catholique et les autres Églises chrétiennes qui refusaient que l'on sépare une femme de son mari, et les parents de leurs enfants, soutenaient les esclaves. Alors qu'on pouvait vendre ou louer sans problème les esclaves célibataires.

Dans ces conditions, on comprend que le parti des planteurs opposés au mariage des esclaves vociférait aussi fort que ceux qui lui étaient favorables. Les dirigeants de l'île Leeward tentèrent de trouver un compromis. Ils s'opposaient au mariage religieux des esclaves, mais ils invitaient les maîtres à encourager les unions monogames, qui seules pouvaient fournir les enfants esclaves dont on avait grand besoin.

Les esclaves avaient leur propre vision du mariage et leurs propres coutumes. Même s'ils avaient des maîtres catholiques qui les encourageaient à opter pour un mariage chrétien, rares étaient ceux qui le faisaient. En réalité, les considérations financières n'entraient pas en ligne de compte, puisqu'ils étaient la propriété de leurs maîtres. De plus, comme ils avaient l'habitude de mettre fin aux relations malheureuses en retournant vivre seuls ou en tentant leur chance avec une nouvelle personne, ils étaient peu enclins à faire des vœux qui les engageraient jusqu'à la mort. Ils rejetaient également les arguments en faveur de la moralité du mariage. « Des nègres sensés se sont opposés au mariage en tant que contrat solennel, disant qu'ils avaient constaté que beaucoup de Blancs, dans la colonie aussi bien qu'en Angleterre, étaient aussi mauvais après le mariage qu'avant[89] », faisait remarquer un contemporain. De surcroît, les esclaves craignaient de s'engager dans des unions qui pouvaient si facilement voler en éclats lorsque l'un des deux époux était vendu à une autre plantation.

Cela n'empêchait pas les esclaves de tomber amoureux et de former des couples, qui pouvaient durer toute la vie ou s'effilocher au bout d'un certain temps lorsqu'une nouvelle passion prenait le relai ou qu'un des époux était vendu à un propriétaire éloigné. De nombreux maîtres exigeaient que les esclaves fassent approuver leurs relations. Ils exécraient tout particulièrement les mariages entre domestiques, craignant que ceux-ci ne soient plus disponibles pour les servir et s'occuper de leurs poupons pendant la nuit. Thistlewood permit à Cudjoe, un esclave d'une propriété voisine, « d'avoir » Abba, une esclave avec laquelle il avait souvent des relations sexuelles, et qu'il continua de fréquenter par la suite.

Quant à Pierre Dessalles, catholique fervent qui croyait que le mariage contribuait à favoriser la moralité, la stabilité et la fécondité des esclaves, il accordait la permission de se marier aux esclaves qui lui en faisaient la demande. « Je leur concède des privilèges qui tourneront à notre avantage et qui rétabliront la moralité. Dans mon esprit, c'est la seule manière de combattre le mal et de chasser de mauvaises pensées[90].» Dessalles parle également de l'angoisse de la femme d'un de ses esclaves à qui il avait ordonné de retourner vivre dans la propriété de son maître. Elle «pleura et me supplia à un point tel que je décidai de l'acheter», permettant ainsi au couple de rester ensemble[91].

Les propriétaires d'esclaves «arrangeaient» volontiers des mariages d'esclaves, non sans résistance de leur part. Une «mariée» guadeloupéenne que son maître avait destinée à un esclave exerçant la fonction de valet informa le prêtre au début de la cérémonie qu'elle ne souhaitait *pas* ce mariage. «Je ne souhaite pas épouser cet homme ni aucun autre, dit-elle. Je suis déjà assez misérable sans avoir à mettre au monde des enfants qui ne feront qu'ajouter à ma misère[92].»

Comme plusieurs autres maîtres, Thistlewood et Dessalles enregistraient les unions entre esclaves, après quoi ils identifiaient les esclaves en les associant à leurs partenaires. Ils prenaient également note des séparations, qui se produisaient souvent à la suite d'infidélités flagrantes. À l'époque où le déséquilibre entre les hommes et les femmes était grand, les femmes étaient souvent accusées d'infidélité. Comme le disait un esclave brésilien cocu à son maître, «avec autant d'hommes et aussi peu de femmes dans la propriété, comment s'attendre à ce que les femmes demeurent fidèles? Pourquoi le maître a-t-il autant d'hommes et si peu de femmes?[93]» Thistlewood consigne de tels cas à de nombreuses reprises. «Cobenna a surpris London et Rosanna (la femme de Cobenna) dans le lit de London. D'après ce que j'ai entendu dire, London a reçu une bonne raclée.» Thistlewood intervenait fréquemment, en fouettant, par exemple, le conjoint qui avait commis une infidélité: «Maria, pour avoir cocufié Solon [...] et provoqué des querelles, etc.», ainsi que Lincoln Violet, pour avoir cocufié Job, le conjoint de Violet[94].

Dans toutes les sociétés, porter et élever des enfants correspond à l'idée que l'on se fait du mariage et de la famille. Toutefois, partout où se trouvaient des esclaves, le taux de reproduction était généralement bas. Jusqu'à la fin du commerce des esclaves, lorsque l'enfantement devint la seule façon d'obtenir de nouveaux esclaves, les planteurs se désintéressaient de la question, voire décourageaient les femmes travaillant dans les champs d'avoir des enfants. Aux débuts de la culture de la canne à sucre, même les Blanches engagées à contrat qui avaient des enfants étaient sanctionnées sévèrement par les planteurs, car ces derniers considéraient que la maternité «handicapait» celles-ci, les

« bâtards » coûtant cher à nourrir[95]. Lorsque les Africains remplacèrent les Blancs dans les champs de canne à sucre, la même attitude persista. Au milieu du XVIIIe siècle, les planteurs de Bahia, par exemple, estimaient qu'en trois ans et demi, le travail d'un esclave égalait son prix d'achat plus son entretien annuel ; il était donc plus économique d'acheter des Africains que d'élever des enfants esclaves qui, comme le notait un jésuite propriétaire d'esclaves, « coûtent cher à élever[96] », voire que de chercher à maintenir en vie des esclaves adultes.

Durant le XVIIIe siècle, la menace de l'abolition du commerce des esclaves, combinée à une chute de la population esclave de 3 à 4 % par année, obligea les planteurs à adopter de nouvelles stratégies. Jusque-là, ils expliquaient le faible taux de natalité de leurs esclaves par la promiscuité, les avortements et les infanticides. Désormais, avec l'admission tacite que l'énorme charge de travail et les conditions de vie précaires avaient également contribué au faible taux de natalité chez leurs esclaves, les planteurs commencèrent à favoriser les naissances en fournissant des conditions de vie et des soins médicaux légèrement améliorés, et en accordant aux femmes enceintes et aux mères qui nourrissaient leur enfant un traitement de faveur.

La mort, survenant à tout âge, était la compagne fidèle des esclaves du sucre ; elle découlait des mêmes épreuves qui expliquaient leur faible taux de fertilité. La culture de la canne à sucre était encore plus mortifère pour les hommes que pour les femmes et les enfants, surtout après 40 ans. En règle générale, plus la propriété était vaste, plus élevé était le taux de mortalité des esclaves, particulièrement chez les hommes. Comparé aux autres formes d'esclavage, l'esclavage du sucre était le plus désastreux. Les doléances de Dessalles concernant « l'augmentation des cas de maladie dans la plantation », qui en huit mois emporta dix de ses esclaves, étaient constantes[97].

Le surmenage continu et l'alimentation déficiente que les esclaves enduraient dans « l'enfer » des champs de canne causaient le retard de l'apparition des premières règles, une perte de poids, l'aménorrhée et des taux de fécondité particulièrement bas. De plus, une proportion importante des enfants ne survivait pas. En 1813, par exemple, près de la moitié des enfants esclaves de Trinidad n'atteignaient pas leur cinquième anniversaire. Dans les colonies françaises, lorsqu'un enfant mourait, les planteurs punissaient les nourrices et les mères, les accusant d'avoir assassiné l'enfant.

Les journaux des plantations sont remplis d'avis se rapportant aux enfants décédés. En janvier 1771, Johnie, 6 ans, fils d'Abba, qui était l'esclave la plus prolifique de la plantation, mourut du tétanos. « Sa mère en perdit presque la tête, note le contremaître Thistlewood, elle était égarée, et ne voulait plus entendre raison. » Au mois d'octobre suivant, Abba accoucha d'une fille, qui était peut-être un rejeton de Thistlewood, mais l'enfant mourut une semaine plus tard. En 1774, son fils Neptune mourut après s'être plaint « de douleurs sur tout le corps, etc., un mauvais rhume causé, je suppose, par l'eau s'infiltrant dans la maison et mouillant le plancher ». En juin 1775, Abba eut un fils qui mourut une semaine plus tard. Une autre esclave, Nanny, perdit tous ses enfants les uns après les autres, y compris Phibbah, qui était la proie des vers et souffrait du pian[98].

Les enfants mouraient des mêmes maladies que leurs parents. Une étude des paroisses jamaïcaines, de 1807 à 1834, désigne la contraction de la mâchoire liée au tétanos comme la principale cause de mortalité, surtout chez les enfants. Mais d'autres causes sont également mentionnées : une faiblesse générale, le pian, la coqueluche, la fièvre, les vers, la malaria, la fièvre jaune, les convulsions, l'hydropisie ou l'œdème des poumons, la dysenterie, l'apoplexie, le ballonnement, la pleurésie, la tuberculose, l'ankylostome, la cocoa-bay ou lèpre, ainsi que de vagues allusions à une « punition de Dieu » ou à des « troubles intestinaux ». Les esclaves adultes mouraient également de maladies vénériennes, de complications de la grossesse et d'infections postnatales. Au moment de la récolte, les esclaves mouraient d'épuisement. En 1816, l'esclave brésilien Francisco était si fatigué qu'il trébucha dans une cuve de sirop de sucre bouillant et mourut[99].

Les planteurs étaient responsables des soins médicaux accordés à leur population d'esclaves chroniquement indisposés ; ces soins étaient dispensés dans des « hôpitaux » où des infirmières, des nourrices et des médecins esclaves s'occupaient des patients. Quelques épouses de planteurs visitaient les quartiers et l'hôpital pour aider les esclaves souffrants. À Cuba, l'hôpital du baraquement se limitait à une chambre nue avec des lits faits de planches épaisses, « où reposaient les patients, vêtus de leurs vêtements de travail habituels, avec une couverture pour les couvrir, s'ils le souhaitaient, rapporte la visiteuse américaine Julia Woodruff. La pâleur du visage de ceux qui étaient étendus sur les lits, leur caractère inexpressif dans l'obscurité, faisaient pitié ![100] » En règle générale, les soins étaient de qualité inférieure, exception faite des propriétés où les planteurs prenaient la peine de fournir de meilleures installations et ordonnaient aux femmes esclaves de nettoyer les lieux, de laver et de nourrir les patients et de ne pas laisser entrer de visiteurs sans autorisation.

Certains planteurs engageaient des « médecins » blancs pour s'occuper des esclaves, mais il s'agissait le plus souvent de charlatans dont l'incompétence entraînait de nombreux décès[101]. Ceux qui possédaient une formation médicale soumettaient les patients à des traitements volontaires, comme la saignée au moyen de sangsues et les purges. Thistlewood, qui souffrait de blennoragie chronique, décrit son traitement de 44 jours, combinant la ponction capillaire, 24 comprimés purgatifs de mercure, des sels, des poudres rafraîchissantes, des gouttes de baume ainsi qu'un mélange d'herbes et d'autres ingrédients moins inoffensifs. Il devait également tremper son pénis deux fois par jour dans du lait nouveau et le cathétériser — ce qui était très douloureux — au moyen de bougies très fines, spécialement conçues à cette fin. Conformément aux pratiques médicales de cette époque, les esclaves étaient souvent saignés, purgés au moyen de mercure, bourrés de médicaments, astreints à des bains de vapeur ou à des massages. En fait, le taux de mortalité des esclaves était si élevé que les planteurs les accusaient de complicité avec la Grande Faucheuse.

La vie des esclaves à l'ombre de la grande maison

Sauf pour y dormir, les esclaves fuyaient leurs logements exigus, humides et obscurs. Ils bavardaient, se disputaient, flirtaient, se coiffaient, préservaient leurs contes populaires et en inventaient de nouveaux, et se détendaient à l'air libre. Ils s'allongeaient à l'extérieur pour flâner ou s'éventer. C'est là qu'ils se réunissaient pour jouer aux jeux africains dont ils se souvenaient : le *kai* à Haïti, le *warri* à la Jamaïque. C'est là qu'ils adoraient leurs anciens dieux et se riaient ou se lamentaient de leurs tristes vies en chantant et en dansant. Ils échangeaient sur leurs journées passées dans les champs de canne brûlants et faussement tranquilles, où des milliers de rats se régalaient de canne non coupée, ou dans la maison de cuisson, avec sa machinerie cannibale et sa chaleur intolérable. Ils échangeaient des histoires sur les prouesses des rats bien nourris. Ils parlaient de leurs maîtres, des contremaîtres, des conducteurs et de leurs compagnons d'infortune, et conspiraient contre ceux qui les asservissaient et les exploitaient. Ils se communiquaient les dernières nouvelles, ainsi que les potins transmis directement de la grande maison aux quartiers des esclaves par les domestiques.

Une des curiosités des quartiers était le flot de Blancs qui y passaient, les hommes pour le sexe, les femmes pour offrir des soins de santé. Les visiteurs des deux sexes s'assoyaient en cercle pour regarder les danses et les cérémonies des esclaves, qu'ils considéraient comme un divertissement, et dont ils se moquaient ensuite. Cependant, les observateurs blancs étrangers qui éprouvaient une fascination pour la vie des esclaves n'avaient pas toujours envie de rire. Le baron français Maximilien de Wimpffen écrivait: «Il faut voir avec quel enthousiasme, avec quelle précision dans la pensée et quelle justesse du jugement ces créatures, tristes et taciturnes durant la journée, s'accroupissent maintenant devant leur feu, racontant des histoires, parlant, gesticulant, raisonnant, exprimant des opinions, approuvant ou condamnant le maître ainsi que tous ceux qui sont autour d'eux[102].» Assis autour du feu de camp, occupés à rôtir du maïs, des légumes et parfois de la viande, et à faire du pain de maïs ou de manioc qu'ils enveloppaient dans des feuilles et posaient sur la cendre, les esclaves se débarrassaient de leur *rôle* de bêtes de somme renfrognées pour se révéler comme des êtres capables de penser, de sentir — et de juger.

Les esclaves avaient également droit à des vacances à Noël — dans certaines colonies, ils avaient droit à un congé légal de trois jours —, à Pâques et à la Pentecôte, ou pour célébrer certains événements, comme l'anniversaire de leur maître ou le mariage de ses enfants. À ces occasions, il était de coutume que les maîtres fassent à leurs esclaves des dons en argent, des dons de vêtements, d'aliments particuliers ou de rhum. À l'une de ces occasions, Pierre Dessalles offrit à ses travailleurs des champs une vache de boucherie, et, après que ses 22 invités blancs eurent mangé, il leur servit un repas «copieux et délicieux[103]». Ensuite, dans sa cour illuminée par les flambeaux, les esclaves dansèrent jusqu'à minuit. Thomas Thistlewood, qui avait des moyens plus modestes, distribuait du rhum et de grandes tranches de viande à ses esclaves pour qu'ils puissent fêter Noël. Avec le temps, les esclaves en vinrent à considérer ces dons coutumiers comme leur dû. Si un planteur les en privait, ils devenaient amers et se révoltaient.

Les esclaves de tout âge, vêtus de leurs plus beaux costumes, étaient bienvenus aux fêtes et aux danses des esclaves, que les Blancs qualifiaient, en se moquant, de «bals, assemblées et café-friandises[104]». Les spectateurs blancs étaient étonnés de voir leurs bêtes de somme loqueteuses se métamorphoser en des êtres pétulants et charmeurs, habillés de vêtements impeccables et spectaculaires. Les femmes mettaient un soin particulier à s'embellir. Leurs ressources limitées et leur imagination fertile engendraient des modes ingénieuses. Certaines portaient de vieux vêtements de la grande maison, mais d'autres payaient des couturières qui concevaient pour elles des robes fascinantes à partir de tissus souvent importés, qu'elles achetaient avec l'argent obtenu au marché. «La quantité d'argent qu'une femme esclave peut dépenser est difficile à comprendre[105]», dit l'observateur créole Moreau de Saint-Méry. En fait, c'est facile à comprendre. Lorsqu'une travailleuse des champs se baignait, se parfumait et portait une robe ravissante, elle se débarrassait de son humiliation en enlevant les haillons crasseux, usés par la sueur, et réaffirmait son humanité ainsi que sa féminité. Lorsqu'elle se parait de boucles d'oreilles, de foulards attachés de manière originale ou selon les styles africains, ou lorsqu'elle improvisait à partir des bonnets, des rubans et des perles de la grande maison, elle exprimait son individualité et rejetait l'uniforme de l'esclavage.

Les danses des esclaves étaient joyeuses et décontractées, les fêtards tournant et tournoyant, pieds nus, au son des tambours et du bruit des percussions fabriquées à partir de coffres de cèdre creux ou de bouts de bois. À Cuba, certaines danses étaient si compliquées que seuls les hommes les exécutaient; la danse *mani* était trop violente pour les femmes, qui regardaient et acclamaient les hommes qui se fouettaient mutuellement pour avoir le droit de danser, une perversion grotesque ou peut-être une manière d'exorciser la violence des champs de canne et des moulins à sucre.

Les vacances et les divertissements aidaient les esclaves à donner un sens à leur vie. Dans un Cuba dominé par les hommes, l'ancien esclave Montego se souvient que les esclaves gravitaient autour des «tavernes» en bois et en feuille de palmier, où des vétérans de l'armée leur faisaient crédit pour acheter du rhum, du riz, du bœuf séché, des fèves, des petits gâteaux ou des biscuits. Ils jouaient aussi à des jeux, les plus populaires étant «le craquelin» et «la carafe». «Le craquelin» était un concours de prouesse génitale, où les esclaves attaquaient des biscuits salés avec leur pénis; pour gagner, il fallait écraser les craquelins, qui étaient étalés sur une planche. Le «jeu de la carafe» permettait de mesurer la longueur du pénis; chacun des adversaires devait insérer son pénis dans l'ouverture d'une carafe, au fond de laquelle se trouvait de la cendre. Le vainqueur était celui qui pouvait prouver que son pénis avait touché la cendre du fond avant de se retirer. Dans une société où les hommes esclaves étaient émasculés socialement, légalement et psychologiquement, et où la plupart d'entre eux mouraient relativement jeunes, les hommes luttaient pour affirmer leur masculinité tant bien que mal.

Les esclaves nourrissaient leur espoir en rêvant de s'échapper. Certains y parvinrent en s'achetant eux-mêmes, en s'affranchissant, en résistant, en s'enfuyant, en pratiquant le marronnage ou en se suicidant (c'est le sujet du chapitre 6). La plupart trouvaient également une nourriture spirituelle et un sens dans leur religion, un mélange de croyances africaines et de rituels dont ils se souvenaient, auxquels s'ajoutaient les saints et les cérémonies catholiques. Ces religions étaient animistes; elles mêlaient le monde naturel et le monde spirituel, les pierres et les arbres avec les esprits. Le vaudou (dans les colonies françaises), l'obeah (dans les colonies anglaises), la santería (dans les colonies espagnoles) et le candomblé (au Brésil) étaient des religions non hiérarchisées de guérisseurs dont les chamans, les prêtres ou les prêtresses invoquaient les dieux au moyen de prières, d'incantations, de cadeaux et de sacrifices.

Contrairement aux danses des esclaves que les Blancs trouvaient si amusantes, ces cérémonies chamaniques les troublaient et les terrifiaient. La raison en était que ces hommes et ces femmes hors du commun qui pouvaient invoquer les esprits avaient d'autres ressources: ils pouvaient inspirer leurs compagnons d'infortune et les amener à se soulever contre leurs oppresseurs. Les Blancs étaient si terrifiés de leurs pouvoirs qu'ils cherchèrent à les supprimer par le biais de lois coloniales. La loi sur les esclaves proclamée en 1792 par les Britanniques dans les Indes occidentales en est un bon exemple: «Tout esclave prétendant posséder un pouvoir surnaturel dans un but d'insurrection, si on peut prouver qu'il a agi dans ce but, sera exécuté, déporté ou puni d'une autre façon.» La principale réalité du monde du sucre était que la prospérité, la sécurité et même la survie des Blancs dépendaient de la domination constante des corps, sinon des âmes, des résidents des quartiers d'esclaves.

CHAPITRE 4

Un monde créé par les Blancs

La grande maison

Les quartiers des esclaves étaient situés à une distance stratégique et symbolique de la grande maison, où les planteurs, leurs familles ainsi que leurs associés construisaient un monde différent. Ces grandes maisons représentaient les valeurs, le sens et les tensions de la société blanche créole, tout en servant d'habitations pour leurs résidents privilégiés. Du point de vue structurel, elles représentaient également un défi face aux ouragans et aux tremblements de terre qui menaçaient les colonies sucrières. Un écrivain du xviiie siècle lançait cet avertissement : « Nous ne devons pas nous attendre à trouver ici des merveilles d'architecture[1]. »

La grande maison typique était spacieuse, peu élevée et de plain-pied, car une habitation plus en hauteur n'aurait pu résister « au choc d'un tremblement de terre ou à la furie d'un orage violent », et elle était construite en pierre ou en brique[2]. Un grand escalier en pierre montait jusqu'à une vaste galerie bien aérée, utilisée comme principale salle de séjour, les chambres se situant de chaque côté. Les grandes maisons étaient conçues pour repousser la chaleur. Des stores vénitiens ou des persiennes détournaient le soleil aveuglant, tout en laissant passer les courants d'air. Les seules fenêtres qui fermaient hermétiquement étaient celles des chambres situées à l'arrière, car elles étaient plus exposées à la pluie battante. Les parquets des grandes maisons étaient en acajou ou en un autre bois dur ; aucune moquette ne les recouvrait, et ils étaient astiqués à la perfection. Le mobilier était en bois dur. Sous la maison se trouvaient quelques débarras.

Les Européens qui s'attendaient à voir des manoirs étaient stupéfaits et déçus. Lady Maria Nugent, la patricienne épouse du gouverneur de la Jamaïque, les trouvait franchement hideuses. Le planteur jamaïcain absentéiste Matthew Lewis jugeait la maison Cornwall «horrible à regarder», même si, dans la chaleur suffocante de la Jamaïque, il en appréciait la fraîcheur intérieure[3].

Les grandes maisons étaient également conçues pour assurer la sécurité contre la présence toujours inquiétante des Noirs; elles étaient suffisamment éloignées des quartiers et construites à un emplacement suffisamment élevé pour protéger ses résidents contre une attaque soudaine des esclaves. À Cuba, le planteur Edwin Atkins construisit des murs impénétrables de plusieurs pieds d'épaisseur. À Sainte-Croix, la grande maison de la plantation Whim comprenait des murs d'une épaisseur de trois pieds faits de pierre, de corail et de molasses. Les autres maisons avaient souvent des abris au sous-sol.

La distance par rapport aux quartiers des esclaves, les murs épais et les refuges dans le sous-sol soulignaient la dichotomie qui était au cœur de la vie dans la grande maison. Les Blancs avaient besoin des Noirs pour la production du sucre; ils les considéraient comme leur principal investissement, ils les asservissaient et les maltraitaient, ils vilipendaient leur race et les agressaient sexuellement ou en tombaient amoureux, mais ils en dépendaient et étaient encerclés par eux. Toutes les grandes maisons regorgeaient de domestiques, de «nègres, d'hommes, de femmes et d'enfants courant ou étendus partout dans la maison, en accord parfait avec le style créole[4]», faisait remarquer Lady Nugent. La plupart gardaient également un joli petit esclave ou deux qu'on chouchoutait comme de petits animaux de compagnie, mais que l'on s'empressait de renvoyer aux quartiers et aux champs de canne lorsque, parvenus à l'adolescence, ils perdaient leur attrait. Comme les quartiers d'esclaves, les grandes maisons vivaient dans la crainte et les tensions.

L'esclavage était le principal enjeu. Les planteurs résidents et leurs familles devaient concilier l'esclavage, tout particulièrement dans sa version dure, avec la moralité chrétienne. Ils se voyaient comme représentants de la noblesse terrienne du monde du sucre et aspiraient — c'est du moins ce qu'ils prétendaient — au raffinement des manières. Pourtant, leur consommation ostentatoire était si poussée que les Européens (souvent envieux) condamnaient ces riches lourdauds, obscènes et menés par des esclaves, qui leur inspirèrent l'expression «riche comme un Créole». Maria Nugent se faisait l'écho de nombreux autres critiques européens lorsqu'elle décrivait les Créoles blancs comme «indolents et oisifs, indifférents à tout sauf à la nourriture, à la boisson et à l'assouvissement de leurs désirs[5]».

Cette gloutonnerie typique des grandes maisons offrait un contraste grotesque avec la famine qui sévissait dans les quartiers des esclaves. Alors que les esclaves du sucre devaient se contenter de «rations», leurs propriétaires blancs se goinfraient de mets gargantuesques: leurs déjeuners étaient faits de poisson gras, de veau froid, de tartes, de gâteaux, de fruits, de vin, de thé et de café; quant aux soupers, noyés de vin, ils comprenaient une vingtaine de plats, entre autres des desserts très sucrés et des conserves de fruits. Les hommes créoles «mangent comme des cormorans et boivent comme des marsouins[6]», écrit Mary Nugent.

En 1774, Janet Schaw, une riche Écossaise qui avait des relations, fit un long séjour à Antigua et dans les îles avoisinantes. Au début, elle partageait l'indignation de Mary Nugent face aux extravagances créoles, mais elle ne fut pas longue à succomber à la séduction de ce mode de vie. «Pourquoi devrions-nous reprocher à ces gens de vivre dans le luxe?[7]» demandait-elle.

La question de Janet Schaw est purement rhétorique, car elle y avait déjà répondu en disant: «Nous ne devons pas condamner ces gens.» Ses arguments en faveur d'un mode de vie somptueux reflètent la force de séduction du monde du sucre, apparemment irrésistible pour ceux qui succombaient à ses charmes. Les premiers récits de Janet Schaw concernant son séjour dans une île du sucre témoignent de son incrédulité devant ce qu'elle voyait. Mais elle ne tarda pas à justifier ses expériences par des motifs rationnels, pour finir par voir dans ces excès de la générosité, dans l'ostentation de la grandeur et de la gentillesse où s'exerçait une hospitalité admirable. Elle faisait partie du groupe de ceux qui fustigeaient le manque de modération et la vulgarité de cette société créole, tout en la considérant comme foncièrement gracieuse et accueillante.

Les planteurs étaient les premiers à dire que ces valeurs faisaient partie de leur psychisme social. Ils recouraient également à des arguments racistes pour justifier le gouffre existant entre leur opulence et la condition misérable des esclaves. Pour eux, les Noirs étaient des êtres inférieurs, semblables à des enfants et dotés de penchants lascifs ; ils ne pouvaient que bénéficier de la moralité chrétienne, qui contribuait à les civiliser ; leurs rapports avec les planteurs étaient ceux d'enfants dirigés par des maîtres bienveillants. Les planteurs soutenaient également que la vie des esclaves se comparait avantageusement à celle des classes laborieuses en Europe, qui étaient pourtant plus appliquées, plus efficaces et plus honnêtes. Ils mentionnaient les énormes dépenses qu'ils avaient dû faire pour mettre en place l'infrastructure de leur plantation de canne à sucre, leurs lourdes responsabilités concernant la gestion de la propriété et la commercialisation des produits ; problèmes dont les esclaves n'avaient pas à se préoccuper. Ces arguments faisaient partie des raisons qui légitimaient le grand train de vie des planteurs.

Bien que Janet Schaw fût en désaccord avec Mary Nugent lorsque celle-ci soutenait que le mode de vie créole heurtait les normes du goût, le jugement des deux femmes sur la moralité de l'esclavage était identique : rien de ce qu'elles virent à Antigua et à la Jamaïque ne réussit à les persuader de l'injustice de l'esclavage. Au contraire, toutes deux ne faisaient que répéter les arguments invoqués par les planteurs pour justifier l'institution qui était le cœur de l'économie sucrière.

Des yeux et des oreilles partout

Des dizaines de milliers d'autres témoins interprétaient tout autrement la culture créole blanche. Nous parlons ici des domestiques, qui étaient tout aussi étroitement impliqués dans ce mode de vie que les esclaves des champs de canne. À la différence des visiteurs, les domestiques étaient des témoins lucides qui avaient une connaissance intime de leurs maîtres. Ils étaient omniprésents ; les Blancs étaient si habitués à les voir qu'ils les remarquaient à peine et ne faisaient pas l'effort de tenir leur langue en leur présence.

Ce manque de retenue étonnait les visiteurs. « Ils se sont mis à parler de leur sujet favori, la conduite des nègres et la manière dont ils les dirigent, note un missionnaire désapprobateur. Tout ce qui les concerne est discuté ouvertement : les lois coloniales, la manière dont ils sont considérés en Europe ainsi que dans les journaux publiés dans cette île, les procès devant les magistrats pour violations des droits des esclaves, etc. Ne savent-ils pas que les serviteurs possèdent, tout comme nous, des *yeux* et des *oreilles*[8] ? »

Cette observation était judicieuse. Les domestiques enregistraient ces discussions autour de la table, ainsi que les autres conversations qu'ils surprenaient pendant leurs longues journées de service. Plus tard, ils les ressassaient longuement avec les autres esclaves, les embellissant, les interprétant et façonnant leur propre version du monde des planteurs.

Ils avaient une grande variété d'informations à traiter. Ils entendaient dire que la production sucrière importait plus que tout. Ils entendaient souvent le mot d'esprit d'un botaniste, selon lequel « si les biftecks et les tartes aux pommes toutes faites poussaient dans les arbres, nous abattrions ceux-ci pour laisser la place aux plants de canne à sucre[9] ». Ils entendaient dire que l'esclavage était justifié par le fait que les Noirs étaient durs, malhonnêtes, perfides, paresseux, bons à rien, des êtres enfantins qui se délectaient de plaisirs « éphémères et puérils[10] ». Ils entendaient dire que certains d'entre eux étaient des « vauriens ingrats », que la majorité d'entre eux avaient « un caractère très obstiné et très entêté ». On disait même qu'« à moins qu'un nègre tire un avantage du fait de dire la vérité, il mentira toujours — simplement pour se faire aller la langue[11] ».

Ils entendaient dire que les esclaves des champs ne s'intéressaient au travail que lorsqu'il s'agissait de s'occuper de leurs cultures vivrières, qu'ils gagnaient des sommes importantes (pour ne pas dire fabuleuses) en vendant leurs produits, voire — quelle horreur ! — le sucre appartenant à leur *maître*, et combien ils étaient « irréfléchis et imprévoyants », et qu'ils dépensaient ce qu'ils avaient gagné en achetant du rhum et des babioles, « venant mendier à la fin de la semaine [...] de la nourriture à l'entrepôt de leur maître[12] ». Ils entendaient dire que les « pauvres Noirs » ne savaient pas gérer une maison.

Ils écoutaient les Blancs débattre des avantages des différentes formes de punitions qui étaient indispensables pour contrôler les Noirs. Ils entendaient dire que « lorsqu'on connaît mieux la nature des nègres, l'horreur [*sic*] qu'elle inspire doit s'atténuer. C'est la souffrance morale de l'être humain qui constitue l'essentiel de la punition, mais, avec eux, on doit se limiter aux châtiments corporels [...]. [Leurs] souffrances ne s'accompagnent pas d'une honte ou d'une peine qui aille au-delà du moment présent[13] ». Ils entendaient dire que « les punitions lentes impressionnent plus que celles qui sont rapides ou violentes. Vingt-cinq coups de fouet administrés en un quart d'heure, avec des pauses [...] laissent une impression beaucoup plus forte que cinquante coups de fouet administrés en cinq minutes, et c'est beaucoup moins dangereux pour leur santé[14]. »

Les domestiques écoutaient leurs Blancs confier à d'autres Blancs que la plantation était proche de la faillite, et que d'autres propriétés lourdement hypothéquées étaient vendues au plus offrant. Ils entendirent parler d'un planteur qui essaya de tromper ses créanciers en vendant tous ses esclaves, « afin qu'ils ne soient pas pris en compte dans l'évaluation de sa propriété[15] », et ils entendirent parler du prix du sucre qui avait baissé de façon catastrophique. Les domestiques d'un des planteurs les plus riches de la Martinique l'entendirent se plaindre : « Nous sommes plus misérables que jamais, et notre sucre ne vaut plus rien[16]. » Ils apprirent que le contremaître faisait la tête parce que ses gages étaient (encore) en retard, et que le maître tenterait de tirer encore plus de revenus de sa propriété en poussant ses esclaves à produire plus de sucre (ce sucre qui ne valait plus rien). Au moment où ils servaient du porc grillé, du canard, du jambon, du poisson, de la tortue, du veau et du poulet, avec tous les accompagnements, les domestiques entendaient dire que l'alimentation des esclaves était une dépense à laquelle les planteurs rechignaient et qu'ils essayaient de réduire le plus possible.

Ils surent à quel point les Blancs étaient inquiets et furieux au sujet des soulèvements et des attaques des esclaves, et à quel point ils craignaient leurs propres domestiques, prêts à les trahir. Ils apprirent que Minette, une jeune domestique de 15 ans vivant sur une plantation jamaïcaine, avait mis du poison dans le verre de brandy coupé d'eau que son maître prenait avant de se coucher et comment, debout à son chevet, elle avait été « témoin de son agonie sans manifester la moindre surprise ou pitié [...][17] ». Ils entendirent raconter le cas d'un respectable planteur qui échappa à la mort qui l'attendait dans sa tasse de café, simplement parce qu'il eut la générosité de l'offrir à ses commis aux écritures, qu'il vit avec horreur tomber morts après qu'ils eurent avalé la boisson.

Ils entendirent parler de la grossièreté de ces Blancs prétendument supérieurs, par exemple comment le vieux planteur jamaïcain Tom Williams, voyant une esclave nettoyer une chambre qui était déjà propre, « déféqua par terre, puis lui dit qu'elle avait maintenant quelque chose à nettoyer[18] », et comment M. Woodham « se grisa et battit sa femme l'autre jour[19] ». Ils apprirent que le jeune planteur John Cope, fou de jalousie, « prit toute la porcelaine et les verres, etc., de Madame Cope

[…] et les lança de toutes ses forces sur le sol, où ils se brisèrent en mille morceaux », parce qu'il soupçonnait l'ex-petit ami de sa femme de lui avoir fait ce cadeau[20].

Ils surent ce qui pouvait arriver aux femmes domestiques qui étaient également les maîtresses de leurs maîtres, comme à la maîtresse du planteur Irvine, qu'il assassina dans une crise de jalousie, ainsi qu'à la maîtresse mulâtre du contremaître Francis Ruecastle, que celui-ci battit à mort. Ils surent que le contremaître Harry Weech, qui travaillait pour Thomas Thistlewood, avait « coupé les lèvres de sa petite amie mulâtre, par jalousie, car il disait qu'aucun nègre n'embrasserait jamais les lèvres qui lui appartenaient[21] ».

Ils eurent vent de nouvelles plus encourageantes : un maire martiniquais en vue avait permis aux « petits mulâtres qui étaient ses bâtards » de circuler librement dans la maison ; un capitaine de l'armée avait légué toute sa propriété à sa « chère amie » qui était Noire ainsi qu'à leur bâtard ; un planteur de la Barbade, Jacob Hinds, avait légué de vastes propriétés aux enfants qu'il avait eus avec trois de ses esclaves noires, par ces mots sibyllins : « Je les appellerais volontiers mes enfants, mais je n'ai pas ce droit, puisque je ne me suis jamais marié[22]. » Ils apprirent qu'en dépit du déshonneur, certaines femmes blanches s'unissaient à des hommes noirs. Ils apprirent que « plusieurs femmes blanches […], bien qu'elles fussent mariées à des Blancs, avaient eu des enfants avec des nègres[23] ».

Des domestiques qui étaient à l'écoute des signes sociaux des Blancs, qui copiaient leurs expressions et leurs manières, et qui pouvaient se montrer aussi snobs qu'une Mary Nugent ou un Pierre Dessalles, apprirent que l'animal favori d'un riche planteur, un petit cochon noir, avait grogné pendant tout le dîner, et qu'un autre planteur blanc avait mis ses pieds sur la table afin que son esclave puisse en extraire les aoûtats, des mites parasitaires qui s'attaquaient aux Blancs comme aux Noirs. Ils apprirent que les Créoles brésiliens, dans les plantations de sucre, étaient élevés n'importe comment, qu'ils ne savaient « parler que de chiens, de chevaux et de bœufs », et que leurs femmes, pratiquement illettrées, paressaient dans leurs hamacs pendant que les femmes esclaves retiraient les poux de leurs cheveux avec leurs ongles.

Les domestiques qui faisaient le service dans les dîners créoles réservés aux hommes écoutaient des conversations tapageuses portant sur leurs affaires et leurs prouesses sexuelles, sans oublier des détails déplaisants concernant les maladies vénériennes qui faisaient des ravages chez les Blancs comme chez les Noirs. Ils entendirent un vieux planteur dire en plaisantant qu'il satisfaisait encore « sa maîtresse deux fois par nuit : la première fois en plaçant sa cuisse sur elle, ce qui lui faisait plaisir en lui permettant d'espérer plus, et la deuxième fois en retirant sa jambe, ce qui lui faisait encore plaisir, car elle le trouvait lourd[24] ». Ils écoutèrent le planteur martiniquais Pierre Dessalles pester contre les hérésies de la jeune génération, dire que « Jésus-Christ est un *homme* prodigieux, que se suicider lorsqu'on est malheureux est une chose parfaitement simple et naturelle, que séduire deux sœurs de la même famille, partir avec la femme d'un autre homme — tout ceci est considéré comme très bien[25] ».

Les domestiques entendaient des plaintes incessantes au sujet des mille-pattes, des chauves-souris, des rats, des fourmis et des blattes qui envahissaient les chaises, les sofas, les paniers de fruits, les livres et les vêtements. Ils surent qu'avant de se mettre à lire un livre, Henry Koster commençait par le refermer « violemment, afin d'écraser toutes les choses qui avaient pu se faufiler entre les pages[26] ». Il fut question des « innombrables moustiques qui nous ont presque complètement mangés, qui ont certainement gâté notre beauté [...] [et] qui nous tourmentent toutes les nuits, [...] des insectes innombrables qui éteignent nos bougies en dépit de nos grands stores de verre[27] ». Il fut question du climat impitoyable, de l'automne, « saison malsaine », et des saisons de chaleur extrême, des vents violents et, à la saison des pluies, des averses torrentielles et de la froide humidité. Il était question aussi du « sol marécageux » et de ses vapeurs nocives, des « grenouilles repoussantes » et des « nuées de mouches et de moustiques[28] ». Ils entendirent aussi parler des nuits sans sommeil qu'eux-mêmes, comme domestiques, devaient passer à tuer les créatures qui interrompaient le sommeil des Blancs, et des tourments que subissaient ceux qui étaient confinés dans les cabanes des quartiers, sans air et sans protection.

Les domestiques se voyaient constamment rappeler à quel point les ouragans effrayaient les Blancs, et, par-dessus tout, à quel point ces calamités naturelles, souvent, pouvaient ruiner même les plus riches planteurs. Ils entendirent parler du planteur barbadien William Senhourse, « tombé malade au vu » des dommages causés à sa plantation de Grove par l'ouragan de 1780, qui entraîna la mort de six de ses esclaves et de milliers d'autres dans l'île. Ils entendirent les héritiers des plantations de sucre pleurer sur leur sort, à l'instar du Barbadien Walter Pollard, qui disait en se lamentant : « Voyez ce fatal ouragan ! Il réduit nos propriétés en poussière, aussi bien ce que nous avons durement gagné par le passé que les espoirs de la nouvelle génération[29]. » Toutes ces conversations pouvaient, à tout moment, être interrompues par le cri d'un bébé blanc réclamant le lait de sa nourrice noire ; elle se levait alors ou s'asseyait dans une chaise pour allaiter le petit. Les dames présentes pouvaient aider à faire couler le lait en « donnant des claques, en pressant, en brassant et en tripotant le long sein de l'esclave, avec une familiarité tout à fait déplacée[30] », se souvient un visiteur. Au même instant, les domestiques pouvaient entendre les hommes blancs glousser en parlant de seins pendants, peut-être en répétant ce qu'on disait des femmes esclaves travaillant dans les champs, nues jusqu'à la taille et courbées au-dessus du trou de canne : « On dirait qu'elles ont six jambes[31] ! »

Parfois, lorsque le repas n'était pas à la hauteur, les domestiques entendaient et voyaient un des leurs recevoir une punition. Par exemple, à Saint-Domingue, un cuisinier fut rôti à mort dans un fourneau embrasé ; en Martinique, après que « Philippe [le cuisinier] se fut enivré et qu'il eut gâché notre repas[32] », il reçut quelques coups de fouet. Puis la conversation reprenait de plus belle, avec, peut-être, quelques réflexions sur l'efficacité des punitions infligées aux esclaves.

L'absentéisme : la racine du mal

À tout point de vue, le monde du sucre était criblé de contradictions. Mais l'absentéisme était, en règle générale, considéré comme le problème le plus important. À tout moment, un grand nombre de planteurs — autour de 20 % — partait en Europe, et bon nombre y demeurait. À Cuba et au Brésil, les absentéistes se retiraient dans de jolies villes coloniales, ou sur la cinquième avenue, à New York, laissant leurs propriétés aux mains de mandataires, pour n'y retourner qu'à l'occasion.

Seuls les planteurs les plus riches, dont les propriétés étaient les plus vastes, où travaillaient un grand nombre d'esclaves et qui nécessitaient les investissements les plus importants, ne pouvaient se permettre de partir. Les absentéistes disaient fuir la chaleur et l'humidité, qui leur donnaient l'impression d'être dans une « fricassée[33] », les ravages des tempêtes tropicales et des ouragans, la gêne causée par la mauvaise réputation du monde créole, considéré comme un désert culturel, et la peur constante des attaques des Noirs qui les dépassaient en nombre. Par-dessus tout, ils espéraient échapper à une mort précoce. Le taux de mortalité des Blancs était «horrible[34]», peu d'entre eux réussissant à avoir une durée de vie normale.

Orlando Patterson considère que l'absentéisme fut «l'élément fondamental et prédominant de la société esclavagiste jamaïcaine [...], élément qui fut au cœur de toute l'organisation sociale [...] et qui devint la racine de tous les maux du système, à un point tel que nous pourrions décrire la société jamaïcaine comme une société absentéiste[35]». Cette défection massive des propriétaires des plantations de sucre se produisait également dans le reste du monde du sucre. Ceux qui restaient étaient rarement les citoyens les plus fiables. À Antigua, par exemple, le gouverneur Hugh Elliot décrivait les «quelques résidents blancs qui restaient [comme] des gérants, des contremaîtres, des pseudo-avocats, des médecins autodidactes et des commerçants aventuriers ayant peu de biens immobiliers et dotés d'un crédit douteux [...][36]».

L'absentéisme entraînait de sérieuses conséquences. Il réduisait le bassin des titulaires potentiels d'une fonction, ce qui avait des effets nuisibles sur l'administration coloniale. Certains maîtres absents ayant des relations haut placées conservaient leur poste, quelles que soient les circonstances, au détriment de la colonie. C'étaient les plantations et leur population à majorité noire qui en souffraient le plus, car les employés engagés pour remplacer les propriétaires absents ne s'intéressaient au succès de l'entreprise que dans la mesure où il leur permettait de conserver leur emploi. Comme le faisait remarquer Henry Drax, un riche planteur barbadien, l'absentéisme a des effets «très pervers sur tout ce qui se passe ici, chaque personne étant plus appliquée dans son travail, lorsque le maître est à la maison, même s'il ne sort pas de sa chambre [...]; par conséquent, on devrait respecter la règle qui demande de ne jamais s'absenter de la plantation, sauf en cas de nécessité[37]».

Les riches planteurs furent rares à suivre le conseil de Drax. Au contraire, ils quittaient la plantation et n'avaient de cesse de réclamer des redevances pour entretenir leur train de vie luxueux en Europe. Pour se plier à ces exigences, les gérants, les agents ou les contremaîtres engagés en vue de diriger les plantations devaient épuiser le sol déjà appauvri et en demander toujours plus aux esclaves exténués. Dans la plantation cubaine d'Olanda, déjà lourdement hypothéquée du fait que le maître absent vivait au-dessus de ses moyens, le gérant exploita à mort ses esclaves et finit par épuiser la propriété elle-même. Un visiteur rapporta que les esclaves semblaient « mortellement épuisés, apathiques, dans un état de stupeur, hagards et émaciés », portant des haillons faits de restants de sacs, vivant dans des huttes « qui n'auraient pas convenu à des bêtes sauvages[38] ».

Sachant que leurs patrons étaient de l'autre côté de l'Atlantique, les hommes blancs qui étaient leurs employés adoptaient le style de vie de la grande maison. Les contremaîtres célibataires emménageaient dans les grandes maisons vacantes, ou ils meublaient leurs modestes logements le plus somptueusement possible. La plupart d'entre eux installaient une maîtresse esclave, voire un harem, dans leur maison. Ils singeaient les habitudes alimentaires des planteurs, consommant d'énormes quantités de viande, de vin, de liqueur et d'autres douceurs, et traitaient leurs visiteurs de la même façon. Thistlewood, par exemple, organisa un repas qui comprenait de l'oie à la papaye, du porc rôti au brocoli, du canard rôti, du ragoût de porc, des pamplemousses, du melon d'eau, des oranges, du vin de Madère, du porter, du punch, des grogs et du brandy.

Les employés auxquels était confiée la gestion de ces vastes propriétés étaient souvent imprudents et peu compétents. De nombreux contremaîtres et gérants faisaient passer leurs propres objectifs sociaux et financiers avant ceux du propriétaire. Ils détournaient les esclaves, la terre et les ressources à leurs propres fins, supervisant leurs propres cultures et leur propre cheptel au détriment de ceux de la plantation. C'est ainsi qu'ils parvenaient à amasser assez d'argent pour acheter des esclaves et, finalement, une plantation, qui était souvent acquise aux dépens d'un planteur en faillite.

Les maîtres absents, saignés à blanc par leurs employés, rencontraient peu de sympathie. S'ils étaient restés, faisaient remarquer certains observateurs, leur destin aurait peut-être été différent. Du reste, les planteurs étaient plus reconnus pour leur absentéisme que pour la justesse de leur jugement, leurs talents de gestionnaires, leurs connaissances en matière d'agriculture et leurs compétences générales, voire pour leur volonté d'investir dans des améliorations telles que celles du fumier ou de l'équipement. En fait, ils étaient connus pour sacrifier les besoins de leurs plantations aux plaisirs de leur style de vie extravagant.

Qu'ils fussent ruinés ou qu'ils eussent mené la grande vie dans les villes européennes, les propriétaires absents démoralisaient et minaient les sociétés débutantes du monde du sucre. Ils se dérobaient à leurs devoirs civiques et déléguaient la gestion de leurs biens à des gens qu'ils considéraient comme des inférieurs. Au lieu d'apporter leur soutien, leur goût et leur clientèle au nouveau monde en construction, ils optèrent pour la supériorité culturelle, sociale et matérielle des métropoles européennes. Ils capitulèrent devant les difficultés des colonies sucrières au lieu d'essayer de les adoucir ou de les affronter. Avec leurs demandes incessantes d'argent, ils contribuèrent encore plus que les planteurs résidents à la dégradation environnementale et humaine de leurs plantations. En leur absence, ce fut aux quelques riches planteurs qui restaient sur place, ainsi qu'aux milliers de personnes qui ne pouvaient partir, que revint la charge de faire fonctionner les plantations et les entreprises dont ils étaient responsables, et, dès lors, de façonner l'aspect racial qui était au cœur du monde du sucre.

Les rapports sexuels dans la grande maison

La structure byzantine du nouveau monde du sucre prenait racine dans la confusion émotionnelle qu'éprouvaient les Blancs à l'endroit de leurs esclaves : ils leur accordaient leur confiance, ils se confiaient à eux et les aimaient, mais en même temps, ils les haïssaient, s'en méfiaient, les tyrannisaient, les battaient et les trahissaient. Ceci était particulièrement vrai des domestiques qui vivaient avec eux et qui, souvent, leur étaient apparentés : c'était les rejetons d'hommes blancs et de femmes noires et, plus tard, lorsque la classe des mulâtres prit de l'expansion, de femmes mulâtres.

L'existence de ces rapports sexuels était l'équivalent d'un champ de mines dans les relations interpersonnelles de la grande maison. Si une maîtresse esclave était domestique et que l'épouse blanche soupçonnait l'existence de la relation, elle avait tendance à punir l'esclave puisqu'elle ne pouvait punir son mari. Dans cette société patriarcale et donjuanesque, une épouse blanche disposait de peu de moyens pour empêcher son mari de batifoler.

Prenons le cas de Molly Cope, l'épouse adolescente du planteur John Cope. Ses esclaves lui confièrent que John et ses invités avaient fait subir à Ève, une domestique, un viol collectif. Molly enquêta et constata que les draps du lit étaient « en désordre ». Mais que pouvait-elle faire ? Elle pouvait seulement faire semblant de ne pas s'apercevoir que John buvait jusqu'à l'ivresse, puis violait les domestiques et les esclaves des champs, et qu'il « gardait » Little Mimber comme maîtresse[39]. Molly était elle-même la fille, blanche en apparence, de son père et de la maîtresse de celui-ci, Elizabeth Anderson, qui, elle, n'était pas tout à fait blanche. Étant créole, Molly savait, comme Mary Nugent devait très vite le découvrir lors de son séjour à la Jamaïque, que les « hommes blancs de toute condition, mariés ou célibataires, se permettaient tout avec leurs femmes esclaves » et qu'« il n'existe pas un seul homme ici qui n'a pas de maîtresse esclave[40] ». Le gouverneur de la Barbade, George Poyntz Ricketts, avait même installé sa maîtresse mulâtre dans la maison du gouverneur.

Des visiteurs compatissants décrivaient le désastre affectif provoqué par la naissance d'un enfant mulâtre ou d'un quarteron, qui ressemblait à son père, voire qui portait son nom. La présence de ces petits rejetons mettait l'épouse en furie, de même que sa famille et ses enfants blancs. À la Martinique, le célibataire Adrien Dessalles fit honte à son père en reconnaissant sa fille quarteronne, Palmire, qu'il appelait Mademoiselle Dessalles et avec laquelle il dînait[41]. Dans une plantation de la Barbade, une invitée fut choquée lorsqu'elle réalisa que le joli mulâtre de 14 ans qui servait deux jeunes femmes au repas était probablement « leur propre frère, si on se fiait à sa ressemblance avec leur père[42] ».

Les relations d'un homme marié avec une esclave humiliaient, voire blessaient, son épouse, dont l'autorité sur les domestiques qu'elle devait diriger se trouvait compromise. Parfois, il était plus facile de fermer les yeux sur la situation, comme il semble que Molly Cope l'ait fait. D'autres femmes faisaient des remontrances, boudaient ou se désespéraient. Certaines tentaient de s'en sortir en formant des alliances avec les autres domestiques ou en se concentrant entièrement sur l'éducation des enfants, une tâche grandement facilitée par la présence des nourrices esclaves. Plusieurs femmes trompées projetaient leur colère et leur frustration sur les maîtresses coupables. Les Brésiliens racontaient souvent l'histoire d'une femme qui avait arraché les yeux d'une jolie mulâtresse esclave puis les avait présentés à son mari sous forme de gelée baignant dans le sang. Des épouses moins inventives se contentaient de faire défigurer ou estropier leurs rivales. Le motif de ces violences était « presque toujours la jalousie, la rancœur sexuelle, la rivalité de deux femmes[43] », rapporte l'historien brésilien Gilberto Freyre.

Même lorsque la jalousie n'était pas en cause, les représentantes féminines de l'élite du sucre «pouvaient se montrer aussi sadiques que leurs homologues masculins; dans les secteurs de la maisonnée où elles avaient autorité, les esclaves étaient constamment à leur merci». Thistlewood rapporta que «Madame Allwood, l'épouse du Dr Allwood, avait fouetté à mort une autre jeune fille, puis l'avait enterrée dans la beurrerie, ajoutant, on dit que c'est la troisième qu'elle tue[44]». Edward Long parle d'une femme blanche qui aurait brûlé avec de la cire à cacheter brûlante des esclaves qu'on venait tout juste de fouetter, et qui en aurait forcé d'autres à faire de la broderie avec leurs mains sanglantes percées de boulons vissés dans leur pouce gauche. Dans le monde des planteurs blancs, il y avait peu de manifestations de solidarité féminine qui auraient permis de surmonter le racisme environnant.

Les conséquences des agressions sexuelles rejoignaient les hommes noirs, qui étaient furieux des agressions que subissaient leurs femmes. Parfois, malgré leur impuissance sur le plan légal et social, ils réagissaient avec colère. Furieux contre Harry McCormick, le distillateur blanc de Thistlewood, qui harcelait constamment les femmes esclaves, les hommes esclaves se vengèrent en abattant un arbre qui l'écrasa et entraîna sa mort. Matthew Lewis était si conscient de la violence que les sévices sexuels pouvaient entraîner qu'il menaça de congédier tout employé blanc qui ferait des avances à une «femme esclave bien connue comme étant la femme d'un de [s]es nègres[45]».

Mais lorsque l'homme blanc était un puissant propriétaire de plantation, ou lorsque la femme esclave acceptait ses avances, son conjoint noir n'avait pas grand recours. Plusieurs femmes optaient pour les avantages d'une relation intime avec un maître blanc. Pour prouver leur amour et leur loyauté et dans l'espoir de le retenir, elles étaient «extrêmement fidèles et se montraient utiles en surveillant les autres esclaves en l'absence de leurs maîtres[46]». Elles avaient beaucoup à gagner, y compris des conditions de travail plus souples, des cadeaux, des vêtements, des bijoux, du parfum, du rhum ainsi que de l'argent. Si des enfants naissaient de cette union, le père blanc pouvait offrir à ses rejetons la formation de leur choix ou il pouvait même les affranchir. La maîtresse esclave pouvait également être affranchie.

La maîtresse intelligente et ambitieuse d'un blanc célibataire pouvait devenir sa gouvernante, un poste prestigieux auquel des responsabilités étaient attachées. Mais elle devait faire des sacrifices, notamment en renonçant au mariage. Lewis décrit la situation du point de vue des hommes blancs : « Les femmes *brunes* [...] épousaient rarement des hommes de leur propre couleur, mais elles cherchaient à séduire un homme blanc qui les prendrait comme maîtresse, sous le couvert d'un emploi de gouvernante[47]. »

Ces relations « à la muscade », comme on les appelait, ainsi que le nombre croissant d'enfants métis, remettaient en question les fondements idéologiques de l'esclavage du sucre. Rien ne pouvait véritablement cacher l'amour et les liens qui transcendaient les limites raciales et sapaient les arguments raciaux justifiant l'esclavage.

Une autre dimension s'ajoutant à la difficulté était que, parvenus à l'âge adulte, les enfants ayant la peau moins foncée formaient une caste à part ; parfois, ils servaient de pont entre les Blancs et les Noirs, mais, le plus souvent, un gouffre les séparait des autres. Dans cette société obsédée par la race, les enjeux étaient trop grands. « Nul mulâtre, qu'il soit esclave ou affranchi, ne souhaitait retomber dans l'enfer nègre[48] », comme le notait le planteur jamaïcain Edward Long.

Pour définir et contrôler la nouvelle « race » qu'ils avaient créée, les Blancs inventèrent une classification bizarre et complexe. Un enfant d'un homme blanc et d'une femme noire était un *mulâtre* ; un mulâtre et une Noire donnaient un *sambo*, mais l'enfant de ce sambo et d'une personne de race noire était un Noir ; une mulâtre et un Blanc donnaient un *quarteron* ; une quarteronne et un Blanc, un *mustee* ; l'enfant d'une mustee et d'un homme blanc était un *musteefino* ; l'enfant d'une musteefino et d'un homme blanc était un *quintron*, et l'enfant d'une quintronne et d'un homme blanc était un *octororon*. La plupart des quintrons et des octororons réussissaient à se faire passer pour des Blancs, et, par conséquent, ils *étaient* des Blancs. Les colonies sucrières brésiliennes, françaises et espagnoles faisaient des différences raciales qui prévoyaient jusqu'à 128 permutations entre les autochtones et les Blancs, les autochtones et les Noirs, les *mestizos* (nés d'un Européen et d'un autochtone) et les mulâtres. Au Brésil, par exemple, un autochtone noir était un *cabra* ; un mulâtre à la peau pâle était un *pardo*.

De plus en plus, ce système de castes détermina la place de chacun dans la société. Vu les caprices de la génétique, seules les preuves généalogiques permettaient véritablement de distinguer un mulâtre à la peau foncée d'un sambo à la peau très pâle. Comme la société reconnaissait la légitimité de ces distinctions, le système des castes s'affirmait comme un instrument social aussi bien que personnel. Cubina, un esclave noir de Matthew Lewis, fut choqué lorsqu'on lui suggéra d'épouser Mary Wiggins, qui était pourtant une très jolie esclave. «Oh! Missié, je suis noir et Mary Wiggins est sambo; ce n'est pas permis», s'écria Cubina. «La séparation des castes en Inde [ne saurait] être plus rigide que la gamme complexe des tons entre Créoles[49]», écrivait Lewis. De même, les mulâtres et les esclaves à la peau moins foncée étaient considérés comme inaptes au travail dans les champs de canne. Ils étaient affectés à des tâches moins pénibles, souvent dans la grande maison, alors que les esclaves à la peau foncée étaient confinés au travail pénible des champs ou des moulins à sucre.

Cette déférence pour la blancheur faisait que les grandes maisons étaient bondées de domestiques, et privait les champs de travailleurs potentiels. Elle augmentait également la probabilité que les esclaves à la peau moins foncée soient affranchis et que les Noirs ne le soient pas. La plupart des Noirs s'affranchissaient en s'achetant eux-mêmes, ou devaient attendre d'être âgés, comme ce fut le cas pour les bonnes d'enfants de Pierre Dessalles et pour leurs enfants. «L'organisation sociale de toute la communauté dépend des différences établies entre les races qui la constituent, écrit l'historienne de l'île Leeward, Elsa Goveia. Ceci [...] a été extrêmement déterminant et a persisté pendant toute l'évolution historique des Indes occidentales[50].»

Après l'abolition du commerce des esclaves, en 1807, le taux de fécondité des esclaves du sucre, qui était dangereusement bas, ainsi que le taux de mortalité élevé de leurs enfants, eurent pour conséquence que la main-d'œuvre des champs de canne commença à s'amenuiser, puisqu'il n'y avait plus l'apport de nouveaux esclaves africains. Au même moment, l'affranchissement des personnes à la peau pâle se poursuivait, les deux tiers environ des affranchis étant des femmes de moins de 45 ans. Cette tendance perturba un ordre social déjà complexe et injecta dans la société une nouvelle dose de différences fondées sur la race. Plusieurs observateurs notèrent que les femmes de couleur affranchies «ayant été élevées depuis leur plus tendre enfance avec les Blancs [...] adoptaient toutes les habitudes et tous les vices des Européens, regardant avec mépris leurs frères ignorants et non civilisés[51]».

Malgré les tensions qui existaient entre les différentes nuances de couleur de peau dans les maisonnées créoles, certaines femmes blanches, élevées au milieu d'importants contingents de domestiques, adoptèrent

« les habitudes et les vices » de leurs esclaves. Mary Nugent, sur un ton virulent, rapporte comment « nombre de dames n'ayant pas été éduquées en Angleterre s'expriment dans une sorte d'anglais cassé, avec un débit traînant qui est très pénible, sinon franchement repoussant ». Une femme créole évoquant la fraîcheur de l'air dit à Maria Nugent : « Oui ma-am, il est vrai-ment trop frâ[52] ! » Lorsqu'elles recevaient les soins d'esclaves sages-femmes, les Créoles, au moment de mettre au monde leurs enfants, recouraient aux fétiches africains. Elles avaient recours également, en catimini, aux remèdes des esclaves pour soigner leurs maladies ou se remettre de leurs problèmes amoureux. Les femmes créoles s'enveloppaient la tête à la manière africaine et, sans vraiment s'en rendre compte, imitaient le maintien et les manières de leurs domestiques.

Ces emprunts culturels n'avaient pas beaucoup d'effet sur les cœurs endurcis de la plupart des Blancs. L'affirmation de la supériorité raciale débutait dès l'enfance. Un observateur déplorait « l'arrogance innée d'un enfant blanc élevé au milieu d'enfants noirs [...] ; dès l'âge de deux ans, l'enfant noir se recroqueville et se fait plus petit devant l'enfant blanc, qui lui donne des gifles et le frappe autant qu'il lui plaît ; il lui enlève ses jouets sans que le *piccaninnie* manifeste la moindre opposition[53] ». Braz Cubas se souvient que, lorsqu'il était enfant, au Brésil, il asséna un coup sur la tête d'une petite fille esclave qui avait refusé de lui donner un morceau de bonbon à la noix de coco. Il avait l'habitude de jouer au cheval avec l'esclave Prudencio, qu'il montait, chevauchait et fouettait durement et continuellement. Si Prudencio se plaignait, Braz Cubas lui criait : « Ferme-la, sale bête[54] ! » Mary Nugent, qui était une jeune mère, était choquée de voir à quel point les enfants créoles blancs jamaïcains étaient gâtés, « criant toute la journée [...] ayant la permission de manger tout ce qui était inapproprié pour eux, même au détriment de leur santé, ce qui les rendait franchement détestables, car on leur passait tous leurs caprices[55] ».

Parvenus à l'âge adulte, ils rudoyaient leurs domestiques, leur parlaient autoritairement et critiquaient leur paresse. L'ironie de la situation n'échappait pas aux visiteurs européens qui prenaient note de leurs appétits rabelaisiens, de leurs débauches sexuelles et des traitements cruels qu'ils faisaient subir aux esclaves. L'interaction continuelle des forces de la race, de l'esclavage et du sexe marquait le visage de la société créole blanche du sucre de façon indélébile.

La répression des esclaves était également une entreprise collective. En fait, la société sucrière était lourdement militarisée. Les milices coloniales étaient organisées et contrôlées par les planteurs blancs. La première fonction de la milice était de surveiller et de réprimer les révoltes d'esclaves. Par la suite, dans le cadre de la politique du diviser-pour-régner de la société blanche, des Noirs de confiance furent également enrôlés dans la milice. Dans toutes les colonies sucrières, le système des milices constitua ce que l'historienne barbadienne Hilary Beckles décrit comme «la structure militaire et hégémonique la plus élaborée pour le contrôle des esclaves dans le Nouveau Monde[56]».

La signification du racisme et le désir sexuel dans le monde du sucre

Comment les gens parvenaient-ils à composer avec les règles subtiles de leur société? Comment, entourés d'une foule de restrictions, de règlements et de *Codes noirs*, parvenaient-ils à gérer la vie quotidienne et leurs relations interpersonnelles? Les histoires qui suivent apportent quelques réponses.

Nous connaissons déjà le contremaître jamaïcain Thomas Thistle-wood, un expatrié anglais qui gérait la plantation de John Cope; il achetait, formait et punissait les esclaves, avait des rapports sexuels avec les femmes et tenait un journal sur leur existence, sur celle de ses compagnons, de ses pairs, de ses employeurs blancs et de leurs subalternes. En dépit de la blennoragie qui le rongeait et de sa vie sexuelle débridée, qu'il consigna dans ses moindres détails, Thistlewood partagea trente-trois ans de sa vie avec Phibbah, une esclave noire créole qu'il aimait et traitait comme si elle avait été sa femme.

Il ne s'agissait pas à première vue d'amour. Des mois après que Phibbah fut arrivée à la plantation de canne à sucre appelée Égypte, Thistlewood la fouetta durement pour avoir caché un esclave qui avait conspiré pour l'assassiner. Dix-huit mois plus tard, il eut des rapports sexuels avec elle; peu après, il la prit comme maîtresse.

À cette époque, en 1754, Phibbah était dans la vingtaine. Elle était la principale gouvernante de la maison de Cope et gérait sa cuisine, tout en prenant soin de sa propre fille Coobah. Elle était intelligente, elle s'exprimait bien, était ambitieuse, et saisissait les complexités des plantations de canne à sucre. Elle avait de bonnes relations avec les Blancs de sa connaissance et ne couchait qu'avec des hommes blancs, y compris John Cope et le contremaître qui avait précédé Thistlewood. Dans la cuisine, Phibbah était la reine. Les esclaves des champs la respectaient aussi ; il lui arrivait d'intervenir en leur faveur auprès de Thistlewood. Ce qui déplaisait à ce dernier. « Ai réprimandé Phibbah pour s'être immiscée dans mes affaires avec les nègres des champs[57] », note-t-il.

Les objectifs de Phibbah étaient clairs. Elle souhaitait devenir propriétaire, avoir un cheptel, des terres et des esclaves, et avoir toutes les parures auxquelles sa position de domestique privilégiée et de maîtresse de Thistlewood lui donnaient droit. Elle voulait de l'argent et suffisamment de moyens pour aider sa sœur, Nancy, esclave dans une autre plantation, sa fille et ses amis. Elle voulait des enfants mulâtres qui pourraient être affranchis. Recherchant la sécurité, elle souhaitait être la seule maîtresse de Thistlewood, sauf pendant ses périodes de grossesse, où elle choisissait une autre esclave pour lui, « afin de lui servir de petite amie pendant qu'elle était en couches[58] ». Phibbah était entièrement loyale à son maître ; elle lui était habituellement fidèle, bien que Thistlewood note avec jalousie qu'elle couchait parfois avec John Cope et que, des années plus tard, elle sembla s'intéresser un peu trop à un joli travailleur mulâtre.

Phibbah ne recourait pas uniquement à l'érotisme pour retenir Thistlewood, même si leur vie sexuelle était très active : la première année, ils eurent des rapports pas moins de 234 fois. Par la suite, elle fut sa partenaire dans 65 pour cent des cas[59]. Lorsqu'elle était fâchée avec lui, elle refusait les relations sexuelles, sautait hors du lit et s'enfermait dans le silence. « Phibbah ne m'a pas adressé la parole de toute la journée[60]. »

Phibbah devint très vite la compagne de cet homme irritable, cruel, dur à l'ouvrage et solitaire. Elle était son agente de liaison avec les esclaves. Elle écoutait ses récriminations et le conseillait. Lorsque les esclaves se montraient difficiles, elle lui suggérait certaines punitions, comme de badigeonner un fugitif de mélasse et de le laisser passer la nuit à l'extérieur, nu, pour qu'il soit dévoré par les moustiques. Elle tenait Thistlewood au courant de tout ce qui se passait dans la plantation. Lorsqu'il manquait d'argent, elle lui en prêtait et il lui rendait ensuite scrupuleusement les sommes empruntées.

Le plus grand défi que Phibbah eut à affronter se présenta lorsque Thistlewood accepta un poste plus avantageux dans une autre plantation. « Phibbah a beaucoup de peine ; la nuit dernière, elle n'a pu trouver

le sommeil, elle se sentait très mal, etc. », écrit Thistlewood. Il « supplia »
les Cope de lui laisser Phibbah en location, mais Molly Cope refusa.
« Pauvre fille, je la plains, elle subit un esclavage misérable[61] », se lamentait-
il. Cette quasi-épiphanie permit à Thistlewood de percevoir l'esclavage
d'une nouvelle façon. Phibbah pleurait et souffrait. Thistlewood également, bien qu'il ne tardât pas à confirmer les pires appréhensions de
Phibbah en cherchant un réconfort sexuel auprès des esclaves de sa
nouvelle plantation.

Phibbah refusa de mettre fin à sa relation avec Thistlewood. Elle lui
envoyait en cadeau des tortues, des crabes, des œufs, de petits gâteaux,
des ananas et des noix de cajou. Elle lui donna un anneau en or. Elle
trouva le moyen de venir lui rendre visite, et Thistlewood l'escorta en
lui faisant visiter sa nouvelle demeure, puis il la présenta à ses esclaves.
Elle lui fit part des nouvelles de son ancienne plantation Égypte ; elle
lui manqua cruellement lorsqu'elle repartit. Cette situation insatisfai-
sante dura six mois, durant lesquels Phibbah négocia le retour de
Thistlewood à la plantation Égypte, faisant office d'intermédiaire infatigable entre lui et les Cope. La veille de Noël, les amants furent réunis
et passèrent la nuit ensemble.

En 1760, Phibbah et Thistlewood eurent un enfant, le mulâtre John,
qui fut affranchi par les Cope. Thistlewood reconnut son fils et aida
Phibbah à l'élever. Il achetait des livres pour John, le grondait lorsqu'il
négligeait ses devoirs et reprochait à Phibbah de le gâter. John avait de
l'instruction, il fut apprenti charpentier et fut enrôlé dans une unité de
milice de gens de couleur libres. Malheureusement, les grands espoirs
que nourrissait Phibbah pour son fils s'écroulèrent lorsque, à 20 ans, il
mourut dans un délire fiévreux, peut-être empoisonné par l'amant
jaloux d'une esclave qu'il avait mise enceinte. Thistlewood eut beaucoup
de peine. « Je suis extrêmement abattu et déprimé, etc., j'ai la bouche
desséchée et je suis bouillant à l'intérieur[62] », écrit-il.

À cette époque, Thistlewood avait quitté les Cope et avait acheté son
propre enclos d'animaux. Cette fois, les Cope lui permirent d'engager
Phibbah, qui était sa « femme ». Thistlewood s'occupait de la ferme, du
bétail, et louait ses bandes de travailleurs esclaves aux plantations de
canne au moment de la récolte. Quant à Phibbah, elle s'adonnait au
commerce du bétail, cousait, cuisinait et vendait ses produits au marché,
en mettant régulièrement de l'argent de côté. Officieusement, elle possédait aussi des esclaves, même si, étant elle-même esclave, elle n'y était

pas autorisée. Elle cultivait la terre que Thistlewood considérait comme sienne et qu'il avait clôturée pour elle. Grâce aux occasions qui lui étaient offertes comme maîtresse de Thistlewood, ajoutées à un dur labeur auquel elle s'astreignait sans cesse, Phibbah devint le précurseur de ceux que l'historien Trevor Burnard appelle les « protopaysans », des paysans pratiquant une agriculture de subsistance de manière indépendante et sur leurs propres terres. Elle « montra [également] qu'elle se préoccupait de la prospérité de sa famille[63] ».

Phibbah et Thistlewood éprouvaient l'un pour l'autre cet attachement émotif qui doit définir l'amour. Chacun était engagé dans les plus petits détails de la vie de l'autre, y compris ses maladies chroniques. Thistlewood « se leva et s'occupa d'elle [...] sans s'accorder de repos en soirée[64] ». Phibbah lui témoignait aussi beaucoup de sollicitude. Thistlewood respectait Phibbah et ce qu'elle avait accompli. Il accepta Coobah et les autres membres de la famille de Phibbah comme s'ils avaient été sa propre famille, et ne retourna jamais en Angleterre. Il devint moins cruel envers ses esclaves, mais il ne fut jamais un maître indulgent. Il se préoccupait de la santé de ses esclaves ; il leur fournissait des soins de santé décents et, contrairement à tant d'autres planteurs, il ne présumait pas toujours qu'ils faisaient semblant d'être malades.

Thistlewood pensa à Phibbah en rédigeant son testament ; il laissa de l'argent aux Cope afin qu'ils l'affranchissent. Et, six ans plus tard, ils exécutèrent sa volonté. Il lui laissa également de l'argent pour acheter une terre et faire construire une maison ; il voulait aussi que, une fois libre, elle puisse légalement posséder sa femme esclave et le fils de celle-ci. À la mort de Thistlewood, Phibbah était une femme libre possédant une propriété et des esclaves.

Phibbah comprenait le fonctionnement du système de l'esclavage ; c'est dans cet esprit qu'elle se fixa des objectifs et qu'elle réussit à les atteindre. Comme elle n'était pas sans savoir que les Blancs étaient tout-puissants, elle souhaitait donner un peu de cette blancheur à ses enfants et elle préférait les amis moins foncés. Par ailleurs, elle savait que ni son travail ni celui de Thistlewood ne pouvaient progresser sans la coopération des esclaves ; aussi punissait-elle ceux qui défiaient son autorité et aidait Thistlewood à en faire autant. Les valeurs de Phibbah étaient axées sur la solidarité familiale, sur l'amitié, sur la prospérité et le travail ardu. Elle dut considérer sa vie comme une grande réussite personnelle. Sa vie fut également un triomphe sur l'esclavage et une démonstration de la fausseté du postulat de l'infériorité des Noirs sur lequel il s'appuyait.

L'histoire du planteur de canne à sucre guadeloupéen Guillaume-Pierre Tavernier de Boulogne, de sa maîtresse sénégalaise Nanon et de leur fils Joseph de Boulogne, dit le chevalier de Saint-George[65], débuta en 1739, lorsque Nanon, qui avait alors 15 ans, donna naissance à un garçon. L'enfant se transforma en un jeune homme grand, fort, gracieux, et remarquablement beau. Son père lui enseigna tous les aspects de la production sucrière, et sa mère lui montra la rue Case-Nègre, le quartier des esclaves, avec sa misère et sa musique. Par la suite, ils s'installèrent à Saint-Domingue, où le sucre coûtait moins cher à produire. Mais, après qu'un contremaître eut frappé Joseph, parce que celui-ci cherchait à empêcher qu'on ne fouette un esclave, Guillaume-Pierre emmena la mère et le fils en France. Arrivé là-bas, réalisant que Nanon constituait un obstacle à sa réussite sociale, Guillaume-Pierre la congédia en lui accordant une grosse pension, et épousa une femme blanche.

L'histoire se poursuit avec Joseph, qui continua d'être élevé comme un aristocrate par Guillaume-Pierre et d'être chéri par Nanon. Le jeune homme excellait en tout. Il fut reconnu comme le meilleur escrimeur de France. Il traversa la Seine à la nage en n'utilisant qu'un bras. C'était un cavalier brillant et un danseur élégant. C'était également un virtuose, qui ravissait ses invités en jouant de son violon Amati (Niccolò Amati fut le maître de Stradivarius), un cadeau qu'il avait reçu de son père, qui était fier de son fils. Seul le mariage semblait lui échapper. Les femmes blanches l'adoraient sans pouvoir l'épouser, à cause de la couleur de sa peau ; les mauvaises langues disaient que la bourrure de son oreiller était faite des cheveux de ses amantes.

Saint-George, le nom anglicisé qu'il affectait de porter, montait en flèche dans le monde musical français. Il devint premier violon, et plus tard chef d'orchestre. Il joua pour la reine Marie-Antoinette et lui enseigna la musique. Il composa des concertos écrits pour une grande variété d'instruments (les cordes, les vents et les cuivres). Il fut au centre d'un scandale racial après que Louis XVI eut décidé de le nommer à la direction de l'Opéra ; sous la pression de trois divas, le roi le releva de ses fonctions, mais refusa de nommer un autre directeur.

Lorsque Saint-George atteignit sa maturité de compositeur, les orchestres et les solistes jouèrent ses œuvres tout autant que celles de Mozart et de Haydn, que la critique considérait comme ses pairs. Il subventionna Haydn, qui, grâce à cette intervention, composa ses *Symphonies de Paris*, que Saint-George présenta au public parisien dans les années mouvementées de 1780.

Le talent extraordinaire de Saint-George ne le mettait pas à l'abri de la haine raciale. Voltaire, qui voyait comme un trait d'esprit le fait de demander si les Africains descendaient des singes ou si les singes descendaient des Africains, ne l'aimait pas, parce qu'il était mulâtre. Les préjugés raciaux et sa propre incertitude identitaire tourmentaient Saint-George. Il devint jacobin, abandonna la particule nobiliaire et prit le commandement d'un régiment révolutionnaire formé de Noirs et de mulâtres. Après avoir été trahi, il croupit en prison pendant un an, puis obtint son absolution. Il mourut quelques années plus tard.

Les terribles préjugés raciaux enterrèrent la musique de Saint-George, que les mélomanes n'eurent la joie de redécouvrir qu'à la fin du XXe siècle. Le racisme qui avait assombri sa vie envahit également celle de sa mère. En France, où ne vivaient que quelques milliers de Noirs et où certains artistes les décrivaient comme des démons simiesques, ils ne pouvaient pas échapper au racisme importé en même temps que la canne à sucre.

À la Martinique, le planteur Pierre Dieudonné Dessalles avait des conceptions typiques concernant l'esclavage et la justification raciste de l'esclavage[66]. Ce catholique pratiquant avait des préoccupations spirituelles et morales touchant les esclaves, mais jamais il ne douta de leur infériorité comme êtres humains. Il les encourageait à se marier pour les guérir de leurs comportements «licencieux» et pour mettre fin aux ennuis provoqués par les conflits sexuels. Il espérait également que les esclaves mariés engendreraient les esclaves supplémentaires dont il avait besoin pour ses champs de canne.

Dessalles et son épouse, Anna, avaient deux fils ainsi que deux filles qui résidaient habituellement en France. À l'occasion, Dessalles leur rendait visite, mais il était toujours mécontent : «Pour l'amour de Dieu, pourquoi sommes-nous venus à Paris? Pour mal manger et souffrir de privations de toute sorte? [...] [À la Martinique], je peux manger des fruits frais durant toute l'année, des compotes fraîches tous les jours, ainsi que des biscuits fourrés à tous les repas[67].»

Mais ce qui manquait surtout à Dessalles était la compagnie de Nicaise, l'esclave mulâtre qu'il aimait plus que ses enfants blancs et certainement plus que sa femme, à qui il racontait constamment des histoires pour l'éloigner de la Martinique. Naturellement, Anna tenait des propos venimeux touchant la passion de son mari pour Nicaise, qui était, selon les biographes de Dessalles, ou bien son amant ou bien, plus probablement, son fils.

Étant conservateur du point de vue politique et croyant sincèrement que «l'impureté raciale» était incompatible avec la légitimité, Dessalles ne reconnut jamais Nicaise, mais il l'aima, lui accorda des privilèges et lui pardonna d'innombrables transgressions. Il admettait son amour pour Nicaise; il le considérait «comme son propre enfant», auquel il donnait «d'innombrables marques de confiance». «J'ai décidé, ajoutait-il, de traiter ce jeune esclave comme s'il était une partie de moi-même.»

Dessalles souhaitait que Nicaise arrête de tricher, de mentir, de voler: «Qu'il dépose sur ma poitrine, disait-il, ses pensées les plus secrètes.» En retour, il couvrait le jeune homme de «jolies choses», lui confiait les clefs de son magasin et son argent, et se confiait à lui «à propos des maux de tête que [s]es affaires de famille [lui] donnent». De toute évidence, Dessalles attendait beaucoup de sa relation avec Nicaise.

Nicaise était le valet de chambre de Dessalles, son compagnon de tous les instants; dans le tumulte de la Révolution et de l'abolition de l'esclavage, il fut également son fidèle lieutenant. Ils mangeaient souvent ensemble; Nicaise partageait sa chambre la nuit. Mais Dessalles était inquiet de ce que Nicaise faisait lorsqu'il n'était pas avec lui. «J'aimerais qu'il comprenne mieux quelle est sa position. Comme je le traite avec bonté, il devrait savoir qu'il ne doit pas se montrer aussi familier avec les nègres. Je ne veux pas dire qu'il doit être hautain avec eux, mais j'aimerais qu'il fasse plus attention à son corps et qu'il soit plus propre. Après tout, il dort dans ma chambre et ne devrait donc pas se frotter à n'importe quoi. Je serais très heureux si je pouvais lui donner des goûts plus délicats et lui faire oublier ceux qui sont le lot de la triste condition d'esclave.»

Dessalles agissait comme s'il avait été l'entremetteur de Nicaise, manifestant «ce qui ne pouvait être qu'un intérêt lubrique» pour la vie sexuelle active du jeune homme. (Dessalles notait que ses domestiques masculins étaient «dotés par la nature d'instruments énormes»!) Nicaise, écrivait-il «est un peu dépensier et il raffole des fêtes dissolues; j'ai donc toujours peur qu'il attrape une vilaine maladie. Il m'assure qu'il ne court pas les femmes, mais comment pourrais-je m'en assurer?»

Dessalles emmena Nicaise avec lui lors de ses séjours prolongés à Paris. Il le laissait vagabonder librement dans la ville et, autant qu'il le pouvait, il le protégeait contre la mesquinerie raciste française et contre les attaques d'Anna Dessalles. À l'occasion d'un de ses séjours à la Martinique, Anna demanda à son mari de se défaire de Nicaise. « Elle prétend qu'il nuit aux intérêts de la plantation, qu'il traite les autres nègres comme s'il était le maître, et que, bien sûr, tout le monde l'envie », écrivait Dessalles. Anna n'eut jamais la moindre chance. Nicaise était là pour rester.

Ce jeune homme impulsif et élégant se maria, il eut des enfants qu'il fit baptiser. Il resta toute sa vie au service de Dessalles, même après que celui-ci l'eut affranchi. Nicaise fouettait pour lui les esclaves récalcitrants, et lui prêtait de l'argent. Il l'aida durant les périodes difficiles qui suivirent l'abolition de l'esclavage. Il prit à cœur les intérêts de Dessalles, ce qui l'éloigna des autres mulâtres. Nicaise mourut en 1850, avec Dessalles à son chevet. Jusqu'à sa propre mort, qui survint sept ans plus tard, Dessalles fut inconsolable de la disparition du jeune homme.

L'amour profond que Dessalles éprouva pour Nicaise, qu'il ait été de nature sexuelle ou paternelle, fut inconditionnel et réciproque. Un tel amour aurait dû ébranler les convictions racistes de Dessalles à propos de l'esclavage, en remettant en question sa vision du monde où les hommes blancs dirigent pendant que les non-Blancs les servent. Pourtant, pendant la plus grande partie de sa vie, Dessalles tint ces conflits idéologiques à distance, en usant de faux-fuyants et en réaménageant sa vie conjugale, vivant éloigné de sa famille, et ne se permettant jamais de sonder son propre cœur, de peur de ce qu'il aurait pu y voir.

Les relations passionnées et conflictuelles unissant des femmes et des hommes blancs et noirs témoignent de l'absurdité qui se trouvait au cœur de l'esclavage. Toutefois, ce qui comptait le plus dans le monde du sucre était de faire des affaires en vendant du sucre et d'augmenter les profits d'industries connexes qui reliaient entre eux quatre continents et étaient indispensables à l'économie impériale.

CHAPITRE 5

Le sucre bouleverse le monde

L'industrie du sucre en Europe

De l'autre côté de l'Atlantique, à l'autre extrémité du «pont» qui reliait l'Ancien Monde au Nouveau, les métropoles étaient redevables de leur destin à leurs colonies. La Grande-Bretagne, en particulier, devait l'expansion de son empire à ses colonies sucrières et à l'appétit vorace de sa population pour le sucre. Avec le thé et le café, qu'il servait à adoucir, le sucre fut une des pierres angulaires de l'Empire britannique. Au XVIIIᵉ siècle, l'abbé Raynal allait jusqu'à dire bien haut que les «îles [du sucre] que l'on se plaît à mépriser [...] sont responsables du double ou même du triple de l'activité de toute l'Europe. Elles peuvent être considérées comme la cause principale d'un mouvement rapide qui bouleverse le monde entier[1].»

Le complexe esclaves-sucre était omniprésent. Il reliait les esclaves des champs et ceux des maisons de cuisson aux charretiers des colonies et aux débardeurs; les matelots, les capitaines et les intendants des navires aux expéditeurs de fret, aux agents d'assurances et aux agents des douanes; les capitaines de port, les débardeurs et les charretiers aux raffineurs, aux épiciers et aux pâtissiers; les gens qui sucraient leur thé et mettaient de la confiture sur leur pain aux raffineurs, aux emballeurs et aux boulangers; les constructeurs de navires, les ouvriers des chantiers navals et les débardeurs aux courtiers maritimes et aux agents commerciaux.

Le sucre et l'esclavage étaient inextricablement liés. Du reste, l'esclavage était un commerce important. Il soutenait d'importantes industries, à savoir la construction et l'approvisionnement des navires d'esclaves, ainsi que la fabrication des articles échangés contre des Africains. Les navires négriers et leur équipage faisaient une énorme consommation de rouleaux de saisine pour calfater leurs bateaux, de corde, de tissus pour les uniformes, de toile pour les voiles, de soie pour les drapeaux, de serrures, de chandelles et de centaines d'autres objets.

Le commerce africain engendra une production encore plus grande. En 1787, une cargaison typique comprenait les éléments suivants, qui étaient tous fabriqués par des ouvriers britanniques ou importés par des entreprises britanniques: des vêtements de laine gros bleu ou rouge, des bonnets de laine, des vêtements en coton ou en toile de lin, des chemises à volants, des chapeaux grossiers ou élégants, des fausses perles et de la verroterie, des fusils, des munitions, des barres de fer, des sabres, des batteries de cuisine en étain, en cuivre ou en fer, de la quincaillerie, de la verroterie, des objets en terre cuite, des coffres en maroquin, des perles, des bijoux en argent ou en or, du rhum et du tabac[2].

L'esclavage et le commerce esclavagiste généraient aussi des emplois pour la marine. Ces emplois, toutefois, étaient considérés comme mal rémunérés et pénibles. En 1787, par exemple, 689 navires ayant au total des équipages de 13 976 matelots, soit environ un huitième de tous les marins britanniques, naviguèrent sur l'Atlantique, entre l'Angleterre et les Indes occidentales. Les matelots qui survivaient aux rigueurs du voyage, aux maladies tropicales endémiques et aux mauvais traitements étaient recherchés pour leur expérience. Lorsque les nations européennes se faisaient la guerre par l'entremise de leurs colonies, qui représentaient des investissements gigantesques et une production économique importante, ces matelots expérimentés étaient enrôlés dans la marine nationale de leur pays.

L'esclavage du sucre fournissait des emplois pour la fabrication des articles de l'arsenal des plantations: des colliers en fer, des menottes et des chaînes, des abaisse-langue, ainsi que des chaînes à boule qui avaient d'abord été conçues pour les chambres de torture dans le passé. L'usinage du sucre nécessitait des raccords en laiton pour les maisons de cuisson, des poêles en fer pour cuire le sucre et des rouleaux servant à écraser les tiges de canne, des houes et du matériel agricole en fer, des couteaux et des machettes, des tonneaux, des fûts et des douves, des livres comptables, des rames de papier, des plumes et de l'encre pour les contremaîtres et les autres gestionnaires, des rouleaux de grosse toile de coton Osnaburg ou de coton de qualité inférieure, des chaussures, des bijoux tape à l'œil, des rubans, des boutons, du fil et d'autres articles destinés aux esclaves.

Les grandes maisons et leurs demandes incessantes de meubles, de tapis, de pianos, de livres, de magazines, de journaux, de vêtements à la mode, de chapeaux, de chaussures, de bijoux et de médicaments fournissaient également du travail aux fabricants et aux artisans de la métropole. Les Créoles blancs commandaient aussi de grandes quantités de sucre raffiné, qui leur coûtaient de deux à quatre fois plus cher qu'aux consommateurs européens, car le sucre était raffiné en Europe. Ils étaient également de gros acheteurs de bétail, car leurs animaux, à l'instar de ceux que possédaient les esclaves, étaient trop maltraités pour pouvoir se reproduire et devaient donc être remplacés par des arrivages provenant de l'extérieur.

Le complexe esclaves-sucre était exploité sur des trajets triangulaires reliant les métropoles, la côte africaine des esclaves et les colonies du sucre. Plus précisément, l'Europe échangeait ses produits finis contre des esclaves africains qui étaient transportés puis vendus dans ses colonies des Indes occidentales ; de leur côté, les colonies fournissaient le sucre et d'autres marchandises tropicales aux métropoles, qui, à leur tour, leur envoyaient des produits manufacturés, des vêtements, des outils, du sucre raffiné ainsi que d'autres produits. Ce triangle répondait aux besoins du mercantilisme ; cette doctrine économique postmédiévale était fondée sur le besoin d'accumuler l'or et l'argent, un objectif qui était atteint par une balance commerciale favorisant la métropole et ses industries aux dépens des colonies inféodées et de leurs produits bruts.

Une des principales conséquences de cette politique mercantiliste fut que l'Angleterre interdit à ses colonies de raffiner le sucre qu'elles produisaient. Ceux qui avaient des intérêts dans les entreprises d'expédition défendaient furieusement cette politique illogique, car ils faisaient davantage de profits en transportant les grosses cargaisons de sucre non raffiné. En Europe, les raffineries et les entreprises connexes y gagnaient également. Quant aux colonies sucrières, cette situation les maintenait dans un état d'infantilisme et de dépendance. Pour s'assurer qu'elles ne se révolteraient pas et qu'elles n'exploiteraient pas des raffineries, la métropole imposait des droits de douane énormes sur le sucre raffiné.

Dans le cas de l'Angleterre, au triangle mercantiliste s'ajoutait un va-et-vient bien peu mercantiliste entre ses colonies d'Amérique du Nord et ses colonies sucrières. Les Nord-Américains fournissaient des aliments et du bétail en échange du sucre, de la mélasse et des esclaves ; ce commerce était assez profitable pour leur permettre d'acheter les produits manufacturés du centre industriel en pleine croissance qu'était devenue l'Angleterre, ce qui faisait taire les protestations métropolitaines concernant les écarts par rapport au modèle économique. Les planteurs de canne à sucre élevaient la voix et défendaient ce commerce en soulignant que, sans le blé, le maïs et le bœuf salé de l'Amérique du Nord, leurs esclaves mourraient vraisemblablement de faim, et que, sans les mulets et les bœufs qui faisaient fonctionner leurs maisons de cuisson et leurs moulins, leurs entreprises sucrières seraient au chômage.

Parfois, un second triangle venait concurrencer le premier : les Nord-Américains raffinaient la mélasse importée pour en faire du rhum, qu'ils vendaient aux marchands d'esclaves, ces derniers l'échangeant contre des esclaves qu'ils vendaient ensuite aux planteurs antillais pour acheter encore plus de mélasse. Les colonies sucrières françaises, qui avaient besoin des mêmes marchandises, faisaient aussi du commerce avec l'Amérique du Nord britannique, payant leurs produits avec de grandes quantités de mélasse que la France, qui cherchait à protéger son industrie du cognac contre toute concurrence, refusait de transformer en rhum. L'Espagne, qui était exclue du commerce africain des esclaves depuis la fin du XVIe siècle, se contentait d'*asientos*, donnant aux marchands d'esclaves étrangers, surtout britanniques, le droit d'approvisionner les territoires espagnols en esclaves.

Renforcé par ces initiatives du monde des affaires, le triangle commercial entre l'Europe, l'Afrique et les colonies était remarquablement efficace. Ses interdictions mercantilistes touchant la fabrication de produits finis dans les colonies éliminaient les problèmes de ballastage, car les bateaux provenant d'Europe, et tout particulièrement de Grande-Bretagne, pouvaient généralement être remplis de produits négociables à chaque aller-retour. Les coffres des métropoles se remplissaient et pouvaient appuyer financièrement la marine marchande et militaire en expansion. Les empires grandissaient ; l'Europe s'urbanisait et s'industrialisait. Partout en Europe, mais tout particulièrement en Angleterre, le sucre réjouissait les papilles des pauvres gens.

Dans son livre passionné et novateur, *Capitalism and Slavery*, l'historien trinidadien Eric Williams soutient que le commerce triangulaire a eu une telle importance pour l'expansion industrielle de la Grande-Bretagne que ses profits ont « fertilisé l'ensemble du système de production du pays » et « apporté une énorme contribution au développement industriel de la Grande-Bretagne[3] ». Au XVIIIe siècle, les Indes occidentales étaient devenues « le centre de l'Empire britannique ». En fait, le sort des travailleurs anglais dépendait de celui des esclaves du sucre. Williams cite une source qui évalue que les besoins combinés d'un planteur ou d'un gestionnaire et de dix de leurs esclaves noirs, comprenant l'alimentation, l'habillement et les outils, fournissaient du travail à quatre Anglais. D'autres sources présentent des résultats moins excessifs : un Blanc des Indes occidentales rapportait 10 £ de profit net à l'Angleterre, soit 2 000 % de plus que ce qu'un Anglais pouvait rapporter. Chaque esclave du sucre produisait 130 fois plus de richesse que chaque travailleur anglais. Et la valeur combinée des plantations de canne se situait entre 50 000 000 et 70 000 000 £[4].

Pour appuyer son hypothèse, Williams cite une évaluation de Pitt le Jeune qui, en 1798, estimait le revenu annuel des plantations des Indes occidentales à 4 000 000 £, alors que l'ensemble de toutes les autres sources de revenus ne s'élevait qu'à 1 000 000 £. Il soutenait que la petite Barbade, avec sa superficie de 250 km², rapportait plus au capitalisme britannique que l'ensemble des vastes colonies de la Nouvelle-Angleterre, de New York et de la Pennsylvanie ; il soutenait que les importations de la minuscule colonie de Nevis étaient deux fois plus abondantes que celles de New York, et que celles d'Antigua étaient trois fois plus importantes que celles de la Nouvelle-Angleterre. En satisfaisant le goût effréné des Britanniques pour le sucre, on avait réussi à constituer d'énormes capitaux pour la Grande-Bretagne, à faire fonctionner ses usines, à favoriser l'expansion de son empire, à financer ses guerres, à enrichir les coffres de la nation aussi bien que ceux des particuliers, conclut Williams.

Depuis la première publication, il y a quarante ans, de l'ouvrage de Williams, les universitaires ont discuté et mis à l'épreuve les prémisses fondamentales de *Capitalism and Slavery*. Ils ne sont pas parvenus à s'entendre, mais plusieurs d'entre eux sont d'avis qu'en dépit du caractère parfois discutable de ses calculs macroéconomiques, Williams avait raison sur le fond. Bien que les capitaux tirés du commerce des esclaves et du sucre aient permis de soutenir financièrement certaines usines, nous savons maintenant que ce ne fut pas là une des principales sources d'investissements durant la révolution industrielle. Toutefois, l'influence de l'esclavage sur la croissance de l'économie britannique, qui évoluait « principalement de l'intérieur vers l'extérieur », fut énorme, car elle entraîna la création d'une foule d'entreprises connexes. De plus, les dépenses des planteurs et des autres investisseurs pour les fournitures et accessoires d'ameublement de maison, l'habillement, les bijoux et le divertissement étaient si somptueuses qu'elles avaient une incidence économique sur les affaires. Après l'émancipation des Noirs, les capitaux accumulés par les planteurs restèrent en Angleterre[5].

La construction navale, le commerce des esclaves et le raffinage du sucre

L'industrie sucrière esclavagiste prit son essor lorsqu'elle abandonna la doctrine mercantiliste pour se tourner vers la vraie vie. En partant de la pointe britannique du triangle, nous fixerons notre attention sur trois groupes d'activités économiques déterminantes : la construction navale, l'esclavage et le raffinage. Nous verrons comment ces activités multiformes ont permis de créer des emplois, de constituer un capital et de transformer des villes dormantes en cités prospères qui attiraient les paysans campagnards dans leurs centres urbains. Bristol, que le commerce du sucre et celui des esclaves avait catapultée à la seconde place après Londres, « pouvait ne pas être consciente de l'injustice inhérente au commerce des esclaves, mais elle était bien consciente de son caractère lucratif[6] ». À la fin du XVIIIᵉ siècle, Liverpool supplanta Bristol sur le plan du commerce des esclaves, mais non sur celui du commerce sucrier.

Jusqu'alors, Liverpool était un bourg obscur où vivaient des pêcheurs et des fermiers, ainsi qu'un port pour le commerce avec l'Irlande. En 1740, son port commercial, brillamment conçu, le premier du genre en Angleterre, est équipé d'entrepôts, d'immeubles commerciaux et d'infrastructures qui furent à l'origine de son expansion commerciale et industrielle, laquelle comprenait la construction navale. Les chantiers navals de Liverpool construisaient des bateaux pirates, des navires de guerre et des navires négriers. Ces derniers étaient conçus de manière à recevoir des centaines d'esclaves et comportaient des caractéristiques différentes des autres navires.

Le commerce des esclaves et la construction navale étaient étroitement liés. La moitié des matelots de Liverpool travaillaient pour le commerce des esclaves, et plusieurs constructeurs de navires s'adonnaient à ce commerce en utilisant leurs propres vaisseaux. Les charpentiers de marine Baker et Dawson, par exemple, possédaient dix-huit navires servant au trafic des esclaves, d'une valeur de 509 000 £; ils détenaient un contrat en vertu duquel ils devaient fournir au moins 3 000 esclaves aux colonies espagnoles. Ils étaient également un des principaux fournisseurs d'esclaves destinés aux îles du sucre britanniques.

Un nombre croissant d'habitants de Liverpool dépendaient de la construction navale et du commerce des esclaves. Voici un aperçu des principaux métiers touchés : les charpentiers, les peintres, les mécaniciens, les forgerons, les fabricants de corde, les fabricants de voiles, les réparateurs et les hommes à tout faire. Les commis et les superviseurs s'occupaient des achats, des livraisons, des paiements, de l'embauchage et des feuilles de paie. Les agents d'assurances calculaient les primes et les prélevaient, évaluant les dommages-intérêts et les pertes. Les commis de la douane percevaient les taxes. Des hommes et des femmes tenaient des étals de nourriture destinée aux ouvriers des chantiers navals. Les débardeurs remplissaient les navires en partance pour l'Afrique, et déchargeaient le sucre et la mélasse provenant des Indes occidentales. En 1760, Liverpool pouvait offrir aux Indes occidentales des esclaves à un prix inférieur à celui demandé par Londres et Bristol, qui étaient les deux autres principales villes portuaires engagées dans le commerce des esclaves.

Depuis le matelot obligeant les Africains épuisés à « danser » sur le pont, jusqu'à l'ouvrier de fonderie fabriquant des colliers de laiton et des cadenas d'argent conçus « pour les Noirs ou pour les chiens[7] », les habitants de Liverpool étaient au fait de tout ce qui touchait l'esclavage et le passage vers les Amériques. Les citoyens ne songeaient qu'aux profits — « les notaires, les marchands de tissus, les épiciers, les barbiers et les tailleurs » investissaient dans le commerce des esclaves, leur participation collective s'élevant à $1/_{32}$[8].

Quelques Liverpuldiens refusaient de prendre part au commerce des esclaves. John Kill, un important constructeur de navires, refusait les commandes de navires négriers ; William Rathbone, quant à lui, refusait de fournir le bois servant à leur construction. Un comédien répondit au public qui le huait: «Je ne suis pas venu ici pour me faire insulter par une bande de scélérats. Chaque brique de votre ville infernale est cimentée avec le sang des Africains[9].»

Les artisans et les ouvriers spécialisés de Liverpool produisaient les articles qui étaient échangés contre les esclaves. Un très bon esclave coûtait au marchand qui en faisait l'acquisition 13 perles de corail, un demi-rang de perles d'ambre, 28 cloches d'argent et 3 bracelets. Les marchands d'esclaves commandaient de très grandes quantités de ces produits que l'on s'empressait de fabriquer pour eux. Les usines produisaient des rouleaux de tissus voyants en coton américain et en laine de mouton fournie par la Grande-Bretagne, l'Espagne, le Portugal, l'Allemagne et, après 1815, par l'Australie. Les vitreries fabriquaient des perles et des bibelots en verre. Les boutiques d'armuriers fabriquaient en série des armes à feu de mauvaise qualité pour les marchands d'esclaves qui les utilisaient pour capturer leurs nouvelles victimes. Les usines de traitement utilisaient de grandes quantités de sel, la «mère nourricière» de Liverpool, pour conserver la morue; cette dernière était exportée, sous forme de plaques salées, dans les Indes occidentales, les navires revenant avec une cargaison de sucre.

Le complexe esclaves-sucre contribuait à assombrir le teint de Liverpool. Des esclaves y étaient vendus comme domestiques, annoncés dans le *Liverpool Chronicle* et vendus aux enchères au Café des marchands (*Merchants' Coffee-house*), au Café George (*George's Coffee-House*), au Café l'Échange (*Exchange Coffee-House*) et dans d'autres établissements situés sur la «Negro Row». Les planteurs de canne à sucre fuyant leurs plantations revenaient en Angleterre (en France, en Espagne et au Portugal) avec les esclaves dont ils ne pouvaient se passer, et qui symbolisaient leur statut social.

Liverpool hébergeait également des dizaines de jeunes princes africains dont les pères désiraient qu'ils séjournent en Grande-Bretagne afin de renforcer les relations entre ce pays et leur pays respectif, vers lequel ils reviendraient plus tard pour y promouvoir, espérait-on, les valeurs anglo-saxonnes. Lorsqu'ils rentraient chez eux, la plupart étaient européanisés à outrance; d'autres restaient à Liverpool, s'y mariaient, parfois à des femmes blanches, puis faisaient venir leur parenté.

Les enfants métis des riches Blancs qui les faisaient venir ou les envoyaient «chez eux», en Grande-Bretagne, pour les faire instruire ou pour leur permettre d'échapper à l'intolérable ambiance raciste et à l'esclavage des Indes occidentales, s'établissaient également à Liverpool. William Davidson, fils du ministre de la Justice de la Jamaïque et d'une esclave noire était du nombre. Par une étonnante coïncidence, il fit partie, avec Arthur Thistlewood, neveu de Thomas Thistlewood, du complot révolutionnaire de Cato Street, dont le but était d'assassiner les membres du Cabinet britannique. Davidson et Thistlewood furent trahis, mis en détention, puis pendus, et, finalement, lors de la dernière décapitation publique en Angleterre, décapités.

La plupart des Noirs vivaient dans les secteurs les plus pauvres de Liverpool et étaient victimes de discrimination. Les vagues de Blancs appauvris qui immigraient dans la cité rivalisaient avec les Noirs pour décrocher un emploi. Seuls les matelots noirs étaient relativement épargnés par les préjugés. En règle générale, les Blancs avec lesquels ils travaillaient les considéraient comme des collègues. La situation désespérée des Liverpuldiens de race noire ne suscitait guère la ferveur abolitionniste. Le nombre de leurs concitoyens de race blanche dont la survie économique dépendait de l'esclavage, de la construction navale ou d'entreprises liées à la culture de la canne ou du tabac était trop élevé pour cela. Entre 1704 et 1850, un plus grand nombre de raffineries ouvrirent leurs portes; les importations de sucre brut passèrent de 760 tonnes à 52 000 tonnes. En 1850, Liverpool importait également 726 000 gallons de rhum.

Ceux qui cultivaient, importaient, vendaient, raffinaient, assuraient le sucre et spéculaient sur cette marchandise transformèrent le visage industriel de l'Europe. Ils créèrent une infrastructure administrative pour faciliter le commerce, ainsi que des alliances politiques et des groupes de pression qui en firent la promotion. Ce commerce procura de l'emploi ou toucha indirectement des millions d'Européens, tandis qu'un groupe plus restreint, celui des planteurs, s'intéressait directement à l'industrie sucrière.

Le capital sucrier

L'exploitation des plantations sucrières était complexe et coûteuse. Dans *Historical Account of the Rise of the West-India Colonies*, Sir Dalby Thomas estimait qu'à la fin du XVIIe siècle, une plantation de sucre de

100 acres coûtait 5,625 £ et comprenait 50 esclaves, la terre, les habitations, les moulins, les récipients ainsi que tous les outils et le matériel agricole[10]. Dans *The Sugar Cane Industry*, le géographe Jock Galloway passe en revue la documentation des XVIIe et XVIIIe siècles, afin de préciser ce qui était nécessaire pour établir une plantation sucrière. En premier lieu, le planteur avait besoin d'une terre appropriée, d'une superficie de quelques centaines d'acres. S'il n'avait pas suffisamment de relations pour obtenir une concession, il devait acquérir cette propriété. Il avait besoin de main-d'œuvre; à partir du moment où la production sucrière fut assurée par les esclaves, cela signifia qu'il devait acheter des esclaves, ce qui constituait sa plus grosse dépense. Il avait besoin d'un moulin, d'une maison de cuisson, d'une maison de séchage, d'une distillerie, d'un enclos pour les animaux, de quartiers pour les esclaves, d'habitations pour ses employés blancs ainsi que d'une grande maison pour lui-même. Il devait équiper et meubler ces bâtiments, et remplir son enclos de bétail coûteux à l'achat. Il devait acheter des chariots ainsi que des outils aratoires. Il devait assumer des frais judiciaires. Il avait besoin de capitaux pour exploiter sa plantation, même s'il lui fallait attendre deux ans avant que son sucre ne lui rapporte des dividendes.

Au milieu du XVIIe siècle, une plantation barbadienne de 500 acres pouvait coûter 14 000 £, ce qui représentait une somme énorme. Au milieu du XVIIIe siècle, une plantation antiguaise moyenne d'une superficie de 200 acres, avec 100 esclaves, était évaluée à 10 000 £. Une ou deux décennies plus tard, une plantation jamaïcaine beaucoup plus vaste, d'une superficie de 600 acres, avec 200 esclaves, exigeait un investissement de 19 027 £. D'autres propriétés jamaïcaines étaient évaluées à plus de 20 000 £, sans compter la valeur des terres. À vrai dire, les esclaves constituaient le principal investissement d'une plantation sucrière. Les esclaves travaillant sur une plantation cubaine modeste représentaient 33 % de sa valeur, la terre elle-même ne représentant que 17,6 %, le moulin 6 % et la maison de cuisson 8,8 %. Dans le Brésil du XVIIIe siècle, à Bahia, qui était une grande productrice de sucre, les planteurs locaux s'accordaient à dire que l'investissement d'un planteur était de 20 % pour la terre, de 30 % pour les esclaves, les 50 % restants étant répartis entre les besoins en équipements, le cheptel, les fournitures, les accessoires et autres objets essentiels[11].

Dans le contexte historique qui était celui du pouvoir de transformation du sucre, ces chiffres se traduisaient en investissement de capitaux, en opérations bancaires et en emprunts, ainsi qu'en taux de rendement ayant une influence sur des secteurs d'investissement sans rapport avec le sucre et moins profitables. Le commerce du sucre, qui était influent, mais compliqué et risqué, avait des répercussions politiques importantes, car les planteurs avaient constamment besoin du soutien du pouvoir législatif. Ils avaient tout particulièrement besoin de la protection que leur garantissait la politique mercantiliste. Cette dernière, même si elle nuisait aux entreprises coloniales et à leur expansion commerciale, avantageait les planteurs et les investisseurs particuliers, qui profitaient de sa gestion économique autoritaire.

La nature même de la production sucrière des plantations propulsa les planteurs dans le monde de la haute finance et du commerce. Ceux-ci avaient besoin, en effet, de capitaux et de crédit; ils avaient besoin aussi d'expertise dans le domaine des importations et des exportations, ainsi que dans le domaine des assurances et de la douane; il leur fallait également nouer des contacts commerciaux en vue de financer et d'exploiter leurs propriétés sucrières. Cela concernait aussi bien ceux qui avaient acquis leurs plantations par héritage que ceux qui bénéficiaient de vastes sommes d'argent ou étaient absentéistes. Les planteurs qui faisaient fi de l'un ou l'autre de ces points essentiels mettaient en péril leur style de vie opulent, ou risquaient même − situation qui se produisait fréquemment − de perdre leur plantation.

Le sucre constituait un investissement plus lucratif que la moyenne: durant la seconde moitié du XVIIIe siècle, son rendement approchait les 10 % par année, comparativement à 5,5 % pour les obligations d'État et à 6,5 % pour les hypothèques immobilières. Toutefois, les hauts taux de rendement du sucre, tout comme les autres investissements de nature spéculative, alternaient avec des taux désastreusement bas. Le sucre et les profits que l'on en retirait étaient exposés à de nombreux risques, au premier rang desquels figuraient les ouragans, qui dévastaient les plantations, tuant au passage les Blancs comme les Noirs. Les ouragans réduisaient à néant d'immenses fortunes, ruinant de puissantes familles. Comme l'écrit l'historien Matthew Mulcahy, les ouragans étaient «les forces centrales qui permettaient de façonner l'expérience des colons dans la Grande Caraïbe [...]. Les ouragans représentaient un risque à part, du fait que la destruction qu'ils entraînaient était aussi totale que soudaine et récurrente[12].»

Les autres facteurs qui menaçaient la réussite des entreprises sucrières comprenaient les sécheresses, les rats, les épidémies, les maladies, l'érosion et l'aridité du sol, les guerres et les invasions, ainsi que l'obstination et le refus de collaborer des esclaves. D'autres catastrophes pouvaient se produire, telles que la chute dramatique du prix du sucre, l'augmentation soudaine des droits de douane relatifs au sucre, la concurrence des producteurs étrangers, par exemple les colonies sucrières françaises, l'arrivée de nouveaux produits bon marché provenant d'autres régions de l'empire, par exemple les Indes orientales, ou la mauvaise réputation causée par la cruauté de l'esclavage sucrier et, à partir du début du XIXᵉ siècle, la concurrence du sucre produit à partir des betteraves européennes.

La gestion de leurs propriétés par les planteurs absents

Nous avons vu comment les planteurs blancs vivaient. Voyons maintenant comment les maîtres absents s'organisaient pour gérer à distance les intérêts des plantations sucrières qu'ils avaient délaissées. En Angleterre, ils étaient si renommés pour leurs dépenses somptuaires que l'expression «riche comme un Créole» devint une expression consacrée. Des Anglais et des Anglaises avides de richesses se mirent à chasser les héritiers et les héritières des plantations antillaises qui étaient «mariables». La très populaire comédie dramatique de 1771 de Richard Cumberland, *L'Antillais* (*The West Indian*), contribua à perpétuer le stéréotype de Créoles fabuleusement riches, mais inaptes socialement. Le principal personnage de cette pièce, Belcour, jeune héritier d'une plantation sucrière, «accoutumé à vivre dans une contrée d'esclaves» et accompagné de quelques-uns de ses esclaves, vient tout juste de débarquer en Angleterre, avec une montagne de bagages et une ménagerie comprenant deux singes verts, une paire de perroquets gris, une truie jamaïcaine et ses cochonnets, ainsi qu'un chien Mangrove. Le public croulait de rire en voyant des truands anglais prendre pour cible ce jeune homme «récemment arrivé des Indes occidentales, bourré d'argent, jobard à souhait et sans le moindre bon sens» et l'arnaquer avec la complicité d'une jeune femme ravissante. À un moment de la pièce, le jeune Belcour, impulsif et passionné, se lamente: «J'aurais mieux fait de demeurer aux tropiques; avec tout ce gaspillage, il ne me restera bientôt plus qu'un morceau de sucre[13].»

Un autre expatrié de talent écrivit un poème lyrique qui vint enrichir la littérature émergente consacrée au phénomène de la canne à sucre antillaise. « La canne à sucre » de James Grainger n'idéalisait ni n'humanisait la canne, qu'il abordait comme une marchandise centrale du commerce et de l'Empire britanniques. Le poème décrivait les travaux agricoles associés à la canne à sucre, ainsi que les esclaves qui la produisaient. Il reconnaissait que l'esclavage était regrettable, mais nuançait cette condamnation en ayant recours à la logique habituelle selon laquelle les esclaves avaient des conditions moins pénibles que celles des mineurs écossais.

« La canne à sucre » attira l'attention des critiques et des gens de lettres. Le Dr Samuel Johnson, qui avait horreur de l'esclavage et qui, un jour, porta un toast « à la prochaine insurrection des nègres dans les Indes occidentales », le dénonça publiquement. En privé, ses réactions furent moins positives. « On pourrait aussi bien rédiger un poème intitulé "Le lit de persil" ou "Le jardin de choux" », confia-t-il à James Boswell. Lors d'une lecture publique, le poème « Muse, fais-nous le chantre des rats », lamentation sur la dévastation des champs de canne par les rats, s'attira des rires moqueurs[14]. On pouvait consommer du sucre en déplorant l'esclavage d'Africains inconnus, mais envisager les problèmes de la canne à sucre en tant que culture vivrière était une tout autre affaire : le plus grand talent poétique n'était pas d'un grand secours à cet égard.

La romancière Jane Austen, quant à elle, aborda la dimension humaine de la canne à sucre. Dans *Mansfield Park*, rédigé entre 1810 et 1812, et publié en 1814, qui est considéré par plusieurs comme son meilleur roman, elle raconte l'histoire des revers de fortune de Sir Thomas Bertram, absent de sa plantation antiguaise. À une époque où les mariages étaient le plus souvent arrangés, ou à tout le moins nécessitaient l'autorisation des parents, on comprend que les manigances de ces derniers et de leurs enfants non mariés aient pu dominer l'intrigue. L'arrière-plan du récit était un long voyage que Sir Thomas Bertram devait effectuer de toute urgence dans sa plantation antiguaise, pour corriger le « faible rendement » qui « compromettait [...] une part importante de ses revenus ». Un aspect important de ce problème était le commerce des esclaves africains, dont l'abolition était toute récente ; lorsqu'il en était question dans le livre, les personnages réagissaient par un silence gêné. Car la vie chic de *Mansfield Park*, y compris la « fatigue presque mortelle » de Lady Bertram, qu'elle subit « en brodant une chose très peu utile et sans beauté [...], sans compter la généreuse dose d'opium qu'elle s'accordait quotidiennement », dépendait totalement des profits continuels tirés de la plantation de sucre antiguaise.

Jane Austen était opposée à l'esclavage et en faveur de son abolition ; elle comprenait très bien la relation qui existait entre les plantations sucrières fonctionnant grâce au travail des esclaves et une partie importante de la haute société anglaise. Selon Gregson Davis, professeur d'études classiques né à Antigua, *Mansfield Park* présente

> [...] une critique morale subtile de la noblesse terrienne britannique dans son adhésion présumée à l'institution de l'esclavage. Cette thèse — qui s'exprimait avec une ironie exquise et une élégance de style incomparable — est en harmonie avec sa façon persistante de dénoncer les obsessions de la petite noblesse terrienne concernant sa situation financière et ses préoccupations sociales croissantes et récurrentes pour le marché du mariage[15].

Les Antiguais de *Mansfield Park* prenaient modèle sur les comportements des aristocrates anglais, qui les méprisaient en tant que *nouveaux riches* tout en les recherchant et en s'unissant à eux par le mariage, jusqu'à ce que les deux groupes soient si intimement liés qu'il aurait été difficile de les différencier. Sir Thomas Bertram, un absentéiste de longue date ayant de sérieux problèmes de revenus, membre officiel du Parlement et chef de famille respecté d'une famille anglaise réputée, personnifiait cette confusion identitaire.

Cela se reflétait dans la vie courante. Ainsi, la famille Beckford avait réussi à se hisser au sommet de l'empire sucrier. En 1670, le planteur absentéiste Sir Thomas Beckford recevait annuellement 2 000 £ en redevances du sucre jamaïcain. C'est à ce moment que l'un des membres de sa famille, Peter Beckford, un planteur résident exerçant de hautes fonctions à la Jamaïque, mourut. Il « possédait en propre la plus grande propriété immobilière toutes catégories d'Europe[16] ». Comme William, le beau et imposant petit-fils de Peter, préférait l'Angleterre à la Jamaïque, il devint le plus puissant des planteurs absentéistes.

William Beckford comprenait l'importance des relations politiques ; ses ressources financières et commerciales lui permirent de rendre service à William Pitt l'Ancien. William Beckford occupa également plusieurs postes importants ; il fut finalement nommé premier magistrat de Londres. Fonthill Splendens, sa propriété en Angleterre, était un vaste immeuble en pierre doté de deux ailes reliées par des corridors et un plafond en forme de voûte. L'ameublement était luxueux, la maison regorgeait d'œuvres d'art et la décoration était splendide. Les réceptions que Beckford y donnait dépassaient tout ce qui se faisait à l'époque : pour un de ses dîners, il dépensa 10 000 £ et servit 600 plats à ses invités. Il donna également à son fils, héritier et homonyme, la meilleure éducation possible, allant jusqu'à engager Wolfgang Amadeus Mozart pour qu'il donne des leçons de piano au jeune garçon.

En 1770, William fils hérita de la propriété de son père, qui lui rapportait un revenu annuel estimé à environ 100 000 £. William fils était indifférent à l'origine jamaïcaine de sa fortune, qu'il dissipait avec enthousiasme, par exemple, en construisant Fonthill Abbey, une curiosité gothique dotée d'une tour de 275 pieds qui ne cessa de s'écrouler. William avait plus de talent comme écrivain que comme architecte : son roman gothique, *Vathek*, eut une influence sur le *Frankenstein* de Mary Shelley. De façon imprudente en ces temps homophobes, Williams révéla également dans ses écrits la passion érotique qu'il éprouvait pour les jeunes hommes. Sa liaison homosexuelle avec un jeune noble provoqua un tel scandale qu'il dut fuir en Suisse, où sa femme, Lady Margaret Gordon, mourut.

Il revint plus tard se réfugier à Fonthill Abbey, où il vécut dans l'isolement avec un contingent de serviteurs comprenant un médecin, un musicien ainsi qu'un nain qui se nommait Pietro. Beckford se fit une réputation de bibliophile, de collectionneur d'objets d'art et de généalogiste ; il était considéré comme « l'homme le plus solitaire de son époque ». Il délégua la gestion de ses propriétés jamaïcaines à des gérants et à des gestionnaires qui les négligèrent et, selon toute probabilité, les pillèrent. Beckford perdit une plantation dont les revenus annuels s'élevaient à 12 000 £, pour avoir négligé de présenter un titre constitutif de propriété. En 1823, âgé de 64 ans, il avait perdu toute sa fortune et dut vendre Fonthill Abbey ainsi que sa vaste collection d'objets d'art.

L'absentéiste Robert Hibbert augmentait les revenus de sa plantation sucrière en vendant du coton et de la toile de lin de qualité inférieure destinés au commerce des Africains et aux esclaves travaillant sur les plantations. Un membre de sa famille, George Hibbert, servait ses intérêts de commerçant londonien tout en étant un agent jamaïcain en

Angleterre. Il fut aussi un des premiers promoteurs privés des West India Docks du port de Londres, dont il fut le premier président, le conseil de direction l'ayant élu à ce poste.

Les West India Docks (les quais des Indes occidentales) étaient une entreprise de taille; lorsqu'ils furent construits, ils étaient le plus vaste chantier du monde. En juillet 1799, Hibbert et les négociants faisant affaire avec les Indes occidentales assurèrent l'adoption d'une loi qui leur accordait un monopole de 21 ans pour le chargement et le déchargement de tous les produits des Indes occidentales. Le quai de déchargement, d'une superficie de 30 acres, pouvait répondre aux besoins de 300 navires; de son côté, le quai de chargement de 24 acres pouvait recevoir 200 navires. Les entrepôts adjacents avaient cinq étages et permettaient d'entreposer le sucre, le rhum et les autres produits en attendant le règlement des droits de douane. Avant la construction de ces quais, le port de Londres, là où se trouve aujourd'hui le Canary Wharf, était désespérément surchargé, les navires devant attendre pendant des semaines avant de pouvoir décharger leur cargaison. Leurs marchandises périssables, comme le sucre, étaient exposées au mauvais temps, aux dommages ainsi qu'aux bandes de voleurs comme les « River Pirates » (les pirates du fleuve), les « Night Plunderers » (les pilleurs nocturnes), les « Heavy Horsemen » (la cavalerie lourde), les « Scuffle-Hunters » (les chercheurs de bagarre) et les « Mud Larks » (les gavroches), dont les vols de sucre totalisaient 150 000 £ par année. Lors de l'ouverture des quais, 200 hommes armés furent engagés comme agents de sécurité privés.

La famille Long vivait dans la splendeur anglaise grâce aux revenus de sa plantation jamaïcaine, d'une superficie 14 000 acres. Après la mort de son père Samuel, Edward Long, un juriste né en Angleterre, alla visiter la propriété dont il avait hérité. Sa sœur, Catherine Maria, s'était mariée à la Jamaïque à Sir Henry Moore, qui était gouverneur de l'île. Edward Long se maria, lui aussi, à la Jamaïque, où il épousa Mary Beckford, la fille de Thomas Beckford. Edward passa douze ans à la Jamaïque avant de retourner en Angleterre, en 1769, pour se consacrer à une carrière littéraire. Ses ouvrages les plus célèbres sont *History of Jamaica* (*Histoire de la Jamaïque*), *Letters on the Colonies* (*Lettres sur les colonies*) et *The Sugar Trade* (*Le commerce du sucre*).

Bryan Edwards fut élevé surtout à la Jamaïque, mais il retourna en Angleterre à l'âge adulte et y resta. Ses connaissances concernant la production du sucre ainsi que ses relations personnelles lui permirent d'être un marchand prospère des Indes occidentales. Edwards défendait vigoureusement ses collègues absentéistes contre les critiques qui les présentaient comme de vulgaires parvenus pleins d'ostentation, rampant devant les aristocrates anglais dont ils aspiraient à épouser les filles. Il est également l'auteur d'un excellent ouvrage en quatre tomes consacré aux Indes occidentales, *The History, Civil and Commercial, of the British Colonies in the West Indies* (*L'histoire civile et commerciale des colonies britanniques dans les Indes occidentales*).

Les efforts d'Edwards pour améliorer la réputation des planteurs antillais étaient voués à l'échec. Ceux-ci étaient leurs propres ennemis. Ils se déplaçaient dans des équipages tapageurs avec des conducteurs en livrée, fréquentaient les stations thermales et les lieux de villégiature comme Epsom et Cheltenham. Ils se rendaient à des manifestations mondaines sélectes, habillés de façon extravagante et couverts de bijoux. Ils envoyaient leurs enfants choyés et caractériels à Eton, Westminster, Harrow et Winchester en leur donnant de grosses allocations que les garçons utilisaient pour prendre des airs supérieurs avec leurs condisciples. La rumeur voulait qu'au moins un de ces enfants de riches planteurs antillais ait payé un autre étudiant pour qu'il fasse à sa place son devoir de mathématiques.

La famille de planteurs Pinney avait sa part de riches et influents absentéistes, dont la vie et le destin sont rapportés dans l'ouvrage de l'historien Richard Pares, *A West India Fortune*. Les Pinneys possédaient de vastes plantations de sucre à Nevis ainsi qu'une riche propriété à Bristol, où se trouvait leur résidence principale. Leur histoire commence avec Azariah Pinney, qui, dans sa jeunesse, participa à l'insurrection du duc de Monmouth, un protestant, contre le catholique Jacques II. Capturé puis condamné à la pendaison, Azariah fut épargné et plutôt envoyé aux Indes occidentales pour une période de 10 ans. Il arriva à Nevis en 1685, avec un exemplaire de la Bible, dix gallons de vin blanc et de brandy, et 15 £.

Azariah fut prospère. Il acheta plusieurs plantations sucrières, représenta des planteurs absents, fut officier colonial et créa des entreprises. L'une de ces dernières offrait de la dentelle et d'autres articles, comme des sacs pour le sucre et des ciseaux qu'il se procurait auprès de sa famille vivant à Bristol. Comme c'était souvent le cas aux Indes occidentales, où le manque de liquidités était chronique, il les payait en sucre ou en d'autres produits locaux. Azariah se rendit en Angleterre à quelques occasions ; c'est là qu'il mourut en 1720.

La femme d'Azariah, qui vivait éloignée de lui, éleva en Angleterre leur fils John, que son père considérait comme un dilettante prodigue. Ce dernier épousa Mary Helme, une héritière de plantations sucrières antiguaises, puis alla vivre à Nevis, où il fut conseiller, puis ministre de la Justice. John mourut quelques mois après son père et légua ses biens à John Frederick, qui était son seul fils survivant.

John Frederick avait été élevé en Angleterre, pendant que des gérants s'occupaient de ses propriétés à Nevis et à Antigua. En 1739, il se rendit à Nevis avec l'intention de mettre en œuvre des améliorations qui lui permettraient de retourner en Angleterre plus riche encore. C'était un projet intelligent. Tous les absentéistes avisés visitaient leurs propriétés au moins une fois tous les dix ans, pour empêcher les gérants irresponsables de les ruiner. Son séjour à Nevis le rendit extrêmement critique à l'endroit des Créoles, tout particulièrement parce que ceux-ci détestaient payer leurs dettes. Mais, lorsqu'il eut saisi la complexité de l'exploitation des plantations sucrières, il en vint à comprendre les problèmes que les Créoles devaient affronter. Il demeura à Nevis plus longtemps qu'il ne l'avait prévu et devint même membre de l'Assemblée. Quelques années plus tard, John Frederick retourna en Angleterre et à sa vie luxueuse dans une propriété du West Country financée par le sucre ; il fut un membre irréprochable du Parlement. Astucieusement, il accrut ses possessions à Nevis en récupérant les terres d'un planteur endetté.

En 1762, John Frederick mourut sans s'être marié et sans enfants. Il légua l'ensemble de ses possessions à John dit « Jackey » Pretor, un cousin pauvre et éloigné qu'il avait pris en charge et éduqué. John Frederick avait été pour Jackey un bienfaiteur sévère et peu apprécié. Il ne put hériter qu'en adoptant le patronyme de Pinney. Soudainement, le servile et docile Jackey Pretor devint John Pinney, un riche planteur absentéiste. Sa nouvelle vie le transforma. Il prit de l'assurance et exigea beaucoup de lui-même — ainsi que de son entourage. « La paresse et la dissipation ne conviendront jamais à ma nature », déclara-t-il. Le nouveau John Pinney rejeta la vie corrompue des planteurs absentéistes, fuyant les dettes, un boulet que traînaient tant de planteurs absents. Il frémissait à la seule pensée d'avoir des dettes et de payer des intérêts, qu'il comparait à « une mite qui, dans le vêtement d'un homme, ne dort jamais[17] ».

Comme son mentor John Frederick, John décida d'aller passer quelques années à Nevis pour «acquérir la maîtrise de l'industrie des plantations[18]». Il arriva à Nevis en 1764 et, là, à l'instar de John Frederick, il n'eut que mépris pour la plupart de ses collègues planteurs, qu'il considérait comme paresseux et indolents, ne s'intéressant qu'à l'argent et au prix du sucre. Dans la patrie du sucre, au milieu des caprices de la météo, des cultures et du personnel, il dut se battre en duel à propos d'une dette et vit un autre planteur se faire assassiner pour le même motif. Il apprit ainsi que les créanciers qui réclamaient assidûment le remboursement de leurs dettes aux planteurs désespérés pouvaient avoir à payer un prix élevé. Il affronta néanmoins le danger qu'il y avait à réclamer le remboursement des dettes et prêta même de grosses sommes d'argent aux planteurs. Prudent, il s'arrangeait pour être remboursé en livres sterling.

John Pinney se débarrassa suffisamment de sa méfiance envers les Créoles pour en épouser une. Jane Weekes était une femme quelconque, courtaude et sans prétention. John se plaignait constamment qu'elle «ne pensait qu'à se reproduire», engendrant une suite ininterrompue de petits Pinney: John Frederick, Elizabeth, Azariah, Alicia, Pretor, Mary et Charles. Il envoya certains de ses fils en Angleterre pour y poursuivre leurs études. Il aurait bien aimé les accompagner, s'il avait pu trouver des employés honnêtes pour s'occuper de la production du sucre et lui acheminer les profits. Mais le moment ne semblait jamais venu. Pares compare John et les autres planteurs à Sisyphe: «Chaque fois qu'il semblait approcher du sommet de la montagne, un ouragan, ou la Révolution américaine, ou une guerre avec la France le faisait dégringoler[19].»

En 1783, après dix-neuf ans passés à Nevis, John et Mary Pinney purent finalement rentrer en Angleterre. Pares décrit leur réunion avec leurs fils comme «une de ces scènes qui rendaient la vie des planteurs antillais si absurde et pourtant si touchante». Ni les parents ni les fils ne se reconnaissaient, se saluant mutuellement comme des étrangers. «Comment se fait-il que vous ne connaissiez pas vos propres enfants?» s'exclamait leur tuteur anglais. John était stupéfait. Quant à Mary, elle était si émue qu'elle en perdit presque la tête, mettant le feu à son bonnet de nuit avec une bougie. John Pinney disait n'avoir jamais connu une «telle scène de détresse mêlée de joie[20]».

Pinney connaissait d'expérience le coût financier de l'absentéisme, et il savait qu'un bon planteur pouvait tirer davantage de ses propriétés sucrières qu'un gérant. Mais c'était également un orphelin ayant manqué d'amour, qui avait entendu trop d'histoires d'horreurs à propos des enfants de planteurs laissés à eux-mêmes en Angleterre. Ses retrouvailles douces-amères avec ses fils le persuadèrent de demeurer avec eux en Angleterre en sacrifiant les revenus de ses plantations. Les tracas qu'il eut ensuite avec ses gérants — qui buvaient, paressaient au lit, faisaient fi de ses instructions, dilapidaient l'argent, plongeaient la plantation dans les dettes — le conduisirent à vendre ses propriétés sucrières plutôt que de laisser ses enfants retourner à Nevis. Il vendit trois plantations à Edward Huggins, dont la cruauté à l'endroit des anciens esclaves de Pinney, qui avait été un maître accommodant, allait donner matière à une cause de droit célèbre.

La dynastie des Pinney était l'exception à la règle voulant qu'à partir de la troisième génération, l'incompétence et un grand train de vie réduisaient à néant les fortunes sucrières amassées aux Indes occidentales. À la mort de John, les querelles de ses fils à propos de l'héritage des parts de John dans la Maison Pinney and Tobin (James Tobin, l'ami de John, était un anti-abolitionniste pamphlétaire) semblaient de mauvais augure. C'est à ce moment qu'Azariah mourut, lui que John considérait comme son successeur le plus compétent. Parmi tous les fils plus ou moins intéressants qui restaient — John Frederick, nerveux et inefficace, Pretor, tellement fou qu'il fut enfermé pour le reste de sa vie, et le fragile Charles, « un pisse-vinaigre, un Tartuffe évangéliste » —, ce fut ce dernier qui fut nommé à la barre des finances familiales.

Comme les autres planteurs absents, Charles comprenait l'importance du pouvoir politique local. Il mit l'argent qu'il fallait pour se faire élire maire de Bristol en 1831. Cependant, son passage à la mairie fut aussi bref que désastreux, car une insurrection civile dégénéra en violence, entraînant la mort de 500 personnes. Menacé de comparaître devant la cour martiale, le chef militaire préféra se suicider. Monsieur le maire Pinney eut plus de chance : le tribunal l'acquitta de l'accusation d'avoir négligé ses devoirs. Charles fut remarquablement plus efficace comme commerçant que comme maire. Il se rendit à Nevis pour se rendre compte par lui-même de la façon dont les plantations et les affaires aux Indes occidentales fonctionnaient ; puis il retourna en Angleterre, où il dirigea les entreprises familiales de gérance sucrière.

Les entreprises sucrières

Comme les Pinney, qui représentaient le microcosme du commerce du sucre alimentant l'Empire britannique, les autres planteurs absents, agents, commerçants, banquiers, raffineurs, distillateurs, expéditeurs et assureurs, qui constituaient souvent un seul et même groupe, suivaient des stratégies qui avaient fait leurs preuves pour protéger, voire renforcer, leurs intérêts commerciaux. Ce fut le cas de la fille de John Pinney, Elizabeth, qui épousa Peter Baillie, associé à une grosse firme antillaise que son père incorpora à l'entreprise familiale. En fait, c'était un intérêt supérieur qui réglait les unions conjugales, faisant en sorte que les gens se réunissent dans des sociétés et des clubs sélects. À Londres, les gens se rencontraient régulièrement au Club des planteurs, lequel, en 1780, fusionna avec d'autres intérêts sucriers pour former la Société des planteurs et marchands des Indes occidentales. Bristol et Liverpool avaient également leurs sociétés des Indes occidentales, avec leurs directeurs, leurs membres, leurs archives et leurs fonds de roulement. C'est là qu'ils prenaient leurs repas, nouaient des contacts, échangeaient des informations et se confiaient leurs préoccupations, mettant au point de nouvelles stratégies et consolidant leurs alliances.

Pour un négociant jouissant d'une bonne réputation, ces contacts facilitaient la tâche, toujours difficile, des entreprises sucrières. Ils permettaient, par exemple, de faciliter la vente du sucre entreposé. Comme les autres marchandises, le prix du sucre pouvait fluctuer énormément selon une foule de facteurs, notamment sa qualité, l'offre et la demande, ainsi que la concurrence du sucre de betterave ou de la canne à sucre des Indes orientales.

Le sucre appartenant à un planteur lui parvenait à des moments différents, sur des navires différents, la qualité étant, elle aussi, variable. Un courtier en sucre digne de confiance tentait de négocier la vente de tout le lot d'un planteur, en s'assurant que le prix de vente soit établi à partir du sucre de la meilleure qualité plutôt que du sucre de qualité inférieure. Par ailleurs, s'il vendait le meilleur sucre à part, à un prix supérieur, il était sûr de perdre au change, car il lui faudrait alors accepter un prix moindre pour le sucre de qualité inférieure.

L'achat et la vente du sucre nécessitaient une expertise considérable. Les îles produisaient du sucre de qualité variable. Le sucre argileux de la Barbade était considéré comme très fin, alors que la cassonade provenant de Nevis ou de la Jamaïque était au bas de l'échelle. (Le procédé d'épuration avec de l'argile servait à séparer le sucre de la mélasse ; cela donnait un pain de sucre qui était blanc dans sa partie supérieure et plus sombre dans sa partie inférieure.) La différence de prix était importante. Les épiciers, les raffineurs, les réexportateurs (vers le continent) et les spéculateurs qui achetaient du sucre brut avaient des besoins inégaux. Les épiciers aimaient le sucre scintillant ; les raffineurs le voulaient fort, afin qu'il puisse supporter le procédé de raffinage ; les distillateurs se contentaient d'utiliser la mélasse ; les spéculateurs, quant à eux, avaient des normes trop changeantes pour qu'on puisse les définir. L'offre était plus saisonnière que la demande ; cette dernière n'augmentait qu'à Noël, lorsque les épiciers avaient besoin d'une plus grande quantité de sucre. Le point crucial était d'échapper à la saison des ouragans, qui durait officiellement du mois d'août au mois d'octobre, et aux primes d'assurance, qui doublaient juste avant le 1ᵉʳ août.

Les planteurs étaient toujours avides de prix élevés : lorsque le prix du sucre était bas, plusieurs faisaient pression sur leurs courtiers pour qu'ils entreposent leur sucre afin de le vendre plus tard, avec l'espoir d'un prix plus élevé. Mais la mélasse continuait de s'écouler des barriques, diminuant le poids du sucre et augmentant les coûts d'entreposage. Même lorsque le prix du sucre augmentait, les nouveaux arrivages se vendaient toujours mieux que le «vieux» sucre. Il était déjà assez difficile de se faire payer par les planteurs sans avoir à assumer la dépense supplémentaire de l'entreposage du sucre invendu. Lorsque les clients planteurs des Pinney leur demandaient de vendre leur sucre à un prix plus élevé, ceux-ci invoquaient leur excellente réputation pour justifier les prix qu'ils avaient négociés. Mais tous les agents n'étaient pas aussi solides financièrement que les Pinney. Ceux qui avaient moins de capitaux pour faire face au fret, aux droits de douane, à l'entreposage et aux autres frais étaient souvent contraints, par manque de liquidités, de vendre précipitamment la marchandise à un prix moindre.

L'échange de renseignements aidait ceux qui faisaient affaire avec les Indes occidentales à prendre des décisions importantes. Les nouvelles concernant un ouragan, un soulèvement d'esclaves, une épidémie de rougeole ou une guerre provoquaient habituellement une montée des prix, tandis qu'une augmentation des approvisionnements en sucre de betterave ou en sucre de canne des Indes orientales ou d'autres pays, comme la Trinité ou l'île Maurice, avait pour conséquence une baisse des prix. « Nous en sommes tristement réduits à souhaiter une guerre, un ouragan ou une autre mauvaise nouvelle qui nous donneraient un coup de pouce[21] ! » s'exclamaient les Pinney durant une période où les prix du sucre étaient bas.

Les agents ainsi que tous ceux qui étaient en rapport avec les entreprises sucrières devaient être tenus au courant des événements actuels, qu'ils devaient interpréter afin d'évaluer les répercussions de la guerre ou de la paix sur les prix du sucre. Par exemple, en 1832, pendant la querelle entre les Anglais et les Français à propos de la Belgique, Charles Pinney prédit qu'une guerre européenne « ferait revenir la belle époque où le sucre se vendait de 30 £ à 40 £ le tonneau[22] ». En Europe de l'Est, écrit Pares, « le tsar Paul influençait le marché à la baisse, alors que le tsar Alexandre Ier le poussait à la hausse, jusqu'à ce qu'il fasse la paix avec les Français à Tilsit[23] ». Lorsque Napoléon occupa Hambourg, grande consommatrice de sucre anglais, les Pinney s'inquiétèrent. À moins, disaient-ils, que le gouvernement anglais ne trouve le moyen d'augmenter la consommation, « Dieu seul sait quelles seront les répercussions sur [...] ceux qui sont en relation avec les colonies des Indes occidentales ; la situation pourrait être désespérée [...] ; nous pourrions être complètement liquidés[24] ». Heureusement pour eux, la guerre prit une autre tournure, et le prix du sucre grimpa en flèche.

Plusieurs marchands de sucre étaient également des transporteurs. Au XVIIIe siècle, certains planteurs l'étaient aussi ; c'était le cas des Pinney, qui possédaient deux navires. Les navires réguliers avaient des routes déterminées avec certaines îles ; leurs capitaines établissaient des relations avec les planteurs qui leur confiaient leur cargaison d'objets de valeur et de marchandises périssables. Mais, souvent, les navires avaient d'autres itinéraires que leurs parcours habituels. Les navires des Pinney visitaient également les pays baltes, Bombay et Singapore.

Le transport était une entreprise foncièrement précaire. Les transporteurs devaient affronter la concurrence de leurs pairs, celle des « chercheurs », qui étaient des navires non réguliers cherchant à faire des affaires, ainsi que celle des navires étrangers qui offraient leurs services aux îles sans en avoir le droit. Le transport était menacé par les guerres et la piraterie. De plus, jusqu'à la construction des West India Docks, les navires perdaient du temps à attendre dans les ports dépourvus d'entrepôts suffisamment vastes pour recevoir leur cargaison de sucre. À toutes ces sortes d'incertitudes et d'imprévus s'ajoutaient les risques de la rumeur. Les capitaines craignaient la rapidité avec laquelle les rumeurs pouvaient se répandre dans les colonies sucrières, les planteurs fuyant les navires dont on disait qu'ils étaient mal tenus. Qu'elles fussent vraies ou fausses, ces rumeurs pouvaient ruiner un transporteur. La meilleure façon de les contrer était d'entretenir des relations sociales étroites avec la clientèle de planteurs.

Les navires réguliers ne transportaient pas que du sucre. Ils transportaient les fournitures des planteurs, le matériel agricole comprenant des centaines de houes de mauvaise qualité pour les esclaves, du matériel d'équitation, des raccords en laiton ou en cuivre pour les moulins et les chaudières, des chaînes et des entraves de fer pour emprisonner les fugitifs, et des animaux de trait. Les capitaines considéraient les mulets, chevaux et bœufs comme des passagers difficiles. Leur fourrage prenait de la place ; ils souillaient la soute, étaient malades et mouraient, ce qui entraînait des querelles à propos de la responsabilité financière.

Une autre activité importante de l'industrie sucrière était l'exécution des commandes personnelles des planteurs, d'emballer des objets, puis de les expédier, sans aucune compensation financière pour ce travail. Ces commandes personnelles comprenaient des chapeaux ou des vêtements chic, des pianos, des partitions, des magazines, des livres, des pipes, du vin de Madère, des articles de toilette, des médicaments, de la viande salée ou assaisonnée, voire du sucre raffiné en Angleterre puis réexporté. Les agents devaient même s'occuper de trouver des tuteurs ou des écoles pour les enfants créoles en âge de faire des études. Pendant la période des vacances, si ces enfants n'avaient pas de parenté en Angleterre, plusieurs agents les invitaient gratuitement chez eux.

Pour conserver leur clientèle, les agents consentaient à rendre aux planteurs ces services qui leur prenaient du temps et ne leur rapportaient rien. Ils étaient rémunérés en commissions de vente ; mais leur plus grosse source de profits était les intérêts sur les prêts qu'ils accordaient à leurs clients planteurs. Ces prêts constituaient une dimension inévitable des affaires sucrières. La plupart des planteurs vivaient en gaspillant, de manière extravagante et surtout à crédit, et contractaient des dettes écrasantes envers leurs agents. Lorsque, comme cela arrivait si souvent, les planteurs étaient incapables de faire face à leurs obligations, les agents devenaient *de facto* des planteurs absents, forcés d'affronter les mêmes problèmes que ceux qui avaient entraîné la faillite du planteur.

Les affaires de l'industrie sucrière des Indes occidentales étaient plus hasardeuses que celles de toutes les autres monocultures, les profits dépendant des tractations intelligentes, de la coopération des parties intéressées et de la chance. La Société des planteurs et marchands des Indes occidentales était indispensable pour la conception et la coordination des stratégies qui préservaient le caractère lucratif du sucre. Cette société organisait l'escorte des navires de marchandises en temps de guerre, et assurait la rapidité du service de transport postal vers les îles du sucre. Les enjeux technologiques entraient également en ligne de compte; ainsi, en 1796, un chimiste, le Dr Bryan Higgins, fut envoyé à la Jamaïque pour mener des expériences en vue d'améliorer les méthodes de raffinage du sucre.

Le lobby antillais

Les Antillais se lancèrent également en politique, organisant le plus redoutable lobby qui ait jamais existé en Angleterre. À cette époque de vote vénal, les Antillais investirent une partie de leur capital sucrier pour acheter des sièges au Parlement. Au milieu du XVIIIᵉ siècle, quatre frères de la famille jamaïcaine Beckford siégeaient au Parlement. Sur les quinze membres des principaux comités de la Société des planteurs et marchands des Indes occidentales, dix siégeaient au Parlement. En 1764, cinquante ou soixante députés antillais détenaient la balance du pouvoir à la Chambre des communes. Leur groupe était suffisamment important pour permettre aux gouvernements d'échapper à des motions de censure; ce service amenait les gouvernements à les récompenser par la suite. Les Antillais s'alliaient aussi à la noblesse terrienne, ainsi qu'à la classe des négociants des ports maritimes, dont la survie financière dépendait également des monopoles.

Les Antillais infiltrèrent la Chambre des lords, en monnayant leurs appuis politiques sous forme de pairies. Un des représentants de cette noblesse sucrière était Lord Hawkesbury, qui sera plus tard le comte de Liverpool. Ce planteur antillais était président du Conseil privé du commerce, ainsi qu'un fervent partisan des intérêts antillais, notamment en ce qui avait trait au commerce des esclaves et aux propriétaires d'esclaves. À l'instar de Charles Pinney, les Antillais remplissaient plusieurs charges municipales. William Beckford fut maire de Londres à deux reprises. « Ses contemporains se moquaient de son mauvais latin et de sa voix forte ; mais ils étaient contraints de respecter sa richesse, sa position et son influence politique[25] », note Eric Williams.

Les Antillais établirent de nouvelles normes en matière de pressions politiques et d'intrigues de couloirs ; on pourrait croire qu'ils ont créé le lobbying des temps modernes. Ils étaient organisés, concentrés, riches ; ils se mariaient entre eux et s'alliaient à des intérêts terriens et commerciaux. Ils avaient des programmes bien définis, défendus par leurs partisans. Même après leur échec sur des questions cruciales comme l'esclavage et — chose plus dévastatrice encore — sur le libre-échange, ils continuèrent à se maintenir en place. Plus d'un siècle et demi plus tard, les lobbies du sucre du Royaume-Uni et des États-Unis sont toujours reconnus pour leur opiniâtreté, leur ingéniosité, leur influence exagérée et leur morale douteuse sur les enjeux touchant la santé, l'obésité, le commerce équitable et la dégradation environnementale.

Une des victoires législatives du lobby antillais fut la ration de rhum accordée aux matelots. Cette demi-chopine par matelot représentait des rivières de rhum ; elle fut à l'origine du grog marin. Lorsque les critiques firent valoir que le rhum n'était pas supérieur au brandy, la Société des planteurs et marchands des Indes occidentales fit appel aux services d'un pamphlétaire, qui rédigea *An Essay on Spirituous Liquors, with Regard to their Effects on Health ; in Which the Comparative Wholesomeness of Rum and Brandy Are Particularly Considered* (*Un essai sur les spiritueux et leurs effets sur la santé, où on compare tout particulièrement la salubrité du rhum et du brandy*). Cet ouvrage — tiré à 3 000 exemplaires subventionnés — prenait nettement le parti du rhum.

De la neige pour du sucre et autres victoires

Après la guerre de Sept Ans, les Antillais étaient fin prêts pour leur plus importante campagne de tous les temps. Il s'agissait pour eux de convaincre le gouvernement anglais de redonner à la France la Guadeloupe, colonie sucrière prospère, en échange du Canada, dont la spécialité était le commerce de la fourrure. Les Guadeloupéens, en effet, s'ils avaient fait partie de l'Empire britannique, auraient livré une concurrence sans merci aux exploitations sucrières antillaises en déclin, ce qui aurait signifié une baisse du prix du sucre vendu aux consommateurs anglais. Mais les Antillais ne se préoccupaient pas des consommateurs anglais.

Comme le disait le comte d'Hardwicke, ils « ne voient qu'une chose, à savoir les conséquences de la situation pour leurs intérêts particuliers ; ils souhaitent la destruction de toutes les colonies, sauf celle qui pourrait servir leurs intérêts en faisant augmenter le prix de leur propre marchandise[26] ». Les lobbyistes se battirent de toutes leurs forces pour que triomphent leurs intérêts, et ils furent victorieux. Le résultat fut qu'on échangea de la neige contre du sucre, ce qui est une façon de résumer les clauses du traité de Paris qui, en 1763, redonnait la Guadeloupe à la France, alors que l'Angleterre recevait le Canada.

Mais les Antillais ne pouvaient venir à bout de tous leurs problèmes ou contrôler tous les gouvernements. D'abord et avant tout, ils ne pouvaient arrêter la Révolution américaine. Même si la plupart d'entre eux étaient inextricablement liés à l'Angleterre et à ses intérêts, ils avaient aussi des relations commerciales étroites avec les treize colonies, qui leur fournissaient la plus grande partie des aliments destinés aux esclaves, ainsi que le bois dont ils avaient besoin pour construire ou réparer leurs maisons et leurs moulins à sucre. Les Antillais étaient très inquiets face à la perspective d'une guerre, même si plusieurs d'entre eux appuyaient les récriminations des colons.

Dès le début de la Révolution américaine, le gouvernement britannique dut faire parvenir des secours alimentaires d'urgence aux Barbadiens affamés. Le gouverneur de Montserrat rapporta que « plusieurs nègres sont morts de faim ; la même chose s'est produite à Nevis. [...] Antigua a perdu plus d'un millier de nègres, Montserrat en a perdu près de deux cents, ainsi que des Blancs — trois ou quatre cents à Nevis et autant à [Saint Kitts], par manque de provisions[27] ». En Jamaïque, à la Barbade et dans les îles Leeward, le prix des marchandises de base comme le riz, le maïs, la farine, le bois, les chaînes et les douelles en chêne blanc avait doublé, triplé ou même quadruplé.

Aux prises avec cette crise d'approvisionnement et avec l'affaiblissement de leur main-d'œuvre, les Antillais virent les Français, qui étaient les alliés des Américains dans leur lutte contre l'Angleterre, attaquer avec succès Saint Kitts, Montserrat, Nevis, Saint-Vincent, Grenade, Tobago et Demerara, tandis qu'Antigua, la Barbade et la Jamaïque étaient les prochaines sur la liste des colonies à conquérir. En Angleterre, George III avertit ses conseillers : « Si nous perdons nos îles du sucre, il sera impossible de trouver des fonds pour poursuivre la guerre[28]. » Un miracle se produisit grâce à l'amiral George Rodney. Sous son commandement, les Britanniques défirent les Français en 1782, ce qui permit de sauver à la fois les îles du sucre et l'Empire britannique.

Après avoir été incapables d'empêcher la Révolution américaine, les Antillais s'empressèrent de faire l'inventaire de leurs pertes. De nombreux planteurs étaient ruinés. Comme la production baissait, le prix du sucre atteignit des sommets. Les consommateurs s'adaptaient en achetant moins, même si beaucoup d'épiciers vendaient leur sucre presque au prix coûtant, afin de maintenir leurs ventes de thé. De nombreux consommateurs préféraient se passer de thé plutôt que de le boire non sucré. Les raffineries métropolitaines commencèrent à tomber en faillite ; en 1781, le tiers d'entre elles avaient fermé leurs portes. Les entreprises qui en dépendaient étaient également très éprouvées. La moitié des ateliers de poterie qui approvisionnaient les raffineries était en faillite. Les tonneliers, les chaudronniers, les fondeurs, ainsi que les autres artisans et ouvriers qualifiés étaient ruinés.

La Société des planteurs et marchands battit en retraite pour panser ses plaies. Puis ses membres s'intéressèrent aux possibilités que leur offraient les colonies britanniques loyalistes comme marché pour écouler leur sucre et comme source de fournitures pour leurs plantations. Mais les importations de ces colonies étaient beaucoup moins importantes que celles des Treize colonies, beaucoup plus populeuses et avides de sucre et de rhum. Par ailleurs, bien qu'elles fussent disposées à fournir des marchandises aux Antillais, les colonies britanniques demandaient le double, le triple ou le quadruple des prix américains, car leurs frais de transport étaient plus élevés, de même que les salaires de leurs employés.

Après la Révolution américaine, les colonies sucrières furent aux abois. Les plantations antiguaises étaient pour la plupart hypothéquées au profit d'intérêts antillais en Angleterre. À la Jamaïque, 324 des 775 propriétés sucrières en exploitation avant 1772 avaient été vendues pour dettes ou saisies. En raison de ces pressions financières, la contrebande des colonies étrangères des Antilles reprit. Les lobbys antillais firent des pressions pour obtenir des lois allégeant les problèmes financiers écrasants des planteurs. En 1787, leurs efforts furent couronnés de succès : les produits des Antilles étaient exemptés des droits de douane, tandis que les produits concurrents, en particulier le sucre de canne des Indes orientales, moins cher, et le sucre de betterave, étaient interdits à la vente sur le sol britannique.

Les nouvelles terrifiantes de Blancs assassinés durant la Révolution haïtienne contrarièrent le mouvement abolitionniste, ce qui ne déplut pas aux Antillais. Les conséquences économiques de la Révolution favorisèrent — temporairement — les intérêts des producteurs de sucre. Rien, cependant, ne pouvait empêcher un déclin imminent. En effet, comme le dit l'historien Lowell Ragatz, «le grand édifice du vieux système des plantations britanniques aux Indes occidentales souffrait d'une faiblesse structurelle[29]». La Révolution ne fit que retarder sa chute pendant un quart de siècle. Les 792 plantations de sucre haïtiennes avaient été de splendides fournisseurs pour la France; elles avaient comblé 43,3 % des besoins du continent européen. Lorsque la Révolution mit fin de façon abrupte aux expéditions de sucre haïtien, les Européens cherchèrent rapidement d'autres sources d'approvisionnement, notamment sous forme de sucre réexporté depuis l'Angleterre, qui n'avait comblé jusque-là que 36,7 % des besoins. Subitement, la demande de sucre fut en forte hausse et les prix de ce dernier grimpèrent[30].

Les planteurs étaient les seuls à se réjouir de la flambée des prix du sucre. Les épiciers et les raffineurs anglais s'en plaignaient amèrement. Ils souhaitaient ardemment que l'on mette fin à la position privilégiée du sucre antillais et que l'on permette au sucre provenant des Indes orientales d'entrer en Angleterre aux mêmes conditions. Les Antillais défendaient leurs avantages monopolistiques avec vigueur. Mais ils se heurtaient de plus en plus à d'autres groupes d'intérêts, notamment aux consommateurs britanniques, ces hommes et ces femmes qui formaient le marché. Nombre d'entre eux étaient des petits salariés qui aimaient le sucre et en avaient besoin. Ils étaient très mécontents d'avoir à payer des prix artificiellement élevés alors que ceux-ci auraient facilement pu être abaissés équitablement par l'importation du sucre des Indes orientales.

Il était facile de vanter les mérites du sucre des Indes orientales. Les ouvriers bengalis étaient libres et non réduits en esclavage; les plantations des Indes orientales nécessitaient moins de capitaux que les plantations des Indes occidentales. Le sucre des plantations des Indes orientales avait un fort potentiel d'expansion, alors que le sol des plantations antillaises était érodé et surexploité. L'ouverture du marché des Indes orientales aux produits fabriqués en Grande-Bretagne semblait sans limites, alors que le marché des Indes occidentales était modeste et allait en se rapetissant. De plus, comme le faisaient remarquer ceux qui avaient des intérêts dans les Indes orientales, la grande distance séparant le Bengale de la Grande-Bretagne fournissait un terrain d'exercice aux matelots qui, en temps de guerre, pouvaient être appelés à combattre dans la marine. Incapable de réfuter ces arguments, le lobby antillais riposta en invoquant la loi, l'histoire et le patriotisme. Par une convention non écrite, mais inviolable, la mère patrie leur avait octroyé un monopole sur les marchés anglais, en échange d'un monopole sur la production coloniale. En favorisant (suivant la façon de voir des Antillais) le sucre des Indes orientales, on aboutirait à la ruine des Indes occidentales et à celle des planteurs antillais, ainsi qu'à la faillite de leurs associés commerciaux et financiers en Angleterre. Ce serait comme si on assassinait un membre de la famille au profit d'un nouvel arrivant étranger.

Les problèmes portant sur la question du sucre qui dressaient l'un contre l'autre deux groupes d'intérêts étaient au cœur du système mercantiliste britannique et de ses aspirations impérialistes. On ne pouvait les résoudre en faisant appel au seul raisonnement économique. Les Indes occidentales avaient été colonisées et gouvernées suivant les principes mercantilistes; elles étaient le résultat des objectifs impérialistes de la Grande-Bretagne. La nature de leur économie, notamment leur dépendance envers la monoculture du sucre, et l'interdiction pour les colonies de raffiner et de transformer le sucre en avaient fait des dépendances fonctionnant dans un vide structurel. Leurs terres épuisées subissaient les ravages de l'érosion. Leur main-d'œuvre était éreintée et hostile. En règle générale, ils achetaient les produits des usines anglaises, au lieu des produits américains, moins chers. Durant la Révolution américaine, malgré le fait qu'ils étaient portés à sympathiser avec les insurgés, ils étaient restés loyaux à la Grande-Bretagne, sacrifiant la vie de leurs esclaves, leurs profits ainsi que la sécurité de leur population à cette fin. Puis, quand la guerre éclata, les ennemis de la Grande-Bretagne les attaquèrent et les envahirent.

Lorsqu'il était question du sucre des Indes orientales, les Antillais ne cherchaient pas à nier que ce produit puisse être fabriqué et livré à un moindre prix que le leur. Ils demandaient plutôt avec insistance pourquoi les intérêts du grand public des consommateurs auraient dû passer avant le bien-être de leur commerce aux respectables racines historiques. Les Antillais n'avaient-ils pas été des agents de la civilisation et de la christianisation des barbares autochtones et africains ? La Grande-Bretagne avait traité les colonies sucrières comme les pions de son empire ; tout le monde aurait dû voir clairement qu'elle avait contracté une dette à leur endroit.

Encore une fois, les Antillais l'emportèrent sur leurs concurrents en réussissant à faire adopter une loi qui perpétuait les injustices des droits de douane sur le sucre. Toutefois, leur victoire fut imparfaite, car le système extrêmement complexe des droits sur le sucre faisait que ces derniers étaient fixes, et non pas calculés, comme les Antillais le souhaitaient, selon un tarif régressif *ad valorem*. Par conséquent, lorsque les prix étaient élevés, les droits de douane étaient raisonnables, mais lorsque les prix chutaient, ils pouvaient être ruineux. C'est ce qui se produisit en 1803, puis en 1806, lorsque les droits représentèrent respectivement 55,7 et 61,7 % du prix de gros, ce qui fit très mal aux planteurs.

Les dettes, la maladie et la mort

Avec la poursuite de la guerre napoléonienne, la situation empira. Les Antillais ne pouvaient plus réexporter le sucre vers le continent, perdant ainsi des marchés lucratifs. Quant aux navires américains, protégés par leur neutralité, ils pouvaient livrer le sucre des colonies aux mêmes marchés européens. Le sucre des Indes occidentales était également grevé par les droits de guerre — Pitt recueillit des millions de livres pour l'effort de guerre en augmentant les droits de douane sur le sucre, qui passèrent de 12 shillings 4 pence à 27 shillings en 1805 — ainsi que par les frais d'expédition et d'assurance exorbitants en temps de guerre. En 1806, la sympathie des Antillais pour les Américains (qui leur coupaient l'herbe sous le pied) s'était transformée en colère. Celle-ci trouva un écho en Angleterre ; dès lors, les navires anglais se mirent à prendre pour cible les navires américains. La guerre entre l'ancienne colonie et la mère patrie menaçait d'éclater et fut évitée de peu.

Les planteurs de canne à sucre étaient en crise. « La faillite est mondiale, constatait le gouverneur d'Antigua en 1805, elle ne se limite pas au Trésor public, mais touche tous ceux qui résident dans les colonies[31]. » La situation empira : en 1807, le sucre jamaïcain se vendait en Angleterre au-dessous de son coût de production. Le gouverneur de Sainte-Lucie entonnait le même triste refrain : « Cette colonie est dans une situation déplorable. [...] Les planteurs n'ont plus d'argent et ils ne peuvent plus obtenir de crédit des marchands. Ceux-ci ne peuvent leur en accorder pour le sucre fabriqué ici, car les droits, le transport et les assurances

absorbent tout sur le marché britannique[32]. » Les planteurs abandonnaient leurs plantations ou les vendaient au plus offrant. Les esclaves
affamés étaient en haillons. Ils mouraient par milliers.

Dans les colonies sucrières, il n'était plus question que de trois choses : les dettes, la maladie et la mort. Des comités du Parlement anglais
firent enquête et reconnurent que la situation était grave, mais ils ne
s'entendaient pas sur les remèdes à apporter. Même les Antillais et leur
lobby avaient des avis divergents. Quant aux consommateurs anglais,
ils n'étaient pas sympathiques à leur cause : « Nous voyons des marchands antillais qui vivent encore comme des princes ; mais lorsqu'ils
se présentent devant le Parlement, ils […] gémissent comme des indigents[33] », faisait remarquer ironiquement l'abolitionniste Macall Medford,
auteur du pamphlet *Oil without Vinegar, and Dignity without Pride : or,
British, American, and West Indian Interests Considered* (*De l'huile sans
vinaigre, ou de la dignité sans fierté : un examen des intérêts britanniques, américains et antillais*).

En 1808, les geignards remportèrent une mince et absurde victoire
en faveur de leurs intérêts dans le rhum. Ils réussirent à convaincre un
comité parlementaire qu'il y avait une pénurie de céréales et qu'il convenait de les réserver pour la nourriture plutôt que de les utiliser dans
les distilleries. En colère, les fermiers anglais producteurs de céréales
firent remarquer qu'il n'y avait aucune pénurie, et que, si on interdisait
aux distillateurs d'utiliser les céréales, la demande pour ces produits
baisserait considérablement. Mais les intérêts antillais étaient encore
assez puissants pour noyer ces arguments pourtant légitimes. L'interdiction d'utiliser des céréales fut adoptée, forçant les distillateurs à employer
du sucre à la place. En 1809, après que la Martinique fut tombée aux
mains des Britanniques, les Antillais firent des pressions pour obtenir
l'imposition de droits sur le sucre martiniquais. Cependant, leurs victoires concernant les céréales et le sucre de la Martinique n'eurent que
peu d'effets à un moment où seuls des changements radicaux auraient
pu empêcher le déclin des Indes occidentales. La guerre de 1812 ne fit
qu'empirer la situation.

Une brève reprise suivit l'effondrement du système continental et
l'échec du blocus imposé par Napoléon au commerce anglais avec
l'Europe. Les exportations de sucre anglais firent un bond et la demande
entraîna une montée des prix sur le marché intérieur. Mais cette remon-
tée fut de courte durée, car les Européens, qui souhaitaient obtenir du

sucre à meilleur prix, se tournèrent vers de nouvelles sources : Cuba et le Brésil. Ces derniers avaient des sols profonds et fertiles, et ne subissaient pas les contraintes des politiques mercantilistes. Le sucre cubain pouvait se vendre 30 shillings les 112 livres (50,8 kg), alors que la même quantité de sucre jamaïcain coûtait 53 shillings. Les Indes occidentales connurent une autre période de crise, aggravée par les lois anglaises qui limitaient leur commerce avec les Américains. Elles avaient peu d'acheteurs pour leur rhum et leur mélasse. Les expéditions de rhum passèrent de 2 000 000 de gallons en 1818 à moins de 54 000 gallons en 1820 ; les expéditions de mélasse, qui dépassaient auparavant 1 000 000 de gallons, tombèrent à 12 000 gallons. La valeur des plantations chuta à un point tel que les prêteurs refusèrent de les accepter en garantie pour les prêts dont les planteurs avaient désespérément besoin. La situation des Antillais était désastreuse.

Leurs lobbyistes tentèrent à nouveau de faire pression sur le gouvernement anglais en vue de faire baisser les droits de douane sur le sucre. Mais les temps ainsi que la politique avaient changé. Les contraintes du mercantilisme et du protectionnisme qui l'accompagnait étaient dorénavant menacées sérieusement par les doctrines économiques favorables à la libéralisation du commerce et au libre-échange. De plus, la levée des restrictions antérieures avait mis fin à un des principaux arguments du lobby antillais, qui était que leur groupe méritait un traitement de faveur en raison de ces restrictions.

Les intérêts du sucre antillais étaient maintenant ouvertement en conflit avec ceux du sucre des Indes orientales. Il était inutile de nier que ce dernier coûtait moins cher, qu'il était produit par des travailleurs libres et que, contrairement à ce qui se passait pour les Indes occidentales, le gouvernement britannique n'avait rien à débourser pour le protéger. On ne pouvait nier non plus que les contacts avec les Indes orientales, plus encore que les voyages aux Indes occidentales, donnaient aux matelots une expérience qui pourrait leur servir plus tard dans la marine. En dernier lieu, la conquête et l'acquisition des îles à sucre ayant appartenu à la France ou à l'Espagne avaient donné aux étrangers fraîchement conquis les mêmes privilèges que ceux qui étaient réservés auparavant aux îles du sucre anglaises.

Les Antillais se battaient désormais pour un mode de vie moribond ; leurs arguments reflétaient leur désespoir et leur amertume : ils n'étaient plus que des sujets britanniques ayant les mêmes droits que les fermiers ou les manufacturiers anglais, alors que les planteurs des Indes orientales étaient des étrangers conquis. Même s'ils avaient investi près d'un milliard de livres sterling dans les colonies parce qu'on leur promettait un traitement préférentiel, les planteurs des Indes occidentales durent se résigner à voir le commerce des esclaves dont ils étaient dépendants aboli en 1807. L'Angleterre n'allait-elle donc rien faire pour sauver ce qui pouvait encore l'être de leur ancienne gloire? L'Angleterre ne fit rien. Le lobby des Indes occidentales et les Antillais tombèrent peu à peu dans l'oubli politique.

Dans les plantations sucrières, c'était le désespoir. «L'époque que nous vivons est pénible, faisait remarquer un responsable de la colonie, les perspectives sont lugubres, les beaux jours de la prospérité des Indes occidentales sont probablement terminés[34].» Le coup mortel fut l'émancipation des esclaves, qui débuta en 1834. Celle-ci entraîna la chute «du vieux système des plantations». Ce fut une longue descente entrecoupée de petites reprises, qui s'acheva «de manière spectaculaire par la chute de la classe des planteurs[35]», écrit Ragatz.

Le sucre français

Les Français, eux aussi, aimaient le sucre, même si ce n'était pas avec une passion comparable à celle des Anglais. Jusqu'à la Révolution haïtienne, leurs florissantes colonies produisaient suffisamment de sucre pour les satisfaire. Les riches préféraient le sucre raffiné, la classe ouvrière se contentant du sucre argileux. Jusqu'au XIXᵉ siècle, les habitants des régions rurales s'en passèrent totalement. Les Parisiens le consommaient en grande quantité, de 30 à 50 livres par habitant annuellement[36].

Comme en Angleterre, les entreprises sucrières françaises employaient un grand nombre de personnes. En 1791, le duc de la Rochefoucauld-Liancourt estimait que le gagne-pain de quelque 713 333 familles françaises, représentant entre trois et quatre millions de personnes, était directement lié au commerce avec les Indes occidentales[37]. Comme en Angleterre, ce commerce était régi par de stricts décrets de la métropole, interdisant le commerce avec les étrangers. Le fonctionnement des colonies sucrières françaises était tout à fait semblable à ce qui se faisait du côté anglais, y compris les traitements cruels imposés aux esclaves du sucre et l'endettement des planteurs à l'endroit des marchands métropolitains, l'achat et l'entretien des esclaves représentant la plus grosse dépense.

Sur bien des aspects, les lois, les politiques et les pratiques françaises différaient de leurs équivalents anglais. Le droit civil français interdisait la saisie d'un bien hypothéqué dans les plantations; les créanciers métropolitains se plaignaient que les planteurs débiteurs n'aient rien qui puisse les motiver à changer leurs habitudes de gestion inefficaces ou leur train de vie extravagant. Comme leurs homologues anglais, les planteurs et les marchands français se mariaient et se fréquentaient entre eux. Mais ils ne s'alliaient pas pour créer un puissant lobby, se considérant plutôt comme rivaux. Pour ces raisons et à cause de la faiblesse de sa présence sur les mers, l'entreprise sucrière française était organisée différemment. Elle concevait également des plans étendus et ingénieux visant à contourner les contrôles gouvernementaux.

Un de ces plans concernait le sucre de la Martinique. Les planteurs martiniquais empruntaient des groupes d'esclaves appartenant à leurs voisins et les déclaraient au Bureau des domaines comme marchandise destinée à Saint-Domingue. Par la suite, les esclaves retournaient dans leurs plantations. Pendant ce temps, en pleine nuit, des navires chargés de sucre naviguaient vers la colonie hollandaise de Saint-Eustatius, où le sucre était échangé contre un nombre équivalent d'esclaves, qui étaient ensuite vendus à Saint-Domingue. Ce subterfuge était si fructueux qu'il permit un commerce vigoureux et secret, où on négociait du sucre aussi bien que des esclaves avec une colonie étrangère.

Une autre stratégie consistait à apposer sur les tonneaux de sucre argileux des étiquettes indiquant «sirop» ou «tafia» (du rhum de mauvaise qualité), puis à exporter la marchandise vers les Treize colonies américaines. Ce «commerce illégal se fait ouvertement[38]», rapportait le consul français à Boston. D'autres escroqueries plus simples visant à éviter de payer des intermédiaires et des commissions consistaient à vendre directement le sucre aux capitaines des navires «chercheurs» ou, ce qui était plus problématique, aux contrebandiers étrangers. L'impuissance des plantations françaises à générer des profits élevés encourageait la contrebande et d'autres procédés illégaux. D'après l'historien Robert Stein, qui se fonde sur les ventes de sucre à l'époque prérévolutionnaire, sur les dépenses et les pertes d'une plantation, sur son investissement en capital et ses profits annuels, le rendement de l'investissement se situait entre 5 et 6 %, dans le meilleur des cas. En 1787, un comité chargé d'examiner les finances des planteurs martiniquais établit que toutes les plantations produisaient un profit net se situant autour de 2 %. Même si le sucre français coûtait moins cher à produire, son taux de rendement était très inférieur au produit anglais, car le prix du sucre anglais était maintenu artificiellement élevé.

Le gouvernement français et les importateurs avaient adopté le principe de la primauté des intérêts locaux à protéger. Cette politique empêchait la création d'entreprises sucrières en France, mais elle stimulait les industries locales, particulièrement dans les trois principaux ports sucriers : Nantes, Bordeaux et Marseille. Au XVIIIe siècle, les trois quarts des importations françaises de sucre arrivaient par ces villes portuaires.

À Nantes, le commerce du sucre et celui des esclaves étaient étroitement liés. Les marchands d'esclaves de la ville vendaient leur marchandise pour acheter des produits tropicaux. Ce commerce d'esclaves était pour Nantes la seule façon de concurrencer Bordeaux, qui exportait une vaste gamme de produits européens vers les colonies sucrières. Au moment de la Révolution française, plus du tiers des importations de sucre de la ville était payé au moyen du commerce des esclaves. En fait, à Nantes, « le sucre ne faisait que suivre les chemins tracés par les esclaves[39] ».

De 60 à 70 % des importations de sucre à Nantes étaient sous forme de sucre muscovado, un produit idéal pour le raffinage et pour les réexportations vers l'Espagne, le Portugal, la Hollande et l'Allemagne. Bordeaux importait davantage de sucre argileux ; Marseille, de son côté, n'importait pratiquement aucune autre forme de sucre, car le sucre argileux ne nécessitait aucun raffinage et donc était en forte demande. Dans ces deux derniers cas, des quantités importantes de sucre étaient également réexportées. Ces trois ports ainsi que d'autres ports se livraient une concurrence sans merci. L'idée de réunir les entreprises sucrières dans une organisation nationale n'effleurait même pas les esprits.

Bien que seule une petite proportion du sucre se raffinait en France, « gastronomiquement parlant, le raffinage était au cœur des entreprises sucrières françaises[40] ». Le raffinage était une affaire compliquée et dangereuse. Le sucre pouvait facilement prendre feu durant les opérations de cuisson et de séchage à haute température. Le procédé de raffinage était une cause de pollution atmosphérique ; en réalité, personne ne voulait vivre aux abords d'une raffinerie. Au début du XVIIIe siècle, lorsque les raffineurs utilisèrent du sang de bœuf plutôt que des œufs comme agent purificateur, les raffineries polluèrent également le sol, en émettant des odeurs nauséabondes.

Quelques raffineries produisaient des petites quantités de *sucre royal* ; ce produit étant considéré comme le plus exquis et donc le plus cher. Ses raffineurs vantaient sa « très grande pureté, sa merveilleuse transparence [...] égal, fin, sec, scintillant et facile à briser en morceaux[41] ». On se servait d'œufs plutôt que du sang de bœuf pour purifier ces célestes granules, qui, en règle générale, provenaient de sucre argileux de première qualité. Une version légèrement moins parfaite, mais à un prix encore élevé, était vendue sous le nom de *demi-royal*. Plusieurs autres variétés de sucre étaient produites pour des clientèles plus larges mais plus pauvres.

L'esprit national des guerres intestines affectant la concurrence commerciale, les raffineries françaises rivalisaient entre elles plutôt que de chercher à faire davantage d'affaires en trouvant de nouveaux marchés d'exportation. Elles se limitaient toutes au marché parisien en cherchant à se saboter mutuellement. Par conséquent, même si la France était le pays qui avait le plus grand nombre de colonies de canne à sucre, les raffineries françaises ne faisaient que des affaires limitées.

Napoléon et la betterave

Les premières années de la Révolution française semblent avoir eu peu d'effet sur la production sucrière. Mais entre la Révolution haïtienne et la défaite de Napoléon à Waterloo, les activités sucrières se modifièrent profondément. La France fut tout particulièrement touchée. Après l'humiliante défaite navale de Trafalgar, en 1805, Napoléon déclara la guerre économique au commerce britannique (et donc au pouvoir britannique) en interdisant aux navires de la Grande-Bretagne et à ceux de ses colonies l'accès aux ports européens.

La Grande-Bretagne répliqua par un contre-blocus. Cette situation entraîna une pénurie de produits coloniaux en Europe continentale. Le sucre de canne commença à disparaître des épiceries. Napoléon, qui craignait avec raison que la diminution, voire la disparition, du sucre provoque la colère de la population, songea à remplacer le sucre de canne par le sucre de betterave, même si le procédé d'extraction du sucre de betterave en était encore au stade expérimental.

Olivier de Serres, un agronome français du début du XVIIe siècle, avait observé que «lorsqu'on fait bouillir la racine de la betterave, elle produit un jus comparable au sirop de sucre[42]». Un siècle plus tard, un chimiste allemand du nom d'Andreas Sigismund Marggraf réussit à produire des cristaux de sucre identiques à ceux que l'on pouvait obtenir à partir de la canne à sucre, en tranchant, séchant et pulvérisant 8 onces de betteraves, en faisant tremper ce mélange dans de l'alcool, ensuite en l'amenant jusqu'au point d'ébullition, puis en le filtrant dans un récipient, où les cristaux se formaient au bout de quelques semaines. Franz Carl Achard, un étudiant de Marggraf résidant à l'étranger, réussit à affiner les techniques de son maître de façon à produire de grandes quantités de sucre de betterave.

Les recherches d'Achard progressèrent suffisamment pour menacer les intérêts des Britanniques dans le sucre de canne, car on prétend qu'ils lui offrirent des sommes considérables pour qu'il abandonne son projet. De leur côté, Frédéric le Grand et son successeur, Frédéric William III, l'encouragèrent à poursuivre ses recherches en lui offrant d'importantes concessions de terre ainsi que des postes très bien rémunérés. Napoléon offrit une prime à celui qui réussirait à produire du sucre de betterave français.

Un industriel du nom de Benjamin Delessert releva le défi napoléonien en ouvrant une petite usine de traitement à Passy. Napoléon fut si impressionné par la qualité du sucre produit à cette usine qu'il enleva son écharpe de la Légion d'honneur pour la remettre à Delessert. Le jour suivant, Napoléon déclara que l'Angleterre devrait jeter son sucre de canne à la Tamise, car ce serait désormais le sucre de betterave qui serait consommé en Europe.

Afin de tenir parole, Napoléon créa six stations d'expérimentation consacrées au sucre de betterave et accorda cent bourses d'études réservées aux étudiants en sciences et en médecine qui y séjourneraient. Par le biais de son ministre de l'Intérieur, il réserva près de 80 000 acres aux plants de betterave à sucre, il réquisitionna des fermiers pour les cultiver, finança les usines de sucre de betterave et consacra un million de francs à ses projets de production de sucre de betterave. Sa stratégie donna des résultats. En 1812, quarante usines raffinaient 3 300 000 livres de sucre provenant de 98 813 tonnes de betteraves cultivées sur des terres d'une superficie totale de 16 758 acres[43]. De leur côté, l'Allemagne, la Russie et les autres pays européens mirent également sur pied d'importantes industries de fabrication de sucre de betterave.

La paix qui suivit la chute de Napoléon en 1815 provoqua un afflux de sucre de canne sur les marchés européens, qui eut un effet dévastateur sur la nouvelle industrie. Avec ses betteraves de qualité inférieure et ses procédés de raffinage imparfaits, elle ne pouvait concurrencer la canne. Pendant un certain temps, une seule usine européenne, située à Arras, en France, réussit à survivre. Toutefois, le *statu quo* concernant l'industrie du sucre de canne, qui avait prévalu avant la guerre, ne fut pas rétabli. Au congrès de Vienne (1815), la Grande-Bretagne, qui avait mis fin à son commerce des esclaves en 1807, exerça des pressions sur ses alliés pour qu'ils suivent son exemple. Cependant, l'esclavage illégal allait se poursuivre encore pendant des dizaines d'années. Un autre changement important fut que la production sucrière de la nouvelle nation indépendante d'Haïti passa de 200 000 000 livres par année à presque rien. Aucune nouvelle colonie sucrière française ne vint prendre le relais. Des millions de livres de sucre arrivaient maintenant de la Martinique, de la Guadeloupe et de la Réunion, et, avec le temps, de sources européennes de sucre de betterave. Le sucre de canne restait prédominant, mais la betterave avait ses fidèles ; l'engouement pour cette dernière renaîtra plus tard.

L'amère Afrique

Nulle part dans le monde, les activités commerciales dépendant du sucre n'ont eu des effets aussi destructeurs qu'en Afrique, qui était la troisième branche du commerce triangulaire. Les négociants européens faisaient surtout affaire avec des marchands ou des nobles africains pour obtenir des esclaves. Les conséquences furent épouvantables. À une époque où les tribus étaient à la base de l'organisation du continent africain et où le panafricanisme n'existait pas encore, les guerres inter-tribales faisaient rage. Les rois dahoméens capturaient leurs voisins du nord avec les armes européennes, puis les vendaient. Les marchands africains inventaient des raisons pour détruire les villages et réduire leurs habitants en esclavage. Pour atteindre leurs contingents d'esclaves, les commandos attaquaient d'autres tribus et faisaient des captures. D'autres Africains étaient vendus parce qu'ils avaient des dettes, ou parce qu'ils étaient déjà esclaves.

Les convois d'hommes et de femmes enchaînés qui se déplaçaient en titubant depuis l'intérieur des villages jusqu'aux baraquements situés sur la côte ont marqué la conscience de tous ceux qui ont été témoins de leur passage. Ces convois se déplaçaient parfois sur une distance de 800 kilomètres, traversant les villages les uns après les autres, leur misère à la vue de tous. En attendant leur transport, les prisonniers étaient gardés dans des baraquements centraux, où les résidents locaux pouvaient les voir ou tout au moins les entendre. Whydah possédait six baraquements à proximité du centre-ville. À Cape Coast, on pouvait entendre de loin les gémissements et les cris provenant du donjon du château. Les Africains ne savaient pas vraiment ce qui attendait les esclaves, mais tout indiquait que leur sort serait terrible.

Six millions d'entre eux furent envoyés dans les colonies sucrières. La plupart étaient des hommes jeunes. Avec leur départ, la population d'Afrique occidentale resta à un niveau très bas, incapable de croître. Les communautés agricoles furent brisées et terrifiées par les incursions et les enlèvements. Les chefs, les maris, parfois les femmes et les enfants étaient enlevés, laissant derrière eux la confusion sociale et le chaos.

Comme ce fut le cas en Europe et dans les colonies sucrières, le commerce des esclaves eut des répercussions économiques en Afrique. Il stimula le besoin d'une monnaie commune : les cauris et les barres de fer devinrent la monnaie d'usage. Les ports d'esclaves offrirent des services pour faciliter le commerce négrier ; ils employaient de nombreuses personnes comme porteurs, gardiens et conducteurs de canots. Les fermiers étaient invités à cultiver les aliments qui servaient à approvisionner les baraquements et les navires négriers : du riz, des patates douces, du manioc et du maïs.

Pendant ce temps, le monopole du commerce des esclaves qui étranglait le commerce extérieur des pays subsahariens empêchait le développement économique de l'Afrique. Les esclaves rapportaient plus que toute autre marchandise. Même l'huile de palme vendue au meilleur prix ne pouvait rivaliser avec le commerce des esclaves. Pendant des siècles, l'agriculture perdit des bras qui lui étaient arrachés par les raids, les produits européens échangés contre des esclaves faisant perdre tout intérêt pour les produits africains. L'esclavage empêcha aussi l'évolution qui aurait pu se produire dans les structures et les institutions. « Tout ce que le commerce des esclaves a fait, c'est de mettre en place des structures sociales et politiques incompatibles avec un développement économique pacifique[44] », écrit l'historien Joseph E. Inikori. Par conséquent, les industries de transformation ainsi que l'agriculture ne purent se développer comme elles n'auraient pas manqué de le faire sans l'esclavage.

Certains des produits européens les plus recherchés — le brandy, le rhum, le tabac et les armes à feu — étaient intrinsèquement nuisibles. Les dangers des spiritueux et du tabac vont de soi. Quant aux armes à feu, « le pivot du commerce anglais en Afrique occidentale », la demande était telle, au XVIIIe siècle, que les fabricants d'armes de Birmingham devaient trimer dur pour y répondre. En janvier 1772, la firme Farmer and Galton reçut des commandes pour plus de 15 900 armes à feu. Cette situation eut pour résultat du travail mal fait, à tel point que les gens de cette époque se demandaient si leurs armes n'allaient pas exploser la première fois où ils les utiliseraient. Mais leur aspect le plus dangereux était que ces armes servaient à capturer des esclaves.

Le sucre a changé le monde en alimentant la machine impériale. Les profits étaient gigantesques mais le prix à payer l'était plus encore. Le continent africain s'est perdu sur le chemin entravé qui le conduisait vers l'avenir. Les expatriés africains, qu'ils aient été esclaves ou libres, affrontaient un nouveau monde boiteux, empoisonné par le racisme qui se trouvait au cœur de l'esclavage du sucre. Leur résistance face à ce monde et leur lutte contre le racisme fut une bataille constante qui devait aboutir, à la fin du XIXe siècle, à une révolution armée qui établit la première république noire.

TROISIÈME PARTIE

L'abolition de l'esclavage par la résistance et le Parlement

CHAPITRE 6

Racisme, résistance, rébellion et révolution

Qui sème le sucre, récolte le racisme

L'aspect le plus insidieux de l'esclavage du sucre fut le racisme, qui justifiait l'asservissement des Africains et le travail forcé qu'on leur imposait dans les champs de canne à sucre. Comme l'a écrit Éric Williams, «l'esclavage n'est pas né du racisme, mais c'est plutôt le racisme qui est né de l'esclavage». On pouvait le résumer comme suit: dans les Antilles, le sucre; sur le continent, le tabac et le coton[1]. Lorsqu'il parut évident que les Africains allaient non pas s'ajouter à la main-d'œuvre européenne déjà embauchée, mais la remplacer, l'argument de la race devint décisif pour les propriétaires d'esclaves et pour tous ceux qui étaient engagés dans la production du sucre, depuis le contremaître créole jusqu'au raffineur européen. Ce concept permit de justifier la barbarie évidente du système esclavagiste, tout en apaisant les mauvaises consciences.

Au fil des ans, l'idéologie raciste des Blancs se développa, empruntant certains éléments au christianisme et se renforçant à l'aide de témoignages occasionnels. L'esclavage avait d'abord été conçu en vue du travail dans les champs; toutefois, la logique du système s'étendit à toutes les sphères de l'activité, y compris à la vie domestique[2]. Ce qui, à l'origine, était un univers économique restreint prit l'allure d'un principe directeur présidant à l'organisation de la société sucrière créole.

Les Blancs avaient des raisons concrètes et impératives de créer des distinctions raciales bien définies. Se trouvant au milieu d'hommes et de femmes qu'ils opprimaient, et qui les dépassaient largement en nombre, ils avaient besoin de conventions sociales et de structures hiérarchiques pour se prémunir contre leurs victimes. Il leur fallait trouver des mécanismes leur permettant de diviser et de dompter ces esclaves toujours rebelles qui leur inspiraient une « terreur physique ». Ils devaient aussi résoudre le problème du nombre grandissant de leurs descendants métis.

Dans le monde du sucre, l'existence de « sangs mêlés » exigeait une redéfinition des races. Nous avons énuméré, au chapitre 4, quelques-uns des noms qui étaient donnés à ces gens. Cette tentative pseudo-scientifique de classification rigoureuse, pâle imitation du travail méticuleux de Linné au XVIIIe siècle, conféra à la notion de race un semblant de crédibilité. À vrai dire, l'appellation de « mulâtre » était une allusion méprisante à la progéniture stérile du cheval et de l'âne; par là, on laissait entendre que Dame Nature interdisait à ces rejetons « dénaturés » de Noirs et de Blancs de se reproduire. En fait, Mathew Lewis n'eut pas à regarder bien loin pour s'apercevoir qu'à la Jamaïque, ils se reproduisaient; néanmoins, il demeurait convaincu que les mulâtres étaient « presque partout dans le monde des individus chétifs, efféminés, et que leurs enfants étaient dès lors très difficiles à élever[3] ».

Ce racisme prudemment formulé coexistait avec son contraire, la liberté juridique. L'affranchissement était possible. Les enfants nés d'une femme libre, quelle que fût sa couleur, noire ou *musteefino* (voir chapitre 4) étaient libres. Il arrivait aussi, entre les coups de fouet, que se fît jour un brin d'humanité, un père blanc affranchissant parfois son enfant à la peau plus claire, ainsi que sa mère. Il pouvait aussi affranchir sa vieille nounou, esclave loyale ou simplement épuisée.

Les hommes libres ou affranchis cherchaient, bien sûr, à obtenir les mêmes avantages économiques et sociaux que ceux des Blancs. Constatant qu'être propriétaire d'esclaves était un élément clé de la promotion sociale, plusieurs parmi ceux-ci devinrent à leur tour planteurs propriétaires d'esclaves. Ils achetaient des membres de leurs propres familles et les affranchissaient, mais ils se procuraient aussi des esclaves pour travailler à leurs plantations, les traitant d'une façon tout aussi cruelle que le faisaient les Blancs. Souvent aussi, des individus à la peau claire, intériorisant les classifications raciales liées à la couleur du teint, se considéraient comme supérieurs à ceux qui avaient la peau plus sombre. Ce fut le cas des mulâtres d'Haïti, qui décrétèrent qu'ils étaient supérieurs à tout le monde, y compris aux Blancs. Si l'on en croit Goveia, le système des castes « a joué un rôle déterminant dans la progression du courant révolutionnaire qui devait par la suite détruire la société coloniale, et dans la configuration des réalignements politiques post-révolutionnaires[4] ».

C'est dans un système de castes moins rigide, comme celui du Brésil, que devait apparaître toute l'absurdité des classifications raciales. Les mulâtres, par exemple, pouvaient se procurer des documents certifiant qu'ils étaient Blancs, et ainsi munis des papiers requis, travailler dans des métiers réservés aux Blancs. Le planteur Henry Koster se fit dire un jour qu'un certain fonctionnaire n'était plus mulâtre : « Il l'était, mais il ne l'est plus[5] ». L'homme en question ne pouvait plus être mulâtre, puis-que les mulâtres ne pouvaient occuper ce genre de poste et qu'il l'avait obtenu. Comme l'écrivait l'historien Richard S. Dunn, « dans les îles du sucre, il était possible à un Noir de devenir blanc en trois générations ». Par contre, en Amérique du Nord, « le sang noir était un péché originel qui marquait à jamais un homme et toute sa descendance[6] ».

Codes noirs et lois esclavagistes

Au fur et à mesure que se développait l'esclavagisme raciste, les admi-nistrateurs coloniaux et métropolitains faisaient tout pour en traduire toutes les subtilités dans des textes réglementaires, qui furent connus sous le nom de « codes noirs ». Des fonctionnaires furent nommés pour surveiller leur application. Les colonies anglaises, qui n'avaient pas de code et, en règle générale, pas de protecteur des esclaves, faisaient exception ; chacune avait son code particulier, souvent copié sur celui de la Barbade, promulgué en 1661. La loi promulguée en Jamaïque en 1664 reprenait presque textuellement le code de la Barbade, comme celle d'Antigua, en 1702. Quant aux lois britanniques de la fin du xviiie siècle et du début du xixe sur l'amélioration du régime des esclaves, elles visaient à contrer la faible natalité et la forte mortalité des esclaves, en améliorant leurs conditions de vie en prévision de l'abolition prochaine de l'esclavage.

Les codes noirs et les lois esclavagistes variaient peu d'une colonie à l'autre, mais le postulat demeurait le même : « Les nègres étaient un bien particulier qui exigeait une réglementation rigoureuse et vigilante[7]. » Les codes noirs « légitimaient une situation de guerre entre Noirs et

Blancs, avalisaient une ségrégation rigide, et institutionnalisaient un système d'alerte rapide en cas de révolte des esclaves[8] ». Les punitions prévues étaient le marquage au fer rouge ; le fouet (le fautif était suspendu par les bras et fouetté, après quoi ses plaies étaient frottées avec du poivre et du sel) ; l'amputation du nez ou d'un membre (bras ou jambe) ; voire la castration. Frapper un Blanc ou se rebeller entraînait des punitions barbares, souvent mortelles, comme « clouer le coupable au sol avec des bâtons recourbés enfoncés dans chacun des membres, puis y mettre le feu en partant des pieds, puis des mains, et en remontant jusqu'à la tête, avec pour résultat une douleur hallucinante… ». Les codes noirs précisaient comment le propriétaire de l'esclave mis à mort pouvait demander un dédommagement pour le préjudice subi à la suite à la perte d'un bien qui lui appartenait.

Les codes noirs criminalisaient presque chacun des délits dont les esclaves pouvaient se rendre coupables. Tuer ou agresser un Blanc figurait en haut de la liste des crimes capitaux, tout comme le meurtre d'un autre esclave. S'enfuir, qui était un délit fréquent, était considéré comme un vol, car l'esclave en fuite volait le bien de son propriétaire. Le fait d'héberger ou d'aider un fuyard était également considéré comme acte criminel ; la loi prévoyait des récompenses pour la capture des fuyards ou, après un certain temps, pour leur mise à mort. Avec le développement des villes, des lois furent adoptées pour interdire aux habitants d'engager les fuyards, comme cela se faisait fréquemment.

Les codes noirs sanctionnaient durement le *marronnage*, ou la fuite des esclaves vers des communautés de fugitifs, qui par la suite organisaient des expéditions sauvages dans les plantations, et dont la seule présence donnait envie aux autres de les imiter. N'ayant guère le choix, la plupart des colonies reconnaissaient, voire toléraient, l'existence de petits groupes de nègres marrons. Mais les lois antimarronnage étaient implacables. Les punitions infligées comprenaient le marquage avec une fleur de lys, l'amputation des oreilles, le sectionnement des tendons du pied, et, si les fuyards étaient armés, la mort. Les affranchis ayant aidé les fugitifs pouvaient être à nouveau vendus et, du coup, redevenir esclaves. En France, le code noir de 1685 interdisait tout rassemblement d'esclaves ; il interdisait même à ceux-ci d'assister aux cérémonies de mariage ou de funérailles, sous le prétexte qu'ils auraient pu profiter de l'occasion pour comploter.

Les codes noirs établissaient aussi les conditions de travail des esclaves en déterminant la durée des heures de travail, l'attribution des
vivres, ainsi que la nature et l'intensité des punitions. Les codes noirs
avaient deux objectifs : garder les esclaves en vie, et refréner les maîtres
les plus cruels. En fait, les lois n'étaient pas respectées : il était rare, en
effet, de voir des Blancs accusés d'avoir affamé, violé, torturé ou épuisé
leurs esclaves au travail. À vrai dire, seule une poignée d'entre eux fut,
à l'occasion, reconnue coupable.

Vers la fin du XVIIIe siècle, époque où les sentiments révolutionnaires
enflammaient l'opinion publique, les codes noirs furent modifiés en
France, de façon à refléter les préoccupations grandissantes de la métropole pour la pénible situation des esclaves. Au grand dam des planteurs,
les coups de fouet furent limités à 29. Le code noir de Trinidad de 1789
(qui était à cette époque territoire espagnol) était considéré comme
particulièrement clément : les coups de fouet ne devaient pas dépasser
25 ; verser le sang était interdit ; les propriétaires n'étaient pas autorisés
à se débarrasser de leurs esclaves âgés ou malades en les affranchissant ;
les femmes esclaves ne devaient accomplir que des tâches convenant
aux femmes. Par ailleurs, de lourdes amendes pouvaient frapper les
propriétaires qui enfreignaient la loi. Une fois que l'île de la Trinité fut
passée sous la coupe des Anglais, ces derniers durcirent la législation
esclavagiste en interdisant aux esclaves de s'affranchir en se rachetant
eux-mêmes.

À Cuba, l'esclave pouvait se racheter – c'était le *coartació* – en une
fois ou en plusieurs versements. Un esclave valant 600 $ qui ne donnait
que 25 $ devenait ainsi propriétaire d'un vingt-quatrième de lui-même.
Ce type d'affranchi, partiel ou total, s'appelait *coartado*. Même quand
ils disposaient de toute la somme, plusieurs esclaves ne rachetaient
qu'une toute petite partie d'eux-mêmes. Pour l'observateur et natura-
liste Alexander von Humboldt, ce comportement était intéressé : en cas
de problèmes, l'esclave pouvait espérer compter sur son propriétaire
(partiel) pour obtenir conseil, appui et protection[9].

Plusieurs colonies sucrières mirent au point un certain nombre d'ordonnances restrictives (*Deficiency Laws*) pour compenser le terrible et
continuel déséquilibre entre Blancs et Noirs. En vertu de ces ordonnances,
les planteurs devaient prévoir un employé blanc par tranche de 20 ou
30 esclaves[10]. Dans les colonies où les Blancs étaient sous-représentés,

comme la Jamaïque, la plupart des planteurs et des propriétaires d'enclos d'animaux préférait payer des amendes plutôt que d'obtempérer, les lois devenant ainsi, subrepticement, des sources de revenus pour les coffres du gouvernement. Elles étaient plus faciles à appliquer à la Barbade, dont l'importante population blanche descendait de travailleurs engagés.

Les codes noirs ne prévoyaient que le strict nécessaire en matière de nourriture, de terres vivrières et de temps libre réservé à la culture de celles-ci, en matière de vêtements et de couvertures, en matière d'«hôpitaux» d'esclaves, de tenue de registres des naissances, des décès, des mariages et des punitions infligées. À la Barbade, comme partout ailleurs, violer une esclave ne constituait pas un acte criminel, la tuer ne faisant encourir qu'une peine de 15 £. Dans les pays catholiques, les codes noirs obligeaient les maîtres à s'occuper de l'instruction religieuse des esclaves, en veillant à leur conférer le baptême et à leur assurer un enterrement dans des cimetières catholiques. Les lois prévoyaient des jours fériés, qui avaient une très grande importance aux yeux des esclaves. À Antigua, un texte de loi rappelait que des esclaves avaient causé « [...] de graves désordres [...] et commis des meurtres [...] après que leurs maîtres eurent refusé de leur accorder à Noël un nombre de jours de repos égal à celui des esclaves de plusieurs plantations avoisinantes[11] ». Les sociétés esclavagistes catholiques accordaient plus de congés ; au Brésil, le planteur Henry Coster en a dénombré trente-cinq.

Les lois sur l'amélioration du régime des esclaves furent mises en vigueur sur tout le territoire des colonies britanniques ; elles devaient préparer les planteurs aux conséquences prévues de l'abolition de la traite des Noirs. Pour l'historienne Elsa Goveia, l'article prévoyant une enquête du coroner sur la dépouille des esclaves victimes de mort subite fut « sans doute [...] la seule modification importante apportée aux lois existantes par la nouvelle législation[12] ». Une autre disposition, rarement appliquée, décrétait que tout auteur d'un crime contre les esclaves devait être puni aussi sévèrement que si la victime avait été de race blanche.

Les lois sur l'amélioration du régime des esclaves voulaient s'attaquer à la question de la faible natalité des esclaves, de plus en plus problématique dans la perspective de l'abolition prochaine de la traite des esclaves et dès lors du tarissement de l'approvisionnement en esclaves africains. Elles prévoyaient que les femmes, très supérieures en nombre dans les champs de canne à sucre, devaient être mieux traitées. Il fallait mieux nourrir les femmes enceintes et ne plus les fouetter, l'emprisonnement demeurant toutefois une possibilité. Elles devaient être soustraites à ce que les abolitionnistes appelaient «les conditions extrêmes et meurtrières du travail aux champs[13]», une petite somme d'argent devant leur être remise à chaque naissance. Les mères de six enfants dont le plus jeune était âgé de sept ans étaient déchargées des tâches les plus lourdes (mais non des légères). Les lois sur l'amélioration du régime des esclaves dispensaient aussi les esclaves de la tâche pénible de trouver du fourrage après leur journée de travail aux champs.

Durant les dernières décennies de l'esclavage, ces lois furent les seules réformes officielles portant sur les conditions de vie des esclaves. Toutefois, dépourvues de force exécutoire, elles restèrent largement inefficaces. Durant une grande partie du XIXe siècle, les Blancs refusèrent de prendre en compte les plaintes déposées par des non-Blancs, esclaves ou hommes libres, et refusèrent le plus souvent de témoigner les uns contre les autres. Au lieu d'aider à l'application de cette réglementation «spécieuse», ils la combattaient. Ils reconnaissaient leurs responsabilités envers les esclaves, mais ne prenaient aucune mesure favorable, leur refusant tous les droits et se comportant à leur endroit comme des «tuteurs» hostiles.

Nous en avons un exemple extrême en la personne d'un planteur de Nevis, Edward Huggins, accusé de cruauté et de meurtre. Quand les esclaves de la plantation de sucre qu'il venait d'acheter de John Pinney se mirent en grève pour protester contre ses traitements cruels, Huggins les fit défiler en ville, puis sauvagement fouetter en public. L'un des esclaves mourut sous les coups. Huggins fut acquitté au cours du procès qui suivit, où trois de ses fils étaient membres d'un jury de planteurs. Ses voisins applaudirent l'acquittement, y voyant une victoire contre l'intolérable insolence des esclaves. En dépit de cette parodie de justice, les Blancs des Antilles déploraient l'image négative qu'ils avaient en Angleterre, ainsi que «les accusations de cruauté et d'oppression injustement portées contre les colonies antillaises[14]».

La résistance des esclaves

Chaque jour, à tout moment de leur quotidien, les esclaves du sucre vivaient sous la menace du fouet. Leur réaction était un mélange d'adaptation et de résistance. Cette résistance fut telle qu'elle constitue l'intertexte jamais absent de tous les écrits, récits et codes noirs de l'époque.

Un aperçu des actes de résistance les plus fréquents devient une sorte de commentaire ironique sur l'esclavage en tant qu'organisation du travail.

Pour les Africains, le suicide était souvent le seul moyen de défense et pouvait représenter un acte d'auto-affirmation aussi bien que d'auto-destruction. En agissant de la sorte, ils mettaient fin à leur misère, et leur esprit pouvait retrouver le chemin de l'Afrique. Les livres qui abordent l'esclavage regorgent d'exemples de ce genre. Le père de l'abolitionniste britannique Ignatius Sancho se suicida par noyade au cours de la traversée de l'Atlantique. À la Martinique, deux Africains se suicidèrent par pendaison, faisant mentir Pierre Dessales, qui insistait pour dire que «personne ne leur avait causé de tort; ils menaient une vie joyeuse et prenaient du bon temps[15]». Les esclaves se pendaient, se noyaient et se laissaient mourir de faim, sautaient dans les cuves de sucre bouillant, s'empoisonnaient ou inventaient de nouvelles façons de mettre fin à leurs jours. «Les Noirs sont une race exécrable, préférant la mort à l'esclavage[16]», s'indignait un négrier.

Les esclaves coûtaient cher, et les suicides faisaient enrager leurs maîtres, qui allaient jusqu'à accuser les malades de se laisser mourir. Bien sûr, la maladie, la malnutrition, les conditions sanitaires déplorables et une piètre assistance médicale, les dépressions et le surmenage provoquaient la mort, mais aussi l'envie de se laisser mourir. «Douze esclaves sont morts depuis janvier, s'exclamait Dessalles, et plusieurs autres sont sur le point de les rejoindre.» Il traitait son esclave Toussaint de «vaurien qui, pour échapper au travail et se laisser mourir, entretient une maladie de l'estomac qui le laisse dans un état horrible [...]. Ce sont là, ajoutait-il, des choses que les abolitionnistes ne peuvent comprendre. Ils ne manqueront pas de dire que c'est le désespoir de sa condition d'esclave qui a poussé ce nègre à l'autodestruction. La paresse et la peur de travailler, voilà les raisons qui l'ont poussé à se laisser mourir.» Quand, un mois plus tard, Toussaint décéda, Dessalles fut en furie. «Le criminel! Il est le quatrième de sa famille à faire le coup à son propriétaire[17]!»

Toussaint, touché à mort, n'était pas un simulateur; toutefois, bien des esclaves l'étaient. Matthew Lewis écrivait: «Depuis mon arrivée, l'hôpital est plein de patients qui n'ont rien du tout.» Seuls quatre d'entre eux étaient effectivement malades, alors que les autres se plaignaient d'«une petite douleur ici, missié» ou d'«une grosse douleur mais sais pas où, missié[18]», passant tout leur temps à bavarder avec leurs amis simulateurs. Un jour, sur 45 esclaves déclarés malades — à savoir 20 % des effectifs —, 7 ou 8 seulement avaient vraiment besoin de soins, selon Lewis. À la plantation Santana, à Bahia, au Brésil, un rapport publié en 1752 faisait état, à tout moment, de 50 à 60 esclaves « malades » sur 182. L'administrateur déplorait cette situation : « On n'a pas assez de toute la patience de Job pour supporter leurs jérémiades, et voir qu'au bout du compte, il y a à peine un petit bobo[19]. » Dans l'hôpital de Pierre Dessalles, de 30 à 40 lits étaient occupés en permanence par des esclaves qui auraient normalement dû être au travail dans les champs.

Mimer la folie était aussi une ruse très répandue, puisque les fous étaient inaptes au travail. L'automutilation était également courante. Par exemple, un tonnelier de la Barbade contesta un ordre déraisonnable en se tranchant la main. Au fur et à mesure que les lois sur l'amélioration du régime des esclaves venaient adoucir les codes noirs, nombre de femmes profitaient des articles leur garantissant un répit durant la grossesse en feignant d'être enceintes. C'est ainsi que, durant quinze mois d'affilée, Zabeth, une esclave de Pierre Dessalles, prétendit être enceinte pour éviter d'avoir à travailler.

La résistance se poursuivait dans les champs. Les esclaves demandaient souvent des pauses pour aller dans les buissons (leurs seules toilettes) ; les femmes se plaignaient de douleurs menstruelles, boitaient, et relâchaient leurs efforts. Les esclaves cassaient leur sarcloir. Ils plantaient trop de têtes de canne dans les trous, ou pas assez. Ils faisaient semblant de « mal comprendre » les instructions données. Ils incorporaient de la canne rongée par les rats dans les chargements destinés au moulin, sachant très bien qu'« une seule canne gâtée suffisait à produire assez d'acidité pour gâter toute la production de sucre[20] ». Ou alors, d'un commun accord, ils décidaient d'arrêter de travailler. C'est ce qui arriva à Matthew Lewis, dont les femmes esclaves « refusèrent en bloc d'enlever les déchets (ce qui était pourtant une des tâches les plus faciles à faire) [...] ; par conséquent, on dut fermer le moulin ». Lewis essaya de leur faire entendre raison ; il les supplia et finalement, menaça de vendre ses esclaves les plus récalcitrantes. Mais tous ses efforts furent vains. Le lendemain matin, le moulin resta fermé, « il n'y avait rien à bouillir dans la maison de cuisson, et les esclaves ne travaillaient pas[21] ». Les gestionnaires se plaignaient de ces femmes révoltées, qui « démoralisaient grandement celles qui voulaient travailler ». Comme il était pratiquement impossible de vendre ces « terribles paresseuses », elles étaient mises au pilori et punies de différentes manières, jusqu'à ce qu'elles se soumettent et acceptent de retourner aux champs[22].

L'insolence était la forme la plus courante d'agressivité « passive » ; les planteurs de toutes les colonies sucrières s'entendaient pour dire que les femmes y excellaient. Elles entonnaient des chansons satiriques à double sens, ou elles maudissaient et défiaient leurs maîtres. À la suite d'une rébellion avortée, à Antigua, un observateur nota que « par leurs comportements et leurs paroles d'une rare insolence », les femmes montraient qu'« elles avaient à cœur, au moins autant que les hommes, l'élimination de tous les Blancs, et qu'elles se feraient certainement une joie de massacrer toutes les femmes et les enfants[23] ». Certaines esclaves ont effectivement tué les enfants de leur maître. En 1774, une jeune esclave de la Barbade reconnut avoir empoisonné plusieurs bébés ; à son procès, elle expliqua qu'elle détestait jouer le rôle de nounou. Gemima, une esclave antiguaise, fut brûlée vive pour s'être attaquée à un bébé blanc.

Les domestiques faisaient eux aussi de la résistance. « Ils perdent ou brisent nos objets, racontait un fonctionnaire de Saint-Vincent, ils jettent nos cuillères et nos couteaux dans la pelle à poussière ou les lancent par la fenêtre [...]. Si la plus belle robe d'une dame se trouvait sur leur chemin, ils ne manqueraient pas de s'en servir pour essuyer la table[24]. » En 1796, à la Barbade, Sampson Wood, le gestionnaire de la plantation, fait le portrait de deux mulâtresses, filles d'une vieille domestique retraitée, Old Doll. Dolly et Jenny, dit-il, sont « jeunes, fortes et en bonne santé, mais elles n'ont jamais levé le petit doigt ». Jamais, confirma Dolly, « je n'ai nettoyé une chambre ou porté un seau d'eau pour laver quoi que ce soit... », ajoutant : « plutôt crever de faim que de moudre une poignée de grains de maïs »[25]. Wood rêvait de l'obliger à travailler dans les champs de canne pour amadouer son caractère. Au lieu de cela, Dolly réussit à persuader ses employeurs de l'affranchir. D'autres domestiques résistaient de manière plus subtile. Les couturières cousaient mal. Les blanchisseuses déchiraient le précieux vêtement d'une Blanche de rang inférieur. Les cuisiniers empoisonnaient les mets qu'ils préparaient. Les bonnes volaient.

Les esclaves qui travaillaient aux champs résistaient à leur façon. Ils déposaient leurs outils et refusaient de travailler jusqu'à ce qu'on ait examiné leurs griefs : leur maître avait essayé de les voler sur leur allocation annuelle de vêtements ou sur leurs congés, un nouveau maître

ou contremaître s'était montré trop cruel, etc. En 1744, dans une plantation de Saint-Domingue appartenant à un maître absent, 66 esclaves
prirent à partie un gardien particulièrement sadique, qui s'était vengé
en poignardant une femme enceinte. Deux mois plus tard, le gardien
était mort... Dans le domaine Codrington, à la Barbade, les esclaves
quittèrent le travail et portèrent plainte contre leur contremaître particulièrement brutal, Richard Downes, «très soupe au lait, emporté
comme ce n'est pas possible[26]». Peu après, leur maître congédia Downes
et les esclaves reprirent le travail. En Martinique, Dessalles décida lui
aussi de congédier un gardien haï de tous plutôt que de subir les foudres
de ses esclaves.

Une autre façon de résister consistait à s'identifier à un personnage
connu sous le nom de Quashee (pour les hommes) ou de Quasheba
(pour les femmes). En surface, on jouait à l'empoté tour à tour sérieux,
évasif, enfantin, capricieux ou paresseux, mais, en dessous, il y avait la
personne intelligente, sûre d'elle-même, pleine de mépris et ayant juré
de se venger. Les champs de canne où les Quashees et les Quashebas
étaient nombreux mystifiaient propriétaires et visiteurs. Maria Nugent
s'imaginait bien connaître les «gentils négros», si prompts à rire, jusqu'au jour où un «Noir horrible à voir», si «humble» jusqu'alors, laissa
tomber son masque de Quashee, sourit puis lui jeta «un regard féroce»
qui, écrivit-elle plus tard, la laissa terrorisée, toute tremblante[27]». À la
Grenade, où comme partout ailleurs, les femmes ou Quashebas constituaient «l'effectif le plus important et le plus productif du domaine»,
on les considérait comme «les esclaves [...] les plus turbulents[28]»,
impossibles à mâter, sauf par l'usage du fouet.

Pour se moquer des Blancs toujours en train de répéter leurs consignes, les esclaves se grattaient la tête, l'air ahuri. Un témoin se rappelle:
«Plus vous tâchez de lui expliquer une affaire qui lui déplaît, moins il
paraît apte à saisir votre propos; ou, s'il trouve votre idée peu efficace,
il essaie de la ridiculiser, et il est étonnamment fort, quand il s'agit de
déverser ses sarcasmes[29].» Les esclaves d'Henry Coster ne lui répondaient jamais directement, mais attendaient qu'il trouve «quatre ou
cinq autres façons de poser la question[30]», pour finalement ne lâcher
que le minimum d'informations. Ces mêmes esclaves étaient aussi de
fins observateurs du caractère des gens, repérant les faiblesses de chacun
pour les retourner contre leurs adversaires blancs.

Lewis, qui se targuait d'être bienveillant envers ses esclaves, découvrit un jour, à trois heures du matin, que le gardien avait lâché le bétail dans les champs de canne, qui avaient été ainsi piétinés :

> Aucun surveillant n'était à son poste ; les feux de nuit étaient tous éteints ; on ne pouvait trouver aucun domestique ni se procurer aucun cheval ; même les jeunes serviteurs, que l'administrateur avait enfermés dans sa propre maison et qu'il avait cru endormis en gagnant sa chambre, s'étaient enfuis pour aller jouer ou se battre ; bien qu'ils aient été parfaitement conscients des dommages que le bétail pouvait causer à ma propriété, pas un nègre n'a daigné se lever ni n'a tenté de le chasser [...]. L'un de mes meilleurs champs de canne fut complètement saccagé ; la récolte de cette année va connaître une chute dramatique ! Voilà toute la reconnaissance des nègres[31] !

Les esclaves volaient autant et aussi souvent qu'ils le pouvaient, à tel point que les vols drainèrent une importante partie des ressources financières de la plantation. Ils volaient pour manifester leur agressivité d'une manière moins passive, et aussi parce que c'était souvent la seule façon d'obtenir certaines choses. Un esclave surpris en possession d'un morceau de sucre répliqua à son maître furieux : « Est-ce que le Buckra (homme Blanc), qui ne fait rien, doit manger tout, pendant que le pauvre Nègre, qui fait tout, doit mourir de faim[32] ? »

Beaucoup d'esclaves entreposaient des marchandises volées, bien que les lois coloniales aient interdit d'acheter à un esclave des marchandises qu'il avait vraisemblablement volées à son maître : « sucre, coton, rhum, mélasse, vin, liqueurs fortes, assiettes, vêtements, objets ménagers, chevaux, animaux à cornes ou autre bétail (à l'exception des chèvres et des cochons), bois de construction, pavés ou embarcations[33] ». À Antigua, en 1794, l'adoption d'une loi visant à « lutter plus efficacement contre l'achat de fer, de cuivre, de plomb ou de laiton volé » traduisait bien la frustration des propriétaires d'esclaves, mais elle ne réussit pas à empêcher les colporteurs de vendre des « boulons de fer provenant des moulins ou des charrettes [...], des pièces en plomb, en cuivre ou en laiton soustraites aux équipements et ustensiles de la plantation[34] », même si ces articles étaient essentiels à la bonne marche des opérations de la plantation de leur maître. La vie des colporteurs n'était pas sans risque. Lorsqu'ils se rendaient à la ville pour vendre leurs marchandises, ils pouvaient être attaqués dans les forêts ou sur la route par d'autres esclaves, des fuyards, des brigands ou même de pauvres Blancs qui leur faisaient concurrence.

Voler n'était pas seulement un acte de résistance. Plusieurs maîtres négligeaient de nourrir leurs esclaves, qui volaient pour survivre. Ceux qui n'avaient pas accès aux marchandises du maître se volaient les uns les autres ou pillaient les terres vivrières des autres esclaves. Le contremaître Thistlewood n'arrêtait pas de demander à ses voisins de tenir leurs esclaves loin des terres vivrières de ses propres esclaves.

Dans certaines plantations, le vol déstabilisait la société esclavagiste. Quand des esclaves demandaient à leur maître blanc d'intervenir, ils confirmaient sa domination, ainsi que la supériorité morale que les Blancs s'attribuaient. Et comme les esclaves refusaient de renoncer à leurs biens durement acquis, surtout aux fruits de leurs terres vivrières, on les voyait parfois se retourner contre les esclaves marrons, que par ailleurs ils admiraient.

Le bétail constituait la première cible des esclaves en mal de résistance. Thistlewood note: «Pratiquement tous les jours, mes cochons sont mutilés ou estropiés; bizarrement, on ne sait pas qui l'a fait ni où l'incident a eu lieu. Au cours du dernier mois, j'ai perdu successivement un jeune verrat, envolé (jamais su comment) [...], un jeune porc châtré, le dos brisé, mort (je ne sais comment) [...], une agnelle prête à mettre bas, trouvée morte dans une excavation rocheuse [...], le jeune veau de [la vache] de Rachel [...], un jeune bœuf[35].» Le cheval de Thistlewood, Mackey, mourut après qu'on lui eut ouvert le ventre si profondément que ses intestins pendaient à l'extérieur. D'innombrables animaux furent victimes des esclaves, qui voulaient s'en prendre aux biens de leur maître. L'un d'eux, un Haïtien, justifiait ainsi sa cruauté envers son mulet: «Quand je ne travaille pas, on me bat, quand il ne travaille pas, je le bats — c'est mon nègre[36].»

Il y avait tellement de façons différentes de résister que les propriétaires d'esclaves voyaient de la résistance partout, allant même jusqu'à accuser les femmes d'avoir recours à la «résistance gynécologique» en avortant ou en tuant leurs enfants. Quelques femmes eurent effectivement recours à l'infanticide pour sauver leur progéniture de l'esclavage ou pour priver leurs maîtres d'un nouvel esclave. Mary Thomas, une esclave de la Barbade, aidée de sa mère et de sa sœur, tua, semble-t-il, son nouveau-né, pour signifier son dépit de ce que le père, un Blanc, comptable de la plantation, «ne la considérait pas comme sa favorite[37]».

Mais on peut donner une autre explication. En fait, les esclaves suivaient des traditions entraînant un haut taux de mortalité infantile. Ainsi, les sages-femmes et les gardiennes d'enfants donnaient aux bébés «des huiles et d'autres médicaments nocifs», on gardait mouillé le nombril des nourrissons, on ne changeait pas leurs langes, et, pendant les neuf premiers jours, on ne les nourrissait pratiquement pas. «Avant les neuf premiers jours, moi pas espoir pour eux[38]», disait une sage-femme à Matthew Lewis. Les survivants devaient faire face à la malnutrition, au tétanos, à des fièvres, aux vers et à d'autres maladies débilitantes. Ceux qui mouraient avant leur cinquième anniversaire étaient si nombreux que la population d'esclaves fut en déclin. À la Trinité, par exemple, deux filles sur trois mouraient avant d'atteindre leur maturité sexuelle[39].

Avant l'apparition des mouvements abolitionnistes, beaucoup de planteurs se félicitaient de la mortalité infantile. John Terry, surveillant à la Grenade, rapportait que, pour ses employeurs, «les nourrissons devaient mourir, car leurs mères perdent trop de temps de travail à s'occuper d'eux au cours de leur enfance[40]». Avec la perspective de l'interruption du commerce des esclaves, les planteurs qui avaient pratiqué l'importation d'Africains s'intéressèrent soudain à la fécondité des femmes. En règle générale, ils attribuaient ce manque de fécondité à de la mauvaise volonté dans un geste de défi.

Le meurtre était une forme extrême de résistance. Avant de tomber amoureux de Phibba, Thistlewood l'avait fait fouetter comme complice d'une tentative d'assassinat qui le visait. Ruth Armstrong, une Blanche, et ses trois enfants furent brûlés vifs après que trois esclaves eurent mis le feu à sa maison. Des esclaves de la Barbade tuèrent un contremaître qui refusait de nourrir les bandes d'esclaves travaillant dans les champs. En 1714, à Antigua, les esclaves Richard et Baptiste assassinèrent un homme blanc. Quant à l'esclave Mingo, il fut exécuté pour avoir «failli étrangler» son maître. Les esclaves poignardaient, empoisonnaient, étranglaient et s'attaquaient aux Blancs de toutes les manières possibles; ils voulaient les tuer, et ils parvenaient parfois à leurs fins.

L'incendie criminel était une autre de leurs armes les plus terribles. L'esclave Omer fut exécutée pour «avoir intentionnellement mis le feu à une résidence». Chargés de brûler la *bagasse* en vue de la nouvelle récolte, les esclaves en profitaient pour mettre le feu à tout le champ de canne à sucre. Souvent, avant de s'enfuir, ils brûlaient la grande maison, les dépendances et les champs.

Après le vol, c'était la fuite qui constituait la forme de résistance la plus courante. Il arrivait que les esclaves veuillent juste faire une «pause», après quoi ils retournaient à la plantation. D'autres s'enfuyaient pour être avec leur épouse ou vivre avec leur famille dans une autre plantation. En 1829, Amélia s'enfuit, puis, comme le faisait savoir son propriétaire dans une petite annonce, «fut hébergée par son père ou des connaissances». «Cet homme, ajoutait le propriétaire, a une sœur ou de la famille près du domaine de Cannewood-More, et il ne fait aucun doute que sa famille l'a bien reçue là-bas[41].» Polly Grace, qui s'était enfuie en 1831 avec ses trois enfants, se trouvait probablement, elle aussi, avec sa sœur ou son mari. Comme les propriétaires d'esclaves ne pouvaient pas enrayer ce phénomène de la fuite, ils imaginèrent un système qui leur permettait de sauver la face : une fugitive repentante pouvait implorer un planteur du voisinage, ou un membre de sa famille qui lui était favorable, d'intercéder en sa faveur auprès du propriétaire ; l'esclave pouvait alors retourner à la maison avec la perspective de n'être que légèrement punie, ou même de ne subir aucune peine.

De nombreux esclaves étaient des fuyards perpétuels. La Quasheba du domaine de Codrington, à la Barbade, une manœuvre, prit la fuite cinq fois en neuf ans. À la Jamaïque, l'esclave africaine Sally, avec laquelle Thistlewood avait des relations sexuelles fréquentes, s'enfuyait deux ou trois fois par année pour quelques jours. Elle retournait parfois de son propre gré, ou elle était ramenée par un *attrapeur* d'esclaves.

Thistlewood échappa de justesse à la mort en tentant de rattraper un fuyard, Congo Sam, qui lui asséna plusieurs coups de couteau. Alors qu'il se défendait, Thistlewood entendit Congo crier «comme on le fait pour les Nègres je vais te tuer, je vais te tuer maintenant!» Terrifié, Thistlewood s'écria : «Au meurtre! À l'aide, pour l'amour de Dieu!» Les esclaves Bella et Abigail accoururent, mais, après que Congo Sam leur eut parlé dans leur langue maternelle, elles refusèrent d'aider Thistlewood, qui était «très effrayé». Se jetant sur Congo, il s'empara de son couteau, lutta avec lui et l'entraîna dans la rivière. Cinq Noirs et trois femmes qui passaient sur le pont refusèrent d'intervenir. «L'un prétendit qu'il était malade, les autres qu'ils étaient pressés[42].» Heureusement pour lui, deux Blancs passaient par là. Avec leur aide, Thistlewood maîtrisa Congo, le renvoya à la plantation et le mit aux fers.

Les fuyards incorrigibles étaient souvent mis en vente et refoulés vers d'autres colonies, situation tragique pour ceux qui avaient voulu rejoindre leur famille. D'autres, comme Judea, un esclave antiguais, durent subir l'amputation d'une jambe. Plusieurs se retrouvèrent enchaînés, portant un collier de fer. Les fugitifs privaient le propriétaire de leur force de travail, ils menaçaient l'équilibre de la machine négrière, et devenaient des symboles vivants de la résistance. D'autres se chargeaient de les cacher et de les nourrir sous le nez de leur maître, minant un peu plus son autorité. Certains fuyards assuraient leur subsistance en organisant des descentes dans les plantations et sur les terres vivrières. D'autres encore devenaient bandits de grands chemins, attaquant les voyageurs, y compris les colporteurs en route vers le marché. Certains Blancs, prêts à enfreindre la loi, les mettaient sous contrat. Mis à rude épreuve par les invasions de rats, certains planteurs engageaient des chasseurs noirs sans poser trop de questions, et quand l'un d'eux attrapait sa petite centaine de rats par semaine, on lui laissait la paix. Même chose pour les couturières des villes.

Au milieu du désespoir de l'esclavage, certains esclaves trouvèrent une lueur d'espoir, et s'enfuirent afin de retrouver leur liberté. Pour de nombreux esclaves du XVIIe siècle, la liberté se trouvait à Puerto Rico. En 1664, après l'arrivée de quatre fuyards dans l'île, le gouverneur décréta qu'« il ne convenait pas que le roi réduise en esclavage ceux qui demandaient sa protection »; le Conseil des Indes lui donna raison. Au vu de cette décision, il y eut une telle affluence de fuyards en provenance des îles Leeward qu'en 1714, « ils furent rassemblés dans une colonie à part, dans la banlieue de San Juan ». Les esclaves jamaïcains fuyaient vers Cuba, parfois à bord d'embarcations volées. Les esclaves de la Guyane hollandaise fuyaient vers la Guyane espagnole. Les tensions diplomatiques entre l'Espagne et les autres métropoles négrières augmentèrent. Mais les Espagnols restèrent fermes, et les esclaves ne furent pas retournés à leurs propriétaires.

En 1772, les esclaves furent transportés de joie par la nouvelle du jugement de l'honorable Lord Mansfield en faveur de James Somerset, un esclave jamaïcain qui avait été emmené en Angleterre par son maître, Charles Steuart. Deux ans après son arrivée en sol britannique, Somerset « était parti, refusant de continuer à servir son maître ». Steuart, incité par les esclavagistes d'Angleterre soucieux de leurs intérêts, le fit capturer, le mit sur un navire en partance pour les Indes occidentales et le fit passer en jugement en vertu d'une ordonnance d'habeas corpus. Lors du procès qui s'ensuivit, Lord Mansfield statua que «la condition d'esclave [...] est si odieuse que rien ne peut être invoqué pour sa défense si ce n'est le droit positif. Dès lors, quels que soient les inconvénients qui peuvent découler d'un jugement, je ne suis pas en mesure de dire que cette cause est autorisée ou approuvée par les lois de l'Angleterre; par conséquent, le Noir doit être remis en liberté[43].» Somerset quitta le tribunal en homme libre.

D'autres esclaves, déterminés à se rendre en Angleterre, découvrirent que s'ils pouvaient atteindre un port quelconque, il leur était ensuite possible de s'enrôler à bord d'un navire. Durant la Révolution américaine, des centaines d'esclaves s'enrôlèrent à bord des navires anglais, dans l'espoir de conquérir leur liberté. Comme les jeunes hommes, les femmes esclaves, les enfants et les grands-parents passèrent du côté anglais. Ils furent nombreux à mourir de maladie, et ceux qui réussirent à atteindre l'Angleterre furent terriblement maltraités. Mais le simple fait de les voir fuir contribua à redonner espoir aux membres de leur famille ainsi qu'aux amis qu'ils devaient laisser derrière eux et qui, selon toute vraisemblance, n'entendraient plus jamais parler d'eux.

Le marronnage

Le *marronnage*, ou le fait de s'enfuir pour aller résider dans une communauté de *marrons*, donna à la résistance des esclaves une nouvelle dimension. Les marrons, dont le nom dérive probablement du mot espagnol *cimarrón*, qui signifie fugitif ou fuyard, avaient inventé des manières de vivre totalement opposées à la société esclavagiste dans son ensemble. Pour eux, la relation de propriété et ses connotations d'infériorité raciale n'avaient aucune légitimité[44]. Aux yeux des esclaves vivant sur une plantation, les communautés de marrons représentaient une liberté possible; pour les propriétaires d'esclaves, elles constituaient un danger omniprésent et une cuisante humiliation.

Le marronnage a existé dans toutes les colonies sucrières, mais c'est à la Jamaïque et au Surinam qu'il prit véritablement racine. Il est né d'un urgent besoin de sortir de l'esclavage, d'une forte présence africaine et d'une puissante inspiration religieuse. «Plus que tout autre facteur, écrit l'historienne Mavis C. Campbell, les croyances religieuses africaines donnèrent un principe de cohésion, un espace de conspiration, un point de ralliement pour mobiliser, motiver, inspirer et mettre au point des stratégies ; elles fournirent l'idéologie, la mystique, ainsi que le courage, l'entêtement et le leadership nécessaires aux marrons[45]. » La topographie y fut aussi pour beaucoup : la Jamaïque est un paysage de montagnes parcourues de collines, de vallées, de rivières et de gorges idéales pour l'établissement et la défense de communautés autonomes. Les autres paramètres à prendre en compte comprenaient les ressources et les menées politiques de l'esclavocratie ; la détermination de ses leaders et la loyauté de ses miliciens ; l'état de la récolte et les effets de la sécheresse, des ouragans et des infestations ; la présence ou la menace de bandes rivales, les attaques extérieures, voire la chance.

Un esclave fugitif devenait marron quand il fondait ou rejoignait une communauté qui se vouait à la liberté, qui était dotée d'une défense militaire et dirigée suivant un modèle africain. Les villages construits par les marrons étaient imprenables, souvent bâtis au sommet de falaises accessibles seulement à pied, sur des sentiers protégés par des sentinelles. Dans la mesure du possible, ils tentaient de reproduire les coutumes africaines, selon le souvenir qu'ils en avaient conservé. Ils communiquaient sur de vastes distances en soufflant dans une corne de vache, l'*abeng*. Les femmes s'occupaient d'agriculture et les hommes se livraient à la chasse et à la guerre. Comme les marrons étaient presque toujours sur le pied de guerre, les mesures de guerre, offensives plutôt que défensives ou extraordinaires, faisaient partie du quotidien.

L'une des nombreuses singularités de l'esclavage sucrier fut la contre-offensive des milices blanches appuyées par des Noirs, dont les éléments les plus sûrs étaient entraînés et armés par elles. Les marrons l'emportaient le plus souvent. Ils terrorisaient la campagne, s'attaquant aux plantations et aux routes, brûlant des édifices et des champs de canne à sucre, estropiant, tuant ou emmenant le bétail avec eux, volant de la nourriture, des outils, des armes et des munitions, et recrutant les meilleurs esclaves. Ils écartaient les mous, les bavards, et il leur arrivait même de tuer ceux qu'ils suspectaient de retourner chez leur maître et de trahir les secrets des marrons. Ceux qui étaient acceptés dans la communauté étaient liés par un serment solennel.

Mais les communautés de marrons avaient un problème : trop d'hommes, pas assez de femmes (60 pour 40 %). Ces dernières constituaient donc des prises hautement appréciées par la communauté, et chaque fois qu'ils le pouvaient, les marrons emmenaient avec eux les femmes des plantations qu'ils dévastaient. Les femmes s'occupaient des tâches ménagères, des potagers et du bétail; en cas de nécessité, elles prenaient part au combat. Elles étaient «un soutien moral, des donneuses d'espoir; elles organisaient des rencontres et des fêtes[46]».

Pour gagner de l'argent, les marrons se déguisaient en Noirs libres ou en esclaves ayant un permis de circuler. Le marché constituait une source importante de ravitaillement, surtout en matière de munitions. En 1730, les marrons enlevèrent deux jeunes Blancs qui savaient écrire, et les forcèrent à fabriquer des permis autorisant deux esclaves marrons à acheter des armes au nom de leur maître.

Parmi leurs coups d'éclat: occuper une plantation entière et suggérer aux esclaves des environs l'idée de refuser le travail. Comme le faisait remarquer un observateur, «il est préférable que leur maître ne s'avise surtout pas de les punir! La plus petite contrariété va certainement inciter les autres à s'enfuir et à se joindre aux rebelles, comme cela arrive fréquemment dans plusieurs plantations[47].» Il arrivait aussi que des esclaves embrigadés dans les milices contre les marrons désertent, et se joignent à ces derniers. Les esclaves engagés comme courriers s'intéressaient particulièrement au «transfert» des provisions des Blancs aux marrons qu'ils avaient combattus. De leur côté, les esclaves restés fidèles permettaient aux milices blanches de remporter à l'occasion quelques victoires. Parfois, leurs propriétaires reconnaissants les affranchissaient.

Campbell montre bien comment le marronage à la Jamaïque allait de pair avec l'absentéisme de certains planteurs, ceux-ci fuyant les ravages causés par les marrons; dans ce cas, «la cause et l'effet s'entremêlaient[48]». Certains planteurs cherchaient à protéger leur domaine en achetant la protection des marrons. Plusieurs tentèrent de vendre leurs biens, mais l'acheteur potentiel avait tout aussi peur qu'eux. Les marrons avaient finalement paralysé la société qu'ils avaient quittée.

Dès 1662-1663, les Anglais avaient acheté une paix fragile en signant des accords avec le leader marron Juan Lubolo, lui offrant des terres et des affranchissements officiels (jusque-là officieux) en échange de leur coopération. Ses principaux chefs furent nommés magistrats; quant à lui, il fut nommé colonel de la milice noire. En échange, les marrons devaient faire certains compromis, comme enseigner l'anglais à leurs enfants plutôt qu'une langue africaine; en outre, Lubolo devait renoncer à son titre de gouverneur des Noirs.

Un siècle plus tard, on dut négocier un nouveau traité de paix. Cette fois, le leader s'appelait Cudjoe, il était né dans une communauté marronne et était «plutôt court, étonnamment corpulent, avec des traits africains très marqués», et «dans le dos une très grosse bosse[49]». Thistlewood, qui le croisait fréquemment, l'appelait colonel Cudjoe et le décrivait ainsi: «La plume au chapeau, l'épée au flanc, le fusil sur l'épaule, pieds nus et jambes nues, il avait dans le port de tête quelque chose de majestueux. À le voir, on pensait à Robinson Crusoé[50].»

En dépit de ses victoires militaires, Cudjoe ratifia le traité de paix et d'amitié. Les affrontements incessants avaient affaibli la communauté marronne tout autant que la communauté blanche, «fatiguée de ces conflits fastidieux, et souhaitant mettre un terme à l'état d'alerte perpétuel, aux durs entraînements militaires et au fardeau intolérable d'une armée toujours sur le pied de guerre[51]». Avant le début des négociations, le colonel John Guthrie, qui avait reçu du gouverneur William Trelawney l'ordre de négocier avec le colonel Cudjoe, dut, au cours d'une cérémonie rituelle ashanti, s'engager sous serment à ne plus combattre les marrons (les Hollandais durent faire de même lorsqu'ils sollicitèrent la paix avec leurs marrons du Surinam). Du sang des signataires blancs et noirs fut mêlé à du rhum et ils burent la potion à longs traits pour sceller ce «traité du sang». Le traité de 1738-1739 accordait aux marrons une liberté définitive; les derniers conscrits pouvaient soit retourner à la plantation sans la menace d'une punition, soit vivre librement chez les marrons. Ces derniers se virent octroyer la réserve Trelawney-Town et reçurent plusieurs autres garanties; de leur côté, ils s'engageaient à remplir la fonction d'attrapeurs d'esclaves, et à mettre tout en œuvre «pour attraper, tuer, supprimer ou éliminer» les esclaves rebelles. Grâce à cette paix, les planteurs jamaïcains en difficulté retrouvèrent leur équilibre. Mais les esclaves comprirent aussi que les marrons étaient devenus leurs ennemis, maintenant qu'ils s'étaient alliés aux Blancs. La paix resta fragile jusqu'en 1760, avec la rébellion menée par Tacky.

En 1795-1796, avec le spectre grandissant de la Révolution haïtienne s'étendant sur toutes les colonies sucrières, les marrons de la Jamaïque furent de nouveau sur le pied de guerre. La plupart des esclaves ne participèrent pas, car ils étaient pleins de ressentiment à l'endroit des marrons pour leur indifférence, voire leur complicité, face à leur asservissement. Lord Balcarres, le lieutenant-gouverneur, dont le frère, le général Lindsay, venait d'écraser la rébellion menée par Fédon à la

Grenade avec un bilan de 7 000 esclaves morts, eut l'idée, pour pourchasser les esclaves fugitifs, d'envoyer à Cuba une centaine de mastiffs, énormes et vicieux, qu'on avait entraînés sur des formes humaines aux traits africains très marqués, et remplies au préalable de sang animal et de viscères. La horde débarqua, tenue en laisse par 43 maîtres-chiens. Balcarres jubilait : « Les Nègres de toute l'île ont été horrifiés, quand ils ont appris la nouvelle[52]. » Ces molosses, ayant à leur tête un chien noir, plus petit, à l'odorat particulièrement fin, repéraient et massacraient les marrons qui s'étaient cachés. D'autres marrons, impuissants face aux chiens, se rendirent. Balcarres déporta alors ceux-ci vers la froide et sinistre Nouvelle-Écosse. Plus tard, ils furent envoyés en Sierra Leone, où ils subirent encore plus d'épreuves.

Cuba avait aussi ses marrons, dont plusieurs Africains qui avaient fui à l'est dans l'espoir de retrouver la route de l'Afrique. En dépit des efforts conjugués des plus déshérités parmi les Blancs, qui espéraient toucher une récompense, bon nombre de ces marrons réussirent à conserver leur liberté. Quand plus de sept d'entre eux s'établissaient en un lieu, leur hameau était un *palanque*. Entre 1802 et 1864, il s'est formé plus de 79 palanques. Le plus important, le grand palanque El Frijol, comptait plus de 400 habitants. Une expédition militaire découvrit par hasard un palanque établi au beau milieu d'une forêt très dense. Rempli d'admiration, un officier nota : « La colonie était si bien cachée que l'on pouvait passer tout près sans détecter âme qui vive[53]. » L'existence d'un mystérieux palanque, inaccessible, accroché aux pentes montagneuses de la Sierra del Cristal, et qui aurait abrité un très grand nombre de fuyards, faisait partie de la légende.

Soulèvements armés

À la Barbade et dans les colonies riches en sucre, mais dépourvues de montagnes, de forêts ou de marais pouvant servir de refuge, le marronnage était voué à l'échec ; les esclaves devaient canaliser autrement leur rage, leur haine et leur besoin de liberté. Leurs chances de réussir à organiser un soulèvement général étaient toujours très faibles. Ils ne devaient donc recruter que des gens sûrs et garder leurs plans secrets à l'abri des informateurs. Les leaders devaient coordonner leur action avec des sympathisants d'autres plantations, qu'ils ne pouvaient par ailleurs visiter que munis d'un laissez-passer spécial, ce qui les contraignait à

218   LE SUCRE, UNE HISTOIRE DOUCE-AMÈRE

recourir à des émissaires fiables. Il leur fallait dresser des plans d'action, et les mettre en œuvre sur de vastes territoires. Ils devaient aussi trouver des armes et des munitions, souvent volées chez leurs maîtres.

Tant de choses pouvaient mal tourner. Les attrapeurs d'esclaves étaient embusqués. La milice pouvait rapidement intervenir. Certains esclaves, terrifiés par les punitions infligées après les rébellions, pouvaient refuser leur participation. Ceux qui avaient accumulé des biens pouvaient craindre de tout perdre. Les affranchis de couleur étaient d'une loyauté douteuse : ils pouvaient aussi bien constituer des alliés de taille que des adversaires dangereux. Et puis l'espoir de réussite était mince. Par ailleurs, les soulèvements d'esclaves étaient toujours écrasés, les punitions qui s'ensuivaient étant terribles : être brûlé à petit feu jusqu'à ce que mort s'ensuive, être pendu la tête en bas, battu à mort, avoir les membres brisés sur la roue, ou, pour les chanceux, être pendu haut et court et ainsi mourir rapidement. Les esclaves n'en continuèrent pas moins à se soulever. Les planteurs réalisèrent trop tard que « [leurs] plus grands favoris, ceux en qui [ils ont] le plus mis [leur] confiance sont souvent les premiers et les pires conspirateurs[54] ».

En 1760, la rébellion de Tacky confirma le bien-fondé des angoisses permanentes des Blancs : « L'intérieur des terres (de la Jamaïque) va être envahi, et détruit par les esclaves eux-mêmes[55]. » L'onde de choc de l'événement se répercuta à travers tout l'empire colonial. Tacky et les autres leaders rebelles étaient des Africains natifs de la Côte-de-l'Or (Ghana) ; ils provenaient de différentes plantations. Ils avaient planifié « l'extermination de tous les Blancs, la mise aux fers de tous les Nègres refusant leur allégeance et, suivant le modèle africain, le découpage de l'île en petites principautés qui seraient ensuite offertes aux principaux leaders et chefs de tribus[56] ». Les rebelles étaient déterminés à brûler des villes entières et à tuer les Blancs qui voudraient éteindre les incendies. De retour dans les plantations, les esclaves allaient maîtriser leurs gardiens et en prendre le contrôle.

La rébellion commença un lundi de Pâques, à une heure du matin. Dirigés par Tacky, les rebelles s'emparèrent méthodiquement de chaque domaine, grossissant leurs troupes à chaque étape, incendiant les plantations, tuant les Blancs et écrasant les milices. Ils s'emparèrent de Fort Heldane, où ils mirent la main sur 40 armes à feu et de la poudre à fusil. Les miliciens et les marrons se préparèrent à stopper leur avance. Tacky combattit jusqu'à ce qu'un certain Davy, un marron et tireur hors pair, l'abatte. En guise d'avertissement sinistre, la tête de Tacky fut plantée sur un poteau à Spanish-Town. Plutôt que de se rendre, plusieurs insurgés décidèrent de mettre collectivement fin à leurs jours.

En dépit de la mort de Tacky, la révolte continua de sourdre dans toute la Jamaïque des mois durant. Un jour, Thistlewood en fut informé par quatre Blancs qui arrivèrent chez lui presque nus, terrifiés, en lui rapportant le carnage auquel ils venaient d'échapper; ils l'avertirent qu'il «serait probablement assassiné dans les jours à venir, etc.[57]». Le 3 juillet, l'Africain Apongo, rebaptisé Wager et connu alors sous le nom de Roi des rebelles, fut capturé, mis aux fers et suspendu. Il mourut de ses blessures, avant d'être démembré, puis brûlé. Un autre chef rebelle fut condamné à être brûlé vif. «On a, raconte Thistlewood, forcé le malheureux à s'asseoir sur le sol, enchaîné à un pieu de métal, et on a commencé à lui brûler les pieds. Pas un son n'est sorti de sa bouche. Impassible, même quand il a vu ses jambes réduites en cendres; puis, arrivant à se libérer d'un de ses bras, on ne sait comment, il s'empara d'un tison ardent en train de le consumer, et le lança au visage de son tortionnaire[58].»

Lorsque la Jamaïque retrouva le calme, on dénombra 60 Blancs assassinés et 400 cadavres de Noirs. La terreur et la tension étaient palpables parmi les Blancs. Des centaines d'entre eux quittèrent l'île; ceux qui décidèrent de rester restaient prudents et sur leurs gardes. Le Parlement décréta la peine de mort ou l'exil pour quiconque pratiquerait l'*obeah* (une forme de sorcellerie propre aux Antilles). Surprise en pleine cérémonie obeah, «avec des dents et des griffes de chat, des mâchoires, des poils, des perles, des vêtements noués et autres accessoires nécessaires aux rituels de l'obeah, en vue de tromper ou de faire grande impression sur l'esprit des Nègres[59]», la prêtresse Sarah fut exilée.

Par un singulier paradoxe, l'abolition de la traite des esclaves poussa les habitants de la Barbade à se rebeller, car ils estimaient que, dorénavant, l'île leur appartenait plutôt qu'aux Blancs, qu'ils avaient décidé de tuer. La rébellion commença le dimanche 14 avril, à 20 h 30, dans la paroisse sud-est de Saint-Philippe, gagnant rapidement la moitié de la superficie de l'île. Les rebelles brûlèrent le quart de la récolte de sucre, ainsi que plusieurs bâtiments et résidences. Leur but était clair: ruiner les planteurs et signaler leur présence aux autres groupes de rebelles, qui seraient avertis par la fumée s'élevant des champs incendiés. Ils pillèrent tout ce qu'ils pouvaient, emportant les bijoux, l'argenterie, le mobilier, la vaisselle, même les carreaux des planchers; rendus comme fous par l'événement, des Blancs participèrent même au pillage. Beaucoup de Blancs âgés, traumatisés par la rébellion, moururent.

Appuyée par les troupes impériales, où l'on trouvait des esclaves en uniforme attachés au régiment des Indes occidentales, la milice écrasa la rébellion. À la fin, on dénombra un mort dans la milice, deux parmi les soldats, et environ mille esclaves tués ou exécutés. Le chef des rebelles, Bussa, né en Afrique, fut tué en menant ses hommes au combat.

En fait, le soulèvement avait été bien préparé, tout comme d'ailleurs celui de Tacky, prévu pour la fête de Pâques. Dirigée d'une main de fer, la rébellion était menée par des esclaves respectés dans leur plantation. Un des chefs de file était Nanny Grigg, une domestique; elle lisait les journaux anglais et ceux de la Barbade pour mettre les autres esclaves au courant de la Révolution haïtienne et des campagnes abolitionnistes. Les rebelles recevaient l'aide de Noirs libres, qui visitaient les plantations et gagnaient les esclaves à leur cause.

Mais beaucoup de choses dérapèrent. Un conspirateur ivre déclencha des actions avant la date prévue, semant la confusion chez les autres conspirateurs. N'ayant pas réussi à trouver suffisamment de munitions, les esclaves durent avoir recours aux machettes, aux fourches et aux autres outils agricoles. En outre, une majorité de Noirs, qu'ils fussent esclaves ou libres, refusèrent de se joindre au soulèvement. Quelques jours plus tard, la rébellion n'était plus qu'un souvenir, et la Barbade s'était remise à produire du sucre.

La Révolution haïtienne

En 1791, la colonie française de Saint-Domingue était considérée comme le joyau des Caraïbes. Elle produisait plus de sucre, et à moindre coût, que partout ailleurs, et fournissait la moitié de la consommation européenne de produits tropicaux comme le café, le coton et l'indigo. Avec 1 000 navires et 5 000 marins, Saint-Domingue comptait pour les deux tiers du commerce outremer de la France. Elle était si liée à la métropole qu'avant la Révolution française, les dandys parisiens, vantant la haute qualité de son blanchissage, y envoyaient leur linge sale pour être battu et séché au soleil brûlant.

De 1791 à 1804, années qui furent à la fois terribles et exaltantes, les esclaves transformèrent Saint-Domingue en Haïti, première République noire indépendante du monde. Ses victoires militaires et morales contre l'esclavage ne devaient être ni oubliées par le peuple noir ni pardonnées par les Blancs. L'histoire de ces treize années constitue une chronique à la fois admirable et compliquée, faite de luttes féroces, avec de rares intermèdes au cours desquels les belligérants se regroupaient pour lancer de violentes contre-offensives. Quand tout fut terminé, plus de 100 000 Haïtiens et 50 000 soldats étrangers avaient perdu la vie, et le commandant français, Donatien-Marie-Joseph de Rochambeau, avait capitulé.

À l'instar des autres colonies des Indes occidentales, Saint-Domingue recelait tous les ingrédients pouvant mener à l'éclatement d'un conflit. Un strict découpage social, suivant la couleur et la caste, une aristocratie arrogante et cruelle, des Blancs moins fortunés qui l'enviaient et la singeaient (gardiens, employés de bureau, avocats), ainsi que des Blancs pauvres luttant pour leur survie et en concurrence avec les Noirs. Les esclaves étaient 500 000, dont la moitié venait d'Afrique. Il y avait aussi des marrons, des Noirs libres, des mulâtres esclaves et des mulâtres libres, ces derniers étant parfois planteurs et propriétaires d'esclaves. Cette société mal dans sa peau avait déjà eu l'expérience de deux révolutions majeures. Durant la Révolution américaine, les futurs chefs rebelles haïtiens Henry Christophe, Jean-Baptiste Chavannes et André Rigaud avaient combattu aux côtés des colons contre l'Angleterre ; plus récemment, les principes et les hauts faits de la Révolution française avaient inspiré les esclaves qui espéraient mettre fin à leurs souffrances.

La Révolution connut plusieurs phases, marquées par des changements d'allégeance, par de nouvelles alliances, et par l'attitude des nations d'Europe qui combattirent les rebelles tout en se combattant entre elles. La Révolution éclata lorsque le mulâtre Vincent Ogé, appuyé par des abolitionnistes britanniques et français, tenta un assaut militaire dans le but de forcer le gouvernement à reconnaître l'égalité des droits de tous ceux qui étaient libres, qu'ils fussent noirs ou mulâtres. Défaits puis arrêtés, Ogé, ainsi que son frère Jacques et son collègue Jean-Baptiste Chavannes eurent les membres brisés ; on les attacha sur le dos à une roue, où on les laissa agoniser lentement, mourant de faim et de soif dans d'atroces souffrances. Ils furent ensuite décapités, et leurs têtes furent plantées sur des poteaux pour décourager les rebelles potentiels.

La ferveur révolutionnaire déclenchée par Ogé causa certains émois, mais il fallut attendre le soulèvement des esclaves de Cap-François, plus au nord, pour comprendre les vraies dimensions de ce qui constituait désormais une authentique révolution. Les esclaves planifièrent méticuleusement leur objectif, qui était de tuer tous les Blancs, de brûler toutes les plantations et de s'emparer de la colonie. Leur coordination fut exemplaire. Des milliers d'individus gardèrent le secret de ce projet de soulèvement. Les dirigeants, au nombre de 200, étaient pour la plupart des conducteurs d'esclaves ou des ouvriers spécialisés, toutes personnes de confiance. Toussaint Louverture, qui allait devenir leur chef, était, lui, un cocher affranchi qui utilisait son laissez-passer pour faire circuler les messages entre plantations isolées.

On avait dit aux esclaves — abusivement — que le roi et l'Assemblée nationale française leur avaient accordé trois jours de congé par semaine, qu'ils avaient aboli les châtiments du fouet, et se préparaient à mettre la nouvelle réglementation en vigueur, en dépit de l'opposition des planteurs et des autorités coloniales. Le soulèvement avait à sa tête l'imposant Boukman, conducteur d'esclaves, cocher et prêtre vaudou, qui présida à Bois-Caïman une cérémonie vaudou enflammée qui galvanisa l'assemblée et devint légendaire.

Peu après eut lieu le soulèvement. Après avoir tué les gestionnaires de la plantation et tous les autres Blancs, les esclaves mirent le feu aux entrepôts de *bagasse* et aux autres bâtiments. La plaine du Nord devint une « torche immense », écrit C. L. R. James. « Tout l'horizon était un mur de feu, et de ce mur jaillissaient sans arrêt des nuages de fumée noire et épaisse traversés de brusques échappées de flammes [...] ; une pluie de paille de canne brûlante, poussée par le vent comme des flocons de neige, a recouvert la ville et les navires du port, multipliant les risques d'incendie et menaçant de tout détruire[60]. »

La révolution s'étendit ; les rebelles, trouvant refuge dans les montagnes, se répartirent en bandes, qui, comme le notait un général français, « se portaient mutuellement assistance aussitôt que l'une d'entre elles était attaquée[61] ». Ils avaient des tours de guet, et prévoyaient des lieux de rencontre. Pour le reste, ils improvisaient. Fick écrit : « Ils camouflaient des pièges, fabriquaient des flèches empoisonnées, inventaient de faux cessez-le-feu pour attirer l'ennemi en embuscade, déguisaient des troncs d'arbre en canons, et multipliaient les obstacles de tout genre pour couper les communications et bloquer nos troupes. Bref, tous les moyens psychologiques étaient bons pour la défense de leurs positions ; il s'agissait de désorienter, d'effrayer, de démoraliser ou, plus généralement, de désorganiser les unités européennes[62].» Leur devise était «Mort aux Blancs !», et leur musique guerrière était africaine. Ils mirent au point des vestes antiballes, mais ils n'échappaient pas aux balles pour autant : Boukman lui-même fut tué par balle, et sa tête exposée sur la place publique.

Trois mois s'étaient écoulés. Toussaint Louverture (l'Ouverture), qui avait choisi ce nom pour signifier qu'à ses yeux rien n'était impossible (rien n'était fermé) entreprit d'assumer son rôle de chef de file. La Révolution allait cahin-caha. Le gouvernement révolutionnaire en France avait aboli l'esclavage en août 1793, mais de 1796 à 1801, à Haïti, les Noirs nouvellement libérés, avec à leur tête Toussaint Louverture, entrèrent en conflit avec les hommes libres, mulâtres pour la plupart, dirigés par André Rigaud. Les enjeux : des intérêts politiques et économiques, des rivalités personnelles, et la question permanente qui empoisonnait tout le reste : la couleur. La Révolution tourna progressivement à la guerre civile.

Toussaint Louverture s'imposa comme leader : modèle de détermination et de fierté, il devint le Libérateur noir, le premier des Antillais. Il était né esclave dans une plantation du Nord, et était fils d'un prince africain. Il s'occupait du bétail, et avait servi comme cocher jusqu'à ce que son propriétaire l'affranchisse. Il savait lire et écrire, et possédait quelques rudiments de géométrie, de français et de latin, mais il préférait le créole au français, et avait besoin de secrétaires pour sa correspondance. Comme le Jamaïcain Cudjoe, Toussaint était petit, laid et il avait la démarche fière. Il disait s'inspirer des marrons de Jamaïque : «Je suis noir comme eux, je sais comment me battre.»

Toussaint consolida son pouvoir et aussi celui de la France, après s'être brièvement allié à l'Espagne. Il vainquit les Espagnols, qui durent céder aux Français leur contrôle sur la partie orientale de l'île ; en 1797, il refoula les envahisseurs anglais. L'une de ses stratégies consistait à temporiser jusqu'à ce que la fièvre jaune, qui sévissait pendant la saison des pluies, affaiblisse et tue les légions de Blancs.

Depuis 1793, l'Angleterre et la France étaient en guerre. Les politiciens britanniques virent dans la Révolution haïtienne une occasion rêvée de punir la France pour l'aide militaire qu'elle avait apportée aux Treize Colonies désormais indépendantes, et dans Saint-Domingue un butin qui allait compenser, au moins en partie, la perte desdites colonies. Dans ce but, ils s'allièrent aux planteurs contrerévolutionnaires pour rétablir l'esclavage dans l'île, qu'ils envahirent en 1794. Mais en 1798, l'Angleterre dut admettre sa défaite militaire aux mains de Toussaint Louverture.

La situation était instable et très complexe. Fick écrit : « D'un point de vue international, Saint-Domingue était manipulée comme un pion sur l'échiquier ; l'aboutissement de ses luttes internes allait être la clef des avantages politiques et économiques spécifiques dont les trois puissances en présence [France, Angleterre, États-Unis] entendaient bien profiter[63]. » La nomination de Napoléon Bonaparte comme Premier Consul ne fit qu'embrouiller la situation. Pendant que Toussaint proclamait, en 1801, une nouvelle Constitution et qu'il s'affairait à clarifier les futures relations commerciales d'Haïti, en garantissant la liberté des anciens esclaves tout en envisageant un retour au système des plantations comme la seule manière rentable de cultiver la canne à sucre et les autres produits de base, Napoléon disait non à l'indépendance de Saint-Domingue et supputait les avantages de rétablir l'esclavage.

En 1802, Napoléon envoya son beau-frère, le général Charles Leclerc, reprendre possession de l'île et écraser ses « Nègres de luxe », plan qui eut les faveurs de l'Angleterre esclavagiste. Dans la Jamaïque voisine, le gouverneur et Lady Maria Nugent se disaient préoccupés par la tragédie haïtienne en train de se jouer, et frissonnaient à l'idée de « l'horreur du bain de sang et des misères qui certainement devraient sévir en attendant que la situation ne se calme sur cette île maudite ». Nugent rageait aux récits des victoires de Toussaint ; elle renvoyait la plupart des visiteurs officiels français en les traitant « de misérables, cruels et sans cœur » ; elle sympathisait avec les planteurs français qui conspiraient pour livrer Haïti aux Anglais esclavagistes, « situation très embarrassante » pour son pauvre mari, se plaignait-elle. Elle trouvait tout de même une consolation dans les cadeaux offerts par Pauline Bonaparte Leclerc, en l'occurrence des articles de la toute dernière mode parisienne, comme une « robe de crêpe noir, brodée de paillettes d'argent [...], presque sans manches, mais avec une large bordure pailletée de couleur argentée servant de bretelles. Le corsage, s'attachant à l'arrière, faisait très robe d'enfant, avec une jupe ronde, et une traîne pas trop longue. Un turban de crêpe pailleté, comme la robe, avec des rangées de perles, et une plume d'oiseau de paradis me donnaient un air de *sultane*[64] ! »

Parmi les amis un peu particuliers des Nugent, il y avait le général Philibert Fressinet, «un vrai Français», ainsi que sa nouvelle épouse, petite et très jolie, Marie-Adélaïde. Ce propriétaire de Saint-Domingue parlait avec un «sang-froid étonnant», de ses expériences «désastreuses» là-bas. Quelques mois auparavant, le général Leclerc s'était arrangé avec le «distingué» Fressinet pour tendre un piège à Toussaint Louverture et, lors d'une rencontre, le maîtriser, l'arrêter et le tourner en ridicule: «Ici, à Saint-Domingue, vous n'êtes rien. Donnez-moi donc votre épée[65]», lui dit l'un des participants, qui était peut-être Fressinet. Désormais, Leclerc et Louverture étaient morts. Le premier avait été victime de la fièvre jaune qui avait exterminé un si grand nombre de ses soldats.

En revanche, la mort de Toussaint, survenue le 7 avril 1803, ressemblait davantage à un assassinat. Il mourut d'une pneumonie et d'une attaque d'apoplexie à la suite de son incarcération dans une prison glaciale de Fort-de-Joux, à trois mille mètres d'altitude dans les montagnes du Jura. Obéissant aux consignes de Napoléon, ses geôliers lui donnaient, en se moquant de lui, des miettes de nourriture, presque jamais des vêtements ou du bois de chauffage. Toussaint écrivit à Napoléon, implorant sa clémence: «Je suis aujourd'hui un misérable, ruiné et déshonoré[66].» Mais Napoléon fut sans pitié: il voulait voir mourir Toussaint.

Son successeur, Dessalines, avait été l'esclave d'un Noir. Cet homme dans la force de l'âge était court et trapu; courageux et vigoureux, il inspirait à la fois terreur et admiration. «*Coupé tet, boulé kay*» («Coupez les têtes, brûlez les maisons»), disait-il à ses hommes. Analphabète et imprévisible, on le voyait apparaître tantôt dans les guenilles de l'esclave, tantôt dans des vêtements brodés, tel un prince. Pendant la révolution, il épousa l'ancienne maîtresse d'un riche planteur, femme belle et accomplie. Madame Dessalines tenta, mais en vain, de modérer les ardeurs féroces de son mari. Comme stratège militaire, Dessalines était aussi brillant que Toussaint, et aussi retors que lui dans ses rapports avec les Blancs.

La Révolution se poursuivit avec à sa tête Dessalines, auquel le général Rochambeau avait juré un jour: «Quand je vous prendrai, je ne vous ferai pas fusiller comme un soldat, ni vous pendre, comme un Blanc, mais je vous ferai fouetter à mort, comme un esclave.» À vrai dire, la mission française était sans espoir. Même les féroces chiens d'attaque cubains ne distinguaient plus les Noirs des Blancs, s'attaquant aux uns et aux autres. En novembre, Rochambeau reconnut sa défaite aux mains de Dessalines. Le premier janvier 1804, le général Jean-Jacques Dessalines arracha symboliquement la bande blanche du drapeau tricolore et proclama l'indépendance contre la France, le racisme, et pour l'honneur de la nouvelle nation qu'il appela Haïti, ce qui signifie, en langue arawak, le pays des montagnes.

La proclamation déclarait : « Les Français ne sont pas nos frères [...] ; ils ne le seront jamais [...]. Maudit soit le nom de Français ! Haine éternelle à la France[67] ! » À la grande stupeur de tous, elle abolissait les classifications raciales qui étaient la substance même de l'esclavage sucrier. Dorénavant, tous les Haïtiens seraient considérés comme des Noirs, même les Blancs qui embrassaient la nouvelle vision de la nation[68].

La Révolution haïtienne fut l'ultime résistance à l'esclavage et eut des répercussions décisives. Elle accéléra l'abolition du commerce des esclaves. Elle dévoila la nature et les effets pervers du racisme, inspira de la fierté aux Noirs, établit la notion de liberté universelle et défia le colonialisme. Par là, elle eut une incidence directe sur les révolutions à venir. Dans son enthousiasme, elle fit sienne l'idée biblique de diaspora. Dessalines appela les Noirs et les gens de couleur qui étaient allés s'établir ailleurs, ou qui avaient été emmenés aux États-Unis, souvent en Louisiane, par leurs maîtres français en fuite, à rentrer dans leur pays. Et elle offrit quarante dollars à chaque capitaine de navire pour chaque expatrié de sexe masculin ramené à Haïti.

À Haïti même, les promesses d'espoir et de prospérité véhiculées par la Révolution furent vite balayées par le reste de la communauté esclavagiste, bien décidée à punir les anciens esclaves de leur victoire. Les premiers efforts de la jeune nation furent étouffés par les embargos commerciaux, l'ostracisme diplomatique et l'indifférence morale. Des querelles intestines entre les Noirs et leurs compatriotes mulâtres minèrent la reconstruction d'une économie en ruine ; des campagnes furent incendiées et des plantations de sucre, de café et d'indigo dévastées. Dans les dernières années de la guerre, Noirs et mulâtres avaient combattu côte à côte sous les ordres du même chef, Dessalines. Mais comme beaucoup de mulâtres étaient propriétaires alors que la plupart des Noirs ne l'étaient pas, des conflits de propriété, une fois la guerre terminée, éclatèrent un peu partout, les parties paraissant irréconciliables. Après l'assassinat de Dessalines en 1806, Haïti se scinda en deux entités, un royaume au nord et une république au sud, sa renaissance culturelle et politique allant de pair avec son déclin économique et écologique.

La Révolution haïtienne fut un conflit moral qui dressa l'un contre l'autre racisme et résistance, cristallisant les luttes et les effets pervers de l'esclavage sucrier. À la fin, Dessalines réussit à terrasser le racisme, exaltant la négritude et l'offrant à quiconque, quelle que soit la couleur de sa peau, pour peu qu'il accepte la nouvelle Haïti. Mais lorsque le rideau retomba, le rêve de Dessalines s'estompa, et le racisme ressurgit à Haïti. La résistance devint endémique et le sucre, qui avait été au cœur de cette histoire, fut de moins en moins présent. Cuba, la Louisiane et d'autres producteurs s'empressèrent de remplacer le sucre haïtien sur les marchés mondiaux.

CHAPITRE 7

Du sang dans le sucre.
Abolition de la traite des esclaves

Les abolitionnistes blancs

Jusque vers la fin du XVIIIᵉ siècle, les abolitionnistes furent en majorité des Noirs, le plus souvent des esclaves luttant pour se libérer ou, à tout le moins, pour échapper à leur condition d'esclave. Leur vie était marquée et dominée par le sucre. Ils le produisaient, le volaient, le mangeaient et le vendaient. Ils marchaient à pieds nus, dans des montagnes de sucre encore chaud, cassant les morceaux avec des pics de fer; la sueur et le sang coulant de leurs blessures tombaient dans les cuves de sucre destinées à l'exportation. Le spectacle choquait, révulsait les visiteurs: «Votre sang sera bu en Angleterre!» se vit reprocher un esclave qui venait tout juste de laver sa main blessée dans une cuve de rhum. Mais l'indigné se fit répondre: «Quand vous mangez notre sucre, missié, vous ne pensez pas que vous buvez aussi notre sang[1]?»

Cette question corrosive cristallisait à elle seule toute l'horreur de la production du sucre par les esclaves, laquelle finit par faire figure de symbole de l'injustice et des vices du colonialisme. En réalité, le sucre reliait les colonies des Indes occidentales aux millions de foyers et de cafés européens qui le consommaient. Vers la fin du XVIIIᵉ siècle, un nombre croissant de religieux et de réformateurs commencèrent à remettre en cause la primauté du sucre dans les chaumières des gens ordinaires et leur vie domestique. Le sucrier des familles devint un élément de gêne. Pour les femmes, chargées de nourrir et de faire l'éducation morale de la maisonnée, le sucre commença à perdre ses vertus adoucissantes.

Une série d'événements imprévus contribuèrent à transformer l'ardeur abolitionniste en véritable mouvement. D'abord, Granville Sharp, employé responsable du matériel à la Tour de Londres, intervint en faveur de Jonathan Strong, un Noir qui avait fui son maître mais qui avait été rattrapé, battu, emprisonné puis vendu à un planteur jamaïcain. À partir de ce moment, Sharp décida de consacrer tout son temps libre à aider les Noirs à échapper à l'esclavage des Indes occidentales. Autodidacte, il écuma les livres de droit pour acquérir des connaissances approfondies. Plus il étudiait, plus il haïssait l'esclavage et l'oppression sous toutes ses formes, y compris la violence envers les animaux, « *ce test insoupçonné de la valeur morale d'un individu*, grâce auquel on peut sans se tromper sonder les valeurs profondes de chacun[2] ».

La cause la plus mémorable de Sharp fut celle de James Somerset, dont la tentative réussie de libération en 1772 a déjà été évoquée au chapitre 6. Voulant éviter d'être renvoyé à la Jamaïque comme esclave, Somerset était entré en contact avec Sharp, sollicitant sa protection. Le jugement de Lord Mansfield constitua une victoire retentissante pour Sharp autant que pour Somerset : « *Fiat justitia, ruat cœlum* » (« *Que justice soit faite, même si le ciel devait nous tomber sur la tête*), déclara le juge Mansfield dans l'atmosphère pesante de la salle d'audience — et il libéra Somerset.

Les abolitionnistes furent transportés de joie, et l'interprétation erronée mais très répandue qui fut faite du jugement de Mansfield (on disait qu'il avait aboli l'esclavage en Angleterre) donna à ses paroles encore plus de retentissement. Les Noirs et les abolitionnistes exultaient. On compta au moins quinze esclaves anglais qui furent libérés par leur juge dans la foulée du précédent de Somerset. Dans un poème intitulé « La Tâche », le poète Cowper joignit sa voix aux éloges : « Les esclaves ne peuvent respirer l'air de l'Angleterre ; sitôt que leurs poumons / Respirent notre air, soudainement, ils deviennent libres / Abordent-ils nos rivages ? Leurs chaînes tombent aussitôt. » En fait, Mansfield lui-même n'avait pas voulu trancher la question. En privé, il disait que sa décision n'affirmait qu'une seule chose, à savoir que « le maître n'avait pas le droit de se saisir de l'esclave et de le contraindre à le suivre à l'étranger[3] ».

Les Blancs des Indes occidentales et leurs alliés pestèrent contre le jugement de Mansfield. Le planteur jamaïcain Edward Long prédit que des hordes d'esclaves fuiraient bientôt vers l'Angleterre où, « frayant avec des femmes de basse extraction [...] [qui] les adorent, pour des raisons trop crues pour être mentionnées[4] », ils abâtardiraient les Anglais, qui ressembleraient bientôt aux Portugais dégénérés à la peau sombre ». Les esclaves, partie prenante du processus révolutionnaire des colonies américaines, rêvaient de l'Angleterre de Somerset, à tel point qu'un jeune homme de 19 ans, nommé Bacchus, vivant en Virginie, tenta de s'y rendre. Durant les années qui suivirent, le jugement de Mansfield marqua profondément l'appareil judiciaire des États-Unis.

En 1783, Granville Sharp mit Lord Mansfield sur la sellette à propos d'une réclamation adressée à une compagnie d'assurances concernant 132 esclaves jetés par-dessus bord par Luke Collingwood, capitaine du *Zong*, qui voulait éliminer les individus les plus malades de sa cargaison d'Africains. Invoquant l'excuse légale d'une pénurie d'eau potable, Collingwood demandait un remboursement à la compagnie d'assurances pour les esclaves perdus en mer.

Les assureurs s'opposèrent, déclarant la demande illégale, et accusant Cullingwood d'avoir agi de manière négligente et indécente. Bien que les gens présents à l'audience fussent choqués par le récit de ces horreurs, les jurés donnèrent rapidement raison au plaignant, et les assureurs durent débourser 30 livres par esclave. Sharp n'aurait sans doute pas eu vent de l'affaire du *Zong* si une lettre envoyée au *Morning Chronicle and London Advertiser* n'y avait pas fait allusion, qualifiant l'arrêt de la cour d'infamie qui allait provoquer la colère divine[5]. L'Africain Olaudah Equiano, tombant sur cette lettre, courut au bureau de Granville Sharp pour le supplier de venger les Africains. Ce dernier eut beau faire, il ne put porter plainte pour meutre contre ceux qui avaient jeté les 132 Noirs par-dessus bord. Mais l'aberration de l'affaire *Zong*, où l'on avait fait de meurtres une pure question de remboursement d'assurances, fut pour beaucoup la preuve éclatante qu'il fallait abolir d'urgence la traite des esclaves.

Lumières et convictions religieuses

Sharp et ses collègues abolitionnistes interprétèrent les affaires Somerset et *Zong* dans la perspective des Lumières, qui condamnaient l'esclavage comme une abomination et un affront à la civilisation. Montesquieu, par exemple, avait dénoncé l'esclavage comme intrinsèquement mauvais, dégradant l'esclave et avilissant le maître, dont « l'autorité sans limites sur ses esclaves» le rendait «féroce, expéditif, dur, colérique, lubrique et cruel[6]». Plusieurs contemporains de Sharp virent dans les réflexions pondérées de Montesquieu, dans son analyse des systèmes juridiques et sa philosophie morale, un appel à la réforme et à l'abolition de l'esclavage. L'éminent philosophe politique Edmund Burke traduisit en anglais *L'esprit des lois* de Montesquieu et dénonça, lui aussi, l'esclavage. De son côté, la grand juriste Sir William Backstone, avec son magistral ouvrage en quatre volumes, *Commentaries on the Laws of England*, reprit les idées de Montesquieu et dénonça l'esclavage comme «contraire à la raison et aux principes de la loi naturelle[7]». L'abbé Guillaume-Thomas-François Raynal, dans son *Philosophic and Political History*, s'opposa résolument au commerce des esclaves. Ce dernier ouvrage s'attira tant de lecteurs qu'il fut réimprimé quinze fois en langue anglaise entre 1776 et 1806, les abolitionnistes s'y référant fréquemment pour justifier leurs thèses.

Les abolitionnistes comme Granville Sharp défendaient des opinions intellectuelles s'appuyant sur de fortes convictions spirituelles. Ils rejetaient des siècles de sanction, voire d'implication chrétienne dans l'esclavage, et ils réinterprétaient la signification profonde du christianisme et des textes de l'Écriture, dont le plus limpide et le plus important, le Nouveau Testament, déclarait: «Tu aimeras ton prochain comme toi-même.» C'était là, disait Granville Sharp, «le tout et le cœur de la loi divine[8]». L'histoire centrale du christianisme, à savoir la mort sacrificielle du Christ pour sauver l'humanité, venait étayer les arguments contre l'esclavage. Par ailleurs, le climat intellectuel de la fin du XVIIIe siècle faisait qu'il était devenu plus facile de conclure à la pleine humanité des Noirs.

Si l'on fait exception de Bartolomé de Las Casas, qui avait attiré l'attention internationale sur les dures conditions de vie des Indiens, et, plus tard, des esclaves noirs, la mentalité chrétienne influença bien peu le monde du sucre à propos de l'esclavage. Du reste, dès le début, les ordres religieux catholiques tels que les jésuites, les dominicains et les franciscains possédaient des plantations sucrières dont la main-d'œuvre était composée d'esclaves; la même chose se produisit, un peu plus tard, chez les frères moraves. En 1710, la Société anglicane pour la propagation de l'Évangile en terre étrangère accepta le legs du planteur Christopher Codrington, qui lui offrait deux plantations sucrières de la Barbade avec tous leurs esclaves, lesquels furent dûment marqués au fer rouge par la

Société en question[9]. Même les quakers, pourtant habitués à se contenter de peu, furent commerçants et propriétaires d'esclaves, notamment les familles des banquiers Barclay et Baring. L'un de ces marchands d'esclaves était surnommé « Le quaker bienveillant ». Les églises chrétiennes justifiaient l'esclavage comme faisant partie de l'ordre divin des choses, décrivant les Africains comme des païens incultes pour lesquels les contacts avec la civilisation chrétienne et les mœurs européennes étaient une bénédiction.

Dans les faits, les contacts étaient plutôt réduits. Dans les colonies sucrières françaises, espagnoles et portugaises, il y avait très souvent une chapelle pour les esclaves, offrant les services d'un aumônier, parfois remplacé par un planteur se croyant investi de pouvoirs divins et présidant aux offices religieux. Les planteurs anglais allaient rarement aussi loin. Les absentéistes et plusieurs autres planteurs donnaient, avec indifférence, leur appui financier aux églises; en réalité, ils n'avaient aucun respect pour les clercs coloniaux, trop souvent sous-éduqués, sans convictions religieuses, « des individus qui avaient dissipé leur patrimoine […] [et fui] vers l'Église comme dernier refuge contre la pauvreté[10] », comme le notait un contemporain. Ces membres du clergé, démotivés, ne trouvaient, bien sûr, aucun intérêt à leur ministère auprès des esclaves ou des Blancs indolents.

Les missionnaires, quant à eux, avaient un comportement différent. Après 1754, on vit les frères moraves, les méthodistes, les presbytériens, les baptistes et les anglicans se surpasser dans la chasse aux âmes des Noirs. La plupart écoutaient les avertissements de leurs Églises respectives de ne pas provoquer le mécontentement des esclaves, tout en enseignant que l'esclavage faisait partie du plan divin, que les relations monogames étaient essentielles, et qu'il fallait rendre à César ce qui est à César. La mise en garde de la Société missionnaire de Londres au révérend John Smith, en 1816, en est une parfaite illustration : « Jamais, en public ou en privé, vous ne devez laisser échapper un mot qui puisse dresser l'esclave contre son maître, ou qui aggrave son sentiment de frustration. L'on ne vous envoie pas là-bas pour les soulager de leur condition servile, mais pour leur apporter le réconfort de la religion[11]. » Plusieurs missionnaires achetaient des esclaves, expliquant qu'en les traitant avec humanité, ils donnaient le bon exemple.

Cela n'empêchait pas, toutefois, de nombreux planteurs de refuser aux missionnaires l'accès à leur plantation. Ils redoutaient la force spirituelle que les esclaves pourraient tirer d'une religion qui enseigne que le Christ lava les pieds des plus pauvres. Jane Smith, épouse d'un missionnaire, expliquait: «Plusieurs planteurs [...] redoutaient que l'instruction religieuse des esclaves soit peu compatible avec leurs conditions de vie, et qu'aussitôt appris les rudiments de la religion, ils aillent se révolter[12].» Ils se méfiaient aussi des conséquences sociales et juridiques du baptême des esclaves.

Quelques planteurs voyaient dans le christianisme un antidote à l'obeah, soupçonnée de visées révolutionnaires, et, de ce fait, ouvrirent toutes grandes les portes de leur plantation aux missionnaires. Mais les esclaves, peinant sous le joug, interprétaient les souffrances du Christ comme la preuve de sa volonté de défier les autorités jusque dans la mort. Avec les progrès du christianisme chez les esclaves, apparurent des chefs de file, des lieux d'expression, des arguments — tirés des Écritures — et de nouvelles façons de s'organiser. Comme il fallait s'y attendre, les abolitionnistes les plus convaincus étaient les esclaves eux-mêmes.

Avec les progrès de l'abolitionnisme, apparurent de nouveaux types de missionnaires. Ces hommes étaient horrifiés par ce qu'ils voyaient dans les plantations. Certains mirent de côté la complicité habituelle avec les maîtres blancs et s'occupèrent des esclaves d'une manière que les planteurs jugèrent subversive. Les missionnaires contribuèrent également à renseigner le monde sur l'esclavage et la production sucrière, le plus souvent dans des journaux personnels ou des lettres à leurs amis et à leur communauté. Leurs récits constituèrent un apport important à la littérature abolitionniste.

Le mouvement abolitionniste

Après des siècles de traite des esclaves et d'esclavage, une coalition d'hommes et de femmes surgit en Angleterre, dont les efforts conjugués produisirent un mouvement anti-esclavagiste qui avait l'allure disparate d'une araignée hybride aux pattes inégales. Chaque patte était constituée de membres des groupes suivants: ouvriers et ouvrières, Noirs résidant en Angleterre, esclaves des Indes occidentales, hommes libres de couleur ou noirs, missionnaires renégats des Indes occidentales, hommes et femmes quakers ou hommes et femmes non quakers appartenant à des groupes religieux, réformateurs politiques, commerçants antiprotectionnistes et producteurs sucriers des Indes orientales. Les efforts anti-esclavagistes se poursuivirent, avec des hauts et des bas, durant plus de cinquante années, et il arriva parfois qu'une « patte » se dessèche ou soit coupée pour ensuite se régénérer.

La métaphore nous amène à l'année 1783, au moment où cet amalgame disparate fusionna pour donner naissance à une société quaker bien décidée à mettre un terme à l'esclavage. Quatre ans plus tard, cette société devint la Société pour l'abolition de la traite des esclaves, sans appartenance religieuse particulière mais dominée par les quakers, et séduisante pour les chrétiens évangélistes.

Les femmes quakers et évangélistes étaient ardemment convaincues de l'humanité des Noirs ainsi que de leur devoir d'assistance à leur égard. En dépit du fait qu'elles étaient exclues du Parlement et n'avaient pas le droit de vote (ni même le droit de signer des pétitions), ces femmes se donnèrent la main et adhérèrent au mouvement abolitionniste. La plupart venaient des classes moyennes et défendaient les valeurs, dominantes à l'époque, du caractère sacré de la famille et de la maternité. Elles furent profondément émues au spectacle des cruautés infligées aux esclaves, et au récit de ces familles disloquées, de ces enfants arrachés des bras de leur mère et vendus aux enchères, au récit de ces femmes esclaves à qui l'on refusait « toutes les formes d'autorité et d'expression de leur sentiment maternel[13] », et qui demeuraient exposées aux sévices sexuels infligés par des Blancs dégénérés. S'identifiant dans leur esprit à leurs sœurs outragées, ces Anglaises devinrent de ferventes militantes anti-esclavagistes ; pour elles, l'esclavage « était une offense faite à toutes les femmes de la Terre[14] ».

Elles finirent par comprendre à quel point le sucre était à l'origine de la misère des esclaves, et réalisèrent qu'en tant que mères responsables d'un foyer, et donc achetant, préparant et servant le sucre maudit à leurs familles, elles avaient contribué à nourrir l'odieux système qu'elles dénonçaient maintenant. Elles virent dans la canne à sucre la cause première de l'esclavage, et le symbole même du mal qu'elles entendaient détruire.

Un grand nombre d'ouvriers et d'ouvrières devinrent abolitionnistes ; ils étaient motivés par leur foi religieuse, notamment chez les méthodistes, et par le vent de réformisme qui soufflait sur le monde politique. Quand Olaudah Equiano se rendit à Londres, par exemple, il fut hébergé par Lydia et Thomas Hardy, des ouvriers blancs sympathiques à la cause des Noirs. De nombreux travailleurs, cependant, se plaignaient de ce que les besoins des esclaves passaient avant les leurs. Mais quand on faisait valoir que les droits des travailleurs et ceux des esclaves étaient indissociables, l'élan solidaire se ranimait. L'historien James Walvin a montré comment la dimension universelle de la lutte a constitué le premier moteur du mouvement anti-esclavagiste. Par elle, les abolitionnistes furent également sensibilisés à la condition ouvrière, certains en venant même à utiliser la rhétorique abolitionniste pour soutenir les droits des « esclaves blancs » d'Angleterre.

Les abolitionnistes les plus en vue appartenaient à la communauté noire d'Angleterre. Libres, mais pour la plupart pauvres et opprimés, ils se joignirent avec empressement à ceux qui voulaient libérer leurs frères. Ils organisèrent leur communauté, collectèrent des fonds pour les plus démunis, et envahirent les salles de réunion où se discutaient des affaires négrières, comme celles, par exemple, du *Zong*.

Au XVIIIe siècle, leurs leaders les plus influents furent Olaudah Equiano et ses amis africains, Ottobah Cugoano et Ignatius Sancho. Le trio était intelligent, érudit; la publication de leurs brillants récits fut une arme précieuse dans la lutte contre l'esclavage. Ils furent le pont entre les abolitionnistes blancs et la communauté noire. Equiano, en particulier, menant une vie exemplaire et reconnu pour sa bonne foi, fut sans doute la figure dominante du courant abolitionniste.

Les esclaves des Indes occidentales, les Noirs libres et les hommes de couleur représentaient le groupe le plus engagé et le plus autonome du mouvement abolitionniste. Chacune de leurs actions d'éclat — défi, sabotage ou rébellion — était un coup porté à l'esclavage. Paradoxalement, chaque récit de ces événements rapporté par les journaux, les magazines ou dans la publication de journaux personnels persuadait toujours plus de Blancs de l'urgence de l'abolition de l'esclavage par la voie parlementaire et le système juridique, seul moyen d'éviter la révolution ou le massacre généralisé des Blancs.

Les missionnaires « renégats » qui osaient parler ouvertement contre l'esclavage et prônaient la sédition étaient peu nombreux, mais, comme ils étaient des hommes blancs respectés, ils étaient la sixième « patte » de l'hybride, et de très loin la plus influente. Une septième « patte » se composait d'abolitionnistes animés d'un idéalisme réformateur. Ils revendiquaient pour les travailleurs, dont les esclaves faisaient partie à leurs yeux, des droits sociaux, la justice, la liberté, la liberté de conscience et de culte.

La huitième «patte» comprenait les réformateurs intéressés à l'économie : ils remettaient en question le vieux système colonial mercantiliste qui avait favorisé l'esclavage sucrier aux Indes occidentales, et exigeaient plus de laisser-faire et de libre-échange. Eux aussi condamnaient la traite des esclaves et l'esclavage comme autant de systèmes dépassés, qui, tout en consolidant artificiellement le commerce du sucre, faisaient mal aux portefeuilles des Britanniques, obligés de débourser des sommes artificiellement élevées pour se procurer ce condiment.

Ces réformateurs trouvèrent des alliés, si l'on peut dire, parmi les producteurs des Indes orientales, dont les intérêts évidents coïncidaient avec la liberté des échanges commerciaux, dénonçant à leur avantage le sucre produit par les esclaves. Ces producteurs, toutefois, ne réussirent pas à constituer un bloc abolitionniste dans les Indes orientales. D'autres réformateurs faisaient remarquer que la betterave sucrière, produite sans le travail des esclaves, avait déjà envahi le marché continental, sonnant le glas de l'esclavage sucrier.

Au fur et à mesure que les différentes parties intéressées se reconnaissaient un but commun — éviter la révolution et travailler à atteindre leur objectif en respectant la loi —, le mouvement anti-esclavagiste prenait forme en Angleterre où il entama sa longue et patiente marche. Ses partisans s'émurent du sang versé en France, puis à Haïti : l'abolition ne justifiait pas tout. En Angleterre, l'arène la plus importante était le Parlement, où l'on avait le choix de plusieurs armes stratégiques : les idées, la religion, le droit, la propagande et le lobbying. Au Parlement, les hommes étaient les seuls acteurs. Mais les femmes se joignaient en nombre au mouvement abolitionniste, s'attaquant au sucrier des familles britanniques en utilisant les armes du boycottage, des achats réduits et des produits de substitution.

Au début, les abolitionnistes durent se mettre d'accord sur des objectifs communs ; ce ne fut pas une tâche facile, étant donné la diversité des solutions proposées, qui allaient de l'amélioration de la condition de vie des esclaves à leur retour massif (pour tous les Noirs, éventuellement) en Afrique, plus particulièrement en Sierra Leone, où les marrons rebelles de la Jamaïque avaient été exilés. La première vague abolitionniste décida de s'attaquer à la traite des esclaves, afin d'éliminer ainsi les pires abus de l'esclavage, dont la terrifiante traversée de l'Atlantique. L'argument était simple : si les propriétaires d'esclaves ne pouvaient plus remplacer les morts par de nouveaux arrivages, ils seraient forcés de traiter leurs esclaves plus humainement. L'esclavage mourrait de mort naturelle, et le travail salarié viendrait le remplacer. Les abolitionnistes invoquaient souvent le cas du planteur Joshua Steele comme preuve de ce transfert. Arrivé à la Barbade en 1780, Steele payait ses esclaves, plutôt que de les brutaliser. Ces derniers travaillaient plus dur, exigeaient moins de surveillance, et les profits de Steele avaient triplé !

L'approche graduelle l'emporta sur la solution radicale qui prônait l'abolition pure et simple de l'esclavage. La Société pour l'abolition de la traite des esclaves fut créée. Des leaders firent leur apparition, qui coordonnèrent leurs efforts. Parmi eux, citons : Granville Sharp, Thomas Clarkson, William Wilberforce, James Stephe, Josiah Wedgwood, ainsi que les révérends James Ramsay, John Wesley et John Newton.

Sharp s'efforçait déjà, depuis plusieurs dizaines d'années, d'entreprendre des poursuites judiciaires en faveur de certains Noirs. De son côté, Clarkson était un fervent chrétien et un brillant étudiant en études classiques de Cambridge, dont la recherche intitulée « Peut-on légalement réduire des gens en esclavage contre leur volonté ? » l'avait converti à la cause de l'abolitionnisme (le professeur qui lui avait proposé le sujet avait été indigné par l'affaire du *Zong*). Cela l'amena à cofonder la Société pour l'abolition de l'esclave et à en devenir le principal recherchiste. Wilberforce, quant à lui, qui n'avait que vingt et un ans lorsqu'il remporta sa première élection au Parlement (il devait y en avoir bien d'autres), était député du comté de Hull, le seul port britannique à ne pas faire commerce avec l'Afrique ou les Indes occidentales. Clarkson alimenta Wilberforce en documentation abolitionniste et en relations, y compris celle de son proche ami, le premier ministre William Pitt le Second. Clarkson dit avoir vécu « le plus beau jour de sa vie » quand, obéissant aux pressions de Pitt, Wilberforce accepta enfin de défendre la cause abolitionniste devant le Parlement[15].

James Stephen était un jeune homme en colère, avocat de son métier, ayant son cabinet à Saint Kitts. Après avoir assisté à la parodie de justice impliquant deux esclaves brûlés vifs pour un prétendu viol, il entra en contact avec Wilberforce, et devint un témoin important et un recherchiste pour les abolitionnistes. Il retourna en Angleterre où son savoir de légiste, ses puissants écrits (comme *L'esclavage dans les colonies des*

Indes occidentales, tel qu'il existe dans la loi aussi bien que dans les faits), sa conversion tardive à l'évangélisme et ses succès en politique firent de lui un précieux collaborateur, et l'architecte des stratégies abolitionnistes parlementaires.

Wedgwood, l'éminent potier quaker dont les magnifiques vases en porcelaine, bustes et autres objets d'art étaient partout présents dans les résidences royales, fut l'un des cofondateurs de la Société. C'est lui qui en dessina le sceau officiel : un esclave enchaîné, à genoux, les mains tendues vers le ciel et suppliant : «Ne suis-je pas un homme et ton frère ? »

Wedgwood voyagea aux Indes occidentales afin de vérifier par lui-même les conditions de vie dans les plantations sucrières. Il visita notamment la plantation de John Pinney à Nevis. Ce dernier, mis au courant de la visite de Wedgwood, avait averti son gérant : «Ne corrigez aucun Nègre en sa présence, évitez qu'il puisse entendre le bruit du fouet.» Il lui recommanda de diminuer la tâche des esclaves, ajoutant : «Montrez-lui le confort dont bénéficient les nègres, lorsqu'on compare leur sort à celui des pauvres de cette contrée [...], les biens qu'ils possèdent sous forme de chèvres, de cochons, de volaille et de terres vivrières. Ainsi, il repartira d'ici avec de meilleurs sentiments.» Mais, en dépit des précautions prises par Pinney, Wedgwood, une fois rentré en Angleterre, embrassa la cause abolitionniste.

Ramsay adhéra au mouvement abolitionniste après une dure carrière comme prêtre anglican et médecin chargé de soigner les esclaves à Saint Kitts. Ses offices religieux étaient ouverts aux Noirs comme aux Blancs ; il s'était lié d'amitié avec ses paroissiens esclaves, et avait cherché à les convertir au christianisme. Son attitude insulta ceux des Blancs qui croyaient qu'il était dangereux de christianiser les esclaves ; ils cessèrent de fréquenter l'église. Comme Stephen, Ramsay prenait des notes détaillées sur le fonctionnement de l'esclavage sucrier. Il épousa Rebecca Akers, fille d'un riche planteur, mais il fut vite mis au ban de la société sucrière, car il en dénonçait publiquement les abus, et essayait d'améliorer les conditions de vie des esclaves. Les planteurs lui rendirent la vie si difficile qu'en 1781, il finit par retourner en Angleterre, où il rédigea deux ouvrages importants, *Essai sur le traitement et la conversion des esclaves africains dans les colonies sucrières britanniques* et *Enquête sur les effets de l'abolition de la traite des esclaves*, qui demeurent encore aujourd'hui des sources fiables pour la recherche sur l'esclavage sucrier.

Westley, fondateur du méthodisme, fut si profondément touché par l'ouvrage de l'abolitionniste Anthony Bezenet, *Compte rendu historique sur la Guinée*, et par l'affaire Somerset qu'il publia *Pensées sur l'esclavage*, qui lui attira la haine des gros intérêts sucriers en place. Dans son livre, il interpellait le marchand d'esclaves dans des formules grandiloquentes : «Mais de quoi votre cœur est-il fait ? [...] Ne vous arrive-t-il jamais de *ressentir* la souffrance d'autrui ? [...] Quand vous avez vu les yeux en larmes, les poitrines gonflées sous l'effort, les flancs à vif et les membres torturés de vos frères, êtes-vous restés de pierre, ou vous êtes-vous conduits comme de simples brutes ?» Et il les avertissait : «Le Dieu tout-puissant va s'occuper de *vous* de la même manière que vous avez traité *ceux-là*, et il exigera le prix du sang[16].» Sur son lit de mort, Wesley lisait le récit d'Olaudah Equiano, et l'une de ses dernières lettres fut pour Wilberforce.

John Newton était à l'origine capitaine d'un navire négrier. Ayant été frappé par la grâce, il s'engagea à fond dans la religion chrétienne. Quelques années plus tard, il n'était plus marin, mais prêtre anglican : il avait renoncé à l'esclavage, s'était repenti, et prêchait l'abolitionnisme (il composa également un hymne émouvant intitulé *Les Effets de la grâce*). Après avoir lu le *Récit authentique* de Newton sur sa vie dans le commerce des esclaves, Wilberforce le recruta comme partisan.

La société pour l'abolitionnisme avait débuté comme organisation réservée aux hommes ; pendant un moment, le rôle des femmes se limita à exercer une influence en coulisse ou à fournir un soutien financier. Lady Margaret Middleton, épouse du capitaine Charles Middleton, qui deviendrait plus tard Lord Barham, puis premier chancelier de l'Amirauté, offrait ou assistait à des dîners politiques où elle exposait avec flamme les horreurs de la traite des esclaves ; favorable à sa cause, son mari faisait de même au Parlement. Lady Middleton était une amie intime d'Hannah More, dramaturge de renom et rédactrice de tracts évangéliques modérés ; les deux femmes couraient les mêmes événements sociaux où elles diffusaient la bonne parole. Par le biais de ses tracts et de poèmes sentimentaux, comme *Lamentations d'une femme nègre*, More acquit un vaste auditoire de ménagères converties à sa cause, qui persuadèrent ensuite leur mari, leurs frères et cousins de signer des pétitions et de voter les lois (puisque, étant des hommes, ils en avaient le droit).

Les femmes contribuaient aussi au financement de la Société, ou alors elles persuadaient leur mari et leur père de le faire. La plupart d'entre elles étaient de religion quaker, anglicane ou protestante, et faisaient partie de milieux nantis. Peu d'ouvrières avaient les moyens d'adhérer à la société. Quant aux aristocrates, elles étaient notoirement absentes des rangs abolitionnistes. En dehors des villes, où l'activité commerciale n'entretenait pas de liens avec l'esclavage ou avec la traite des esclaves, elles ne pouvaient pas, ou ne voulaient pas, compromettre leur position sociale ou les liens commerciaux de leur famille en soutenant une cause aussi étrangère à leur milieu.

Tout comme les gros intérêts sucriers des Indes occidentales, les abolitionnistes pratiquaient la mise en réseau. Charles Pinney, propriétaire de la plantation Nevis, basée à Bristol, dont le père avait tenté de dissimuler à Josiah Wedgwood les vraies conditions de vie des esclaves, fut brutalement mis devant les faits en 1827. Ce propriétaire d'esclaves absentéiste souhaitait épouser la fille de l'abolitionniste Wilberforce. Ce mariage, plaidait Pinney, « allait très certainement faire évoluer dans le bon sens les conditions de vie des esclaves ». Mais une fois que Wilberforce fut mis au courant des liens étroits de son gendre potentiel avec le commerce qui se pratiquait aux Indes occidentales, il refusa de lui accorder la main de sa fille.

Il se fit au contraire très accommodant lorsque le veuf James Stephen, fervent abolitionniste, tomba amoureux de sa sœur Sally. Stephen, enfant prodigue, traînait un passé douteux : notamment, à une certaine époque, il avait mise enceinte la fiancée de son meilleur ami, alors que lui-même était déjà fiancé. Wilberforce ferma les yeux. « Stephen a du caractère, écrivait-il, et il s'améliore, c'est le type même de celui que la religion transforme, et qu'elle aide à venir à bout des faiblesses humaines[17]. »

Les relations étroites qu'ils entretenaient aidaient les abolitionnistes à concilier leurs divergences d'opinions concernant l'abolition et les autres enjeux, et à trouver des points communs. Certains d'entre eux prônaient des réformes graduelles, alors que d'autres étaient pressés d'agir. Wilberforce était un adepte du compromis et de l'astuce politique qui estimait que la place des femmes était au foyer, alors que Clarkson, homme de principes, qui était considéré comme une véritable « machine à vapeur morale[18] », soutenait sans réserve l'indépendance des femmes. Sharp, de son côté, défendait avec passion les droits des hommes et ceux des animaux, mais il refusait d'accorder les mêmes droits aux catholiques et dénonçait les représentations théâtrales mixtes comme contraires aux Écritures. La plupart des Noirs et un grand nombre de femmes croyaient que le point central aurait dû être l'esclavage plutôt que la traite des esclaves, mais, par souci de solidarité et d'unification des forces, ils acceptaient les décisions de leurs dirigeants, dont les vues étaient plus étapistes.

Faire converger des idéaux divergents soulevait de sérieux problèmes : était-il convenable pour une femme de faire du porte-à-porte pour chercher à obtenir du soutien à la cause ou, comme le pensait Wilberforce, était-ce déplacé ? Retourner les Noirs au Sierra Leone était-ce une solution honorable ? Ne s'agissait-il pas d'une manière détournée de céder aux préjugés anti-Noirs ? L'abolition de l'esclavage était-elle la seule responsabilité des Blancs ? Les Noirs ne devaient-ils pas faire d'abord la preuve qu'ils étaient prêts pour la liberté ? Devait-on commencer par civiliser et christianiser les esclaves afin de les préparer à l'émancipation, ou bien devait-on les libérer d'abord et avant tout ? L'émancipation des mulâtres devait-elle se faire en premier, du fait qu'ils étaient plus proches des Blancs, ou bien tous les esclaves devaient-ils êtres traités sur un pied d'égalité ?

Un autre sérieux problème était lié à la façon de dépeindre les esclaves. Pour des abolitionnistes comme Ramsay ou Stephen, qui avaient vécu aux Indes occidentales, la brutalité et l'injustice de l'esclavage suffisaient à inculper les responsables. Pour d'autres, l'argumentation serait plus persuasive et plus légitime si les esclaves étaient présentés comme des êtres démoralisés, brisés, mais assoiffés de liberté, et prêts à travailler (dur) pour un (petit) salaire. Même les esclaves qui s'étaient avilis devaient être présentés comme vertueux, leurs fautes étant imputées à l'esclavage. Il ne fallait jamais parler de leur férocité ou de leur désir de se libérer par la violence, mais plutôt les décrire comme des victimes résignées, suppliant les Blancs épris de justice de leur accorder la liberté. Les femmes esclaves, en particulier, devraient paraître dociles, souhaitant simplement rester à la maison pour élever leurs petits chéris, tous nés hors du mariage.

Cette tendance naturelle à présenter les Noirs comme méritant la liberté contraignait les leaders noirs abolitionnistes d'Angleterre à satisfaire aux plus hautes exigences morales, y compris dans leur vie privée. Or, ils avaient une propension marquée — très irritante pour certains — à épouser des Blanches. Equiano lui-même, par ailleurs homme irréprochable, commit cette «erreur». Quant à Sancho, commerçant à Westminster, il épousa Anne Osbourne, une Antillaise, mais ses escapades amoureuses étaient notoires et, à ce que l'on racontait, multiraciales. Le manque de femmes noires conduisait les hommes noirs en état de se marier à choisir des Blanches, suscitant du coup chez les Blancs un sentiment de jalousie ou d'insécurité sexuelle. Cette tension sexuelle était l'un des nombreux problèmes dont devaient tenir compte les abolitionnistes au moment de planifier leurs campagnes de sensibilisation.

Les moments forts des campagnes abolitionnistes furent : 1788, 1792 et 1814 contre la traite des esclaves ; 1823, 1830 et 1833 contre l'esclavage ; 1838 contre «l'apprentissage» des anciens esclaves. La principale cible des campagnes était le sucre, qui était la cause de l'esclavage aux Indes occidentales et le symbole de toutes les injustices. En fait, les abolitionnistes comptaient sur des changements juridiques pour atteindre leur but. À cette fin, ils participaient aux enquêtes et aux études officielles qui devaient précéder l'adoption de nouvelles lois, et s'impliquaient dans les stratagèmes et alliances politiques qui sont à la base du processus parlementaire. La Société pour l'abolition de la traite des esclaves essaima en une multitude d'associations abolitionnistes locales : on en comptait 200 en 1814, et plus de 800 au milieu des années 1820, dont 43 sociétés anti-esclavagistes réservées aux femmes. Juste avant l'émancipation de 1833, on comptait plus de 1 300 de ces associations. La collaboration de ce réseau abolitionniste portait principalement sur les pétitions destinées aux parlementaires, l'enseignement et les prêches sur les principes de l'abolitionnisme, les campagnes de financement nécessaires à la publication et à la distribution de tracts et d'autres imprimés, la rédaction de lettres ou d'articles favorables à l'abolition de l'esclavage à faire paraître dans les journaux, et, d'une manière générale, sur l'éveil des consciences aux multiples enjeux anti-esclavagistes, partout où les abolitionnistes pouvaient prendre la parole.

Les enquêtes sur le terrain étaient une de leurs principales tactiques. Les comités parlementaires avaient besoin de faits, et les abolitionnistes aussi, face à leurs contradicteurs. Infatigable, Clarkson établit une liste de 145 questions et visita les principaux ports négriers, cherchant parmi les matelots ayant participé à la traite des esclaves aux Indes occidentales des témoins tout d'abord réticents. Pour retrouver Isaac Parker, un marin qui avait vu les négriers anglais capturer des Africains au cours de raids lancés sur des villages, Clarkson dut obtenir de Sir Charles Middleton la permission de monter à bord de chaque navire amarré au port. Il finit par trouver Parker sur le 317e bâtiment, et l'amena triomphalement devant un comité parlementaire. L'ancien capitaine et chirurgien Harry Gandy fut l'un des rares témoins ayant accepté de coopérer avec Clarkson. Il déclara: «J'aimerais mieux vivre de pain et d'eau, et vous dire ce que je sais de la traite des esclaves, que de vivre dans la plus grande abondance en gardant tout cela pour moi.» Après qu'il eut témoigné, les officiers des autres navires l'évitèrent comme on fuit «le loup, le tigre, ou toute autre bête de proie[19]», racontait Clarkson. Afin de pouvoir décrire les navires négriers, Clarkson monta à bord de deux d'entre eux et se mit à mesurer l'espace dont chaque Africain adulte disposait: trois pieds carrés.

Clarkson contestait également l'idée, largement répandue, que la traite des esclaves était une sinécure pour la marine. Statistiques à l'appui, il démontra que c'était plutôt une tombe qui avalait encore plus de marins que d'esclaves. Sur 5 000 marins ayant fait la navette à l'intérieur du triangle négrier en 1786, seuls 2 320 étaient retournés chez eux; 1 130 étaient morts et plus de 1 550 étaient portés disparus quelque part entre l'Afrique et les Indes occidentales. Clarkson avait tous les noms. Le relevé de l'enquête officielle sur «la monstrueuse injustice» de la traite des esclaves qu'il déposa devant le Conseil privé comptait 850 pages in-folio, et celui qu'il présenta devant la Chambre des communes, 1 300 pages.

Les abolitionnistes utilisaient aussi des illustrations pour appuyer leur plaidoyer en faveur des Noirs. L'une d'elles, particulièrement émouvante pour le grand public, était l'image inoubliable d'un navire négrier de Liverpool, le *Brookes*, avec à son bord 482 Africains étendus face contre terre dans la cale; le texte accompagnateur précisait que le *Brookes* avait déjà transporté une cargaison de 609 esclaves. Pour inciter les membres de la Chambre des communes à voter contre la traite des esclaves, Wilberforce leur avait d'abord présenté une maquette en bois du navire négrier. En peu de temps, des reproductions du *Brookes* apparurent partout. Les abolitionnistes en imprimèrent 8 700 exemplaires, qui furent distribués dans les foyers et les pubs. Ce fut sans doute là la première diffusion de masse d'une affiche politique. De nos jours, on trouve encore l'illustration du *Brookes* dans les ouvrages et articles portant sur la traite des esclaves et sur l'abolition de l'esclavage.

La stratégie des abolitionnistes consistait à aborder toutes les questions, à appuyer toutes les déclarations, à répliquer à toutes les critiques, et à proposer des solutions satisfaisantes pour remplacer tout ce qui devait être aboli. Ils faisaient flèche de tout bois, s'appuyant au départ sur les textes les plus crédibles, ceux des missionnaires, des anciens esclaves, des capitaines de négriers ou des propriétaires d'esclaves repentants. L'*Essai sur le traitement et la conversion des esclaves africains dans les colonies sucrières britanniques*, de Ramsay, transportait ses lecteurs au cœur des champs de canne à sucre et des masures des esclaves. Il fait partie des ouvrages les plus marquants de la lutte pour l'abolition. Dans les communautés religieuses de toute l'Angleterre, les fidèles écoutaient, fascinés, le récit des faits rapportés par les missionnaires.

Dans son *Récit authentique*, écrit à la première personne, l'ancien négrier Newton décrivait comment, en dépit de l'affection qui le liait à son épouse, Polly, il avait entretenu des pensées lubriques en regardant les femmes africaines mises en esclavage, et comment il était parvenu à se maîtriser en se privant de toute viande, et ne buvant que de l'eau. D'autres récits montraient que plusieurs marins qui avaient moins de scrupules n'hésitaient pas à violer les Africaines, et on décrivait en détail les différents actes de brutalité. Ainsi, le *Felix Farley's Bristol Journal* de 1792 décrivait comment John Kimber, capitaine d'un négrier attaché au port de Bristol, avait puni une jeune Africaine de 15 ans qui était malade et coupable de ne rien manger, en la faisant suspendre tête en bas par la cheville, et l'avait fait fouetter si sauvagement qu'elle était morte, cinq jours plus tard, de ses blessures. Une caricature montre le capitaine Kimber jubilant, sous les yeux de trois femmes en pleurs regardant une femme nue, pendue la tête en bas au bout du corde, pendant que des marins en colère se préparent à fouetter la femme qui se tient la tête de désespoir. Cette illustration était accompagnée de ces seuls mots : l'abolition de la traite des esclaves.

Les témoignages écrits par les victimes elles-mêmes avaient un grand impact. L'ouvrage publié par Equiano en 1789, *Le Récit captivant de la vie d'Olaudah Equiano ou de Gustavus Vassa, l'Africain*, ainsi que celui de Cugoano, *Pensées et sentiments concernant le trafic infâme et odieux de l'espèce humaine*, publié en 1787, soulevèrent un immense intérêt. Les

Lettres du défunt Ignatius Sanco, l'Africain, publiées en 1782, peu après sa mort, renforcèrent la conviction qu'un « Africain libre pouvait avoir les mêmes talents qu'un Européen[20] ».

Equiano fut si habile à faire la promotion de son pamphlet à sept shillings que, pendant cinq ans, il sillonna toute l'Angleterre dans le cadre de ce que l'historien Adam Hochschild a décrit comme « la première grande tournée d'un ouvrage politique[21] ». À certains égards, la narration prenait modèle sur *La vie et les aventures étranges et surprenantes de Robinson Crusoé* (1719), faisant appel à l'intelligence autant qu'aux sentiments. La crainte qu'il avait que ses ravisseurs ne l'apprêtent en ragoût pour le manger ensuite était une inversion intéressante de la notion culturelle de cannibalisme. Equiano accusait aussi les planteurs, qui demandaient toujours plus de sucre à bon marché, de détruire les sociétés africaines prospères et pacifiques.

Quant au récit de Cugoano, revu par Equiano, il racontait comment « les hommes aux sourcils épais, c'est-à-dire les visages pâles », l'avaient capturé en Afrique pour le conduire à la Grenade, et comment, durant la traversée en mer, « il était fréquent de voir des marins sales et pleins de poux empoigner les femmes africaines pour s'étendre sur elles ». Dans une plantation de la Grenade, Cugoano avait été le témoin de « scènes atroces de souffrance et de cruauté. [...] Pour avoir mangé un morceau de canne à sucre, certains esclaves étaient sauvagement fouettés ; ou bien on les frappait au visage pour faire tomber leurs dents. [...] Certains, ajoutait-il, m'ont raconté qu'on leur avait arraché toutes leurs dents afin de les empêcher à l'avenir de manger de la canne à sucre et de décourager les autres esclaves d'en faire autant. » Cugoano fut le premier Africain à proposer « l'abolition totale de l'esclavage [...] l'émancipation universelle des esclaves[22] », et la fin immédiate de la traite des esclaves.

Les abolitionnistes — comme leurs adversaires des gros intérêts sucriers — multipliaient les annonces, les articles dans les journaux, les lettres aux rédacteurs en chef et les pamphlets. Les abolitionnistes, qui faisaient du lobbying auprès des directeurs de journaux, déploraient que les planteurs antillais et leurs alliés utilisent l'intimidation ou des pots de vin pour inciter les journaux à censurer les articles ou les lettres écrites par les abolitionnistes. Pour inciter les directeurs de journaux à favoriser l'abolition de l'esclavage, Clarkson emportait avec lui une trousse de démonstration pratique comprenant les outils courants de la traite des esclaves, qu'on pouvait se procurer dans les boutiques de

Liverpool : des menottes, des fers, des poucettes, et un outil servant à ouvrir les mâchoires des esclaves qui tentaient de se suicider en refusant toute nourriture.

Les abolitionnistes et les groupes partisans de l'esclavage distribuaient des brochures gratuites ou bon marché, rédigées en termes simples et satiriques.

Articles de choix pour la traite des esclaves », clamait le prospectus satirique d'un abolitionniste. À VENDRE au prix coûtant, ou moins, en prévision de l'ABOLITION PROCHAINE DE LA TRAITE DES ESCLAVES [...]. Environ trois tonnes de chaînes pour les pieds et les mains, et de poucettes [...]. Informez-vous auprès de votre marchand d'esclaves. Des exemplaires de tous ces objets (à l'exception des poucettes, qui, dit-on, pourraient briser le cœur de ceux qui ne sont pas tentés de les acheter) sont exposés MAINTENANT sur le parquet de la Bourse[23].

Les dessins satiriques étaient mordants et frappaient l'imagination. En 1792, dans un dessin intitulé « Actes de barbarie aux Indes occidentales », James Gillray dépeint le traitement réservé aux esclaves malades : armé d'un long bâton, un Blanc au visage sinistre maintient au fond d'une cuve de sucre bouillant un esclave qui se débat[24].

L'ensemble de la propagande était plus sérieux. Dans son prospectus, *Un cadeau de plus aux planteurs, ou la démonstration des avantages d'un rachat équitable du monopole et de la prime sur le Sucre des Indes occidentales*, le quaker James Cropper, de Bristol, soutenait qu'il fallait remplacer le sucre récolté par les Noirs des Indes occidentales par celui des Indes orientales, fruit du travail libre. Pour intéresser les membres du Parlement, Cropper leur expédia des sacs de sucre et de café cultivés par des hommes libres.

Le Comité des Indes occidentales, créé vers 1775 par une association de planteurs absentéistes et de marchands ayant des intérêts dans le commerce du sucre, mit sur pied un puissant lobby pour défendre les intérêts du sucre et des industries connexes. Le comité était fermement opposé à l'abolitionnisme. Il réagit vivement au geste de Cropper. L'ouvrage *Résumé des faits qui appuient la traite africaine* fut imprimé à 5 000 exemplaires. Et *À la défense des planteurs des Indes occidentales* fut envoyé à tous les membres du Parlement ; par ailleurs, 8 000 exemplaires d'une brochure décrivant les jolies chaumières et les jardins des esclaves furent distribués. Les amateurs de théâtre purent voir la petite pièce *Les Planteurs bienveillants*, de Thomas Bellamy, soulignant la compassion de planteurs qui, après avoir commencé par offrir de remplacer les conjoints vendus par de nouveaux, finissaient — en un « happy ending » — par réunir les amants séparés.

À l'intention des lecteurs plus critiques, les planteurs des Indes occidentales financèrent un lourd pamphlet intitulé : « Contre l'abolition, ou Tentative pour démontrer à la satisfaction de tout sujet britannique raisonnable que l'abolition, en faveur des Nègres, du commerce britannique avec l'Afrique constituerait une mesure aussi injuste que dévastatrice, qui serait fatale aux intérêts de cette nation, ruineuse pour les colonies sucrières, et plus ou moins pernicieuse dans ses effets sur les différentes couches de la société. » Le ton de ce pamphlet, comme celui des autres textes de propagande diffusés par les gros intérêts sucriers, se voulait raisonnable, fondé sur des arguments économiques. Comme le disait Stephen Fuller, planteur influent et agent d'affaires pour la Jamaïque : « Nous avons contre nous le courant populaire, mais je fais toutefois confiance au bon sens, qui est de notre côté ; si épouvantables que nous paraissions par rapport aux abolitionnistes, la sagesse et la politique de ce pays nous protégeront[25]. » Un autre anti-abolitionniste croyait qu'il suffisait de s'exprimer autrement : « Au lieu de parler des ESCLAVES, appelons les Nègres ASSISTANTS-PLANTEURS, et c'en sera fini des violentes diatribes contre la traite des esclaves[26]. »

L'équation « sucre égale sang », culpabilisante pour tout le monde, fut l'un des thèmes préférés du camp abolitionniste, et l'arme la plus utilisée contre les campagnes de peur économique menées par les intérêts sucriers. Un pamphlet était intitulé : « Pas de rhum ! Pas de sucre ! ou La voix du sang, conversation d'une demi-heure entre un Nègre et un gentleman anglais, montrant la nature horrible de la traite des esclaves. » Un autre pamphlet soutenait que tout consommateur de sucre était « le premier moteur, et le premier responsable de cette horrible injustice[27] ». D'autres abolitionnistes touchaient leurs lecteurs en les forçant à reconnaître le lien direct existant entre le sucre et la respiration, la transpiration, la vie et le sang des esclaves. Dans son *Discours au peuple de Grande-Bretagne sur l'opportunité de s'abstenir de manger du sucre ou de boire du rhum importés des Indes occidentales*, le quaker William Fox estimait que pour chaque livre de sucre antillais, les Anglais consommaient « l'équivalent de deux onces de chair humaine[28] ».

« Le sucre, c'est du sang », permettait d'inverser la notion de cannibalisme africain en reconnaissant qu'en mangeant du sucre, c'étaient
les Blancs qui se rendaient coupables de cannibalisme. Le poète Samuel
Coleridge dans une conférence donnée en 1795, s'exprimait comme
suit :

> Bonté du ciel ! Avant votre repas, vous vous levez et [...] vous dites
> Seigneur, bénis cette nourriture que tu nous as donnée ! Une partie de
> cette nourriture, pour la plupart d'entre vous, est sucrée avec le sang de
> victimes assassinées. Bénis la nourriture que tu nous as donnée ! Quel
> blasphème ! Dieu vous a-t-il donné de la nourriture imprégnée du sang
> de vos frères ? Le Père de tous les hommes peut-il bénir la nourriture de
> cannibales, cette nourriture gâtée par le sang de ses pauvres enfants
> innocents ?

Le boycottage du sucre

Si le sucre était littéralement taché du sang et de la sueur des esclaves,
il en découlait que plus personne n'aurait dû en manger. Les abolitionnistes décidèrent de boycotter le sucre. William Fox estima que, si
chaque famille consommant cinq livres de sucre et de rhum par semaine
s'abstenait d'acheter le sucre des plantations négrières, un Africain
échapperait, tous les 21 mois, à l'esclavage et à la mort. Ainsi, tous les
19 ½ ans, huit familles sauveraient 100 Africains. Les nombreux cercles
de discussion londoniens s'emparèrent du sujet, et, en 1792, demandèrent publiquement : « Ne serait-il pas le devoir du peuple de Grande-
Bretagne, en vertu d'un principe moral et en raison de son caractère
national, de s'abstenir de toute consommation de sucre importé des
Indes occidentales jusqu'à ce que soit abolie la traite des esclaves et que
des mesures soient prises pour assurer l'abolition de l'esclavage ? » Puis,
en février de la même année : « Que faut-il considérer comme le plus
criminel ? Les marchands et les planteurs qui s'accommodent de la traite
des esclaves, la Chambre des communes britannique, qui a refusé de
l'abolir, ou les gens qui l'encouragent en consommant du sucre et du
rhum ? » Vint se greffer à ces interpellations un « Appel lancé par les
Nègres martyrs », adressé au « Jugement et aux sentiments de compassion
du beau sexe [...] pour le dissuader dorénavant de consommer un produit de luxe entaché du sang de pères, de mères et d'enfants innocents[29] ».
Au début de la campagne de boycottage, la ferveur des abolitionnistes

coïncidait avec la hausse du prix du sucre résultant de la Révolution haïtienne. Plus de 300 000 Britanniques suivirent le mot d'ordre. De toute évidence, le prudent Wilberforce s'était trompé.

S'abstenir de consommer du sucre était le plus souvent une affaire de famille. C'était la mère qui décidait de la conduite à suivre. Aussi bien les riches que les pauvres le firent. Lydia Hardy écrivit à Equiano à propos de son village de Chesham : « Je crois qu'il y a plus de gens ici qui prennent le thé sans sucre qu'avec du sucre[30]. » Les abstentionnistes se retrouvaient dans toutes les confessions religieuses, car les abolitionnistes avaient appelé tous les chrétiens à éviter le sucre et le rhum, qui transformaient les petits esclaves en orphelins, assassinant leurs parents à coups de « travaux forcés et de traitements cruels ». Très sensibles aux exigences et aux inquiétudes de leurs clients, des épiciers et des raffineurs eurent vite fait de trouver des sources d'approvisionnement en sucre importé des Indes orientales, en annonçant que leur sucre « était le produit du travail d'HOMMES LIBRES ». Les planteurs protestèrent en disant que le mouvement abolitionniste faisait fuir les capitaux des Indes occidentales.

En fait, c'est moins le boycottage qui nuisait aux intérêts sucriers que la pénurie de sucre et la montée des prix qu'elle entraînait. Puis, comme la Révolution française avait provoqué une réaction contre tout ce qui pouvait ressembler à du jacobinisme, la Société pour l'abolition décida peu à peu de mettre un terme à son boycottage. Même si le boycottage n'avait pas réussi à mettre fin à l'esclavage, il constituait une grande victoire de propagande. Il avait mis en évidence le lien entre le sucre et l'esclavage, et exposé au grand jour la complicité du consommateur individuel dans l'entreprise esclavagiste. Par ailleurs, en soulignant le pouvoir des femmes dans l'achat du sucre, dans son utilisation et sa présence sur la table, elle les embrigada si bien que, par la suite, elles furent un rouage essentiel de la campagne de boycottage, alors que jusque-là on les avaient tenues largement à l'écart. Quelques dizaines d'années plus tard, ce seront les femmes qui remettront en route le boycottage. Depuis cette première expérience, et au vu de ses effets, le boycottage est devenu une arme économique classique dans les grandes batailles menées au nom de la justice.

L'abolitionnisme alimenta aussi de manière persistante la verve des poètes, écrivains, essayistes et dramaturges souhaitant user de leur art pour exprimer leurs sentiments[31]. Le poète William Cowper, ardent abolitionniste, développa toute une série de thèmes. Son poème « La Tâche » condamne le racisme : « Il n'y a aucune chair dans le cœur endurci de l'homme / Il n'a pas de sentiment pour l'homme. L'attache naturelle / De fraternité est coupée comme le lin / Qui tombe au loin au contact avec le feu / Il reproche à ses frères leur couleur de peau / Qui n'est pas sienne, et, ayant le pouvoir / De faire le mal, pour une telle cause digne / Le condamne et le désigne comme sa proie légitime. » Dans sa « Complainte du Nègre », il dit : « Des bouclettes fournies et un teint noir / Ne sont rien contre l'appel de la nature ; / Les peaux noires ont beau n'être pas blanches, l'affection / Habite pareillement le cœur de la blanche et de la noire. »

Cowper s'attaque aussi à la canne à sucre : « Pourquoi la nature, mère de toute chose / A-t-elle créé la plante pour laquelle nous peinons ? / Ce sont nos soupirs qui l'éventent, nos pleurs qui l'arrosent / Nos sueurs qui creusent le sol / Pensez, vous, les maîtres au cœur d'acier, / Paresseusement attablés à vos joyeux festins, / Pensez à tous ces dos rompus, / Pour les sucreries que vos cannes vous procurent. » Le narrateur de « Pitié pour les pauvres Africains » essaie d'expliquer sa grande confusion morale concernant les esclaves du sucre : « Je les plains grandement, mais je dois être stupide, / En effet, comment pourrions-nous nous passer de sucre et de rhum ? »

Certains versaient candidement dans le poème hagiographique. Dans sa « Lettre au très honorable William Wilberforce, concernant le rejet du projet de loi sur l'abolition de la traite des esclaves » (1791), Anna Letitia Barbald place Wilberforce à la tête d'un mouvement réunissant un million de partisans. Dans son poème de 1807, « À Thomas Clarkson. À propos de l'adoption définitive du projet de loi sur l'abolition de la traite des esclaves », William Wordsworth salua bien bas « L'intrépide vassal du devoir ». « Ô Clarkson ! Combien dure fut la pente à remonter / Si pénible — oui, si terrible — Tu le sais ! / Toi, mais par nul autre, peut-être avec autant de profondeur : ... l'Écriture tachée de sang est irrémédiablement déchirée ; / Et tu connaîtras désormais, la sérénité de l'homme bon / Le bonheur du grand Homme. »

Avec le temps, la fièvre abolitionniste se calma. Wilberforce, Clarkson et d'autres abolitionnistes furent déclarés saints, pour leur soutien désintéressé à la cause, et ils furent le thème de nombreux écrits panégyriques du genre de ceux que nous venons de lire.

Comme le laissent penser les poèmes, l'élévation de Clarkson et de Wilberforce au statut de saints laïcs a donné encore plus de vigueur à la lutte des abolitionnistes pour des solutions de type parlementaire. Ils avaient formé un duo terriblement efficace. Clarkson enquêtait et réunissait des tonnes de renseignements. Wilberforce émaillait ses discours devant le Parlement de données fournies par Clarkson, tout en cultivant ses amitiés avec des hommes politiques capables d'imposer des accords politiques.

Les gros intérêts des Antilles

Dans sa lutte sans merci, le mouvement abolitionniste subit de nombreuses défaites. Il dut affronter une formidable opposition de la part des gros intérêts sucriers des Indes occidentales, de leurs alliés politiques et commerciaux et de leurs puissants réseaux familiaux. Les planteurs antillais firent, eux aussi, diligence dans l'enceinte du Parlement, répondant à toutes les allégations des abolitionnistes, déposant des preuves contradictoires, des démentis ou des justifications. Une de leurs stratégies préférées consistait à comparer la vie des esclaves à celle des travailleurs anglais les plus démunis. Leurs arguments les plus irréfutables étaient de nature économique : le sucre avait multiplié les fortunes et constituait un pilier de l'empire.

Ils avaient aussi recours à la diffamation pour mieux détruire la crédibilité de leurs adversaires. L'exemple le plus fameux était la calomnie qu'ils répandaient sur l'abolitionniste James Ramsay, dont le boitillement, prétendaient-ils, venait de ce qu'il avait glissé sur un sol en pierre en voulant donner un coup de pied à un esclave, et ce, « pour un délit tout à fait banal ». Le planteur Molyneux témoigna devant la Chambre des communes, accusant Ramsay d'avoir violé des esclaves. Bien que d'autres Antillais aient réfuté ces accusations, les ennemis de Ramsay ne lâchèrent pas prise. Après la mort de ce dernier, finalement brisé par la douleur, Molyneux, ravi, déclara à son fils illégitime : « Ramsay est mort — Je l'ai tué[32]. »

Une autre tactique utilisée par les Antillais consistait à justifier l'esclavage en dépeignant les Africains comme des sauvages. Quand la Révolution haïtienne éclata et que les insurrections se multiplièrent dans les Indes occidentales, ils firent valoir que mettre un terme à l'esclavage conduirait inévitablement à la répétition de ces horreurs. Les Blancs de la Jamaïque traitaient les Haïtiens de «barbares noirs»; en Angleterre, Wilberforce s'inquiétait de ce que «les gens... paniquent quand ils entendent parler des événements de Saint-Domingue[33]».

Ce qui n'empêcha pas le public anglais, en quête de héros, d'admirer les martyrs haïtiens. Wordsworth voulut rassurer Toussaint Louverture, trahi et maltraité par la France : «Tu as de puissants alliés ; / Tes confidents se nomment allégresse, angoisses, / Et amour, ainsi que l'esprit tout-puissant de l'homme.» Wilberforce répondit avec enthousiasme à la demande de l'autoproclamé empereur Henri Christophe, qui souhaitait engager des enseignants et tuteurs anglais qualifiés pour s'occuper des enfants qui faisaient maintenant partie de son empire, disant simplement : «Ah ! si j'étais plus jeune... je partirais tout de suite[34].»

Les abolitionnistes sympathisaient avec le désir de liberté des Haïtiens, mais ils déploraient leur violence. Déçus, beaucoup remarquaient que les Noirs, une fois libérés, ne semblaient pas s'intéresser aux durs labeurs que nécessitait la gestion des plantations. Face à la révolution et à la consternation générale, les abolitionnistes adoptèrent un profil bas, mais pour mieux revenir, encore plus forts, au siècle suivant. En 1805, pour la onzième fois en quinze ans, le projet de loi sur l'abolition fut défait. En 1806, le Comité de Londres pour l'abolition exigea des candidats à la vie politique qu'ils s'engagent en faveur de l'abolition lors des élections prévues en novembre. Même les hommes politiques qui s'étaient montrés peu enthousiastes sur la question s'empressèrent d'épouser la cause. Le *Bristol Journal* de Félix Farley exultait : «Les amis de la race africaine opprimée seront heureux d'apprendre que durant la période électorale, un peu partout dans le royaume, le sentiment populaire s'est vigoureusement affirmé, bien décidé à mettre un terme à ce trafic de chair humaine[35].»

De plus en plus amers, les Antillais et tous ceux qui avaient des intérêts dans l'esclavage poursuivirent la lutte, mais le nouveau gouvernement libéral de Lord Grenville, qui avait comme secrétaire aux Affaires étrangères l'abolitionniste Charles Fox, se trouvait maintenant en phase avec le sentiment populaire. En janvier 1807, le projet de loi sur l'abolition fut déposé pour la seizième fois. Le débat à la Chambre fut l'occasion de vibrants hommages rendus à Wilberforce, dont «trois acclamations distinctes et unanimes». Incapable de retenir ses larmes, ce dernier se dit «complètement submergé par l'émotion [...]. Je n'avais plus conscience de ce qui se passait autour de moi[36].» Le projet de loi fut adopté par 115 voix contre 15 à la Chambre des communes et par 41 voix contre 20 à la Chambre des lords. La loi fut promulguée le 25 mars 1807.

Après des dizaines d'années de lutte, et au début du nouveau siècle, la traite des esclaves — mais non pas l'esclavage — était désormais illégale.

CHAPITRE 8

Venir à bout des monstres :
esclavage et apprentissage

L'esclavage survit

La traite des esclaves fut abolie, mais dans les colonies sucrières, les esclaves découvrirent avec amertume qu'ils n'étaient pas libres. Certains d'entre eux préparèrent une insurrection, les Créoles (blancs) prétendant que leurs esclaves voulaient les exterminer. En Angleterre, cependant, les abolitionnistes, euphoriques mais épuisés, demeuraient convaincus, dans une large mesure, que la fin de la traite des esclaves allait améliorer les conditions de vie de ceux-ci et, finalement, venir à bout de l'esclavage comme tel. En raison du climat politique général, l'idée même d'une nouvelle campagne abolitionniste était mort-née : il y avait trop à faire partout ailleurs. Sur la côte africaine et dans les Indes occidentales, il fallait s'occuper du trafic clandestin d'esclaves. Les États-Unis venaient d'abolir la traite des esclaves ; mais il n'en allait pas de même pour la France, l'Espagne, le Portugal et certains autres pays européens, dont les colonies négrières concurrençaient maintenant les colonies anglaises, dorénavant obligées de parier sur la reproduction des esclaves. Les nouvelles priorités de l'abolitionnisme consistaient à améliorer la loi existante (1807) et à faire pression sur les autres pays pour les inciter à mettre fin à leur propre traite des esclaves.

En 1814, après que le traité de Paris eut accordé un délai de cinq ans à la France pour mettre un terme à cette pratique, 806 pétitions abolitionnistes recueillant le nombre record de 750 000 signatures furent déposées pour dénoncer cette clause du traité. En privé, Clarkson mit en garde le gouvernement, l'avertissant que si cet «odieux article» devait être conservé, «les deux Chambres et l'ensemble de la presse écrite se déchaîneront contre [lui][1]». Pour toute réponse, le gouvernement autorisa des prêts, voire des dons de territoires, afin d'inciter les autres pays à mettre un terme à leur pratique esclavagiste.

L'enjeu débordait la seule traite des esclaves. En 1814, bien qu'elles aient été les principales nations esclavagistes, l'Espagne et le Portugal étaient aussi de loyaux alliés de l'Angleterre contre la France. En réalité, ce fut uniquement grâce à l'appui populaire non équivoque manifesté lors de la campagne de pétitions que l'Angleterre parvint, au congrès de Vienne de 1815, à forcer les Français, les Hollandais, les Portugais et les Espagnols à mettre un terme à la traite des esclaves. En 1817, l'Espagne s'engagea à abolir immédiatement le trafic des esclaves dans la zone située au nord de l'équateur, et de le faire trois ans plus tard au sud.

La même année, fut voté le *Slave Registration Bill* de Wilberforce exigeant de chaque propriétaire qu'il inscrive dans un registre le nom de chacun de ses esclaves. Cette mesure administrative contribua efficacement à comptabiliser les nouveaux arrivages africains et à calculer le taux de mortalité des esclaves; elle fut entérinée en dépit de l'opposition féroce des lobbies antillais.

La vague abolitionniste suivante ciblait l'esclavage comme tel. En 1823, fut fondée la Société contre l'esclavage, suivie peu de temps après de la première des nombreuses Associations féminines contre l'esclavage. En 1824, le mouvement connut un regain de popularité à la suite de la nouvelle qu'un dénommé John Smith, jeune et frêle missionnaire méthodiste, et accusé de complicité dans une affaire de rébellion d'esclaves, était mort dans une prison infecte de Demerara, colonie hollandaise tombée sous la coupe des Britanniques en 1814. Smith s'était mis à dos le gouverneur dès leur première rencontre, lorsqu'il lui avait annoncé qu'il allait apprendre à lire aux esclaves. Le gouverneur, qui était lui-même planteur, fut horrifié. Il l'avertit: «Si jamais j'apprends que vous avez appris à lire à un Nègre, je vous bannis aussitôt de cette colonie[2]!»

Smith ne fut pas ébranlé par la menace. Il appelait les esclaves ses «frères». Il dénonçait publiquement l'esclavage: «Ô esclavage! Toi, fils de Satan [...], quand mourras-tu[3]?» Il avait dressé la liste des crimes des plantations sucrières, ces «usines à viandes» qu'on appelle «hôpitaux», «les mœurs grossièrement licencieuses», les flagellations impitoyables,

les huttes misérables, les chiches allocations alimentaires et vestimentaires, «le rhum qui coule à flots pour abrutir les esclaves...» Lui et sa
femme firent le compte quotidien du nombre de coups de fouets : le
30 avril 1821, 105 coups donnés à l'esclave Philis, pour délit de fuite ; le
1er mai, 86 coups ; le 2 mai, 81 coups ; le 3 mai, 34, plus 72 autres. Les
dimanches, quand les esclaves quittaient leurs maîtres pour aller à
l'office religieux de Smith, 50 coups chacun pour avoir préféré l'église
au champ de canne à sucre. Imprudent, Smith avait confié à un planteur : «J'ai une énorme influence sur l'esprit des Noirs ; je vais [...] dans
mes prêches les inciter à défier votre autorité[4].»

En juillet 1823, une délégation d'esclaves exigea du gouverneur qu'il
les libère, car «leur bon Roi avait donné des ordres en ce sens». Fou de
colère, le gouverneur accusa Smith d'incitation à l'insubordination, et il
l'emprisonna, lui et sa femme. Pendant que Smith cherchait sa respiration
dans une cellule étouffante aux effluves nauséabonds venus du sous-sol,
les esclaves se rebellèrent. Dans la plantation Bachelors Adventure, ils
giflèrent le propriétaire, le forcèrent à prendre des sels médicinaux et
mirent tous les Blancs aux fers. Ailleurs, ils enfermèrent les Blancs pour
mieux les conspuer. L'insurrection ne fut pas violente, mais en venir à
bout coûta la vie à 250 esclaves.

Le procès de Smith fut une parodie de justice. L'accusation fit valoir
que Smith s'était lui-même incriminé en lisant des extraits de la Bible
où l'on voit Moïse libérer les Israélites réduits en esclavage par le
Pharaon. La cour se laissa convaincre. Smith fut reconnu coupable
d'avoir semé le mécontentement chez les esclaves et de ne pas avoir
prévenu les maîtres de la rébellion qui se préparait. Il fut condamné à
mort.

Smith devança le bourreau. Ravagé par la maladie et épuisé par la
souffrance, il mourut en prison. Des gardiens vindicatifs empêchèrent
Jane d'assister aux funérailles de son mari et arrachèrent les barrières
protectrices de l'enclos dressées par les esclaves autour de sa sépulture.
Une semaine plus tard, avant même que la nouvelle n'eût traversé l'Atlantique, le roi George commua la sentence de mort en bannissement de
Demerara. Lorsqu'il apprit la nouvelle, Wilberforce prophétisa : «Le
jour du Jugement viendra[5].»

Jane rentra en Angleterre. Les abolitionnistes récoltèrent des fonds
pour la veuve. Le récit douloureux qu'elle fit des événements, les écrits
anti-esclavagistes de Smith et la publication par la Société missionnaire

de Londres du compte rendu de son procès grotesque et de sa mort pitoyable galvanisèrent le public. Plusieurs abolitionnistes virent dans la vie et la mort de Smith la preuve que, même si les planteurs récalcitrants appliquaient la loi, une simple amélioration ne suffisait pas. L'émancipation était la seule solution possible.

L'objectif abolitionniste : émancipation graduelle ou immédiate ?

« Le missionnaire Smith » fut le coup de clairon lancé en direction des femmes abolitionnistes pour qu'elles s'engagent à nouveau dans la lutte. En cette époque tourmentée, Mary Wollstonecraft parlait de l'urgence de prendre en compte les droits des femmes, privées du droit de vote et de pétition ; au même moment, s'appuyant sur leur autorité morale de gardiennes du foyer domestique, de mères, d'épouses, de sœurs et de filles, et poussées en cela par leurs maris, les femmes abolitionnistes de la classe moyenne fondèrent leur propre association et se mirent à la préparation, à la rédaction et à la publication d'écrits abolitionnistes. Elles organisèrent des collectes de fonds, déposèrent des pétitions et organisèrent à nouveau le boycottage du sucre en provenance des plantations esclavagistes.

Les associations de femmes formulèrent leurs propres objectifs et préconisèrent un style de direction original. L'influente Société des dames pour le soulagement des esclaves noirs britanniques de Birmingham, rebaptisée par la suite Société des femmes de Birmingham, décida « d'informer les gens sur les maux infligés par le peuple de Grande-Bretagne aux esclaves africains ; le but visé était d'alimenter en dons la Société pour l'abolition de l'esclavage, en vue de soulager les esclaves abandonnés ou négligés et de promouvoir l'éducation des esclaves britanniques[6] ». À l'instar des autres sociétés, elles notaient tout en détail, dressaient des procès-verbaux, et tenaient des livres de comptes et des ordres du jour, ajoutant au bénévolat leurs compétences de châtelaines. Les femmes de Birmingham constituèrent aussi un album de la Société des femmes contenant poèmes, articles, lettres et autres documents.

En 1824, le bestseller d'Elizabeth Heyrick, *Immediate not Gradual Abolition, or An Inquiry into the Shortest, Safest, and Most Effectual Means of Getting Rid of West Indian Slavery* (*Pour l'abolition immédiate plutôt que graduelle, ou Enquête sur les moyens les plus rapides, sûrs et efficaces de mettre fin à l'esclavage dans les Indes occidentales*), eut l'effet d'une bombe, et changea complètement le ton de la lutte anti-esclavagiste. La première réaction de Wilberforce fut négative. Heyrick repoussait l'approche «gradualiste», marque de commerce de l'abolitionnisme mâle; pour elle, c'était là de l'hypocrisie, et les femmes en général étaient de son avis[7].

La tension monta d'un cran entre abolitionnistes féminins et masculins. Puis, un jour, Wilberforce interdit à ses collègues de prendre la parole dans les assemblées féminines. En 1830, à l'instigation d'Elizabeth Heyrick, la Société des femmes de Birmingham menaça de ne plus financer son pendant masculin, la Société pour l'abolition de l'esclavage, tant que celle-ci n'abandonnerait pas son approche «gradualiste». Heyrick savait que les associations féminines assuraient plus de vingt pour cent de toutes les recettes de ladite Société; la menace porta fruit. Les mentalités changeaient. En mai de la même année, la Société pour l'abolition de l'esclavage optait pour l'abolition immédiate.

Contrairement à ce qui se passait du côté des hommes, on n'avait pas tendance, chez les femmes, à idolâtrer les porte-parole du mouvement, même si les Elizabeth Heyrick, Anne Knight, Lucy Townsend, Sarah Wedgwood, Mary Lloyd, Sophia Sturge et d'autres étaient d'éminentes abolitionnistes. Leurs objectifs n'étaient pas toujours ceux des hommes, l'abolition immédiate de l'esclavage en étant un exemple frappant. Les femmes comprenaient l'importance de rester unies, jurant qu'«aucune institution ni aucune pratique, si cruelle ou si odieuse qu'elle fût, ne tiendrait face à sa dénonciation ouverte et obstinée par les femmes d'Angleterre[8]». Elles marquèrent leur territoire, mirent leurs ressources en commun, et forgèrent des alliances avec les abolitionnistes d'outre-Atlantique.

Ces femmes croyaient fortement pouvoir convertir les gens à l'abolitionnisme par l'éducation, les livres, les prospectus, les conférences et les images. En 1828, elles ajoutèrent à leur arsenal une version féminine du camée de Wedgwood, une femme enchaînée et à genoux, misérable, implorant: «Ne suis-je pas une femme et ta sœur?» Elles en décorèrent des bracelets, des épingles à cheveux, et le gravèrent sur toutes sortes d'accessoires. Un pot de sucre pour illustrer la cause l'abolition comportait, par exemple, d'un côté, le camée et, de l'autre, l'inscription en lettres minuscules:

Le sucre des Indes orientales
N'est pas produit par des esclaves.
Six familles seulement
Consommant le sucre des Indes orientales
Au lieu du sucre des Indes occidentales
Libèrent un esclave.

Les femmes faisaient des travaux de couture, et distribuaient par milliers des sacs à ouvrage décorés de répliques du motif de Wedgwood ou de slogans, avec des tracts abolitionnistes à l'intérieur. Même les jeunes filles et les femmes vouées aux travaux domestiques, interdites de tribunes, voulurent signifier leur appui à la cause abolitionniste en insérant le motif de Wedgwood dans des échantillons de broderie.

La deuxième phase de leur campagne fut un boycottage national du sucre négrier, l'argument majeur étant que les consommateurs de sucre étaient complices de la brutalité de l'esclavage. En achetant du sucre, expliquait l'un des prospectus, «nous participons au crime». «Le planteur des Indes occidentales et les habitants de ce pays se trouvent l'un par rapport à l'autre dans la même relation morale que celle qui unit le voleur et celui qui profite des biens volés[9]», soutenait Heyrick. «Les lois de notre pays permettent de porter à nos lèvres la canne à sucre trempée dans le sang de nos amis, mais personne ne peut nous forcer à ingurgiter la potion maudite [...]. Le marchand d'esclaves, le propriétaire d'esclaves et le conducteur d'esclaves sont au service du consommateur [...] ; ce dernier est la cause première, l'élément déclencheur, de cet horrible processus[10].» Un autre écrivain faisait remarquer avec insistance : «Le thé est sucré, mais au fond de la tasse que d'amertume. Réfléchissons un moment : ce morceau de sucre vient du gémissement d'un pauvre esclave, cet autre de la plaie laissée par le fouet, cet autre de l'esclave épuisé par la fatigue, l'extrême dénuement, le désespoir, et bientôt emporté dans la mort. Pendant ce temps, l'autre boit son thé ! On lui souhaite bien du plaisir, s'il en est encore capable[11].»

Dans l'idée des militantes, le boycottage du sucre, outre qu'il personnalisait la relation entre la ménagère anglaise et le sucre produit par un esclave anonyme, avait une portée morale, idéologique et stratégique. En boycottant le sucre négrier, la ménagère affirmait une morale, tout en brandissant l'arme du pouvoir d'achat propre à anéantir l'ennemi. En tant que principale nourricière de la famille, elle et des millions d'autres femmes pouvaient mener la guerre contre l'esclavage.

Heyrick soutenait que le boycottage du sucre abolirait l'esclavage beaucoup plus rapidement que n'allait le faire la lente marche alarmiste des hommes abolitionnistes, empêtrée dans d'interminables pétitions déposées devant le législateur. « Seul le renoncement au sucre des Indes occidentales mettra fin à l'esclavage des Indes occidentales[12]. »

À vrai dire, il fallait apprendre à s'abstenir de consommer le sucre, et les associations féminines surent bien s'y prendre. Elles avaient l'habitude des visites bénévoles dans les foyers ; elles entreprirent donc de faire du porte-à-porte pour vendre ou distribuer des tracts disant par exemple : « Consommateurs du sucre des Indes occidentales, partisans de l'esclavage qui y règne. » Elles décrivaient l'esclavage et ses maux, et insistaient sur la nécessité de substituer le sucre des Indes orientales à celui des Indes occidentales. Elles s'adressaient sans détours aux femmes de la classe ouvrière : « Combien coûte votre sucre ? Une conversation bien au chaud sur l'oppression anglaise des Noirs. » S'adressant aux femmes « de la haute », l'on évoquait « les raisons qui militaient en faveur du remplacement du sucre des Indes occidentales par le sucre des Indes orientales ». Pour mettre un terme aux pleurnichages des enfants soudain privés de leur ration de sucre, elles distribuèrent 14 000 exemplaires du tract « Pitié pour le Noir, ou appel aux enfants sur la question de l'esclavage ». (Les abolitionnistes des deux sexes étaient des pamphlétaires particulièrement prolifiques. La Société contre l'esclavage distribua à elle seule 2 802 773 tracts entre 1823 et 1831.)

Au début des années 1830, les femmes commencèrent, elles aussi, à signer des pétitions, activité qui autrefois leur était interdite. En 1833, quatre hommes déposèrent au Parlement une « phénoménale pétition » signée par 187 157 femmes abolitionnistes[13]. Les signatures avaient été obtenues en moins de dix jours, ce qui donne une idée du savoir-faire des femmes en la matière. Les hommes conçurent leur propre pétition, l'imprimèrent en plusieurs exemplaires qu'ils affichèrent un peu partout dans les villes, rappelant au passage le nom de ses auteurs. Les sympathisants alors la signèrent, les organisateurs recueillant et rassemblant tous les exemplaires. Les femmes, de leur côté, organisaient des blitz de porte-à-porte, confiant à des volontaires le soin de distribuer les pétitions dans des quartiers préalablement choisis, ce qui empêchait qu'on ne les arrache ou qu'on ne les vole. Le succès fut tel que le nombre de signatures recueillies représenta le quart, voire le tiers du total des signatures.

Les femmes abolitionnistes s'intéressaient en particulier au problème spécifique auquel les femmes esclaves devaient faire face, soit «comment vivre sa vie de fille, d'épouse et de mère». Elles rappelèrent à Victoria, leur reine, que les femmes étaient fouettées, enchaînées les unes aux autres par le cou avec des colliers de fer et envoyées de force à la «roue», souvent pour des peccadilles. Grâce à leurs pétitions, bien rédigées et massivement appuyées, les femmes abolitionnistes adoptèrent une position féminine originale sur tout ce qui touchait au sucre négrier, et, en particulier, à l'esclavage des femmes.

Par un manque étonnant de bon sens, les femmes abolitionnistes prétendaient que les femmes esclaves partagent leur idéal très britannique du mariage, de la fidélité sexuelle, de l'épouse effacée, de l'éducation des enfants et de la pratique religieuse. Pour elles, la femme esclave était gentille: la victime disant merci, à genoux, pour l'assistance offerte par sa sœur blanche. Elle n'était pas du genre de Sally, qui s'était vengée de Thomas Thistlewood en faisant ses besoins dans une passoire de cuisine, ou de ces femmes esclaves qui s'étaient mises en grève à la plantation jamaïcaine de Matthew Lewis.

L'exception à ces images idéalisées de la féminité des esclaves était Mary Prince, une esclave d'Antigua, dont l'*Histoire*, publiée en 1831, fut le seul récit rédigé par une esclave des Indes occidentales britannique. Le dos de Mary était à ce point marqué «par les traces de coups de fouet […] et les estafilades provoquées par des instruments manipulés par des gens impitoyables» et son *Histoire* était à ce point une dénonciation virulente de l'esclavage que ses secrétaires abolitionnistes ne censurèrent pas les récits de ses relations compliquées avec ses amants blancs et noirs[14].

L'émancipation

Dans les Antilles en ébullition, certains esclaves incapables d'attendre plus longtemps l'abolition se rebellèrent et même parfois tuèrent des Blancs. Cela se produisit à la Jamaïque durant la période de Noël 1831. L'idée première avait été de faire grève. Mais la grève se transforma en insurrection: 20 000 esclaves rasèrent puis brûlèrent les plantations et les champs de canne à sucre, causant des dommages s'élevant à 1 000 000 £, sans compter la mort de plusieurs Blancs.

Il fallut débourser 161 570 £ pour écraser l'insurrection, qui, en outre, coûta la vie à 200 esclaves. Le reste de la troupe rendit les armes après une promesse mensongère de libération; 540 d'entre eux furent pendus. Les planteurs et les autorités en place se retournèrent alors brutalement contre les missionnaires, accusés d'avoir fomenté la rébellion. Deux d'entre eux, des missionnaires baptistes, s'enfuirent en Angleterre et entamèrent une campagne pour l'abolition de l'esclavage. « Il y avait là, raconte Thomas Burchell, une foule de Blancs en furie, sifflant, grognant, grinçant des dents [...]. Si je n'avais pas été protégé par la population jamaïcaine, j'aurais été massacré, sans plus — mis en pièces par mes propres compatriotes, soi-disant des CHRÉTIENS BRITANNIQUES RESPECTABLES et éclairés[15]! » William Knibb, de son côté, se souvenait « des cris d'un bébé esclave du domaine Macclesfield, à Westmoreland, qu'il avait vu fouetté [...]; du sang qui ruisselait sur tout le dos de Catherine Williams [...] qui avait préféré la prison que de perdre son honneur [...]; le dos lacéré de William Black, de King's Valley, à peine cicatrisé un mois après sa flagellation[16] ».

En Angleterre, la rébellion de Noël renforça la conviction que rien, hormis l'émancipation des esclaves, ne réglerait le problème. Samuel Sharpe, leader des abolitionnistes, déclara : « J'aimerais mieux finir à la potence que de vivre dans... l'esclavage. » Une enquête révéla que les meneurs de la rébellion étaient des esclaves de confiance et en quelque sorte privilégiés, motivés par le désir d'être libres et de posséder les mêmes biens que leur maître. L'esclavage agonisait; toutefois, les interminables débats parlementaires sur l'abolition alimentaient la rébellion. Comme le disait un Jamaïcain : « L'esclave [...] connaît sa force, et il va clamer sa volonté d'être libre. Même aujourd'hui, au lendemain d'une récente défaite, il discute la question avec la même détermination[17]. »

Le 28 juillet 1833, la Loi d'émancipation fut votée en Angleterre, son entrée en vigueur étant prévue pour le 1er août 1834. Mais elle n'émancipait que les enfants de moins de six ans, les « apprentis » domestiques et les travailleurs ne travaillant pas dans les champs qui étaient attachés à leur maître depuis quatre ans, ou les travailleurs qui étaient attachés à leurs maîtres depuis six ans s'ils travaillaient aux champs. Pour les auteurs de la loi, « apprentissage » voulait dire apprendre à vivre en homme libre, comprendre aussi que liberté veut dire travailler dur pour gagner un salaire, se soumettre aux lois et adhérer aux idéaux chrétiens d'un mariage stable béni par l'Église.

Le concept d'apprentissage visait à satisfaire à la fois les planteurs pris de panique et les abolitionnistes «gradualistes». Les premiers s'inquiétaient de ce qu'une fois libérés, les esclaves refusent de travailler dans une plantation; les abolitionnistes croyaient qu'on pourrait éviter l'hémorragie en garantissant à tous des conditions équitables de travail, un solide encadrement législatif, et un climat moral mettant en valeur la qualité intrinsèque du travail. La loi prévoyait 41 ½ heures de travail par semaine pour une rémunération digne du temps de l'esclavage: la nourriture, le vêtement, un toit et des soins médicaux. Les apprentis aux champs avaient droit à vingt-six jours de congé par année pour s'occuper de leur récolte ou pour travailler moyennant salaire. D'autres jours étaient prévus pour l'entretien de leurs jardins. Les travaux supplémentaires, essentiels pendant la période de récolte de la canne à sucre, devaient être rémunérés. Pour surveiller l'application de la loi par les planteurs et les apprentis, la Grande-Bretagne paya et forma des magistrats spécialisés dans la vérification sur place du bon fonctionnement du nouveau système. (Comme il manquait de magistrats souhaitant s'expatrier, on fit appel aux services de magistrats locaux.)

La Loi d'émancipation résolvait l'épineuse question des dédommagements, prévoyant la mise de côté d'une somme de 20 000 000 £ pour rembourser les réclamations des planteurs, une fois terminée la période d'apprentissage. Les dédommagements étaient considérés comme une obligation morale et une nécessité politique. Toutefois, les contribuables britanniques virent rouge quand ils découvrirent que les planteurs allaient, de nouveau, creuser le déficit public, en profitant, cette fois, des compensations plutôt que des droits préférentiels maintenant les prix du sucre artificiellement élevés. Quant aux travailleurs, ils se plaignaient amèrement de ce que des esclaves vivant au loin fussent choyés, pendant que les petits Anglais apprenaient à ramoner les cheminées, étaient battus et affamés. Plusieurs abolitionnistes protestèrent avec véhémence contre l'idée d'une indemnisation aux propriétaires d'esclaves plutôt qu'aux anciens esclaves.

Les dédommagements étaient un des aspects les plus importants de l'abolition, même si leur sens n'était pas très clair. Les gros intérêts des Indes occidentales comprirent qu'aucun gouvernement ne pourrait résister aux pressions exercées par les abolitionnistes en faveur de l'émancipation, même si tout au long des ans, et jusqu'au bout, ils avaient combattu cette mesure. Dans son ouvrage *The Economics of Emancipation: Jamaica and Barbados* (*L'économie de l'émancipation: la Jamaïque et la Barbade*), l'historienne Kathleen Butler fournit des détails sur l'entente qui accordait ces dédommagement. Les planteurs s'étaient lourdement endettés auprès de leurs créanciers de la métropole — les investisseurs des Indes occidentales; les uns et les autres redoutaient que l'émancipation ne détruise toute l'industrie du sucre et le système financier qui lui était propre. Les créanciers lancèrent un avertissement: «Si l'esclavage est aboli sans compensations, on ferme le robinet des crédits, on ne paie plus les lettres de change et on bloque l'approvisionnement en produits essentiels.» En d'autres termes, «les investisseurs du sucre menaçaient de détruire les économies coloniales et de faire tomber le gouvernement[18]».

Les whigs (les libéraux), mis au pied du mur, négocièrent un accord prévoyant des dédommagements pour tous les esclaves, même pour les fuyards, et forcèrent la plupart de ces derniers à renégocier un genre de travail semblable à ce qu'il était auparavant avec leurs anciens employeurs. «L'apprentissage» fut donc un arrangement provisoire visant à aider les planteurs à élaborer une politique de la main-d'œuvre. Mais les gros intérêts sucriers menaient la négociation: il ne fut plus question de dédommager les esclaves davantage ou au même titre que les propriétaires. Dans chaque colonie, le dédommagement par esclave s'évaluait à partir de son prix moyen au cours des huit dernières années. Les réclamations devaient se faire en Angleterre, ce qui donnait aux marchands et aux créanciers les moyens de se faire rembourser en priorité les dettes importantes, tout en surveillant les investissements rendus possibles par l'argent des dédommagements.

Les gagnants et les perdants de la Loi d'émancipation

L'émancipation eut plusieurs vainqueurs, en tête desquels on trouve les abolitionnistes et les magnats du sucre. Les abolitionnistes avaient mis sur pied un mouvement qui, aujourd'hui encore, reste un modèle pour les mouvements réformistes, et, en particulier, pour l'actuel mouvement concernant la protection des droits des animaux, qui a emprunté avec succès plusieurs de leurs stratégies. Wilberforce, qui mourut deux jours après l'adoption de la Loi d'émancipation, et Clarkson, furent salués comme des héros, le premier pour une forme d'abolitionnisme prudent et graduel devenu l'histoire de toute sa vie, le deuxième pour ses inlassables recherches, ses puissants écrits, et la ténacité dont il avait su faire preuve. Ce faisant, tous deux ont appris aux plus jeunes l'action politique, la diplomatie et l'art du compromis. Leur influence fit surgir un nouveau leader : Joseph Sturge, quaker internationaliste qui dirigea le mouvement à partir du milieu des années 1830.

Les femmes abolitionnistes tirèrent, elles aussi, profit de l'émancipation, à savoir 10 000 militantes environ, et des milliers d'autres qui avaient signé des pétitions, cousu des bourses et assisté aux réunions et aux conférences, sans parler des centaines de milliers de femmes qui avaient boycotté le sucre importé des Indes occidentales. Leurs réalisations furent colossales. Elles personnalisèrent le concept d'esclavage : découvrant toute la souffrance des esclaves au fond de leur sucrier, elles réagirent avec l'arme du boycottage. Elles mirent l'accent sur l'aspect moral des emplettes familiales, « conférant à la pure consommation une tonalité héroïque[19] ». Même si le boycottage eut peu d'effets sur les importations de sucre, ce fut une démarche de propagande d'une importance capitale.

L'émancipation marqua aussi une étape importante dans l'évolution du mouvement abolitionniste féminin. Les succès remportés par les femmes constituèrent un vrai défi face à la gestion exclusive par les hommes des affaires de la société, et favorisèrent le développement d'une conscience féministe. Quand les femmes commencèrent à faire campagne pour un élargissement de leurs droits, elles puisèrent leur inspiration dans leur expérience de militantes abolitionnistes et s'appuyèrent sur leur réseau de partisanes chevronnées. En réalité, les femmes abolitionnistes, ainsi que des hommes comme Sturge, élargirent leurs perspectives, passant de l'esclavage sucrier à l'esclavage en général ; leur mouvement inspira les hommes et les femmes d'Amérique animés des mêmes valeurs.

Mais les grands gagnants de l'émancipation assortie de dédommagements furent les magnats du sucre. Ses membres, aussi bien propriétaires de plantations qu'acteurs du marché financier, en profitèrent largement. Charles Pinney se vit offrir 36 000 £ (équivalant à 4 millions de dollars d'aujourd'hui) ; l'évêque d'Exeter, le très honorable Henry Philpotts et ses collègues reçurent la somme de 12 729 £ pour les 665 esclaves dont ils étaient propriétaires en Jamaïque. À vrai dire, ces propriétaires non résidents ne réinvestissaient que peu d'argent, ou pas du tout, dans leurs propriétés des Indes occidentales. Le cas de Charles Pinney est typique : il investit les dédommagements obtenus en vertu de la Loi d'émancipation dans des projets anglais, tels que les canaux et les chemins de fer, et dans une autre entreprise reposant sur l'esclavage, la Great Western Cotton. L'industrie locale britannique et le commerce en tirèrent profit. Même chose pour l'immobilier, les plaignants s'offrant de nouvelles résidences. Les gros intérêts sucriers profitèrent aussi de leur droit de premier regard sur les compensations versées au compte-gouttes aux planteurs antillais endettés. Comme le dénonçait vertement le journal *The Barbadian* : « Des miettes seulement des soi-disant "montants faramineux" ont été versées aux colonies des Indes occidentales. Pour la plupart, ces sommes sont revenues aux créanciers hypothécaires appartenant au petit cercle de la rue Threadneedle » (où se trouvait le siège social de la Banque d'Angleterre). C'est exactement ce que le gouvernement anglais avait prévu, quand il avait « cyniquement soumis son projet d'émancipation aux gros intérêts sucriers des [Indes occidentales] avant de le déposer devant le Parlement[20] », fit remarquer l'historienne Kathleen Mary Butler.

En réalité, l'émancipation ruina plusieurs planteurs, qui en dépit des sommes versées, furent forcés de vendre leurs biens. Mais cela ouvrit aussi la porte à de nouveaux venus, qui relancèrent la « plantocratie ». Quelques petits propriétaires profitèrent des indemnités versées pour agrandir leur domaine ou pour spéculer. D'autres, flairant la bonne affaire, raflèrent toutes les plantations prometteuses. Les dédommagements eurent également des répercussions imprévues : la hausse des valeurs foncières et des ventes de terrains. Cette situation poussa un nombre démesuré de femmes blanches, le plus souvent propriétaires d'esclaves domestiques, à utiliser leurs modestes indemnités pour s'introduire dans la « plantocratie », ou pour offrir des prêts aux planteurs. Après des décennies de sécheresse financière, les Indes occidentales connurent un regain d'investissements. Pendant les deux décennies qui suivirent l'abolition, grâce aux généreuses indemnités financières accordées aux planteurs et malgré les prédictions apocalyptiques de ceux-ci, il s'avéra que l'émancipation n'avait d'aucune façon ruiné l'industrie sucrière.

L'émancipation laissa un goût amer dans la bouche des esclaves qui avaient rêvé de liberté. À la Trinité, en présence du gouverneur qui tâchait d'expliquer la nature de « l'apprentissage », une foule d'anciens esclaves se mit à scander: «Vieux voyou!», criant à tue-tête: «Pas six ans, on ne veut pas six ans, on est libres, le roi nous a rendu notre liberté[21]!» À Demerara, des apprentis en colère abandonnèrent le travail. Dans un geste de rare «solidarité», les propriétaires de plantations égorgèrent tous les cochons des travailleurs et firent abattre leurs arbres fruitiers, espérant les forcer à travailler dans les plantations en leur coupant leurs moyens de subsistance. Aussitôt, sept cents apprentis se mirent en grève. L'armée intervint, et le leader de la grève fut pendu; les grévistes retournèrent à leur champ de canne à sucre. Commentaire d'Eric Williams: «L'apprentissage, c'est l'esclavage... sous une autre forme[22].»

À Antigua, très peuplée et densément colonisée, il n'y eut aucun apprentissage. Ce n'était pas là philanthropie de planteurs. Comme le disait l'un d'eux, Samuel Otto Beijer, aussi impitoyable que prospère: «J'ai fait mes calculs en fonction des conséquences prévisibles de l'émancipation, et j'en suis arrivé à la conclusion indubitable que cultiver mon domaine me coûtera trois fois moins cher avec une main-d'œuvre libre qu'avec une main-d'œuvre esclave[23].» Il en coûtait, en effet, beaucoup pour nourrir des esclaves âgés, infirmes ou en très bas âge; la liberté dégageait le planteur de ses obligations. Il n'avait plus qu'à payer des salaires: 1 schilling par jour pour la grande bande, 9 pence pour les autres activités; le gîte, les sols cultivables et les soins médicaux étaient soumis à des clauses contractuelles très strictes imposant de dures pénalités aux ouvriers (une semaine de prison et de travaux forcés pour absentéisme) et une amende symbolique de 5 £ à un planteur en infraction. En outre, des lois antivagabondage étaient prévues pour forcer les ouvriers à s'installer dans un domaine donné.

En règle générale, les planteurs géraient l'apprentissage en se souciant comme d'une guigne de l'esprit de la loi. Dénaturant la législation, ils inscrivaient leurs domestiques comme travailleurs aux champs, portant du coup à six ans leur période d'apprentissage et augmentant ainsi le nombre des esclaves de cette catégorie. Quand un travailleur demandait une demi-journée du vendredi pour cultiver son lopin personnel, ils se montraient impitoyables, et l'impertinent qui osait le faire se voyait déférer devant un juge qui le condamnait automatiquement à la roue. Ils empêchaient délibérément les époux qui travaillaient dans des plantations différentes de se voir. Ils lâchaient la bride «à leur vieille licence habituelle», violant les femmes apprenties, tout comme le faisaient d'ailleurs certains conducteurs noirs. Comme c'était le cas auparavant, les apprentis ne pouvaient protéger leurs femmes, qui demeuraient des proies faciles pour tout mâle investi d'une quelconque autorité. L'apprentissage devint un nouvel esclavage, ranimant la fougue militante des abolitionnistes.

L'ouvrage de l'apprenti jamaïcain James Williams, *A Narrative of Events*, fournit le gros des munitions des campagnes de propagande. Ses souffrances, à savoir le fouet, le confinement dans des espaces étroits, humides, sans air, infestés de rats et de vermine, la privation de nourriture, n'étaient rien en comparaison de celles de ses frères esclaves. Williams avait vu Henry James, un vieux gardien de troupeau africain, être battu si sauvagement pour avoir permis à son bétail de brouter un champ de blé non clôturé qu'il « tomba raide mort, des flots de sang lui sortant de la bouche[24] ».

Ce fut toutefois son témoignage sur le sort fait aux femmes apprenties qui fit voler en éclats la timide sympathie des abolitionnistes pour l'apprentissage. Pour la moindre chose, les femmes subissaient toujours des punitions corporelles. La roue, instrument de punition utilisé tout d'abord dans les prisons anglaises, avait été introduite aux Indes occidentales spécialement pour les femmes, car, contrairement aux flagellations, elle n'obligeait pas à les dénuder. Il s'agissait d'un cylindre en bois de grande taille, équipé de marches sur sa surface extérieure ; attachées par les poignets, les victimes sautaient et se devaient de « danser sur les marches » tant que le cylindre tournait si elles ne voulaient pas avoir les jambes égratignées ou broyées.

Le *Narrative* de Williams montre bien ce qu'il en était de la prétendue « amélioration ». La pudeur était impossible : « Les femmes devait attacher leurs vêtements en les remontant, pour éviter de marcher dessus en dansant sur le moulin ; elles devaient les attacher juste au-dessus de leurs genoux, s'exposant ainsi à moitié. » Un charretier fouetta deux jeunes femmes jusqu'à ce que leurs vêtements soient en lambeaux, puis il déclara en jubilant qu'« il avait vu leur nudité » !

Les flagellations n'épargnaient ni les femmes enceintes, ni les nourrices, ni les femmes âgées. Une femme sur le point d'accoucher supplia le surveillant de l'épargner, mais « lui dire pas lui envoyer elle, et lui doit faire son devoir ». À une autre femme qui protestait : « Missié, moi pas une chair, moi deux chairs », le gardien répondit en redoublant les coups de fouet : « Moi rien savoir, moi pas faire gros ventre à toi. » Des visiteurs anglais confirmèrent les dires de Williams sur les flagellations ; ils avaient vu la roue tachée de sang. Les planteurs ne se gênaient pas pour fouetter les femmes enceintes, car après août 1834, tous les enfants qui naissaient étaient libres ; les planteurs ne risquaient donc pas de perdre un petit esclave. Bien que le pouvoir de punir les apprentis ait été en principe transféré aux magistrats spéciaux, les apprentis, hommes comme femmes, étaient punis aussi durement qu'à l'époque où ils étaient esclaves : enchaînés les uns aux autres, fouettés, confinés à la maison de correction ou à la maison d'arrêt, ou condamnés aux travaux forcés quelque part dans les plantations. Ils écopaient d'amendes, leurs rations de nourriture étaient réduites, de même que le temps prévu pour cultiver leurs terres vivrières. Les planteurs ou leur représentants se moquaient de la loi et infligeaient des « punitions totalement interdites par la loi [...], tel l'emprisonnement dans un cachot de la propriété[25] ». Le leader abolitionniste Joseph Sturge, qui passa l'année 1837 à enquêter sur les conditions de travail aux Indes occidentales, et qui avait emmené Williams en Angleterre pour faire la promotion de son *Récit*, confirma dans un volumineux rapport que l'apprentissage n'était rien d'autre qu'un nouveau mot pour dire esclavage, « dans ses aspects les plus féroces, révoltants et haïssables[26] ».

Les planteurs n'étaient pas seulement vindicatifs. Ils cherchaient à rendre misérable la vie des femmes, afin qu'elles soient contraintes de leur confier leurs petits pour en faire des apprentis pour les bandes de la viande de porc, et qu'elles fassent des heures supplémentaires dans les champs de canne. Ils craignaient que, six ans plus tard, une fois imposée l'émancipation universelle, les femmes abandonneraient les plantations, deviendraient des ménagères et refuseraient le travail aux champs. C'était plausible, surtout que les missionnaires et les abolitionnistes travaillaient précisément à encourager ce style de vie comme étant le seul répondant aux valeurs de la chrétienté et de la civilisation. Convaincus qu'ils couraient à la ruine, les planteurs faisaient tout pour siphonner avec la dernière énergie le petit peu de force qui restait aux apprentis, et pour les harceler au maximum entre-temps.

Williams a raconté un fait qui illustre bien la situation. Un planteur jamaïcain, Monsieur Senior, accusa Amelia Lawrence, mère de quatre enfants, qu'il haïssait, de toujours se mettre en avant, sous prétexte qu'aux champs, elle s'arrangeait pour être dans la première rangée à côté de son frère, qui était conducteur. La réponse d'Amélia : « Missié devrait être content de voir apprentie travailler bien et dans la première rangée», lui valut une semaine à la roue et à la maison de correction. Ce fut d'autant plus pénible pour elle qu'elle dut abandonner ses quatre enfants aux soins de ses proches. Nancy Webb, qui fut condamnée pour avoir répondu avec impertinence à un policier, dut passer sept jours à la maison de correction, séparée de son époux Jarvis et de leurs sept enfants[27]. Partout dans les plantations, les gardiens prenaient un malin plaisir à tourmenter les mères apprenties. Celles qui avaient plus de six enfants, et qui, en vertu de la Loi d'amélioration, étaient exemptées du travail aux champs, y étaient ramenées de force. Williams décrit l'inhumaine situation des mères qui allaitaient: «Femmes qui donnent le sein à petits doivent attacher eux sur leur dos. Quand il pleut très fort, elles doivent travailler avec enfants sur le dos [...] [Le gardien] pas permettre elles allaiter le petit, même s'il crie; lui dire enfants êtres libres, et la loi prévoit aucun temps pour s'occuper d'eux; seulement si le conducteur permet, femme pouvoir nourrir bébés.»

Un jour, à la Jamaïque, un groupe de nourrices arriva en retard au champ de canne: elles avaient les bébés avec elles et le sol détrempé avait ralenti leur marche. Quand elles se virent infliger six samedis de travail, elles protestèrent que les petits ne pourraient pas survivre sans elles. Leurs terres vivrières étaient situées à plus de 10 kilomètres, elles n'avaient plus leur demi-journée du vendredi, elles n'avaient plus de poisson fumé et elles ne recevaient plus de sucre ni de farine pour les bébés. Pour avoir voulu discuter, un magistrat spécial leur infligea en plus des six samedis trois jours en maison de correction[28].

Les mères qui travaillaient aux champs protestaient encore plus violemment quand les planteurs essayaient de les forcer à envoyer leurs enfants s'occuper du bétail, ramasser l'herbe coupée et les autres débris jonchant le sol. Les planteurs décidèrent de ne plus nourrir les enfants et de leur refuser les soins médicaux; certains allaient jusqu'à refuser de nourrir les mères apprenties. Si elles étaient enceintes ou qu'elles allaitaient, les planteurs refusaient de leur accorder le temps prévu par la loi pour allaiter et récupérer après l'accouchement; ils les obligeaient même à rattraper le temps perdu à s'occuper des enfants malades ou des nourrissons. Plusieurs planteurs en profitèrent pour fermer les «garderies existantes», envoyant dans les champs de canne les nourrices plus âgées.

Les mères refusaient de capituler. Elles voulaient que leurs enfants libres restent libres, qu'ils apprennent un bon métier et qu'ils mènent une existence meilleure. Parfois, leur bataille pour protéger les petits se terminait mal. À Saint-Vincent, une épidémie de rougeole emporta plusieurs enfants laissés sans traitements, car les mères apprenties avaient eu peur que, une fois confiés au médecin de la plantation, leurs petits ne soient envoyés aux champs par les planteurs. Dans certains cas, les mères soutenues par leur mari négociaient avec le planteur, acceptant de faire des jours supplémentaires en échange de soins donnés à leurs enfants, six jours s'ils en avaient un, neuf s'ils en avaient davantage. « Elles s'accrochaient, becs et ongles, à leur droit d'exprimer leur volonté en tout ce qui touchait leurs enfants libres[29] », rapporta Robert Pitman, magistrat spécial affecté à Saint-Vincent, où les planteurs ne réussirent à embrigader que trois enfants dans l'apprentissage, tous enfants de parents alcooliques.

Entre apprentis et planteurs, les champs de canne et les baraquements devinrent le terrain d'une guerre de tranchées. Les femmes connaissaient la nouvelle loi et rappelaient leurs employeurs et superviseurs à leur devoir. Elles criaient « six à six » (six heures du matin à six heures du soir) et refusaient d'en faire davantage. Elles étaient prêtes à se mettre en grève pour dénoncer les injustices, et à se rendre à pied chez le magistrat spécial le plus proche pour déposer une plainte contre leurs oppresseurs. Raisonnables, elles insistaient sur le fait qu'elles étaient mères, sachant à quel point le mot lui-même était fort dans l'oreille d'un abolitionniste britannique. Mais, contrairement à la douce esclave de Wedgwood, qui suppliait, à genoux, de la considérer comme une femme et comme une sœur, ces femmes en colère dressaient des listes de griefs, et veillaient à leur donner un encadrement juridique. Les magistrats spéciaux faisaient, eux aussi, la liste de tous les cas touchant le droit des femmes enceintes, qui allaitaient ou s'occupaient des enfants malades, des mères de six enfants vivants ou plus, et des femmes toujours soumises aux flagellations, désormais interdites.

L'apprentissage était une utopie. La propagande, qui parlait d'une période de transition offerte à l'esclave pour s'habituer à sa nouvelle liberté et s'entraîner aux durs labeurs, fut contredite par l'implacable réalité : l'apprentissage n'était rien d'autre qu'une version corrigée de l'esclavage, laissant les planteurs parfaitement froids. En Angleterre, les abolitionnistes firent campagne en faveur de son abolition immédiate.

Prenant les devants (deux ans plus tôt que prévu), les chambres coloniales des Indes occidentales décidèrent son abolition. Le 1er août 1838,
l'esclavage, dans sa version « apprentissage », était *de facto* aboli.

Aux Indes occidentales et en Angleterre, ce fut la fête. À la Jamaïque,
les hommes libres et les affranchis enveloppèrent un cercueil de bande-
roles où l'on lisait : « L'esclavage colonial, mort le 31 juillet 1838. Âge :
276 ans. » Sur le coup de minuit, le missionnaire abolitionniste Knibb
s'écria : « Le monstre est mort ! Le Noir est libre, trois acclamations pour
notre reine[30] ! » Puis l'on procéda à l'enterrement du cercueil, d'une
chaîne, de menottes et d'un collier de fer. Par-dessus, on planta un
arbre, l'arbre de la liberté.

Des diacres noirs de l'église de Knibb profitèrent de l'occasion pour
dire leur gratitude envers les Évangiles — « L'Évangile rendre nous
libres », dit l'un d'eux pour rappeler tout le mal laissé dans le sillage de
l'esclavage sucrier. Le diacre Edward Barrett, parent par le sang (si non
juridiquement) de la poétesse Elizabeth Barrett Browning, rappela à
l'assistance comment l'esclavage, notamment par le biais de la traite des
esclaves, avait fait éclater les familles, allant jusqu'à obliger les maris à
fouetter leurs femmes. William Kerr déclara devant l'assistance qui
applaudit à tout rompre :

> Rappelons-nous que nous avoir été dans la plantation du lever du soleil
> le matin jusqu'à huit heures le soir ; la pluie tombant, le soleil brillant,
> nous étions toujours là [...]. Nous avoir droit au fouet, nos femmes bat-
> tues comme un chien, devant notre face, et si on parle, on a la même
> chose ; ils nous mettent dans le fer ; mais merci à notre Père dans le ciel,
> nous plus esclaves[31].

Liberté

Les planteurs ne virent là aucun motif de remercier Dieu. Au contraire,
ils dressèrent la liste de tous ceux qu'il fallait maudire : les missionnaires,
qui avaient poussé les esclaves à se rebeller, les producteurs de sucre des
Indes orientales et les marchands ; ceux qui cultivaient la betterave
sucrière et leurs défenseurs ; les marchands rapaces de Londres ; les
responsables coloniaux qui mettaient des bâtons dans les roues ; les
manufacturiers devenus soudainement hostiles à la protection des
barrières tarifaires sur le sucre ; les consommateurs anglais qui avaient
boycotté le sucre des Indes occidentales ; les vertueux abolitionnistes ;

et la concurrence des propriétaires d'esclaves de Cuba et du Brésil. À cela s'ajoutait le pire cauchemar des planteurs concernant l'émancipation : Quasheba, insolente et intraitable, et son partenaire Quashee, sournois et toujours avachi, allaient-ils, maintenant qu'ils étaient libres, continuer à travailler dans les champs de canne, comme l'avaient promis les abolitionnistes ?

Si le sucre devait rester roi, ou à tout le moins prétendant au trône, il fallait bien que quelqu'un s'occupe de la récolte. À Antigua, et dans les colonies très densément peuplées comportant peu d'espaces cultivables, les Noirs affranchis se trouvaient dans l'obligation de choisir les maigres salaires offerts par les planteurs. Dans les autres colonies, qui comportaient plus d'espace cultivable, peu d'entre eux étaient disposés à accepter le travail salarié et des conditions de vie à peine meilleures que ce qu'ils avaient connu à l'époque de l'esclavage. Pour les ramener de force aux champs, les planteurs imaginèrent une forme de chantage qui liait contractuellement travail salarié et logement. Pour avoir le droit de rester dans la demeure qu'ils occupaient déjà, et que souvent ils avaient construite de leurs mains, et de cultiver les lopins de terre qu'ils avaient sarclés et plantés, les hommes et les femmes affranchis devaient travailler dans les plantations.

Il y avait pire. Ils devaient payer un loyer par habitant, et non par habitation, et des pénalités de location pour chaque jour d'absence dans les champs. Seuls les enfants de moins de dix ans étaient exemptés. Le loyer devait être déduit du salaire hebdomadaire, ce qui rendait les ouvriers aussi dépendants des propriétaires qu'auparavant. Le loyer constituait une double épreuve pour les femmes. Toujours empêchées d'apprendre des métiers spécialisés, elles se voyaient imposer les plus bas salaires. Quant à celles qui refusaient de retourner dans les champs exécrés de canne à sucre et qui gagnaient leur vie à faire du jardinage ou des petits commerces, elles étaient encore plus vulnérables. Les planteurs n'avaient plus de fouet, mais ils brandissaient la matraque du logement et des terres vivrières.

En de nombreux endroits, les missionnaires intervinrent, conseillant aux ouvriers de ne pas signer les contrats qu'on leur proposait ; les prêcheurs noirs organisèrent des grèves. En guise de représailles, les planteurs se faisaient féroces : ils envoyaient des avis d'éviction, appliqués à la lettre. Ils détruisaient les sols ensemencés et prêts pour la récolte et massacraient le bétail des hommes libres. À la Jamaïque, le propriétaire de la plantation Shawfield fit détruire la demeure de Rasey Shaw, une vieille baptiste qui n'était plus capable de travailler ; Rasey fut « jetée à la rue, sans abri ni rien », rapportait le pasteur William Knibb. Un magistrat déclara : « La question du loyer est suspendue, telle une épée de Damoclès, au-dessus de l'île entière[32]. »

D'autres planteurs s'y prirent autrement : il s'efforcèrent de créer une main-d'œuvre sans terre. Eux aussi jouèrent la carte du chantage travail-logement, offrant aux ouvriers de les loger gratuitement dans les anciens quartiers réservés aux esclaves. Les ouvriers qui habitaient là étaient soumis au bon plaisir des planteurs ; ils pouvaient en être chassés à tout moment, pour une multitude de raisons : s'être disputés pendant les heures de travail, être tombés malades ou s'être estropiés, faire partie des églises chrétiennes honnies, par exemple celle des baptistes, ou, cas fréquent chez les femmes, avoir refusé de travailler, ou, pour les parents, avoir décidé de laisser les enfants à la maison ou de les envoyer à l'école plutôt qu'au travail.

Cette persécution propre aux plantations brisa de nombreux rêves de liberté. Mais, en même temps, elle poussa certains anciens esclaves à acheter, ou, tout au moins, à louer une terre avec l'argent gagné ou mis de côté pendant la période d'apprentissage — les plus pauvres d'entre eux n'ayant d'autre issue que de squatter. La production sucrière chuta. Incapables de s'adapter à la nouvelle main-d'œuvre, ou refusant de le faire, les planteurs déclarèrent faillite ou laissèrent leur plantation à l'abandon ; les Noirs désireux de se procurer une terre rachetèrent avec empressement des lots de ces grandes plantations. « Si quelques domaines sont abandonnés, tant mieux, déclara Knibb, c'est ainsi que la Jamaïque finira par se construire. Le sucre est doux, mais la liberté de l'homme l'est plus encore[33]. »

Les missionnaires se liguèrent contre les planteurs qui refusaient de vendre aux Noirs ; ils se présentaient comme acheteurs, puis revendaient les biens achetés à leurs paroissiens. Souvent, les affranchis continuaient à travailler moyennant salaire dans les plantations, et s'occupaient des récoltes sur leur lopin personnel. Les femmes affranchies étaient beaucoup moins enclines à retourner aux champs de canne à sucre. Elles vivaient et travaillaient sur leur terre, s'adonnant à l'agriculture, orga-nisant des petits commerces, élevant leurs enfants et s'occupant du foyer. Elles mirent également sur pied des sectes religieuses chrétiennes afro-antillaises, qui correspondaient à leur besoin de dévotion et de direction. La plupart des femmes noires n'avaient aucune envie de se métamorphoser en femmes au foyer selon la représentation à laquelle les réduisaient résolument les abolitionnistes. Elles montraient peu d'enthousiasme pour la vie purement domestique, à laquelle, du reste, les femmes blanches tentaient elles-mêmes d'échapper; elles ne désiraient pas davantage troquer la domination de l'homme blanc contre celle de l'homme noir.

Les missionnaires encouragèrent les Noirs à se procurer des terres; ils étaient fermement convaincus que cela redonnerait inévitablement à ceux-ci un sentiment d'indépendance, de sécurité et de sens des responsabilités dont l'esclavage les avait privés. Les hommes pourraient ainsi reconstruire leur relation avec les femmes qu'ils avaient été impuissants à défendre, et qu'on les avait parfois forcés à fouetter.

Plusieurs missionnaires fondèrent des « Villages de Noirs », les Noirs qui ne pouvaient s'offrir leur propre terre s'y installant en masse. Les terrains n'étaient pas, à strictement parler, « gratuits » : les communautés de missionnaires ou les Églises les finançaient moyennant un intérêt dérisoire, ou même sans intérêt; chaque terrain suffisait pour une famille, mais il n'assurait pas un métier pour autant. L'idée de base était que les hommes iraient travailler de jour dans les plantations et retrouveraient le soir un foyer chrétien, une épouse soumise et des enfants obéissants. Knibb traduisait bien la pensée des missionnaires lorsqu'il décrivait la population des « Villages Libres » comme « le germe d'une noble et libre paysannerie »; il affirmait aussi que la liberté ne devait pas se mesurer à la quantité de sucre produit, « mais au confort domestique du propriétaire, à la liberté méritée de la femme, soulagée des travaux les plus durs, à l'instruction donnée aux enfants, à la joie et à la paix que je vois maintenant s'épanouir sur le visage de ce peuple élu de mon cœur[34] ».

En moins de dix ans, à la Jamaïque et dans d'autres importantes colonies, les deux tiers des ouvriers de l'industrie du sucre ne travaillaient plus dans les plantations. Dans les îles plus peuplées, les chiffres étaient plus modestes mais significatifs. Les nouvelles communautés s'édifièrent sur des bases et des traditions africaines, pleines du souvenir des longues traversées et de l'esclavage, des rêves et des espoirs de cette époque, et sur les réalités quotidiennes d'une société disloquée. Le nombre des mariages monta en flèche, ainsi que celui des Églises, auxquelles s'étaient donnés sans compter les missionnaires dans leur lutte pour la liberté. La famille et la chapelle remplacèrent le planteur autoritaire; dorénavant, la culture émergente, même si elle était toujours marquée par l'héritage des grands domaines sucriers, était afro-créole.

Mais la main-d'œuvre de l'industrie avait été décimée; le sucre des Indes occidentales était menacé. Les planteurs incapables d'embaucher commencèrent à regarder ailleurs, vers les îles Leewards, par exemple, où la rareté des terrains à offrir aux travailleurs noirs exilés leur permettait d'offrir des salaires dérisoires: 9 pence avec logement, potager et soins médicaux à Antigua; 4 pence, logement et potager à Montserrat; et à Nevis, une fraction du produit fini. Dans les grandes îles plus prospères, les planteurs offraient beaucoup plus, allant jusqu'à 2 shillings; les ouvriers du sucre souhaitant échanger leur misère de tous les jours contre de vrais débouchés à l'étranger firent voile vers une nouvelle existence.

L'arrivée de nouveaux ouvriers à la Jamaïque, à la Trinité et en Guyane ne pouvait compenser la masse des anciens esclaves maintenant installés comme petits fermiers, marchands, commerçants, boutiquiers, voire, rarement, comme propriétaires employeurs. Les planteurs aux abois eurent beau avoir recours à de nouveaux expédients pour compenser le manque de main-d'œuvre, comme la charrue et la herse plutôt que la vieille binette, ou l'essai de nouvelles espèces de canne et de meilleurs fertilisants, rien n'y fit. Ils cherchèrent des ouvriers du côté de l'immigration: quelques poignées vinrent de France, d'Angleterre et d'Allemagne; plus tard, des flux considérables débarquèrent de Chine, de Madère, des Indes et de l'Afrique. En quelques décennies, le sucre prit un tout nouveau visage, que l'on retrouve d'ailleurs dans l'hymne national de la Guyane dans les strophes «de partout, en dépit de nos ascendants [...] un pays, six nations unies et libres».

Les déboires des planteurs montraient à l'évidence que le sucre anglais n'était plus synonyme d'esclavage. Mais le sucre de Cuba, du Brésil, de France et de Louisiane, de même que les produits de base comme le tabac et le coton américain, tous très en demande sur le marché britannique, venaient toujours des cultures négrières. Les abolitionnistes avaient encore beaucoup à faire. Tous ne voulurent pas relever ce nouveau défi, surtout les hommes, car leur expérience politique parlementaire et leur savoir-faire ne pouvaient presque rien contre les pratiques esclavagistes des pays étrangers. Les femmes, elles, prirent fait et cause pour l'abolition, et, graduellement, prirent le contrôle du mouvement.

Transcendant les barrières nationales et mettant l'accent sur l'aspect moral des revendications, le mouvement abolitionniste franchit peu à peu l'Atlantique. La tradition quaker abolitionniste des réseaux regroupant hommes et femmes par-dessus les océans et les mers en favorisa le succès. Josiah Wedgwood avait offert des camées à Benjamin Franklin. Celui-ci prédit: «Ils auront autant de poids que les phrases de la brochure la mieux écrite.» La Société féminine anti-esclavagiste de Liverpool envoya des prospectus et des trousses aux abolitionnistes de Philadelphie, de Baltimore et de New York. Aux États-Unis comme en Angleterre, les articles marqués du sceau de Wedgwood furent fièrement affichés et collectionnés. En 1836, la Société féminine de Philadelphie fit paraître une nouvelle édition de l'ouvrage d'Elizabeth Heyrick, *Immediate, not Gradual Emancipation*; comme en Angleterre, elle trouva un public particulièrement chaleureux chez les femmes abolitionnistes. En 1837, lors du premier congrès national des femmes américaines, ces dernières remercièrent les femmes britanniques pour leur aide et leur soutien. Les stratégies qui avaient connu du succès en Angleterre furent adoptées aux États-Unis, avec le même clivage entre les sexes. Les blessures, l'amertume et les épreuves causées par la Révolution américaine dataient d'à peine trente ans; néanmoins, la cause commune anti-esclavagiste effaça les vieilles animosités comme si elles n'avaient jamais existé.

CHAPITRE 9

Cuba et la Louisiane : du sucre pour l'Amérique du Nord

La canne de Cuba : une puissance montante

Le triomphe de l'abolition fut de courte durée, pour la bonne raison que les Anglais continuaient à manger du riz, à s'habiller de coton et à fumer du tabac produit par des esclaves. Ils importaient même du sucre de colonies négrières étrangères ; ils le raffinaient et le réexportaient sur le continent. Au cours d'un débat parlementaire tenu en 1845, Thomas Babington Macaulay, fils de l'abolitionniste Zachary Macaulay, n'eut aucune difficulté à montrer toute l'hypocrisie de cette politique sucrière : « Nous importons le produit maudit ; nous l'entreposons ; nous utilisons notre savoir-faire et nos machines pour le rendre plus agréable à l'œil et au palais [...] ; nous l'envoyons dans les cafés d'Italie et d'Allemagne ; nous empochons les profits au passage ; et là, nous prenons nos grands airs de pharisiens, rendant grâce à Dieu de n'être pas comme ces Italiens et Allemands immoraux qui n'ont aucun scrupule à avaler le produit maudit[1]. » Le problème était que déclarer un embargo sur le sucre produit par des esclaves aurait paralysé les raffineries anglaises ; le sucre des esclaves continua donc d'être importé.

Quelques années après l'émancipation — l'époque était aux réformes politiques et sociales —, le gouvernement britannique préconisa une politique de libre-échange, qui était, selon lui, le meilleur moyen d'offrir aux consommateurs des prix peu élevés, plus justes, notamment pour des produits essentiels comme le sucre. Faute de droits de douane préférentiels visant à protéger le sucre des Indes occidentales, la concurrence

entre les producteurs ferait baisser les prix. Le lobby des Indes occidentales, on s'en doute, prédit une catastrophe économique; mais le gouvernement, pour qui les colonies sucrières n'étaient plus un élément
essentiel de l'économie de la métropole, resta de marbre. En 1846, les
droits de douane sur le sucre furent abrogés, et le sucre produit par les
esclaves ne fut plus exclu du marché domestique.

Les planteurs cubains propriétaires d'esclaves qui, déjà en 1845,
exportaient en Angleterre 10 000 tonnes de canne à sucre, soit la moitié
de leur production, se frottèrent les mains. Un visiteur raconte: «Toute
La Havane était illuminée, en raison de la nouvelle que l'Angleterre
allait payer le prix fort pour le sucre.» De nouvelles plantations — les
ingenios — firent leur apparition. Les planteurs de sucre s'emparèrent des
terres à café; désormais, «les bandes de laissés-pour-compte, vieillards
et enfants, se voyaient regroupés pour des tâches spécifiques, payées au
mois, et envoyés dans les *ingenios*[2]». Avec ses trois millions d'esclaves,
Cuba était devenu, de manière spectaculaire, le plus gros producteur de
sucre des Indes occidentales.

Cuba devint aussi le fournisseur du jeune marché américain, très
gros client depuis que d'ambitieux confiseurs, grâce à de nouvelles
techniques, fournissaient en merveilleuses friandises aussi bien les
classes laborieuses et les enfants que les gens fortunés. Les champs de
canne de la Louisine ne pouvaient plus répondre à la demande toujours
croissante. Jusqu'à la fin du XIXe siècle, Cuba fut le premier fournisseur
des États-Unis.

Pendant 250 ans, le sucre cubain avait pourtant été une culture
négligée, qui n'intéressait que les éleveurs de bétail. Durant la guerre
de Sept Ans, la Grande-Bretagne avait brièvement occupé Cuba, donnant ainsi le coup d'envoi à la production de sucre. Un gigantesque
marché s'ouvrit au sucre cubain à l'occasion de la Révolution américaine, lorsque l'Angleterre décréta l'embargo sur les exportations de ses
colonies sucrières aux rebelles américains. Les planteurs cubains occupèrent toute la place, exportant mélasse et rhum en échange de denrées
américaines, de fournitures maritimes, de biens manufacturés, de fer
et d'esclaves. La «fièvre sucrière[3]» s'empara de l'île, raconte l'historien
Anton L. Allahar.

L'effondrement de l'industrie sucrière haïtienne, qui autrefois fournissait le sucre à la moitié de la planète, propulsa le sucre cubain aux sommets. Haïti perdit même plusieurs techniciens français, qui s'empressèrent

d'aller faire profiter de leur savoir-faire l'industrie cubaine du sucre, tout comme au XVIIe siècle les marchands, planteurs et financiers juifs avaient fui Pernambuco après la défaite de leurs alliés hollandais, et avaient enseigné les nouvelles techniques sucrières dans l'ensemble des Antilles hollandaises ainsi qu'à la Barbade. En 1792, 529 *ingenios* cubains produisaient 19 000 tonnes de sucre ; en 1846, 1 439 *ingenios* en produisaient 23 fois plus, soit 446 000 tonnes. De plus en plus riches et puissants, les planteurs de sucre cubains avaient rebâti la société rurale cubaine dans le sens de la production et de l'exportation de sucre, devenant une grande puissance sucrière.

Par une étrange ironie, la disparition d'Haïti comme puissance exportatrice avait transformé Cuba en royaume de l'esclavage. Jusqu'à la Révolution haïtienne, la plupart des esclaves cubains jouaient le rôle de domestiques ou d'ouvriers urbains. En 1827, il y avait 286 942 esclaves ; quinze ans plus tard, leur nombre était de 436 495, dont la plus grande partie travaillait dans les champs de canne à sucre. Après avoir aboli la traite des esclaves, l'Angleterre fit des pressions pour que les autres pays emboîtent le pas. Épuisée par les guerres, l'Espagne accepta de se conformer à cette mesure dès 1820. Aussitôt, les planteurs cubains se mirent à importer des Africains tant qu'ils le pouvaient : 25 841 l'année de la signature du traité de Paris, et 17 194 en 1820, l'année même où le traité était censé entrer en vigueur. « Pour nous, faisait remarquer le planteur cubain Ramode Palma, l'esclavage, c'est une question de survie. Abolissez-le du jour au lendemain, et c'est notre mort assurée[4]. »

Le trafic clandestin des esclaves continua jusqu'en 1860. Les autorités coloniales recevaient des pots de vin pour chaque esclave débarqué dans l'île. En fait, tant que la guerre civile américaine n'eut pas mis fin à l'esclavage, des navires américains continuèrent leurs livraisons d'esclaves, même s'ils devaient contourner les patrouilles navales anglaises. Dans les années 1860, un Américain avouait avoir assisté au débarquement de plus de 1 000 Africains en une seule nuit. En moins de deux heures, les planteurs avaient acheté tous ces « muselés », comme ils appelaient les esclaves clandestins ; c'est alors que commençait la marche forcée de ces derniers vers les plantations. Le navire négrier, « de bout en bout [...] un tas d'immondices et d'odeurs nauséabondes », était ramené au large, et filait discrètement sans laisser de trace de l'opération[5]. Il arrivait que les autorités cubaines interceptent des navires négriers. Elles libéraient alors les Africains et les mettaient au travail sur des chantiers publics, comme le canal de Vento.

Quelques planteurs jugeaient l'esclavage moralement mauvais, convaincus que des travailleurs salariés seraient plus fiables et coûteraient moins cher. Mais les esclaves étaient là, en nombre, et les travailleurs libres n'étaient nulle part ; du reste, la Révolution haïtienne leur avait appris qu'une fois affranchis, les esclaves allaient s'attaquer à leurs oppresseurs blancs. En dépit de la peur panique qu'un soulèvement de type haïtien ne cause leur perte, les planteurs continuèrent à défendre l'esclavage – c'était une institution reconnue aussi bien par l'Église que par l'État – et l'importation d'esclaves se poursuivit.

La peur d'un soulèvement était fondée. Un peu partout, inspirés par l'exemple haïtien et poussés à bout, les esclaves se rebellaient. Certaines révoltes étaient spontanées et menées par des esclaves, d'autres étaient planifiées par des mulâtres affranchis, des Noirs affranchis et des esclaves. Celle de 1844, dite « Conspiration des échelles », qui pourrait avoir été une fiction inventée par les autorités cubaines pour justifier la répression, fut brutalement réprimée : des milliers de mulâtres, de Noirs affranchis et d'esclaves furent attachés à des échelles, torturés (pour obtenir des aveux) et parfois exécutés[6].

Les Blancs terrorisés virent dans cette « Conspiration » la preuve que même les esclaves bien disposés à leur égard haïssaient l'esclavage, car c'étaient « les maîtres les plus indulgents qui avaient été d'abord massacrés avec toute leur famille[7] ». Ils développèrent une telle peur des Noirs que les autorités espagnoles s'en servirent pour faire taire les protestataires cubains, menaçant de libérer leurs esclaves s'ils défiaient la métropole. « La peur du Noir, chez le Cubain, est le moyen tout trouvé par l'Espagne pour imposer une domination continue sur l'île[8] », écrivit le premier ministre Jose Maria Calatrava.

L'industrie du sucre se modernise

Les planteurs cubains avaient d'autres besoins urgents. Ils avaient besoin de nouvelles terres pour étendre leurs exploitations, et de nouvelles forêts pour alimenter leurs chaudières et leurs moulins. Ils devaient aussi emprunter des fonds pour importer et installer des moulins et des charrues à vapeur, ainsi que d'autres équipements modernes. Il leur fallait se familiariser avec des espèces de canne plus résistantes. Il leur fallait aussi acheter des esclaves partout où ils étaient disponibles. Ils devaient veiller à ce que la canne arrive rapidement à destination en Europe et aux États-Unis, et de manière sûre. Il leur fallait s'assurer que le goût de leur sucre rivalise avec celui, très élevé, de la betterave.

En 1858, 91 % des moulins fonctionnaient à la vapeur, la plupart des autres dépendant toujours des animaux. Mais, à elle seule, la vapeur ne produisait aucune augmentation significative du ratio canne–jus. Il fallait pour cela d'énormes moteurs à vapeur tournant à vitesse réduite. La famille Arrieta, de Cardenas, fit venir de West Point ce genre de machines et constata, dans sa plantation Flor-de-Cuba, une hausse du ratio canne–jus de 40 %. Les moulins qui adoptaient la nouvelle techno-logie produisaient en moyenne deux fois et demie plus de sucre que les autres moulins à vapeur. Les ateliers de cristallisation fermés remplacè-rent peu à peu les mélangeurs à cuve ouverte. Les premiers modèles n'étaient pas très fiables, mais leurs versions améliorées permirent d'économiser du combustible et de produire 30 % de plus que les autres. Les planteurs qui tentèrent de concurrencer la production modernisée, impressionnante, de leurs collègues, s'endettèrent lourdement tant pour acheter l'équipement et se procurer le savoir-faire technologique que pour verser tous les pots de vins et payer les taxes exorbitantes aux responsables coloniaux. Au fur et à mesure que l'industrie sucrière devenait le pivot de l'économie cubaine, les planteurs endettés se fai-saient souvent confisquer leurs plantations par leurs créanciers, le plus souvent espagnols, qui ajoutaient alors à leurs diverses activités sucrières celle de planteurs.

Entre-temps, les nouveaux équipements transformaient en profon-deur la production sucrière. Introduits à Cuba en 1834, les chemins de fer avaient remplacé les pénibles attelages de bœufs qui transportaient les wagons de canne depuis le moulin jusqu'au port. Les chemins de fer apportaient également le bois de chauffage des forêts éloignées. Les planteurs n'avaient donc plus à réserver 25 % de leur domaine à de la terre à bois; désormais, ils coupaient leurs arbres et plantaient de la canne, augmentant d'autant leur production.

Quelques petits fermiers refusèrent de moderniser leurs installations. Ils conservèrent leurs *trapiches*, petits moulins à faible rendement fonctionnant à l'énergie animale, et utilisèrent les membres de leur famille ainsi que quelques travailleurs. Ils arrivaient à joindre les deux bouts avec le sucre brut «muscovado» et le sirop *raspadura*, fort populaire chez les Cubains moins fortunés.

La modernisation augmentant les capacités de production, les planteurs eurent besoin de plus de terres et d'encore plus de main-d'œuvre pour travailler dans les champs. Pendant ce temps, la question de l'émancipation se profilait de plus en plus à l'horizon. Selon les planteurs, libérer les esclaves signifiait la mort des plantations, car Cuba, à leurs yeux, n'avait pas les moyens d'attirer un très grand nombre de travailleurs salariés dont l'industrie du sucre avait besoin. Les moulins à eux seuls utilisaient 200 000 esclaves : jamais on ne pourrait trouver 200 000 remplaçants. Même si les esclaves affranchis acceptaient de travailler pour un salaire, les plantations couraient à la ruine.

De fait, les planteurs peinaient à combler leurs besoins en esclaves. Pour compenser, ils forçaient les esclaves à travailler encore plus d'heures. Ces derniers montraient-ils des signes de résistance — sabotage, mutilation d'animaux, refus de travailler ou fuite —, on les retournait dans les champs de canne, enchaînés, avec des outils plus solides et donc plus difficiles à briser. Résultat : des ouvriers en colère, un sucre de qualité inférieure, une productivité déclinante, des exigences de qualité moindre, et une pénurie d'esclaves endémique.

Pour compléter leurs effectifs, les Cubains importèrent les premiers «contractuels» chinois. C'était en 1847. Plus de 150 000 Chinois débarquèrent dans l'île entre 1853 et 1873, et furent retenus en captivité dans les plantations aux côtés des esclaves noirs. Les Cubains tentèrent aussi d'appâter les Européens en faisant miroiter leurs compétences et, surtout, leur couleur de peau (en 1841, les esclaves [436 495] et les Noirs libres (152 838) dépassaient en nombre les Blancs de l'île [418 291]). Lorsque les Espagnols, les insulaires des Canaries et les Irlandais crève-la-faim arrivèrent, ils furent tout aussi durement traités. En vérité, les Cubains ne crurent jamais possible de cultiver le sucre sans travail forcé.

Les progrès techniques engendraient d'autres problèmes, comme le recrutement d'un personnel qualifié. Jusque-là, on avait compté sur les esclaves, «habitués à évaluer la chaleur au toucher, le taux d'alcalinité à l'odeur et le degré de concentration à la vue ; mais on parlait désormais de températures en dixièmes de degrés et du temps en secondes. En réalité, explique l'historien Moreno Fraginals, ces procédés industriels leur échappaient totalement.» «La chaîne de production est un tout où

se fondent processus naturels, culture, usages et rapports interperson-
nels, chaque élément agissant sur l'autre[9]. » En définitive, il appert, selon
les recherches actuelles, que les planteurs cubains les plus performants
sur le plan technique furent ceux qui surent utiliser adroitement le
travail forcé avec de maigres effectifs salariés[10].

Le fait de ne pouvoir se passer d'esclaves incita les planteurs cubains
à faire un geste tout à fait inattendu : tout mettre en œuvre pour faire
partie des États-Unis, ce pays étant un ardent défenseur de l'esclavage
et le principal débouché du sucre cubain. Depuis 1820, la question se
discutait au Havana Club, qui était devenu le quartier général social
des planteurs. En fait, de 1840 à 1855, ce furent plutôt des tractations
secrètes qui animèrent les planteurs que de véritables discussions sur
l'annexion.

Cuba entretenait des relations difficiles, souvent même hostiles, avec
l'Espagne. Les responsables coloniaux étaient tous corrompus et leurs
gros bras savaient comment percevoir de très lourdes taxes. Les marchands espagnols pratiquaient des taux d'intérêt parfaitement usurai-
res. Par ailleurs, la situation politique de l'Espagne était cahotique, les
Espagnols se fichant éperdument des demandes des coloniaux, qu'ils
méprisaient ouvertement. De toute façon, l'Espagne était trop faible
pour protéger militairement les Blancs contre les soulèvements toujours
à craindre de la part des esclaves. Enfin, l'Espagne n'importait qu'une
faible partie de la production de sucre de Cuba, devenu un pays de
monoculture.

En revanche, les États-Unis importaient plus de la moitié de la production sucrière cubaine, le reste étant fourni par la Louisiane. Les
États-Unis étaient une puissance amie, même si des planteurs du sud
commençaient à lorgner du côté des terres fertiles de Cuba. Les esclavagistes américains défiaient la loi, et fournissaient les planteurs cubains
en travailleurs africains. L'annexion aux États-Unis était une garantie
de pérennité de l'esclavage et assurait un appui militaire certain, dans
l'éventualité d'un soulèvement d'esclaves. Les abolitionnistes espagnols,
cubains et américains n'impressionnaient personne. Les États-Unis
ayant signifié leur refus d'annexer l'île, les planteurs cubains durent
chercher de nouveaux expédients pour protéger leur fortune et leur
mode de vie.

La guerre civile mit un terme à l'esclavage aux États-Unis. L'abolition
de l'esclavage, version cubaine, semblait sur la bonne voie. Les planteurs

décidèrent de tirer le meilleur parti possible de la situation. Ils demandèrent à l'Espagne d'abolir l'esclavage et de compenser leurs pertes en
offrant 450 pesos par esclave, somme qui pourrait les aider à maintenir
ou améliorer leurs opérations. Ils firent aussi pression pour obtenir des
réformes de leur statut de coloniaux. À toutes ces demandes, l'Espagne
opposa un refus catégorique. Le gouvernement n'avait pas d'argent pour
des indemnisations et, de toute manière, n'était pas intéressé par la
réforme. Au lieu de cela, le gouvernement espagnol décréta de nouvelles
taxes et de nouvelles restrictions commerciales.

Face à l'intransigeance espagnole, l'amertume et la frustration des
planteurs furent à leur comble. En 1868, Carlos Manuel de Cespedes,
propriétaire de la plantation Demejagua, affranchit tous ses esclaves et
les embrigada dans la lutte pour l'indépendance de Cuba. Il émit également un décret sur l'esclavage invitant les propriétaires à émanciper
rapidement leurs esclaves, tout en s'engageant, en cas de refus, à respecter leur «droit de propriété». Son cri de ralliement fut non pas: «À bas
l'esclavage», mais «À bas la tyrannie espagnole». «L'Espagne, déclara-
t-il, mène Cuba d'une main de fer souillée de sang. Elle nous refuse
toute liberté politique, civile et religieuse[11]. »

La guerre qui en résulta et qui dura dix ans fut menée principalement
dans la partie orientale de l'île, qui était coupée en deux par 1 100 kilomètres d'une forêt très dense. Le chemin de fer n'avait jamais relié la
partie orientale au reste de l'île, car il ne desservait que la zone sucrière
industrielle. Dix années de guerre, des milliers de morts et des millions
de dollars de dommage à la propriété. Les rebelles, tout particulièrement
les esclaves, mettaient le feu aux plantations et aux résidences, rasaient
les moulins, massacraient le bétail et ravageaient les sols. La guerre
détruisit toute la production sucrière de la partie orientale, mais ne
toucha pas celle des provinces centrales et occidentales[12].

La guerre prit fin en 1878, Cuba n'étant toujours pas libérée du joug
espagnol. Toutefois, les leaders de la rébellion avaient affranchi un si
grand nombre d'esclaves que la guerre contribua à libérer tous les autres.
En 1870, l'Espagne fit un premier pas en imposant la Loi Moret, qui
émancipait tous les enfants nés après 1868 et tous les esclaves âgés de
soixante ans ou plus. Les autres furent émancipés par rotation, de 1881
à 1886, date de la fin de l'esclavage à Cuba. L'approche «gradualiste» ou
étapiste visait à amortir les tensions que susciterait une libération totale
et immédiate. Elle reflétait aussi la profonde ambivalence cubaine en

matière d'émancipation, puisqu'elle était aussi une concession faite aux planteurs laissés sans dédommagements.

L'abolition marqua la fin de l'exploitation traditionnelle du sucre à Cuba, celle-ci étant obligée de faire face à une brutale pénurie de main-d'œuvre. Dans les zones de production les plus importantes, les propriétaires obligèrent les ouvriers sans terre soit à travailler pour eux, soit à s'en aller, les menaçant des mesures prévues dans la très ciblée « Loi sur le vagabondage ». En 1900, l'embauche d'Espagnols, de Jamaïcains, d'Haïtiens et d'Antillais pauvres pour du travail saisonnier contribua à combler le vide.

À partir des années 1860, Cuba dut faire face à une crise d'un nouveau genre : la concurrence de la betterave sucrière. En 1862, la production de cette dernière dépassait celle du sucre de canne ; en 1877, elle était si bien implantée sur le marché européen que l'Espagne et l'Angleterre ne comptaient plus respectivement que pour 5,70 et 4,4 % des ventes de sucre cubain. En 1880, la production du sucre de betterave égalait presque celle de toutes les régions productrices du sucre de canne. En réalité, le sucre de betterave était d'une très grande qualité et son expédition vers les marchés européens coûtait nettement moins cher. En outre, il était généreusement subventionné par les gouvernements de chaque pays, et exempt des pratiques négrières. *El Siglo*, journal officiel des planteurs, déplorait : « Nous n'avons ni capital, ni ouvriers, ni acier, ni fonderies, ni carburant, ni savoir-faire industriel, ni aucun des atouts majeurs nécessaires pour concurrencer les producteurs de betterave sucrière, qui, eux, ont tout[13]. »

Heureusement pour Cuba, les États-Unis compensèrent la défection des marchés européens en important 82 % de la production cubaine de sucre. Un certain nombre de planteurs cubains tentèrent de se rapprocher des Américains, soit en investissant aux États-Unis, soit en devenant citoyens américains. Des courtiers en sucre cubains courtisaient les raffineurs de la Nouvelle-Angleterre. De plus en plus de familles cubaines et américaines du sucre entretenaient entre elles des relations personnelles, certaines allant jusqu'à des alliances matrimoniales. C'est ainsi que Joaquin, de la famille de planteurs Rionda, devint le partenaire du commerçant Lewis Benjamin de Manhattan, puis l'époux de Sophie, sa fille ; après avoir effectué ses études à Portland, dans le Maine, son frère Manuel Rionda vint le rejoindre à New York.

Les Américains, dont certains étaient des Cubains naturalisés, contrôlaient désormais le marché du sucre cubain, et, de plus en plus, la production cubaine de sucre. Quelques planteurs durent abandonner leur plantation à leurs créanciers, dont la famille de l'Américain Edwin Atkins, longtemps impliquée dans l'histoire de l'île. D'autres, incapables de raffiner leur sucre, réussissaient à survivre en vendant toute leur production à des *centrales*, gigantesques complexes sucriers qui bouleversaient au même moment toute la production sucrière cubaine (en 1920, les plus grosses *centrales* possédaient ou louaient à bail entre 100 000 et 200 000 acres de terre).

Les *centrales* modifièrent la nature de l'industrie cubaine plus que l'émancipation. Elles accélérèrent l'industrialisation, dissociant nettement les activités de culture de la canne de sa transformation industrielle. Quelques années plus tard, les propriétaires n'étaient plus cubains, mais américains. Les chemins de fer construits dans les années 1830 pour desservir un petit nombre de plantations furent développés sur une grande échelle. Les usines de traitement du sucre disposaient désormais de l'équipement et des techniques les plus avancées. Le capital américain était derrière la plupart de ces innovations, mais les Cubains gardaient la haute main sur plusieurs moulins modernisés.

Le sucre était roi, et, comme tout bon roi de l'époque féodale, jaloux de ses prérogatives, il élimina tous ses rivaux. Le café recula : en 1833, 2067 plantations produisaient 64 150 000 livres de café ; 30 ans plus tard, 782 plantations n'en produisaient plus que 5 000 000. Vers la fin du xixe siècle, Cuba dut importer son café, mais, à la même époque, il produisait cinquante fois plus de sucre que toutes les livraisons jamaïcaines. Entre 1815 et 1894, la production cubaine de sucre fut multipliée par trente, passant en gros de 40 000 à 1 000 000 de tonnes.

Dirigée par les Américains, la monoculture sucrière définissait maintenant l'économie cubaine et son avenir économique ; les porte-parole des intérêts sucriers cubains étaient au service des intérêts américains à Cuba. La mécanisation des moulins et des raffineries de la fin du xixe siècle fut si rapide que l'on peut parler d'une authentique révolution technique, les moulins étant devenus de gigantesques unités de production[14]. Elle suscita par ailleurs un urgent besoin d'ingénieurs, de machinistes, de techniciens et de chimistes, souvent américains ; en 1885, il y avait, estime-t-on, environ 200 spécialistes bostonnais œuvrant dans les plantations cubaines. Ramon O. Williams, consul américain à

La Havane, rapportait dans une de ses dépêches : « Cuba est déjà *de facto* parfaitement intégré au commerce américain. La totalité de la machine commerciale cubaine dépend des marchés américains[15]. »

Aux États-Unis, investir dans le sucre cubain constituait un investissement sûr, et le capital américain s'activait dans le secteur. En 1896, la totalité des investissements américains à Cuba, comprenant le sucre, l'élevage des bovins, les plantations fruitières et le tabac, s'élevait à plus de 950 millions de dollars. Ce chiffre comprenait également les 19 raffineries cubaines possédées par l'American Sugar Refining Company (ASRC), appelée aussi Trust du Sucre, compagnie fondée en 1888 qui regroupait 21 compagnies de raffinage situées dans 7 villes américaines.

Après 1888, et par le biais du Trust du Sucre, dont les compagnies affiliées raffinaient entre 70 et 90 % de tout le sucre américain, le lobby des raffineurs mit tout en œuvre pour faire baisser les prix et avoir la haute main sur le sucre brut (bon marché) qu'ils voulaient raffiner aux États-Unis. L'influence de l'ASRC était telle que le prix du sucre dégringola de plus de 100 dollars la tonne en 1877 et demeura très bas, jusqu'à ce que la Première Guerre mondiale vienne totalement bouleverser les exportations de betterave sucrière européenne et provoquer des pénuries. En réalité, la mainmise américaine sur l'industrie cubaine du sucre et sur Cuba en général fut si forte et si manifeste qu'après la guerre hispano-américaine de 1895-1898 — les Cubains parlent, eux, de la guerre d'indépendance —, les États-Unis envoyèrent des troupes pour occuper l'île et la remodeler à leur image. L'amendement Platt de 1901, inséré dans la Constitution cubaine comme condition au retrait des troupes américaines, accordait aux Américains un droit d'intervention dans les affaires cubaines, symbolisant du coup l'impuissance du « gouvernement » de Cuba.

Le traité de Réciprocité de 1903 récompensa la capitulation de Cuba en accordant au sucre cubain une préférence sur le marché américain, préférence mise à profit par la protection des produits américains sur le marché cubain. L'amendement Platt avait atteint les objectifs visés par ses auteurs, soit de faire de l'île un lieu sûr pour les investissements et les affaires en général. Il ne fut abrogé qu'en 1934 ; il fut remplacé par un nouveau traité illustrant bien la politique latino-américaine de bon voisinage du président Franklin D. Roosevelt. À l'époque, les deux tiers du sucre cubain étaient produits par des intérêts nord-américains sous le contrôle des magnats mondiaux du sucre et par des institutions financières telles que la National City Bank, la Banque royale du Canada, la Chase National Bank, la Guaranty Trust Company et J. and W. Seligman.

La Louisiane, ou le royaume du sucre

La Louisiane, elle aussi, qui était le premier fournisseur du marché intérieur américain, était appréciée des États-Unis. Jusqu'en 1803, la Louisiane fut la dulcinée d'un peu tout le monde, courtisée au gré des événements par toutes les grandes puissances en quête de nouveaux territoires (l'Espagne, la France impériale, l'Angleterre et la France napoléonienne), et par l'Amérique elle-même. Puis, Napoléon Bonaparte et le président Thomas Jefferson conclurent une entente absolument extraordinaire en vertu de laquelle la France vendait ce territoire immense aux États-Unis pour la somme de 15 millions de dollars, doublant du même coup la surface du territoire américain. Le général Horatio Gates félicita Jefferson en ces termes : « Que tout le pays se réjouisse, car vous avez acheté la Louisiane pour une chanson ! »

La Louisiane, ainsi appelée en l'honneur du Roi-Soleil, Louis XIV, était l'un des treize États (ou parties d'États) du vaste territoire couvert par la transaction dite de l'achat de la Louisiane. Sous le régime français, les jésuites et les colons avaient bien tenté de manière sporadique de cultiver la canne ; mais ce fut les planteurs et les experts rescapés de la Révolution haïtienne, qui furent, à la suite de l'effondrement de la production sucrière d'Haïti, à l'origine de l'économie sucrière louisianaise. En 1795, Jean-Étienne Boré, franco-américain, déclencha une véritable révolution lorsqu'il décida d'appliquer à sa récolte les techniques de transformation de la canne du producteur haïtien Antoine Morin, hissant d'un coup sa production à 50 tonnes de granules de sucre. Cela lui rapporta 12 000 dollars et le titre de « Sauveur de la Louisiane ». Avant lui, les planteurs se contentaient de produire de la mélasse.

En 1812, l'année de son intégration aux États-Unis, la Louisiane, État esclavagiste, comptait 75 moulins. Les Anglo-Américains commencèrent peu à peu à s'installer dans ce nouveau secteur rentable, tandis que les Français et les Haïtiens continuaient de s'y engager. Ces planteurs affrontaient là un défi unique : la période de pousse était très courte ; la température, plus fraîche, parfois même glaciale, exposait la canne non encore coupée à de graves dommages. Les planteurs devaient prévoir les périodes de gelée et engranger la récolte avant l'arrivée du gel afin de tirer le maximum de sucre en fonction de son temps de pousse. Ils adoptèrent le séchage en plein air : la canne, coupée, puis déposée dans des sillons, était recouverte de feuilles en attendant l'étape du moulin. Ils remplacèrent les premières variétés de canne, créole et Otaheite, par la canne Pourpre, dite aussi Java Noire, et par la Ruban Pourpre (*Purple Striped Ribbon Cane*), plus grosse, résistante au froid et plus hâtive (introduite en 1817). La récolte et le traitement de la canne duraient de six à huit semaines ; c'était toujours une course contre la montre et contre le froid.

Les planteurs de la Louisiane voyaient aussi les cultures ravagées par la sécheresse, pendant la période estivale, et, sur la côte, par des sols marécageux qui débordaient et qui nécessitaient l'érection de digues, sans parler de la peste, des rats et des maladies qui dévastaient les champs de canne. Le prix du sucre montait en flèche puis s'effondrait ; ils devaient compter sur des tarifs préférentiels pour se protéger de la canne à sucre étrangère et de la betterave sucrière. Ils dépendaient aussi des prêts accordés par les banques pour la modernisation et l'élargissement de leurs opérations ; il leur fallait, en effet, se procurer des moulins à vapeur, des appareils de cuisson, des évaporateurs à triple conduit pour le contrôle de la vapeur, des centrifugeuses qui réduisaient les cristaux en sucre brut pour en extraire le sirop, des condensateurs nécessaires au contrôle de la vapeur dans les appareils de cuisson et des polariscopes pour évaluer la teneur en saccharose du sucre tamisé.

Les progrès techniques et les rythmes du travail industriel propulsaient l'implacable demande de sucre, devenue bien essentiel. Et comme pour siphonner la toute dernière once d'énergie de leurs esclaves, les planteurs offraient de payer les « heures supplémentaires », c'est-à-dire les heures dépassant les horaires de travail déjà exténuants. Pour les planteurs, les esclaves — au nombre de 125 000 au milieu du siècle — étaient des « machines à sucre[16] ». La Louisiane, aux dires des esclaves, était devenue « un champ de massacre », qu'ils redoutaient comme « le pie endoit... pour lequel Fils de Dieu a donné sang[17] ». « Même aux Indes occidentales, rapportait Harriet Martineau, les conditions de vie des esclaves n'ont jamais été aussi terrifiantes qu'elles le sont maintenant en Louisiane[18]. »

Une des « machines à sucre » survécut et raconta son histoire, intitulée *Twelve Years a Slave: Narrative of Solomon Northup, a Citizen of*

New York, Kidnapped in Washington City in 1841, and Rescued in 1853
(*Esclave durant douze ans: Récit de Solomon Northup, citoyen de New
York, ayant été kidnappé dans la ville de Washington en 1841, et libéré
en 1853*). Une fois kidnappé, le citoyen Northup, libre mais noir, fut
vendu à un planteur de coton puis affecté à un groupe de travail jour-
nalier loué au docteur Hawkins, un planteur de canne. La description
et l'analyse qu'il fait de son expérience constituent une source d'information précieuse sur la vie menée par les esclaves travaillant dans les
champs de canne de Louisiane au milieu du XIXe siècle. Peu après son
arrivée, Northup reçut une promotion: affecté à la maison du sucre, on
lui donna un fouet pour frapper les esclaves qui ne travaillaient pas
assez vite. Il se rappelle: « Si je n'obéissais pas, j'étais moi-même fouetté. »
Il était si surchargé de travail qu'il n'arrivait plus à dormir que pendant
de brefs intervalles.

Sa description de la production de canne à sucre dans la plantation
de Hawkins, dans le bayou Bœuf, révèle un système hautement méca-
nisé. La plantation commençait en janvier et se terminait en avril; on
devait planter une nouvelle canne après deux repousses, au lieu des six
possibles dans les Indes occidentales. Les manœuvres travaillant dans
les champs étaient répartis en trois bandes: la première coupait et
enlevait la canne de sa tige, la deuxième la plaçait dans des sillons, et
la troisième la recouvrait de trois pouces de terre. Après quatre semaines, la canne commençait à germer et à pousser, et on ameublissait trois
fois la terre. Vers la mi-septembre, une partie de la récolte était coupée
puis entreposée pour servir de semence. Le reste mûrissait dans le
champ, s'adoucissait en croissant, jusqu'à ce que le planteur ordonne de
le couper, ce que l'on faisait généralement en octobre.

Les ouvriers utilisaient un couteau qui ressemblait à une machette,
d'environ 35 centimètres de long et de sept centimètres de large en son
milieu; la lame, très fine, devait être régulièrement aiguisée. Toujours
par équipes de trois, les ouvriers arrachaient la canne de sa tige et en
coupaient la partie supérieure, s'arrêtant là où la tige était verte. Par
crainte de voir surir la sève, et ainsi de rendre le sucre impropre à la
consommation, on ne conservait rien de ce qui n'avait pas mûri. Une
fois les tiges nettoyées, les esclaves les coupaient et les déposaient sur le
sol derrière eux. D'autres esclaves, plus jeunes, en remplissaient les
charrettes, le tout était emporté vers la maison du sucre. Si le planteur
prévoyait du gel, les esclaves mettaient la canne en cordons et la trai-

taient trois ou quatre semaines plus tard. En janvier, ils préparaient les sols pour la saison suivante, brûlant les débris et les feuilles séchées, nettoyant le champ, et ameublissant la terre autour des racines de la vieille chaume.

Dans la plantation de Hawkins comme dans les autres, traiter le sucre était une opération mécanisée nécessitant une imposante infrastructure qui, comme cela avait été le cas dans plusieurs domaines cubains, ne comportait pas le raffinage. En réalité, avant la guerre, la Louisiane ne produisait que peu de sucre raffiné. Le moulin était un «gigantesque» édifice de brique doté de vastes hangars. La chaudière fonctionnait à la vapeur. Deux énormes rouleaux broyaient la canne, reliés entre eux par «un tapis roulant interminable, fait de bois et de chaînes, comme les courroies en cuir des petits moulins»; ce tapis menait directement vers l'extérieur du hangar, où la canne était déchargée en permanence des charrettes, «au fur et à mesure qu'elle était coupée. […] Tout le long de ce tapis sans fin, des enfants étaient alignés, chargés d'y déposer la canne.» Ni les jeunes ni les vieux n'étaient dispensés de travailler. Comme l'ancien esclave Ceceil George le faisait remarquer: «Si tu peux porter deux ou trois cannes à sucre, tu travailles[19]!»

Une fois la canne broyée, un autre tapis roulant enlevait la *bagasse*, qui autrement aurait rempli tout le hangar. La *bagasse* était alors séchée et servait à alimenter en combustible les brûleurs de *bagasse*. (Plus tard, dans les années 1870 et 1880, les brûleurs ne furent alimentés que par de la *bagasse* verte, ce qui permit aux planteurs d'éliminer des frais considérables liés aux achats de bois et aux salaires payés pour le débiter.)

Le jus de canne tombait dans un réservoir d'où il était acheminé vers cinq énormes cuves. Là, il passait à travers un filtre d'os noirs pulvérisés dont il sortait blanchi; puis il était bouilli, autre processus compliqué. Des tuyaux faisaient circuler le sirop dans des bassins qui le clarifiaient, avant son entreposage dans des glacières situées au rez-de-chaussée. Ces glacières, des boîtes en bois dotées d'un fond au grillage très fin, servaient de tamis géants où le sirop en voie de granulation libérait une mélasse qui se déversait dans une citerne. L'excédent demeuré dans la glacière était «du sucre en pain de toute première qualité – transparent, propre, couleur de neige[20]» –, qui, une fois refroidi et mis dans des barriques, était envoyé à la raffinerie. La mélasse traitée devenait de la cassonade ou, une fois distillée, du rhum.

Le rythme de travail au champ et à l'usine était élevé, marqué par les tapis roulants qui, jour et nuit, alimentaient en canne la lourde et puissante machinerie, toujours dangereuse. Les moteurs à vapeur exigeaient une arrivée ininterrompue de bois ou, dans certaines plantations, de *bagasse*; il fallait dès lors prévoir trois périodes de travail pour les alimenter en permanence. Rythme infernal qui poussait ces hommes et ces femmes à dépasser sans cesse leurs limites biologiques, sans tenir aucun compte de la faim, de la faiblesse, de l'ennui, de la frustration et de l'épuisement. Quand ils perdaient connaissance, les conducteurs leur lançaient des baquets d'eau et leur ordonnaient de retourner au travail. Ils travaillaient sept jours sur sept: «Dimanche, lundi, tout pareil[21]», disait Ceceil George.

Les choses se compliquèrent. Les esclaves de la Louisiane refusaient de perdre leur précieux dimanche, qui était le seul moment où ils pouvaient s'occuper de leurs terres vivrières, dormir et avoir un semblant de vie sociale. Au début, les planteurs tentèrent de régler le problème avec le fouet. Plus tard, ils payèrent pour le travail du dimanche, puis pour des quarts de travail nocturnes obligatoires, qui privaient la main-d'œuvre de son droit au sommeil. D'autres offrirent aussi de rémunérer les congés prévus après la récolte. Avec le temps, les planteurs furent forcés de payer les esclaves pour qu'ils acceptent de couper le bois destiné aux insatiables moteurs à vapeur ou de récolter la mousse à matelas, car c'était le genre de travail que les esclaves détestaient particulièrement.

L'historien Richard Follett montre comment, par le biais de ces arrangements extraordinaires, les planteurs amenèrent de façon insidieuse les esclaves à coopérer à leur propre oppression, «en puisant dans leur temps de vie pour faire marcher les grosses affaires de la plantation[22]». Mais les esclaves n'avaient pas le choix, et le salaire, outre qu'il améliorait leur fin de mois, conférait un peu de dignité à leur labeur inestimable.

Les seigneurs du sucre contrôlaient tous les aspects de la vie de leurs esclaves, jusqu'à leur sexualité et leur taille. «Connaissant bien toute la barbarie liée à l'industrie du sucre, ils étaient constamment en quête de viande fraîche»; ils estimaient que les hommes de grande taille étaient préférables aux hommes petits et aux femmes. Pour cette raison, écrit Follett, les hommes «représentaient 85% de toute la main-d'œuvre esclave vendue aux planteurs; ces individus faisaient tous un bon pouce (trois centimètres) de plus que la plupart des esclaves afro-américains[23]». Les planteurs qui achetaient des femmes esclaves choisissaient des adolescentes qu'ils espéraient fertiles. Mais, comme cela se passait dans d'autres régions sucrières, elles succombaient souvent à tous les maux ambiants : nourriture insuffisante et pauvre, surcharge de travail, épuisement, chaleur et humidité excessives, sans compter la malaria, la fièvre jaune, la diarrhée, la teigne ou l'ankylostome, les rhumatismes, l'anémie, l'asthme, la fièvre, la pleurésie, les problèmes intestinaux, les spasmes et les descentes d'utérus, toutes maladies très répandues parmi les esclaves. Elles mettaient au monde moins de bébés que les autres esclaves américaines ; en outre, plus de la moitié de leurs bébés mouraient, prématurés ou mal nourris par des nourrices elles-mêmes sous-alimentées. Les mères, elles aussi, mouraient, souvent. « P'pa disait toujours qu'ils faisaient travailler M'ma trop fort », se rappelait l'esclave Edward de Bieuw, de la paroisse Lafourche. « Il m'a dit qu'elle était en train de biner. Elle a dit au conducteur qu'elle était malade ; il lui a répondu de continuer à biner. Peu après, je suis né, et M'ma est morte quelques minutes après qu'i l'ont ramenée à la maison[24]. » Comme partout ailleurs, la fécondité des esclaves ne compensait pas les décès.

Toute l'existence des esclaves tournait autour du sucre ; la « maison du sucre est le Capitole des quartiers nègres[25] », observait William Howard Russell. Dans toute la Louisiane, le quartier des esclaves consistait en rangées de petites maisons en bois d'un seul niveau s'étirant le long d'une avenue à trois voies, chacune dotée d'un poulailler à l'arrière. L'intérieur était nu, et, selon le règlement imposé par le maître, gardé propre. La ventilation était rudimentaire ; l'air, chaud, humide et infesté de moustiques. Dehors, des cochons, des poules et des chiens étaient laissés en liberté, les habitants utilisant comme latrines les buissons environnants.

La nuit, les esclaves s'entassaient les uns sur les autres dans des chambres faisant en moyenne 200 pieds carrés (20 mètres carrés), dormant sur des lits de planches. Aucune intimité possible pour d'éventuelles relations sexuelles, sauf à se retirer vers un abri, quelque part dans un champ ou dans la forêt. Les cabanes assuraient un toit et un lieu d'entreposage, rien de plus. Grâce toutefois à leur « argent du dimanche » et à d'autres revenus, les esclaves s'offraient quelques nécessités de la vie : un couteau, une bouilloire, de la vaisselle et de l'argenterie. Avec ses dix dollars d'économie, Northup, « le "nègre" le plus riche du Bayou

Bœuf [pouvait] envisager de s'acheter des meubles, des seaux d'eau, des couteaux de poche, de nouvelles chaussures, des manteaux et des chapeaux[26] ».

En fait, peu d'esclaves avaient un lopin cultivable ; ils devaient donc compter sur les rations distribuées au compte-goutte par leur maître. Les produits de base étaient la farine de maïs, le porc ou le bacon avec des légumes ou, comme se souvenait l'esclave Elizabeth Hines, « des légumes verts et du porc conservé dans le vinaigre […], du maïs et du porc dans le vinaigre[27] ». La ration moyenne était de neuf litres de maïs et de 1,4 kilo de porc par semaine. La qualité de la nourriture pouvait être parfois « dégoûtante, à vomir ». Northup se rappelle un jour d'été : « Le bacon grouillait de vers ; seule une faim dévorante aurait pu nous pousser à avaler pareille nourriture. » Lui et ses copains comptaient plutôt sur la chasse au raton laveur ou à l'opossum — « la nuit seulement, après les heures de travail […], avec des bâtons et des chiens, les armes à feu nous étant interdites[28] ».

Les seules consolations apportées aux esclaves venaient de leur salaire, des jours de congé ou de la religion. Avec l'argent, ils se procuraient les denrées de luxe, comme la viande, le tabac, le whisky, et des vêtements d'une tout autre allure que l'uniforme bleu en tissu grossier qu'ils portaient au champ. Durant les jours fériés, les esclaves revêtaient des habits flamboyants qui les transformaient. « Le rouge, le rouge sombre, comme le sang », était la couleur préférée des femmes, qui portaient « des rubans aux couleurs criardes dont elles ornaient leur chevelure lors des jours de congés[29] ». Les hommes, tirés à quatre épingles, portaient des chapeaux sans rebords et faisaient briller leurs chaussures avec un bout de chandelle. La plupart des esclaves étaient jeunes ; ils profitaient du temps libre des jours de congés et de l'atmosphère de camaraderie ambiante pour flirter et se trouver une compagne. Beaucoup plus nombreux que les femmes, les hommes gagnaient de haute lutte le cœur de leur élue.

À l'occasion des jours de fête, les esclaves pouvaient obtenir des laissez-passer pour visiter leurs amis, parents, amants et compagnes des autres plantations. C'était l'époque idéale pour se marier, si les propriétaires y consentaient. Les propriétaires de femmes esclaves se montraient plutôt favorable à ces unions, dont pourraient naître des bébés esclaves. Certains planteurs, endossant la défroque du prêcheur, tenaient à officier lors de ces cérémonies pseudo-nuptiales. Si le mariage tournait mal, l'un ou l'autre des partenaires pouvait y mettre fin sans plus de formalités. Si l'un des deux était vendu ou s'enfuyait, celui ou celle qui restait pouvait choisir un autre compagnon ou compagne. En tant qu'esclaves, ils ne pouvaient avoir recours aux dispositions matrimoniales prévues par la loi de la Louisiane, mais ils n'étaient pas non plus astreints à s'y soumettre. On lit toutefois dans *Sweet Chariot: Slave Family and Household Structure in Nineteenth-Century Louisiana* (*Le chariot sucré : la famille esclave et la structure du ménage en Louisiane au XIXᵉ siècle*), d'Ann Patton Malone, que le mariage prenait fin à cause du taux excessivement élevé de mortalité bien plus que pour d'autres raisons, du moins dans le cas des trois plantations étudiées par l'auteure.

Les congés de Noël étaient le moment fort de l'année pour un esclave. Les planteurs fulminaient à cause du temps perdu, mais ils devaient finalement se plier au rituel. Dans la plantation de Northup, « la bombance, le batifolage et la musique » duraient trois jours ; ailleurs, ça pouvait durer une semaine ou plus. Les esclaves de différentes plantations se rassemblaient et faisaient la fête, s'empiffrant de poulets, de canards et de dindes, de légumes, de biscuits d'avoine, de confitures et de tartelettes. Northup notait le grand nombre de Blancs faisant le déplacement pour « voir de leurs propres yeux ces agapes gastronomiques[30] ». D'autres Blancs offraient même un apéritif aux esclaves, à la grande maison, ou leur permettaient de transformer la maison du sucre en une salle de bal où ils dansaient au rythme du tambour ou des mélodies exécutées par des violoneux.

La religion était la seule consolation qui n'obéissait pas au rythme des saisons. Plusieurs planteurs de Louisiane, français, catholiques et créoles, épiscopaliens et protestants partageaient une même conviction : le christianisme bien enseigné apprendrait aux esclaves l'obéissance et l'acceptation de leur sort. D'autres considéraient comme un devoir moral et paternel d'inculquer à leurs esclaves les valeurs et les vérités chrétiennes. « Parfois, eux obligent esclaves à aller à l'église[31] », rappelait l'ancien esclave William Mathews. Il précisait ensuite comment les Blancs arrivaient avec une carriole, s'arrêtant devant chacune des baraques des esclaves, et les emmenaient tous de force assister à l'office. Certains planteurs transformaient le moulin ou la maison de cuisson en chapelle. William Hamilton explique : « La maison du sucre est très adaptée aux prêches. Les fidèles peuvent y profiter de douceurs en tous genres [...], par exemple être constamment nourri par l'odeur

engageante des pots de sucre et des moteurs à vapeur[32].» D'autres planteurs construisaient des chapelles, louaient les services de prêcheurs ou
appointaient des esclaves pour célébrer le culte auprès de leurs amis,
avec des consignes strictes: «Obéis maître, obéis surveillant, obéis ci
obéis ça[33]», se rappelle un esclave. Certains prêcheurs esclaves, plus
autonomes, avaient leur version personnelle du christianisme, qui
consistait en un rituel chrétien entremêlé de croyances afro-américaines
et parfois de vaudou, suivant les souvenirs qu'ils avaient conservés
d'Haïti. Les esclaves interdits de culte ou indifférents aux divers rituels
du maître s'éclipsaient et tenaient leurs propres offices clandestins. Ils
priaient pour que «Dieu pas penser Noirs et Blancs différents», «qu'un
jour vienne où esclaves être seulement esclaves de Dieu», et qu'ils
puissent «manger à leur faim» et mettre des «chaussures pour aller à
nos pieds[34]».

Une fois dispersés, les fidèles retrouvaient la corvée. La saison du
broyage de la canne était l'une des pires. Là, notait un planteur, «la
fatigue est telle, que seule une très virile flagellation arrive à la faire
oublier aux machines humaines[35]». Les planteurs ajoutaient alors aux
rations habituelles des nourritures riches en calories, comme du café
sucré bouillant et de la mélasse, ou du jus de canne bouillant. Pour
rationaliser les opérations et mettre à profit la moindre minute de travail, quelques planteurs organisaient une sorte de cuisine collective.
Souvent, ce genre de service commençait juste avant la saison du moulin. Dans la plantation de Northup, les conducteurs distribuaient des
gâteaux de maïs aux esclaves, leur intimant l'ordre de l'avaler en vitesse
et de retourner au boulot.

Par un curieux paradoxe, la course perpétuelle imposée aux esclaves,
entre labeurs épuisants et abrutissants, n'empêchait pas que les esclaves
soient soumis aux nouveaux critères d'excellence de l'industrie qu'étaient
la précision et la ponctualité. Réglé comme une chaîne de montage, leur
travail était scandé par un vacarme d'avertisseurs sonores et d'hommes
maniant le fouet. Le progrès technique exigeait toujours plus de force
brute, plus de canne et plus de carburant pour faire encore plus de sucre.
La notion de jour et de nuit s'évanouissait en un monde où moulins
et chaudières, sans interruption pendant la saison du broyage de la
canne, éreintaient des esclaves gavés de saccharose, fouettés lorsqu'ils
défaillaient, obligés de travailler de 18 à 20 heures par jour. Chancelants,

après leurs courtes nuits, enchaînés au rythme des machines, les esclaves alimentaient des machines qui lacéraient leurs chairs, parfois les amputaient.

Les planteurs se disaient fiers d'avoir maîtrisé les méthodes modernes de gestion du temps. Pour Bennett H. Barrow, de la plantation Highland, «on pourrait considérer la plantation comme une machine: il faut savoir s'en servir, toutes ses composantes doivent fonctionner de manière précise et uniforme, son énergie motrice étant régulière et constante[36]». Hélas! déploraient plusieurs planteurs, leurs «machines à sucre» humaines étaient grossières et inconstantes; en fait, selon eux, il fallait imputer à la race leur inadaptation au travail mécanique spécialisé. Comme ce fut le cas à Cuba, seul un petit nombre de planteurs enseignaient à leurs esclaves la façon de faire fonctionner, surveiller et réparer l'équipement.

Chose amusante, quoi qu'aient pu penser les planteurs concernant les capacités des Noirs, l'inventeur du procédé Rillieux d'évaporation multifonction, irremplaçable dans le traitement du sucre, était un homme de couleur. La mère de Norbert Rillieux, Constance Vincent, mulâtre à la peau claire, avait été la maîtresse de Vincent Rillieux, planteur louisianais et ingénieur-concepteur. On raconte que Norbert Rillieux fut personnellement l'objet d'une très nette discrimination raciale: les planteurs de Louisiane certes le convièrent à redessiner leurs équipements, appréciant particulièrement ses évaporateurs, mais ils refusèrent en même temps de le loger dans leurs grandes résidences.

Comme ailleurs, les esclaves de la Louisiane faisaient du sabotage, résistaient de plusieurs façons, passives ou actives, et s'enfuyaient. Le sabotage industriel prenait plusieurs formes: utiliser un couteau émoussé pour couper la canne, dévisser un boulon de roue, estropier mules et bœufs, laisser brûler le sucre et les feux s'éteindre, ou déposer discrètement des objets disparates sur les tapis roulants et dans les moteurs à vapeur. Un jour, un boulon d'acier de neuf pouces «oublié» sur le tapis roulant a fait que l'arbre reliant le moteur au moulin s'est fracassé dans un bruit d'enfer. Le cas le plus illustre de sabotage survint dans la paroisse de l'Ascension, lorsqu'un esclave, surnommé «le vieux drôle», a causé la fermeture de toute une plantation en pratiquant des petits trous dans les chaudières, qui se sont retrouvées sans eau!

Les actes de résistance allaient de la maladie feinte au vol. Les esclaves dérobaient souvent du sucre et de la mélasse pour les revendre à de petits

trafiquants. Ils démantelaient des machines de production et en revendaient les pièces. Ils hébergeaient et nourrissaient les fuyards, déjouant
les patrouilles d'esclaves payées par les planteurs pour les pourchasser
avec des chiens pisteurs (un esclave dépeint les patrouilleurs comme «les
choses les plus méchantes de la création [...], les Blancs les plus pauvres
et les plus bas, descendant d'un mélange de Français et d'Espagnols)[37] ».
Certains décidaient de s'enfuir parce qu'ils n'en pouvaient plus, ou parce
qu'ils avaient entendu parler de soulèvements d'esclaves quelque part.
D'autres ne cherchaient qu'un peu de répit: plus de champs de canne,
plus d'usines.

Même s'ils peinaient à contrôler les fauteurs de troubles, les planteurs
de la Louisiane voyaient dans l'esclavage un mode de production idéal
et la culture traditionnelle des plantations à l'ancienne comme la
meilleure façon de gagner leur vie. Contrairement aux planteurs des
Indes occidentales et de l'Amérique latine, ils s'absentaient rarement de
la plantation. Même ceux qui en possédaient plusieurs avaient à cœur
de les visiter et de superviser personnellement les domaines qu'ils
n'habitaient pas. Ils adoptaient les techniques modernes et la mentalité
de l'homme d'affaires, étudiant attentivement les rapports scientifiques
et les ouvrages portant sur les différents modes de plantation de la
canne. Ils étaient, en règle générale, bien informés de l'état de leurs
récoltes, se disaient fiers de leur microgestion, et ne se reposaient pas
sur leurs gérants. Le commissaire américain aux brevets affirmait que,
parmi les régions productrices de sucre, il n'y avait pas un endroit où
les progrès modernes avaient été testés de façon aussi évidente qu'en
Louisiane. D'autres observateurs considéraient la Louisiane comme
«supérieure, et de loin, aux autres régions productrices [...] en matière
d'organisation et de savoir-faire, et cela aussi bien dans la culture que
dans la fabrication du sucre[38] ».

Pour le reste, la culture louisianaise du sucre était en tout point
identique à ses modèles, sauf en ce qui touchait sa «plantocratie» aux
origines extraordinairement variées: françaises, haïtiennes, et anglo-
américaines, producteurs de coton du Sud et industriels du Nord. La
version louisianaise des tensions entre Européens et Créoles était l'affron-
tement entre les Créoles et les Américains; mais, la plupart du temps,
les intérêts communs des planteurs l'emportaient sur leurs divergences.
La plupart donnaient leur préférence aux biens matériels et aux signes

extérieurs de richesse plutôt qu'au savoir et à la culture ; aux dires d'une personne instruite du Massachusetts, Tryphena Fox, épouse d'un médecin qui soignait les esclaves des riches planteurs, beaucoup d'entre eux n'étaient « ni très cultivés ni très raffinés[39] ». Solomon Northup adoptait le même point de vue, donnant de nombreux exemples de comportements de Blancs tout simplement odieux.

Les planteurs de Louisiane avaient, eux aussi, une grande peur de leurs esclaves — on peut parler d'obsession —, surtout lorsque le débat sur l'émancipation fit rage et que les esclaves en eurent vent. Les Blancs étaient littéralement perdus dans la foule de leurs esclaves, dont le nombre était de 21 000 en 1827, 36 000 en 1830, 56 600 en 1841, 65 000 en 1844, et 125 000 dans les années 1850. Au moment de la guerre civile, les 500 planteurs qui produisaient les trois quarts du sucre louisianais possédaient chacun 100 esclaves. Mais, malgré cette crainte, être propriétaire de ces esclaves leur conférait le sentiment d'une identité propre et déterminait leur succès dans le monde du sucre.

L'une des composantes de cette d'identité était le sentiment de leur bon droit, qui les poussait à s'offrir, voire à exiger pour eux-mêmes, de somptueuses demeures avec colonnades de style grec néoclassique et des résidences créoles dotées de vastes balcons extérieurs et de magnifiques jardins, qui jalonnaient, sur 110 kilomètres entre la Nouvelle-Orléans et Baton Rouge, la célèbre River Road. « Tant de résidences […] si proches les unes des autres, et sur une si grande distance, que le grand fleuve coulant entre deux rangs de maisons devient une sorte d'avenue grandiose[40] », écrivait Mark Twain, ébahi. Érigées juste au-dessus des minuscules cabanes des esclaves, ces demeures dominaient le village de la plantation. Elles symbolisaient le pouvoir exercé par le planteur sur ses esclaves et rappelaient, jour après jour, la relation entre son monde et le leur.

Le sentiment de son bon droit inspirait au planteur un rituel de base : une table débordant de nourritures, un bar complet, des pianos, de l'argenterie, des porcelaines et tous les signes extérieurs du raffinement. Ce sentiment s'étendait aussi à ses esclaves, aux femmes en particulier. Si le planteur contenait sa fougue sexuelle, ce n'était pas nécessairement le cas de ses fils en quête de proies, qu'ils traquaient dans les baraquements pour vivre leur première expérience sexuelle. Un Noir libre se rappelait : « Les jeunes maîtres, scandaleusement, se croyaient tout permis avec les jeunes Noires ; cela allait de soi[41]. » Les employés blancs, eux aussi, obligeaient les femmes esclaves à avoir des relations sexuelles. En moins de deux ans, le surveillant S. B. Raby fut trois fois papa...

Les planteurs louisianais justifiaient l'esclavage à partir de préjugés raciaux bien connus, se décrivant comme des pères bienveillants prenant soin d'inférieurs quelque peu infantiles et immoraux. Ils racontaient à qui voulait les entendre les nombreux cas, valorisants pour leur personne, où ils avaient mis tous leurs soins à bien loger et bien nourrir leurs esclaves, tout en réglant leurs différends. Imprégnés de leurs préjugés raciaux, ils séparaient les esclaves des travailleurs blancs, même des Irlandais et des Cajuns, qu'ils méprisaient ouvertement, mais qu'ils engageaient pour draguer les canaux de la plantation et nettoyer les bayous. Comme l'expliquait un gardien : « Ça revenait beaucoup moins cher de mettre les Irlandais au boulot, eux qui ne coûtaient rien au planteur si d'aventure l'un d'eux mourait, que d'épuiser au travail dans un environnement aussi hostile les solides ouvriers agricoles[42]. »

L'idée qu'entretenaient les planteurs d'une hiérarchie supérieure fondée sur la race ainsi que leur relatif isolement dans la plantation renforçaient leurs convictions individualistes et les rendaient totalement indifférents à la nécessité de développer une société civile digne de ce nom. Même quand les législateurs prévoyaient un cofinancement, les planteurs préféraient investir leur propre argent dans leur plantation plutôt que dans les routes ou les chemins de fer. Ils refusèrent leur appui à l'Association des agriculteurs et mécaniciens ou aux cours conçus pour les ingénieurs du monde sucrier par l'Université de la Louisiane. Mais quand fut fondée une académie militaire, ils s'empressèrent d'y inscrire leurs fils comme cadets. Les planteurs, bien sûr, faisaient corps derrière les lobbyistes qui s'efforçaient d'obtenir le maintien de tarifs bloquant l'entrée sur leur marché du sucre brut bon marché de Cuba.

La guerre civile bouleversa en profondeur l'industrie sucrière louisianaise. Lorsque l'armée fédérale s'empara de la Nouvelle-Orléans, en avril 1862, elle prit du coup le contrôle du Mississippi, cœur commercial de la Louisiane et pivot financier de tout le Sud. Les rumeurs de sa victoire déclenchèrent la fuite en masse des esclaves vers la forêt, vers les bivouacs de l'Union ou à la Nouvelle-Orléans. Seule une poignée décida de cultiver les terres abandonnées par des planteurs confédérés pris de panique.

De nombreux Noirs restèrent dans les plantations; mais ils refusaient désormais de travailler. Un observateur notait: «Révolte et insurrections parmi les Nègres, qui jouent du tambour, brandissent des drapeaux et crient: "Abe Lincoln et liberté"[43].» Quand les planteurs, furieux et inquiets, les imploraient ou les menaçaient, leurs esclaves répliquaient qu'ils étaient maintenant libres, et qu'ils avaient des droits! Ironie du sort: la proclamation d'émancipation qui les rendait libres officiellement ne prit effet qu'en 1865; les esclaves de la Louisiane furent parmi les derniers à être émancipés. Certains reprirent le travail après avoir négocié des salaires et des conditions de travail raisonnables, telles que le dimanche férié, le congédiement des gardiens les plus cruels et, dans un cas, de nouvelles chaussures. Comme ce fut le cas aux Indes occidentales, ils exigèrent un nombre réduit d'heures de travail pour leurs épouses et leurs parents, qui, de toute façon, refusaient dorénavant de travailler autant qu'avant. Les planteurs fulminaient quand ils entendaient parler de cette nouvelle division des tâches en fonction des sexes. L'un d'eux rouspétait: «[Au champ], les femmes ne font rien, elles sont insolentes, elles prennent beaucoup de temps à faire semblant d'être malades, et certaines refusent toute forme de travail[44].»

L'état-major de l'Union, qui était divisé sur ce qu'il fallait faire, intervint. Le général Benjamin F. Butler estimait que sa mission consistait à libérer les esclaves des rebelles confédérés, mais pas ceux des loyaux partisans de l'Union, ou ceux des propriétaires qui s'étaient déclarés neutres, comme la Française unilingue Appoline Patout. Ceux qui prêtaient serment de loyauté pouvaient engager les esclaves bientôt affranchis au taux mensuel de dix dollars pour 260 heures de travail, en plus de la nourriture et des soins médicaux; le salaire était un peu moindre pour les femmes et les enfants. De nombreux planteurs, évidemment, signèrent le serment de loyauté; Butler ordonna aussitôt à ses troupes d'aider les planteurs à retrouver les fuyards et à maintenir l'ordre dans les plantations. Les soldats qui refusaient d'obéir étaient menacés d'arrestation et de cour martiale.

Le collègue de Butler, le général John W. Phelps, voyait les choses différemment. Il apporta son aide à tout esclave rejoignant les lignes des troupes de l'Union mises sous ses ordres, et organisa des expéditions de libération d'esclaves dans les plantations. De plus, il enrégimenta des centaines de Noirs et leur donna une formation. Lorsque Butler se rebiffa en confiant aux apprentis soldats la tâche de couper des arbres, Phelps démissionna, écrivant à l'autre : « Je ne veux pas devenir le simple conducteur d'esclaves que vous me proposez d'être. Je ne me sens pas qualifié pour cette tâche[45]. »

Butler décida alors que ses soldats de couleur allaient résoudre ses deux problèmes les plus urgents : terrifier les masses de réfugiés noirs et regarnir ses troupes. Il organisa ses propres régiments de Noirs, embrigadant hommes libres et fuyards, et les envoya au front. En 1864, découvrant un peu plus de 200 cadavres de ses soldats sur le champ de bataille, il écrivit à sa femme : « On n'ose imaginer ce qu'ils ont enduré [...] ; leurs visages rigides sont devenus mauves et effrayants dans la mort, avec une expression de détermination comme le sont les visages de tous les braves foudroyés dans la charge. Vision pénible, brûlante dans ma mémoire, que je découvrais tandis que je chevauchais parmi les morts. Pauvres garçons, envoyés au feu, et pour si peu, avec tout le poids des préjugés sur leurs épaules, leur vie sacrifiée pour un pays qui ne leur a pas encore fait justice ni n'a su leur prodiguer les soins nécessaires[46]. » (Quant aux Confédérés, ils se servirent des volontaires noirs pour les embrigader parmi les gardiens autochtones de la Louisiane, mais c'était pour la propagande seulement : dans les faits, on ne leur permit pas de se battre.)

Pendant la guerre, les veuves, les épouses, les gardiens et les planteurs qui ne s'étaient pas enfuis ou qui n'avaient pas rejoint l'armée des Confédérés s'occupèrent d'engranger les récoltes et de produire du sucre. George Hepworth, un observateur partisan de l'Union, constatait : « À ce niveau-là, il n'y a pas un seul planteur qui n'ait personnellement souffert de la guerre. La canne à sucre [...] est toujours là en février [...], puis en mars, et c'est comme ça à perte de vue sur des milliers d'acres. De cette manière, la récolte de l'année précédente ne représente plus rien, ni celle de la prochaine année non plus[47]. » Même dans les plantations en activité, les soldats de l'Union avaient raflé tout ce qu'ils pouvaient emporter ou consommer : chevaux, animaux de ferme, volaille, réserves de nourriture, sucre, vin, alcool, argenterie familiale, batteries de cuisine. Pour alimenter leurs feux, ils démantelaient les ateliers et les granges, allant jusqu'à retirer les poteaux de clôtures des pâturages où paissait le bétail.

1865-1877 : la reconstruction de l'industrie du sucre

Quand la guerre civile prit fin, en 1865, 20 % des Blancs mobilisables et des centaines de Noirs avaient été tués, et des milliers de Blancs et de Noirs estropiés. Les plantations de sucre avaient été abandonnées, négligées, pillées par les soldats de l'Union ou étaient tombées en friche. La campagne était jonchée d'ossements d'animaux de ferme volés ou abandonnés.

Les planteurs rentrèrent, découvrant leurs énormes pertes. Ils avaient perdu leur main-d'œuvre, leur tout premier investissement en capital. Perdu aussi les moulins et les usines, lesquels, pour la plupart, étaient détruits ou gravement endommagés. De 1861 à 1864, le nombre de plantations opérationnelles était passé de 1 200 à 231, la production de sucre étant passée de 264 000 à 6 000 tonnes. La Louisiane, qui était autrefois le deuxième État le plus riche par habitant, valait aujourd'hui deux fois moins. Les plantations avaient été très durement touchées. La valeur nette de la propriété d'Appoline Patout était ainsi passée de 140 000 à 20 000 $.

Au même moment, une révolution politique et sociale s'enclenchait. La Louisiane avait été exemptée de la proclamation fédérale d'émancipation de janvier 1863 ; mais, en septembre 1864, la Chambre de la Louisiane abolit l'esclavage. Six mois plus tard, le gouvernement fédéral mettait sur pied le Bureau des réfugiés, des affranchis et des terres vacantes, appelé aussi Bureau des affranchis. Reprenant espoir, des affranchis sollicitèrent les services du Bureau, occupés qu'ils étaient à fonder des écoles et des églises, à négocier des contrats de travail et à retrouver les épouses, les enfants, les parents et les amis vendus auparavant comme esclaves.

Pris en tenaille entre le gouvernement fédéral, de moins en moins chaud à l'idée de renforcer le statut social des Noirs, et la détermination des planteurs à freiner le renforcement de la reconstruction, les capacités financières et le pouvoir du Bureau s'effilocha. Mais jusqu'à ce que la « Reconstruction » trace la voie de la « Rédemption » — terme aux connotations amères, puisqu'il désigne le retour des Sud-Américains dans le giron démocrate, en 1877, que les conservateurs qualifièrent de processus « rédempteur » —, les Noirs luttèrent pour se poser comme intervenants politiques à part entière. La plantation, si familière au plus grand nombre, fut un lieu de prédilection pour le recrutement, la propagande et l'organisation. Dans les paroisses sucrières, des majorités de Noirs élurent des représentants noirs à la Chambre, et l'on vit des Noirs occuper des postes de responsabilité et figurer dans la milice.

Pour le reste, le nouvel ordre louisianais ne semblait pas si différent de l'ordre ancien. Duncan Kenner, responsable confédéré, fit acte d'allégeance à l'Union, réclamant du coup sa plantation d'Ashland, que le Bureau des affranchis avait confisquée pour la rendre à des affranchis sans terre. Appoline Patout revendiqua sa neutralité en tant qu'étrangère et, du coup, gagna le droit de conserver son immense plantation.

La plupart des affranchis renâclaient à l'idée de retourner dans les champs de canne, même pour 10 dollars par mois. Quelques planteurs comme Appoline Patout préférèrent engager des Blancs. Un peu plus tard, d'autres planteurs importèrent des coolies chinois, terme désignant n'importe quelle main-d'œuvre asiatique non spécialisée. Le mot devint vite péjoratif, s'appliquant à un peu tout le monde : Allemands, Hollandais, Irlandais, Espagnols, Portugais et Italiens. Mais aucun de ces immigrants n'acceptait les pauvres salaires et les dures conditions de travail offertes par les planteurs. Les Chinois s'enfuirent des plantations à la Nouvelle-Orléans ou vers d'autres régions urbaines ; les Blancs, de leur côté, déchirèrent leur contrat et en négocièrent de plus généreux. « Les Blancs, faisait remarquer le *Planter's Banner*, ne viennent pas ici pour être entassés comme des serfs et des prostituées dans une cabane miteuse, avec à peine de quoi picorer de la bouffe indienne et quatre livres de porc par semaine[48]. »

Les affranchis non plus ne souhaitaient pas revivre pareil cauchemar. L'histoire de la « Reconstruction », au pays du sucre, c'est l'histoire des moyens recherchés par les affranchis pour arracher, parfois avec succès, de meilleures conditions de travail, et de leur importante contribution en tant que nouveaux citoyens et électeurs. C'est aussi l'histoire des planteurs s'efforçant de reconfigurer l'émancipation dans le sens de leurs intérêts et essayant de relever le défi non seulement de faire face à la concurrence de la canne étrangère et de la betterave sucrière d'Amérique du Nord, mais aussi d'affronter le redoutable lobby des raffineurs, dont la priorité était de se procurer du sucre à bon marché, quelle que soit sa provenance.

À l'instar des esclaves émancipés quelques décennies auparavant dans les Indes occidentales britanniques, les affranchis de la Louisiane voulaient à tout prix une terre à eux, exigeant que leurs épouses n'aillent plus aux champs. Ils voulaient avoir le droit de choisir leur propre employeur, et obtenir un plein salaire décent, en argent sonnant, et non sur un bout de papier; ils rejetaient le métayage que certains avaient initialement proposé. Si le contrat comprenait les repas, ils voulaient une nourriture de meilleure qualité. Ils voulaient que les planteurs fournissent de la nourriture pour leurs vaches, leurs porcs, leurs poulets et leurs chevaux. Ils voulaient leurs samedis et leurs dimanches libres, et un mois de congé à Noël. Ils exigeaient le droit de vote, le droit d'association ou le droit de s'inscrire dans des partis politiques, d'élire leurs dirigeants, d'être gestionnaires et de tirer avantage de leur gestion. Ils demandaient du respect, et refusaient de tolérer les vestiges criants de l'esclavage, comme les surveillants sadiques, les insultes et les moqueries, ainsi que toutes les restrictions à la liberté de leurs mouvements.

Lorsque les planteurs se mirent à rejeter ces exigences ou à congédier les affranchis injustement, ceux-ci apprirent comment et quand déclencher une grève, par exemple, juste au moment des récoltes ou au cours du traitement de la canne. Des leaders politiques leur enseignèrent la solidarité, à «agir comme un seul homme dans l'ensemble des plantations», jusqu'à ce que le planteur cède. Pour obtenir de meilleurs salaires, il arrivait que les affranchis aillent jusqu'à la rupture de contrat; seuls de très hauts salaires et un petit verre de whisky pouvaient les amener à accepter le boulot détesté par tous de l'entretien de la digue. Durant les campagnes électorales, les affranchis donnaient la priorité à la politique; aux yeux des planteurs, ils consacraient «un peu trop de temps à la politique et fort peu au travail[49]». Pendant les récoltes, si certains affranchis négociaient leur travail à 75 cents par jour, les planteurs les accusaient d'être insolents et paresseux, spécialement les nourrices.

Pendant un certain temps, les affranchis firent beaucoup de progrès. En 1869, ils avaient négocié des salaires annuels dans une fourchette allant de 325 à 350 dollars, qui comprenaient en outre un logement et un lopin de terre pour leurs cultures personnelles. Ce revenu était comparable à celui des ouvriers qui ne travaillaient pas à la plantation, et beaucoup mieux que celui les ouvriers salariés ou métayers des plantations de coton. Les affranchis utilisaient leur paie pour rehausser ou varier leurs rations de nourriture; ils adoraient les biscuits, le thé, le whisky, le gin, le vin, le brandy, le saumon, les sardines, le sel et le poivre, le lait en poudre, le sucre raffiné et les bonbons. Ils se procuraient de meilleurs tissus pour leurs vêtements et les accessoires correspondants.

Ils portaient des lunettes, fumaient, utilisaient la plume et le papier, achetaient des pièges à souris et à rats pour leur maison, et s'offraient toute une gamme d'articles qui rendaient la vie plus facile, voire lui donnaient un zeste de raffinement.

Quant à leur rêve d'être propriétaire, c'était une tout autre histoire; en fait, peu y parvinrent. Avec le temps, le Bureau des affranchis fut obligé de restaurer l'ensemble des plantations confisquées; or, c'était là pour eux la seule réserve de terres possible. Ceux qui avaient essayé de faire des économies en investissant leur épargne dans le «Freedmen's Savings & Trust Company», pourtant de charte fédérale, perdirent tous leurs avoirs durant la crise financière de 1874, marquée par la faillite des banques.

Les plus redoutables adversaires des affranchis dans leurs tentatives d'améliorer leur sort furent les planteurs demeurés sur place, très fragilisés par leur propriété en ruine, par des dettes colossales, par des revenus quasi inexistants, par des banquiers peu enclins à les écouter et par la concurrence qu'imposaient la betterave domestique et la canne à sucre venue de l'étranger. Ils détestaient l'idée de devoir engager les hommes et les femmes dont ils avaient été précédemment les propriétaires. «Ils ne comprenaient pas, note un observateur de l'époque, que [...] des hommes soient amenés à travailler sans le fouet[50].» Les nouveaux planteurs venus du nord et d'autres États du Sud étaient mieux préparés à cette idée; toutefois, ce fut le modèle d'avant-guerre qui, pendant une longue période, projeta son ombre sinistre sur la production sucrière d'après-guerre.

Plusieurs planteurs résistaient activement au nouvel ordre social. Dans le dos de leurs ouvriers, ils conspiraient pour payer les plus bas salaires possibles, pour s'en garder une partie tant que la saison du sucre n'était pas terminée, ou pour déduire, parfois retenir, des portions de salaires sous le prétexte que les affranchis avaient rompu leur contrat. Ils remirent sur pied des patrouilles destinées à empêcher les affranchis de se promener sans permission d'une plantation à l'autre, leur déniant dans les faits le droit, reconnu par la loi, de choisir leurs employeurs. Certains planteurs tentèrent de garder le contrôle de leurs affranchis en liant le contrat de travail à une promesse de bonne conduite (on ne joue pas, on ne boit pas, on ne jure pas). Les planteurs en général déploraient «le flot continu d'idées politiques allant du fanatisme à l'anarchie, qui était en train de submerger et de détruire le pays[51]». Ils avaient particulièrement horreur de voir les affranchis s'inscrire au bureau de vote, ou quitter les champs de canne pour aller assister à une assemblée politique, allant jusqu'à congédier les employés qu'ils considéraient comme politiquement dangereux. Un agent du Bureau rapportait : « Chaque jour, et à toute heure, on me raconte que des planteurs ont congédié des travailleurs, pour la seule raison qu'ils sont allés assister à une assemblée politique[52]. »

Pour se venger, les affranchis se mettaient en grève, ou refusaient de signer des contrats avec des employeurs désagréables ou malhonnêtes. Ils étaient de plus en plus forts, leur solidarité résultant de ce qu'ils vivaient et travaillaient ensemble dans d'énormes plantations, que le Bureau les conseillait, les aidait et les protégeait, et de ce que les hommes politiques noirs comprenaient la suprême importance des masses rurales. Ils formèrent des milices officieuses, créèrent des groupes d'entraide et des clubs politiques appelés Ligues de solidarité, qui formaient leurs membres à l'unité et à la discipline, et qui, lors des violents affrontements politiques et des élections de l'époque de la Reconstruction, mobilisèrent des milices noires pour assurer à la population une protection paramilitaire. Les affranchis faisaient des progrès constants, ce qui obligeait les planteurs à faire des concessions. Les femmes affranchies, elles, formèrent leurs propres commandos d'appui au Parti républicain, renforçant la détermination de leurs conjoints en les menaçant de les quitter s'ils avisaient de plier devant les planteurs qui voulaient les faire voter démocrate ! À une reprise au moins, elles allèrent, armées de couteaux pour couper la canne, disperser une assemblée démocrate. Pour des Blancs habitués à les dominer, ce débordement d'énergie était plutôt inattendu et exaspérant.

Les planteurs et les Blancs de Louisiane ne s'inclinèrent pas facilement. En mai 1887, certains d'entre eux mirent sur pied les Chevaliers du Camélia blanc, société secrète vouée à la restauration et au maintien de la suprématie blanche et combattant la Reconstruction et les politiciens noirs réformistes. Peu après les révélations d'un journal républicain sur les coulisses de l'organisation, les Chevaliers s'évaporèrent dans la nature ; toutefois, quelques-uns rejoignirent d'autres groupes de Blancs « suprémacistes » occupés à terroriser et à persécuter les Noirs ambitieux ou authentiquement démocrates ainsi que leurs alliés blancs. « On va tous vous tuer, jusqu'au dernier ! vociférait un Blanc à l'intention des Noirs qui faisaient la file pour aller voter. Les nègres, c'est fait pour les champs[53]!» Signe précurseur des violences électorales qui allaient gâcher tout le processus politique dans le Sud pendant plus d'un siècle, la campagne électorale de 1868, dans la seule paroisse St. Bernard, fit plus de 60 victimes, la plupart des affranchis.

Quinze ans après la guerre, les planteurs avaient toujours de bonnes raisons de s'inquiéter. Rester ? Tout liquider ? Même si entre 1860 et 1875, la consommation américaine de sucre avait fait un bond de 62 %, la contribution louisianaise avait dégringolé de 27 à 8 %. Les faillites et les liquidations forcées étaient fréquentes ; deux plantations sur trois cessèrent leurs activités. Pour payer leurs bruyants ouvriers, couvrir les coûts des réparations, restaurer leurs installations et acheter de l'équipement moderne, les planteurs avaient besoin de crédit, lequel se faisait rare depuis qu'ils avaient perdu leur premier investissement en capital : les esclaves. « Les comportements agressifs des planteurs démunis ou délinquants sont suffisants aujourd'hui pour vous faire perdre patience. Ils sont comme un essaim de frelons[54] », faisait remarquer un agent du Bureau.

Les planteurs qui avaient survécu et réussi avaient dû s'adapter et se moderniser. Des moulins d'un nouveau genre s'imposaient, où étaient utilisés des évaporateurs multifonctions et des ateliers de cristallisation permettant l'extraction d'un sucre de meilleure qualité, même quand celui-ci était gelé. Il fallait aussi diminuer les coûts du carburant, comme le fit la veuve Mary Ann Patout, belle-fille et successeur d'Appoline, qui substitua au charbon et au bois le mazout et la *bagasse* de canne (cette entreprise, toujours active de nos jours, sous la raison sociale de M. A. Patout et fils, est le seul moulin dirigé aujourd'hui par la famille d'origine). De nouveaux équipements comme le rotoculteur et les convoyeurs mécaniques de canne permirent d'abaisser les coûts de production, tout en soulageant les ouvriers des champs d'une tâche particulièrement pénible. Même chose pour le racloir de chaume de la plantation Patout, qui raclait la chaume laissée sur les tiges de canne coupées, les faisant « dégorger » des germes riches en nutriments végétaux, qui en retour amélioraient le rendement de la canne. Beaucoup plus tard, dans les années 1920 et 1930, l'électricité puis le pétrole remplacèrent la vapeur, qui elle-même avait remplacé les animaux, et le fumier fit place aux engrais chimiques.

L'Association des planteurs de sucre de la Louisiane, fondée en 1877, mit sur pied un lobby du sucre, pour influencer les décideurs fédéraux en matière de tarifs. Elle conseillait également les planteurs en quête de données scientifiques, les incitant à une meilleure diffusion de l'information par le biais des réunions de l'Association et de son bulletin *The Louisiana Sugar Planter*. À la différence des générations précédentes de planteurs, ces industriels de l'agriculture encourageaient fortement la recherche sur les variétés de sucre et les nouvelles études techniques menées dans les universités et collèges de la Louisiane.

Au fur et à mesure que la production de sucre se modernisait, faisait des profits et gagnait en volume, les moulins devenaient si efficaces qu'ils mettaient hors circuit la production des plantations qui n'en étaient pas dotées. La centralisation, phénomène bien connu dans d'autres régions sucrières, fit son apparition en Louisiane. Plus les moulins étaient puissants, plus ils se regroupaient : de 1875 à 1905, leur nombre passa de 732 à 205. Ces géants virent leur productivité grimper en flèche, avec de moins en moins d'ouvriers.

Rédemption

Après des années d'épreuves de toutes sortes — lois discriminatoires, contraintes économiques et agressions physiques —, les travailleurs noirs du sucre étaient mal en point. La Reconstruction prit fin un certain jour de 1877, quand le Parti républicain conclut avec les Blancs du Sud un pacte diabolique. En échange de leurs voix en faveur de Rutherford Hayes, propulsé à la Maison-Blanche, bien que le vote populaire lui ait été défavorable, le futur gouvernement s'engageait à retirer ses troupes du Sud.

Violence et intimidations furent à l'ordre du jour. En 1883, à Colfax, la Ligue blanche, une organisation paramilitaire, successeur affiché des Chevaliers du Camélia blanc, assassina une centaine de Noirs rassemblés devant un tribunal, alors que la moitié d'entre eux avait accepté de se disperser. Hippolyte Patout, le fils de Mary Ann, était l'un des leaders de la Ligue blanche.

Le 3 novembre 1887 fut un jour sombre pour les droits civiques, économiques et politiques des Noirs. À Thibodaux, siège de la paroisse « sucrière » de Lafourche, les affranchis avaient lancé une grève régionale. Les planteurs blancs, avec à leur tête le juge et planteur Taylor Beattie, firent front commun pour les écraser. Après trois jours de carnage, trente affranchis avaient été tués et des milliers chassés de leur cabane. La belle-fille de Beattie, Mary Pugh, confia à son mari : « Je crois bien qu'on a réglé la question de savoir qui, du nègre ou du Blanc, est le patron, pour au moins cinquante ans [...]. Les nègres sont redevenus doux comme des agneaux, beaucoup plus doux que la semaine dernière[55]. »

Le massacre de Thibodeaux fut le point culminant de deux décennies de luttes entre planteurs et affranchis, entre deux conceptions opposées de la production sucrière, entre employeurs agressifs et ouvriers militants, entre des privilégiés par tradition et des émancipés de fraîche date. « Le massacre de Thibodaux, conclut l'historien John C. Rodrigue, fut l'épilogue de l'histoire de l'émancipation, et le prologue de la saga de Jim Crow et des lyncheurs de la populace blanche[56]. »

Thibodeaux inaugura brutalement l'ère dite de la « Rédemption », le Parti démocrate ayant « racheté » le pouvoir. Comme à Cuba, la culture de la canne évolua vers une agriculture industrielle, avec un petit nombre de moulins centralisés nécessitant des investissements massifs. Les Noirs et une poignée d'étrangers et de Blancs défavorisés avaient trimé dur, et sans relâche, pour des salaires de misère. Une fois encore, c'est le Blanc qui tenait le fouet.

La betterave en Amérique du Nord

Au moment où se déroulait, à Cuba et en Louisiane, l'histoire de la canne à sucre, la betterave sucrière faisait, mine de rien, son apparition sur les marchés. Au départ, la betterave était européenne, mais à la fin du XIXe siècle, elle avait traversé l'Atlantique et s'était implantée en Amérique du Nord, où ses vertus sucrées complétaient, voire concurrençaient, celles de la canne à sucre. Quant à son coût de production, il se devait d'être égal, voire inférieur, à celui de la canne, ce qui avait des conséquences énormes pour les hommes et les femmes travaillant dans les champs de betteraves.

La betterave sucrière croît dans les zones tempérées qui sont pourvues de sols riches, qui reçoivent des quantités suffisantes de pluie et qui jouissent d'une période de cinq mois environ sans gel sérieux. Ce légume, qui a l'allure d'un navet, est de forme allongée, d'un blanc argenté, avec des racines profondes de deux ou trois mètres ; il est semé au printemps, en rangs séparés d'au moins trente centimètres. Il est associé à des cultures de blé, de maïs, d'orge, de pommes de terre ou de seigle, selon des cycles de trois à cinq ans. Il requiert un labourage en profondeur, lequel favorise la croissance des céréales qui seront semées en alternance avec lui, ainsi qu'un sarclage fréquent, pour contenir ou éliminer les mauvaises herbes. Les restes de mouture, les fanes et la pulpe sont utilisés pour nourrir le bétail et engraisser les champs de céréales. Il faut également rappeler que dans les zones tempérées, la betterave sucrière est la culture produisant la plus haute valeur calorique.

Plusieurs régions d'Amérique du Nord conviennent à la culture de la betterave sucrière. C'est particulièrement le cas de la bande de terre qui comprend une partie de la Californie et s'étend à l'Est jusqu'au Michigan, à la Colombie-Britannique et à l'Ontario. À vrai dire, les débuts de la culture de la betterave sucrière furent difficiles. En 1836, un groupe de fermiers intéressés par cette culture se réunirent pour former la Société de la betterave sucrière de Philadelphie. Ils envoyèrent un représentant en France pour étudier cette industrie et acheter des graines, mais ce ne fut pas un succès, semble-t-il. Deux ans plus tard, à Northampton, au Massachusetts, une usine inexpérimentée dut fermer ses portes en raison de la faible teneur en sucre de ses betteraves.

En 1852, les mormons tentèrent d'introduire la betterave sucrière en Utah, dans le cadre de leur recherche d'un mode de vie autosuffisant. Ils commencèrent avec 500 barils de betteraves et un équipement de transformation expédié depuis la France à la Nouvelle-Orléans, puis à Fort Leavenworth, au Kansas, où il était transféré dans des wagons par des équipes de 52 bœufs. Quatre mois plus tard, le chargement arriva en Utah et l'église mormone procéda à son installation dans la salle commune de la Maison du sucre, à Salt Lake City. Toutefois, on ne réussit pas à produire la cristallisation du sucre avec l'équipement fourni, et l'usine dut fermer ses portes en 1855.

D'autres entreprises de production de la betterave sucrière ouvrirent leurs portes, et durent fermer par la suite : la Germania Beet Sugar Company de New York, ainsi que des usines situées au Wisconsin, en Californie, au Maine, au Delaware, au Massachusetts et au New Jersey. Le Canada connut également une série d'échecs au Manitoba, au Québec et en Ontario. Toutes ces entreprises échouèrent en raison de leur manque d'expérience, car les betteraves étaient de qualité inférieure, l'équipement étant inadéquat et les usines mal situées.

La chance tourna en 1890 : après quatre échecs, E. H. Dyer réussit à établir une entreprise rentable à Alvaredo, en Californie. En 1888, Claus Spreckels, qui avait l'expérience du commerce de la canne à sucre à Hawaï, s'installa à Watsonville, en Californie. Les frères Henry, James, Benjamin et Robert Oxnard, descendants d'une famille franco-américaine qui avait cultivé la canne en Louisiane et raffiné le sucre à Boston et à New York, commencèrent à exploiter la betterave à Grand Island et à Norfolk, au Nebraska, ainsi qu'à Chino et Oxnard, en Californie. De 1900 à 1920, la surface consacrée à la betterave passa de 135 000 à 872 000 acres, le Colorado et le Nebraska étant les régions les plus cultivées. Au même moment, l'église mormone réussit à financer une exploitation importante de la betterave en Utah. En 1902, 41 usines aux États-Unis produisaient 2 118 406 tonnes de sucre. En 1915, 79 usines étaient en activité, profitant des prix élevés du temps de guerre. En Ontario et en Alberta, l'exploitation de la betterave sucrière commença aussi à donner des résultats. Au Manitoba, les fermiers mennonites et d'autres fermiers convertirent à cette culture des terres qui étaient situées beaucoup plus au nord que toutes les entreprises exploitant la betterave sucrière en Amérique du Nord.

Mais lorsque la culture de la betterave sucrière devint une entreprise viable en Amérique du Nord, elle fut menacée par des problèmes liés à la main-d'œuvre. Comme la canne à sucre, la betterave sucrière est une culture pénible, car démarier les betteraves est presque aussi difficile que creuser des trous pour la canne. « Nos genoux nous faisaient souffrir, se rappelle un travailleur. Nous avions l'habitude de les entourer de sacs à fourrage maintenus au moyen d'une corde ; mais une fois que vos genoux sont blessés, il est difficile de les soigner. Nous essayions tout : nous asseoir sur le sol, nous étendre sur le côté entre les rangs de betteraves. Rien ne nous soulageait[57]. »

Trouver des gens disposés à exécuter un travail aussi dur était un défi permanent, car les salaires devaient être maintenus à un bas niveau pour pouvoir concurrencer la canne. Pour les cultivateurs américains, le Mexique était une bonne source de main-d'œuvre potentielle. Aussi, plusieurs cultivateurs cherchaient à y recruter des travailleurs, au moyen de dépliants, d'affiches, de calendriers et de journaux rédigés en espagnol, offrant même le transport gratuit jusqu'à la plantation. De 1900 à 1930, plus d'un million de Mexicains débarquèrent ainsi en

Amérique du Nord, plusieurs trouvant du travail dans les champs de betteraves. Le Japon fournit lui aussi des milliers de travailleurs, dont plusieurs avaient déjà été employés dans les champs de sucre hawaïens.

En 1903, à Oxnard, en Californie, la compagnie américaine Beet employait un millier de Mexicains et de Japonais qui travaillaient dans leurs champs, effectuant le démariage des betteraves. Ce sont ces travailleurs qui déclenchèrent la première grève dans une ferme américaine. Oxnard était une nouvelle agglomération, où les Allemands, les Irlandais et les Juifs s'étaient retirés à l'ouest de la ville, alors que les Mexicains et les Japonais étaient relégués dans le secteur est. « Alors que le secteur est était un quartier pauvre et bruyant, le secteur ouest avait droit à des cours, à des conférences de la WCTU [Woman's Christian Temperance Union (Union des femmes chrétiennes pour la tempérance)], prenait du bon temps au théâtre de l'opéra, où l'on présentait des spectacles de ménestrels[58] », se rappelle une résidente blanche.

Les problèmes commencèrent lorsque la Western Agricultural Contracting Company, vouée aux intérêts du secteur ouest, entreprit de rétrograder les entrepreneurs japonais au statut de sous-traitants, d'abaisser les salaires consentis pour effectuer le dur labeur du démariage des betteraves, et de remplacer le paiement en espèces par des bons de la compagnie. Les travailleurs mexicains et japonais, particulièrement ceux qui étaient chargés de démarier les betteraves, s'unirent pour former la Japanese-Mexican Labor Association (JMLA) (Association des travailleurs japonais et mexicains), puis déclenchèrent la grève. « Il est tout aussi indispensable [...] que nous obtenions un salaire nous permettant de vivre de façon décente que ce l'est pour les machines de la grande usine de sucre d'être suffisamment huilées[59] », expliquait un communiqué de presse de la JMLA.

Le 24 mars, le fermier briseur de grève Charles Arnold fit feu en direction de grévistes non armés, tuant une personne et en blessant quatre autres. Même si des gens avaient été témoins de l'incident, un jury entièrement anglophone acquitta Arnold de toutes les charges qui pesaient contre lui. Cette injustice flagrante enflamma les grévistes et renforça leur détermination. Le 30 mars, après des négociations intenses, les cultivateurs de betteraves acceptèrent la plupart des revendications du syndicat et la grève prit fin.

La victoire des travailleurs connut un triste épilogue. La JMLA posa sa candidature pour devenir membre de la Fédération américaine du travail, laquelle accepta de recevoir les Mexicains... «mais en aucun cas des Chinois ou des Japonais». La JMLA dénonça officiellement ces conditions. «Nous refusons toute [...] forme de constitution, sauf celle qui mettrait fin aux préjugés raciaux, et nous reconnaissons à nos camarades travailleurs la même valeur que nous nous accordons à nous-mêmes[60].»

Durant les années qui suivirent, la victoire du JMLA s'estompa, et les entrepreneurs reprirent leurs exactions. Oxnard conserva sa violence et le syndicat finit par être dissous. En 1905, alors que faisaient rage les préjugés anti-asiatiques, la Ligue pour l'exclusion des Asiatiques fit campagne pour bannir les Japonais et les Coréens des États-Unis. Toutefois, de nos jours, on se souvient encore de la grève des travailleurs agricoles d'Oxnard comme fait d'armes du premier syndicat de travailleurs agricoles de la Californie, qui fut aussi le premier à braver les préjugés raciaux.

La grande dépression exacerba la xénophobie nord-américaine, dont les premières victimes furent les Mexicains et les Asiatiques. Certains Mexicains, désormais indésirables, quittèrent les États-Unis pour retourner au Mexique. Plus de 400 000 d'entre eux furent «rapatriés» à la suite de menaces, de descentes de police et de procès. (En janvier 2006, dans l'*Apology Act*, la Chambre de l'État californien présenta ses excuses pour ces violations des droits civils dans le cadre d'une loi d'excuse pour le Programme de rapatriement des Mexicains en 1930.)

Durant la grande dépression, il était facile de remplacer les Mexicains. On pouvait engager les chômeurs qui parcouraient le réseau ferroviaire du continent, et les foules d'immigrants qui fuyaient le chaos régnant dans leur pays natal — Russes, Tchécoslovaques et Polonais —, de même que les mennonites allemands à la recherche d'une culture productive, les Juifs allemands et les militants antinazis fuyant l'oppression. Les employeurs embauchaient également des Américains de souche, mais ils préféraient les Européens, qui n'avaient pas les moyens de refuser le dur labeur, les nombreuses heures de travail et les bas salaires.

Lorsque la guerre éclata, le filon de travailleurs se tarit et ils furent si nombreux à quitter les champs pour l'armée qu'on put craindre une crise de l'emploi. Le gouvernement des États-Unis et celui du Canada aidèrent leurs industries sucrières en fournissant des travailleurs provenant des rangs des objecteurs de conscience, des prisonniers de guerre allemands ainsi que des Japonais, des Américains et des Canadiens. Les Japonais, soudainement considérés comme des «ennemis», étaient privés de leur maison et de leur gagne-pain et envoyés dans des camps de détention dans des régions éloignées. En 1942, des milliers furent contraints d'aller travailler dans les fermes de betteraves sucrières de l'Oregon, de l'Utah, de l'Idaho, du Montana, de l'Alberta et du Manitoba, expérience qui constitue un chapitre amer de leur mémoire collective.

Durant la guerre, l'incertitude et la rareté des importations de sucre de canne créèrent une forte demande pour le sucre de betterave; bien que produit par des «ennemis» qui peinaient en compagnie d'autochtones ou de nouveaux Canadiens, ce produit était vanté comme une marchandise «patriotique». À la fin de la guerre, les travailleurs internés furent libérés des champs de betteraves et de nouveaux immigrants, connus sous le nom de «personnes déplacées», les remplacèrent. Les fermes de betteraves s'étendirent et adoptèrent de nouvelles techniques telles que l'élimination chimique des mauvaises herbes, les variétés de semences améliorées et les semis de précision. Cependant, les tâches les plus difficiles, comme le démariage des betteraves et le sarclage, requéraient toujours des armées de travailleurs. Suivant son habitude, l'industrie sucrière recrutait des travailleurs parmi les immigrés et les autres groupes défavorisés, embauchant tous les travailleurs locaux qu'elle parvenait à attirer et tous les autochtones qu'elle pouvait contraindre à travailler pour elle. Au Canada, plusieurs ministères, dont le Bureau des Affaires indiennes, collaborèrent en vue de pousser les autochtones à travailler dans les champs de betteraves albertains[61].

Du côté des ennemis, la betterave sucrière avait également ses histoires de guerre. Jusqu'à la Première Guerre mondiale, l'Allemagne était en tête des exportations mondiales de betterave sucrière. (L'Allemagne était également le troisième exportateur mondial de sucre, derrière Cuba et Java.) Puis sa production plongea et le gouvernement dut intervenir pour que le sucre reste abordable pour les citoyens. Après la guerre, malgré les efforts déployés par le gouvernement pour ressusciter cette industrie chancelante, l'Allemagne ne réussit pas à contrer le dumping du sucre étranger et les effets dévastateurs de la grande dépression.

Les nazis vinrent au secours de la betterave en la plaçant au cœur de l'idéologie du *Blut und Boden* (sang et sol). Les nazis vantaient la betterave qui retenait les travailleurs paysans à la campagne (mais, également, les soldats potentiels), qui fournissait aux Allemands un aliment essentiel et qui triomphait sur le sucre de canne, produit sous des latitudes plus chaudes par des races inférieures. Les nazis intégraient également le sucre de betterave dans leur conception de l'autarcie nationale ou de l'autosuffisance, bien que celle-ci ne pouvait, selon eux, être réalisée qu'au moyen du *Lebensraum*, c'est-à-dire l'extension du territoire allemand, et en acquérant plus de ressources[62].

Cependant, une fois élu, Hitler défendit une vision moins romantique de la betterave sucrière. Il réalisa, par exemple, que la taxe élevée qui rendait le sucre si cher apportait les devises dont son gouvernement avait désespérément besoin. Au lieu de diminuer la taxe, les nazis encouragèrent les Allemands à manger plus de confiture très sucrée (ils concentrèrent leurs efforts sur la confiture, car, à Francfort, on avait récemment commencé à fabriquer de la pectine, un ingrédient essentiel à la fabrication de la confiture; celle-ci était aussi une bonne manière d'écouler les stocks de fruits gâtés ou de qualité inférieure). Pour stimuler les ventes, ils obligèrent l'industrie sucrière à subventionner l'industrie de la confiture; pour les subventions publiques, il fallut attendre 1938. On produisit de plus en plus de confiture. Cette production passa de 67 000 tonnes en 1934 à 143 000 tonnes en 1937, la plus grande partie de cette production étant faite à partir de sucre subventionné.

En plus de la confiture, les nazis poussèrent la production de fourrage à partir de la betterave sucrière, afin de diminuer les importations de nourriture destinée aux animaux tout en augmentant leur production de viande et de gras animal. On attendait de l'industrie de la betterave sucrière qu'elle nourrisse le peuple allemand aussi bien que son bétail. Avec son *Lebensraum*, l'Allemagne acquit les vastes cultures de betterave sucrière d'Autriche et de Tchécoslovaquie, ce qui lui permit d'entrer dans la Deuxième Guerre mondiale en pouvant offrir à son peuple tout le sucre voulu, soit une ration annuelle de base par habitant de 14,56 kilos de sucre et 5,72 kilos de confiture. L'obsession des nazis pour le sucre de betterave est si bien établie qu'en 1942, on pouvait lire dans le *Zeitshriften-Dienst*, le bulletin hebdomadaire confidentiel du Troisième Reich contenant des instructions aux éditeurs de magazines: « Ne publiez rien concernant les plans présumés pour adapter les feuilles de betteraves à la consommation humaine[63]. »

Le sucre était devenu une composante si indispensable de l'alimentation que ni la révolution, ni la guerre, ni même la disparition de l'esclavage ne purent mettre un terme à sa production. Là où le sucre de canne n'était pas disponible, le sucre de betterave le remplaçait. Adolf Hitler lui-même n'osa pas priver son peuple de sucre.

QUATRIÈME PARTIE

Le monde sucré

CHAPITRE 10

La diaspora sucrière

Une nouvelle et singulière institution attire des Indiens de l'Inde aux Indes occidentales

Si, aujourd'hui, Christophe Colomb revenait hanter ses anciens territoires, il s'exclamerait certainement, observant le fourmillement humain des rues de la Trinité et de la Guyane: «Je suis vengé! Ici, c'est les Indes!» À beaucoup d'égards, c'étaient bien les Indes, grâce aux planteurs de l'après-émancipation qui avaient reconstruit et relancé leur empire sucrier en important par centaines de milliers des Indiens et des Chinois, dans le cadre dit du «contrat de travail» que les spécialistes décrivent, pour reprendre la formule tristement vraie de l'historien Hugh Tinker, comme «un nouveau système d'esclavage[1]». Cette réorganisation reposait sur la conviction que «plantations sucrières et travail libre étaient incompatibles».

Avec le contrat de travail, l'industrie sucrière des Antilles britanniques tua tout espoir de voir l'émancipation transformer la structure économique et sociale des colonies sucrières. Pour être plus précis, elle mina à sa base le rapport de forces établi par les travailleurs noirs voulant négocier de meilleurs salaires, soudain submergés par une main-d'œuvre abondante et bon marché. À la même époque, l'oligarchie blanche favorable aux colonies sucrières tuait dans l'œuf le vieux rêve des anciens esclaves d'accéder à la propriété d'une ferme, en maintenant très élevé le prix des terres de la Couronne et en bloquant la vente des plus petits lots. Le bureau des Affaires coloniales partageait les vues de la «plantocratie», dont les objectifs étaient d'imposer la monoculture du sucre et d'établir des politiques fiscales qui obligeraient l'ensemble de la population, dont les Noirs, à l'encourager.

Le nouveau visage du travailleur «libre», ce fut le «coolie», terme aux origines obscures devenu péjoratif, et qui finit par désigner, quelle que fût la race, l'ouvrier non spécialisé. La première vague de travailleurs, venus de Madère et de l'Inde, charria tellement de cadavres que le système dit «de l'apprentissage» fut brièvement interrompu et légèrement modifié, avant d'être relancé. «Le planteur, écrit l'historien et spécialiste du sucre Alan Adamson, avait su gagner le cœur du bureau colonial, tandis que les "humanitaires" […] et la Société contre l'esclavage devaient s'avouer vaincus[2].»

Le contrat de travail fut une politique impériale conçue et gérée par le bureau britannique des Affaires coloniales. Ses concepteurs, en particulier Earl Grey, secrétaire général de 1846 à 1852, et James Stephen, sous-secrétaire permanent jusqu'en 1847, étaient des abolitionnistes à l'esprit large, qui avaient d'abord envisagé un contrat de travail engageant librement les parties. L'explication d'Earl Grey était la suivante : «L'idée de base de cette politique est de se donner une réglementation qui incitera l'immigrant, prenant en compte ses intérêts et son libre arbitre, à travailler d'une manière stable et avec application pour le même employeur et ce, pour une longue période[3].» En réalité, le «contrat de travail» prit une tout autre tournure. Selon Adamson, «il constituait le parfait exemple du complet dévoiement d'un idéal libéral sous la pression de certains intérêts privés, ceux du planteur[4]».

Cette politique prenait d'abord la forme d'un contrat de cinq ans, couronné par un certificat de «résidence industrielle», autrement dit d'un renouvellement du contrat, ou, jusqu'en 1904, d'un billet gratuit de retour en Inde. Au moins 25 %, puis, plus tard, 40 % des coolies devaient être des femmes. Le contrat de travail portait sur le salaire, le nombre d'heures de travail, sur les rations alimentaires (qui n'étaient pas précisées), sur le fait d'être abrité sous «un toit convenable», sur les soins médicaux, et sur quelques «commodités»», le tout sous la supervision d'un agent d'immigration garant de la prestation. En réalité, les planteurs ne respectaient pas la plupart de ces clauses, tout en renforçant les mesures disciplinaires, poursuivant en justice les coolies qui avaient quitté la plantation sans autorisation spéciale, qui s'étaient absentés, qui refusaient de commencer ou de terminer un travail, ou qui se rendaient coupables de vagabondage ou de désobéissance, de paresse, de menaces à l'endroit d'un responsable ou de maladie feinte. «Le contrat de travail, écrit Eric Williams, a traîné une population entière devant les juges[5].»

Le système britannique utilisé dans les Indes occidentales devint la norme mondiale pour les planteurs de sucre, les planteurs français et hollandais adoptant leur propre version coloniale du modèle. Les Indiens constituaient la majorité des coolies, même si des Chinois, des Javanais, des Japonais, des Philippins, des habitants de Madère ou de l'Afrique de l'Ouest étaient également mis sous contrat. Un aperçu rapide des statistiques montre un énorme impact démographique des arrivages de l'Inde sur les colonies sucrières des Antilles, des îles Fidji, de l'île Maurice et de l'Afrique du Sud: plus de 1,2 million d'Indiens émigrèrent, dont un demi-million se rendit aux Antilles et un autre demi-million en Afrique.

En Inde, les recruteurs recherchaient surtout des individus désespérés plutôt que des travailleurs expérimentés dans la culture du sucre. Tout le monde était prêt à signer pour n'importe quelle raison: les inondations, la sécheresse, les ennuis avec la police, la politique, les querelles de famille et la banale misère du quotidien. «La plupart du temps, écrit un agent de l'immigration coloniale, le recruteur tombe sur un individu famélique, il le prend avec lui, le nourrit […]. Vu les conditions qu'on lui fait miroiter, nos propositions donnent l'impression de la richesse absolue[6].»

Les immigrants connaissaient rarement la vérité sur leur destination ou sur le type de travail offert. Les recruteurs engageaient des *arkatia*, rabatteurs ayant une expérience de jardinier à Calcutta ou de tamiseur de sucre, qui faisaient miroiter d'éventuels boulots. Après avoir été regroupés puis conduits dans un dépôt portuaire, les immigrants qui avaient changé d'avis découvraient qu'ils ne pouvaient retourner chez eux qu'après avoir remboursé le recruteur de ses dépenses de transport et de logement.

La documentation des recruteurs laissait à désirer autant que leurs techniques de recrutement. Ils appelaient «hindous» les musulmans, et dressaient des listes d'immigrants qualifiés faussement d'«agriculteurs», bien qu'en 1871 une commission d'enquête eût révélé qu'à bord d'un navire type, on comptait treize agriculteurs, et que le reste se répartissait en aides-chauffeurs, vachers, journaliers, balayeurs, prêtres, tisserands, scribes, cordonniers et mendiants. Sur un autre navire, un groupe de danseuses et leurs compagnons «s'amusaient beaucoup à l'idée de devenir agriculteurs[7]».

Les femmes étaient souvent des veuves ou des femmes abandonnées qui débarquaient au dépôt les vêtements en lambeaux. Maharani, par exemple, était une femme battue qui, ayant laissé déborder du lait bouillant, avait fui pour éviter une autre raclée ; elle fut recrutée comme tamiseuse de sucre à la Trinité. Les femmes dénichaient souvent un mari, en dépit même des barrières religieuses. Ces unions matrimoniales contractées au dépôt portuaire donnaient aux femmes un protecteur et aux maris une compagne.

Tant que les recruteurs n'avaient pas atteint leurs quotas, les recrues restaient enfermées au dépôt. Là, obligée de se dénicher sa pitance et de faire sa lessive, la recrue apprenait vite, pour reprendre les mots du nationaliste hindou et confrère de Gandhi, Madan Mohan Malaviya, que «toutes ses belles idées et croyances sur les castes et la religion devaient être brutalement oubliées ; qu'il lui faudrait s'asseoir et manger dans des conditions où elle n'aurait jamais consenti à le faire si elle avait été libre». Les musulmans et les hindous de castes différentes, y compris celle des intouchables, étaient forcés de se mêler les uns aux autres, et, dans les premières années du contrat de travail, de se mêler aux Dhangars, agriculteurs aborigènes connus sous le nom de coolies des collines.

Juste avant leur examen médical, les immigrants potentiels étaient gavés de viande de chèvre, de rôtis et de yaourt, et étaient autorisés à prendre un bain. Un responsable médical les examinait, le plus souvent pour la forme, signant le certificat de santé même à ceux qui étaient le plus manifestement malades, affaiblis ou vieux. Un responsable médical anglais a durement et officiellement condamné le système comme étant «complètement pourri[8]».

Le voyage depuis les Indes durait vingt-six semaines, en tout cas jusqu'à ce que l'apparition du bateau à vapeur réduise de moitié le temps de la traversée. Beaucoup d'immigrants y laissèrent leur vie : diarrhées, dysenterie, accidents, nourriture avariée, eau non potable et dépressions en étaient la cause. En 1856-1857, par exemple, le taux de mortalité passa de 6 à 31 %. Arrivés à destination — le port d'entrée n'était souvent connu des immigrants que peu avant le débarquement —, les Indiens étaient accueillis par des empoyeurs-planteurs totalement insensibles ou méprisants à l'égard de leur culture, de leur religion et de leurs besoins. Le

Canadien William Sewell, éditeur du *New York Times*, avait pris trois années de repos dans les Antilles, pour raisons de santé. Son constat était celui des planteurs, lorsqu'il décrivait les Indiens comme «une bande de sauvages à demi-nus, affamés, baragouinant une langue impossible, prêts à dévorer n'importe quel animal mort, à l'odeur putride: poissons, viandes ou gibier leur tombant entre les mains[9]».

Dès leur arrivée, les coolies étaient passés en revue par l'agent gouvernemental, leur soi-disant protecteur, puis remis aux mains des planteurs. À la différence des esclaves, même sans aucune expérience, ils commençaient le jour même à travailler, les planteurs étant bien décidés à tirer le maximum de chacune des journées de leur contrat de cinq ans. Leurs souffrances étaient indicibles, surtout pendant la terrible saison du broyage [de la canne]. L'absentéiste britannique Quintin Hogg, visitant un jour sa plantation, fut horrifié de découvrir qu'on faisait travailler ses coolies vingt-deux heures par jour[10]. Comme les esclaves avant eux, les coolies essayèrent de fuir leur enfer. Si l'on en croit le témoignage du gouverneur Lord Harris, «à peine une semaine s'était écoulée que déjà des dépêches arrivaient d'un peu partout à la Trinité racontant que *des squelettes de coolies ont été retrouvés dans les bois et les champs de canne*[11]».

L'infrastructure de la plupart des plantations était demeurée intacte depuis l'époque des esclaves. Les baraquements des Indiens, appelés «cours des nègres», consistaient en fragiles structures en bois à deux étages, avec des toits en bardeaux ou en fer galvanisé. Les pièces, très exiguës, de trois à quatre mètres carrés, étaient séparées par des cloisons très minces. Quand des femmes en plus grand nombre arrivèrent, on érigea d'autres baraques, tout aussi fragiles. Les familles étaient entassées dans une seule pièce, et les célibataires, regroupés, vivaient les uns sur les autres. Tous devaient partager les passages et les lieux prévus pour la cuisine, une abomination pour les castes supérieures. L'indignation était à son comble — et il s'ensuivait des agressions qui finissaient devant le juge — quand les habitants de l'étage s'entêtaient à balancer le contenu de leur seau hygiénique par la fenêtre ou par des trous pratiqués dans le plancher. Les champs de canne servaient aussi de toilettes. L'eau était rare et putride, peu de planteurs fournissant des réservoirs d'eau métalliques. Les cochons et le bétail erraient librement au milieu de tout ça, ajoutant leurs effluves à la crasse ambiante.

Comme dans les premiers jours de l'esclavage africain, la vraie pro-portion hommes-femmes, faussée par les statistiques, avait changé la nature des rapports entre les sexes. Par exemple, certaines femmes indiennes, au lieu d'apporter une dot à leur mari, exigeaient d'eux des cadeaux de fiançailles; d'autres quittaient leur mari parce qu'elles en préféraient un autre. Parfois, des hommes «vendaient» leur fille en mariage. Comme c'était le cas ailleurs chez les travailleurs du sucre, les femmes indiennes avaient un taux de natalité très bas; du reste, elles ne pouvaient pas envoyer leurs enfants à l'école, car, à dix ans, les petits étaient envoyés aux champs.

Les gérants et les gardiens blancs traitaient les femmes indiennes comme ils l'avaient fait avec les Noires: ils les traitaient de tous les noms et les forçaient d'avoir avec eux des relations sexuelles. Ils humiliaient aussi les hommes indiens, entrant bruyamment dans leur chambre pour les en faire sortir même quand ils étaient au lit avec leur femme. Les coolies malades étaient envoyés dans les sinistres hôpitaux des planta-tions, qu'une commission de la Guyane britannique qualifiera, en 1871, de «trous infects». Dans l'un d'eux, par exemple, l'infirmière-chef gardait un poulailler dans la salle d'attente.

L'obsession raciale venait s'ajouter au despotisme des planteurs et des surveillants, qui faisaient une distinction entre les ouvriers coolies et créoles, les montant constamment les uns contre les autres sous le prétexte que les Noirs étaient plus forts mais plus violents, les Indiens plus faibles mais plus efficaces. La tactique porta ses fruits, comme le souligna la Commission royale d'enquête de 1870: «Le coolie méprise le Noir, car il le considère [...] comme beaucoup moins civilisé que lui, alors que le Noir méprise le coolie, du fait que celui-ci lui est très infé-rieur sur le plan de la force physique[12].» Les Noirs associaient aussi le contrat de travail à l'esclavage et refusaient de se lier par contrat comme le faisaient les Indiens. Comme l'expliquait un ouvrier noir, «ma père et ma grand-père été esclaves avant moi, et moi jamais faire contrat pou traail sur plantation[13]». Ils voyaient les Indiens mis sous contrat comme un obstacle à leur combat pour un salaire décent et des conditions de travail humaines.

Cette comparaison désobligeante laissa une marque indélébile entre les deux groupes. Cela permettait aux planteurs de se servir des coolies pour faire pression sur les salaires des Noirs et saper toute idée de résistance commune. Un gérant perspicace notait: «Je crois que la sécurité des Blancs dépend énormément de la division des races en présence. » De son côté, la Commission royale d'enquête de 1870 confirmait : « On ne peut sérieusement craindre des comportements rebelles de la part des immigrants indiens [...] tant que les Noirs, en grand nombre, continueront de travailler à leurs côtés[14]. »

Les coolies, prisonniers en quelque sorte des plantations, communiquaient entre eux dans leur langue, célébraient les fêtes traditionnelles, faisaient leurs dévotions dans des temples hindous ou dans des mosquées. En fait, ils n'avaient qu'une seule idée en tête : mettre de côté assez d'argent pour retourner en Inde. Certains, incapables de supporter leurs dures conditions de vie, fuyaient ou se rebellaient, la tactique la plus courante étant de se déclarer malade. D'autres sombraient dans l'alcool ou la marijuana. La plupart se plaignaient sans arrêt de ne pas recevoir le salaire promis, ce qui fut confirmé par des dizaines de commissions et d'enquêtes. En 1885, alors que le salaire minimum légal pour les coolies était de 24 cents par jour, la plantation Turkey, en Guyane britannique, n'en offrait que 8 ou 10. Les planteurs de la Trinité, quant à eux, payaient en moyenne un peu plus de 18 cents par jour, soit 6 cents de moins que le minimum prévu par la loi.

Mais il y avait pire. Les planteurs avaient imaginé un système de rétribution en vertu duquel le travailleur ne recevait rien du tout s'il n'avait pas terminé le travail prescrit ce jour-là ; les coolies se voyaient donc trompés et sous-payés, plusieurs étant forcés de travailler quinze heures par jour pour terminer les tâches en question. La première saison était la plus meurtrière, les pires épreuves étant imposées aux coolies pendant la saison des pluies : ils devaient alors manipuler une herbe lourde et mouillée et une canne tout en hauteur. Comme le notait le *Trinidad Immigration Report for 1871*, « le travail est dur, monotone, et, dans la haute canne, quasi solitaire ; le coolie se décourage, prend deux fois plus de temps qu'un travailleur expérimenté, rentre tard à la maison, grelottant, mouillé, exténué, et refait ses forces pour le lendemain, mais avec deux fois moins d'ardeur[15] ».

Certains planteurs ne payaient rien à leurs recrues pendant toute une année, leur comptant même leurs rations de nourriture, ce qui les laissait en permanence criblés de dettes. Autre truc des planteurs pour ne pas payer : déclarer un arrêt de travail. En Guyane britannique, cela se produisait tous les jours. Les planteurs en difficulté financière plaçaient par contre le salaire du coolie tout en haut de la liste de leurs dépenses. Un planteur décida même un jour de bloquer les salaires de toute une équipe pendant trois mois «pour rattraper le vol d'une fourchette…[16]». «L'écart entre les salaires promis et les salaires effectivement versés, écrit Tinker, faisait la différence entre une vie décente et une vie de misère[17].»

Les coolies savaient qu'ils étaient floués; à la première occasion, ils faisaient appel aux juges pour corriger la situation. Mais ce n'était pas gagné d'avance. Il fallait tout d'abord persuader certaines personnes de venir témoigner contre des planteurs tout prêts à se venger. Il fallait ensuite se fier à des traducteurs mal payés, insouciants, comme ce traducteur qui avait traduit «coupable» par «non coupable». Quant aux juges qui se déplaçaient à la plantation pour entendre les griefs, ils étaient toujours les invités du gérant qu'ils étaient censés poursuivre. Durant les audiences, ce même gérant s'assoyait aux côtés du juge, question, disait-il, de ne pas avoir à rester là «coincé au beau milieu d'une foule d'Asiatiques, […] dans un tribunal mal aéré sous un soleil brûlant[18]». Seule exception notoire à ce copinage judiciaire: le Dr Shier, inspecteur médical en Guyane britannique, qui était si prudent en matière de conflits d'intérêts qu'il apportait avec lui son hamac et dormait dans des chapelles ou des postes de police. Comme le savaient très bien les coolies, et comme les différentes commissions devaient le confirmer, les tribunaux avaient des préjugés. Le seul moyen de combattre la malhonnêteté et l'injustice était l'agression ou le meurtre des surveillants ou des gérants. Comme l'écrit Eric Williams, l'Indien mis sous contrat de travail fut «la dernière victime, au sens qu'a pris le mot dans l'histoire, de l'économie des plantations sucrières[19]».

En dépit de leurs bas salaires, les coolies indiens se firent une réputation d'économes. Le consul britannique du Surinam disait d'eux qu'ils étaient «excessivement économes[20]». À vrai dire, ils rêvaient de mettre fin à leur contrat et de retourner gratuitement en Inde (cette clause du contrat ayant été aboli en 1904) pour profiter des résultats de leur dur labeur. Il va sans dire que les Blancs fervents défenseurs des contrats d'apprentissage ne manquaient pas d'insister lourdement sur les économies réalisées par les Indiens. Mais la vaste majorité économisait si peu qu'à la fin du contrat, quand les planteurs offraient une petite fortune d'environ 50 ou 60 dollars pour rempiler, des dizaines de milliers d'entre eux acceptaient de renouveler leur contrat pour une durée de cinq ans. À partir de 1869, la Trinité accorda de minces parcelles de terres à ceux qui restaient. En 1873, elle accordait cinq acres, plus 5 £ pour l'acquisition d'une autre parcelle. Les femmes recevaient 5 £ supplémentaires; elles profitaient alors de l'occasion pour se procurer un bout de terre, et ainsi obtenir une indépendance financière, un statut social et un endroit pour célébrer des cérémonies religieuses, voire pour trouver un moyen de se débarrasser d'un mari violent. Des villages indiens sortirent de terre. À la Trinité, de 1885 à 1895, les Indiens achetèrent environ 23 000 acres.

Le contrat de travail n'était qu'une pièce dans le grand jeu de la plantocratie sucrière. Par le biais de leurs groupes de pression, les planteurs firent du sucre le cœur de l'économie coloniale, tout en s'arrangeant pour faire porter le plus gros du coût du recrutement et du transport des ouvriers par les Noirs et les Indiens eux-mêmes, qu'ils soient libres ou contractuels, grâce à des fonds gouvernementaux prévus à cet effet. En Guyane britannique, garantir les coûts d'importation des coolies représentait entre 22 et 34% des dépenses publiques. Sir Anthony Musgrave, gouverneur de la Jamaïque, s'en plaignait en ces termes: «Les planteurs sont comme Oliver Twist: ils en demandent toujours plus[21].»

Les planteurs réussirent aussi à obtenir un système de taxation qui correspondait cyniquement à leurs desiderata, au détriment des besoins les plus élémentaires des ouvriers noirs ou indiens. Pendant quelques années, on taxa lourdement la farine, le riz, le poisson séché et le porc salé, alors que les diamants, le poisson frais, la viande, les fruits, les légumes frais, le fumier et la machinerie étaient détaxés. Comme le fait remarquer Adamson, les Noirs et les immigrants «devinrent malgré eux des investisseurs du secteur sucrier[22]».

Le contrat de travail frappa durement les Noirs. D'une part, il permettait aux planteurs de disposer d'une abondante main-d'œuvre, et, d'autre part, leur assurait un strict contrôle des salaires. Cet état de choses restreignait, par le fait même, les ambitions économiques des Noirs, puisque leurs salaires étaient maintenus à un niveau peu élevé. À vrai dire, les Noirs se voyaient refuser toute rémunération décente, sauf lorsque les planteurs manquaient sérieusement de personnel. Par ailleurs, les employeurs continuaient à sanctionner les infractions en retenant les salaires durant quelques mois, avant de décider arbitrairement de les verser, voire de ne pas les verser.

Toutes ces restrictions contenues dans le contrat de travail contri̇-
buèrent à confiner les Indiens dans des tâches spécifiques et les Noirs
dans d'autres. Tout en travaillant comme salariés de la plantation,
certains Noirs, désireux d'améliorer leur situation, se rendaient en ville,
où ils trouvaient du travail sur les quais et dans les transports, à la poste
ou dans les boutiques. D'autres décidaient d'aller à l'école, et devenaient
fonctionnaires et enseignants.

Quand prenait fin le contrat de travail, les Indiens avaient de la
difficulté à pénétrer le marché de l'enseignement, contrôlé par les Blancs
ainsi que par les Noirs. Même chose pour les forces de police ou la
fonction publique. Ils se reconvertissaient plutôt dans la vente au détail,
dans la culture de la canne ou dans celle du riz, qui s'imposa lentement
comme la deuxième culture en importance après le sucre.

Et pourtant, «les esclaves noirs et les Indiens mis sous contrat ont les
uns et les autres versé leur sang dans les champs de canne», comme le
disait le président guyanais, Cheddi Jagan, lui-même fils d'ouvrier du
sucre[23]. Toutefois, l'animosité interraciale instaurée et entretenue par les
planteurs se fit sentir bien après la fin du contrat de travail; et elle fleu-
rit encore de nos jours, exacerbée par le caractère racial qui imprègne
le commerce et les différentes professions. Comme Adamson le déplore,
«les différences ethniques superposées à la division des classes sociales
ont inscrit comme sous-culture la bagarre permanente[24]». Les enfants
de sang mêlé (noir-indien) luttent pour leur identité, tout en étant
méprisés par les deux communautés. À la Trinité et en Guyane britannique (aujourd'hui la Guyane), cette rivalité implacable et cette haine
contaminent toute la vie sociale et politique et empoisonnent littéralement la vie de ces anciennes colonies sucrières.

L'île Maurice

La première tentative britannique de construire une industrie sucrière
dans l'océan Indien, à l'île Maurice, fut un fiasco complet. Les Indiens
mis sous contrat arrivèrent en 1829; au bout d'un mois, ils commencèrent
à fuir les plantations, car les planteurs refusaient de leur payer leurs
salaires. Le chef de police, John Finiss, ordonna de les rapatrier. Après
l'émancipation, le planteur George Arbuthnot, du domaine sucrier de la
Belle Alliance, recommença «l'expérience indienne» en important trente-
six membres de la tribu des Dhangars, liés par un contrat de cinq ans

pour travailler avec les Africains. De 1834 à 1910, l'île Maurice importa 451 766 Indiens, la plupart destinés aux plantations sucrières. En 1872, ils avaient pris la place des anciens esclaves des champs de canne. Vers le milieu du XIXᵉ siècle, l'île Maurice produisait 9,4 % du sucre mondial et constituait un fournisseur important pour l'Angleterre.

Les Indiens connurent de dures conditions de vie : cela comportait le fouet, les bas salaires, les salaires injustement retenus, l'emprisonnement pour tentative de fuite. Pour obliger les Indiens en fin de contrat à renouveler celui-ci, une loi de 1867 déclara « vagabond » toute personne non dûment engagée. En 1871, une commission d'enquête rapporta que des planteurs peu scrupuleux avaient refusé de respecter leur contrat et permis aux surveillants d'agresser les coolies. La police et les juges, souvent eux-mêmes planteurs, appliquèrent la loi « d'une manière insouciante, parfois brutale, causant de terribles épreuves aux victimes[25] ».

Pour augmenter leurs profits, les planteurs rationalisaient leur production, produisant plus de sucre avec moins d'usines. Plutôt hésitants, ils vendirent des lots moins productifs aux Indiens affranchis, qui bâtirent des fermes et mirent sur pied différentes cultures, y compris celle de la canne à sucre. Plus des deux tiers des Indiens affranchis demeurèrent à l'île Maurice, souvent à cause des machinations politiques des planteurs qui voulaient disposer d'une main-d'œuvre agricole indienne affranchie obligée de travailler pour eux. Ils n'auraient plus ainsi à faire venir beaucoup de nouveaux immigrants indiens et disposeraient de travailleurs expérimentés disponibles durant les saisons les plus occupées. Mais les Indiens affranchis évitèrent les plantations ; dès lors, jusqu'en 1910, les planteurs furent contraints d'importer quand même des travailleurs apprentis.

La plantocratie sucrière construisit une société dominée par une poignée de Blancs. Jusqu'au tournant du XXᵉ siècle, 6 071 personnes seulement, soit un sixième de un pour cent de la population, avaient le droit de vote. Au moment de l'indépendance, en 1968, la population mauricienne, majoritairement indienne, ainsi que la minorité noire créole et les autres minorités mirent leurs intérêts en commun et s'efforcèrent de travailler de concert à l'amélioration de l'économie locale et à d'autres projets. Ce fut le sucre qu'ils choisirent pour parvenir à cet objectif. En 1975, l'île Maurice a signé un accord très profitable, soit la livraison à la Communauté économique européenne de 500 000 tonnes de sucre annuellement.

L'île Maurice constitue une anomalie dans le monde sucrier colonisé. Ses minorités, créoles et blanches, ont assumé leur «indianité» — avec 68 % de sa population d'origine indienne, elle constitue la plus importante concentration d'Indiens hors de l'Inde — et ses leaders indo-mauriciens se sont succédé à la tête de l'État. Une élite minoritaire parle l'anglais, langue officielle du pays, mais tout le monde parle un dérivé créole du français. Les jours fériés hindous et musulmans y sont respectés; depuis 1877, la monnaie mauricienne est la roupie. Des circonstances exceptionnelles et le dynamisme de la société civile ont fait que l'île Maurice est parvenue à imposer l'harmonie entre les races. Étonnant paradoxe, ses habitants ont vu dans le sucre leur commun dénominateur.

Le Natal, le Zululand et le Mozambique

Durant le XIXᵉ siècle, les planteurs européens du Natal se sont dits qu'eux aussi, ils avaient besoin d'importer de la main-d'œuvre indienne. Les Africains qu'ils avaient parqués comme du bétail dans leurs plantations évitaient les heures interminables de travail, les dures conditions de vie et les salaires toujours plus bas en fuyant vers leurs *kraals*, ou maisons. Vers les années 1850, il y avait tant de canne mûre non récoltée que certains planteurs en vinrent à déclarer faillite, attribuant leur sort à la paresse ou au mal du pays des Africains, plutôt qu'à leur refus de verser des salaires décents. D'après eux, il fallait engager cent Africains pour que vingt-cinq se présentent.

Ils s'efforcèrent, sans succès, d'attirer des fermiers anglais; même échec auprès des pensionnaires des maisons d'accueil de Lord Shaftesbury, où de jeunes délinquants des bas-fonds de la ville acceptaient, pour éviter d'être expédiés en Australie, de suivre une formation professionnelle. Finalement, les autorités britanniques leur accordèrent le droit d'importer des coolies indiens. Les premiers arrivèrent en 1860; les exportations de sucre, qui se chiffraient à 3 860 £ en 1858 montèrent en flèche dès 1864 pour atteindre les 100 000 £. Contrairement aux planteurs, les Indiens étaient malheureux, ceux qui étaient retournés en Inde se plaignant d'avoir été brutalisés, battus, et forcés de travailler même quand ils étaient malades. La Commission d'enquête sur les coolies de 1872 ne parlait pas de mauvais traitements systématiques, mais recommandait tout de même de prendre certaines mesures pour adoucir le sort de Indiens. Les planteurs, toujours en manque d'ouvriers, se montrèrent plus conciliants, du moins en théorie. De nouvelles lois et réglementations accordèrent plus de pouvoir au Protecteur des Indiens, et une force de police indienne composée de volontaires (mais pas de coolies) fut mise sur pied. Après une brève interruption en 1872, l'immigration indienne reprit dès 1874.

Les commissions d'enquêtes se multiplièrent, mais notèrent peu de progrès, en dépit des promesses des planteurs. Les surveillants des plantations, les contremaîtres indiens ou les conducteurs appelés *sirdars*, agressaient et fouettaient les ouvriers indiens avec des *sjamboks*, qui étaient des bâtons ou des fouets utilisés pour le bétail faits de lanières en cuir d'hippopotame. Les ouvriers étaient sous-alimentés, exploités, et se faisaient voler une partie du salaire convenu. Les malades recevaient peu ou pas de soins, les planteurs soustrayant tellement d'argent pour chaque journée de maladie que dix jours d'absence coûtaient l'équivalent de trois mois de salaire. Certains planteurs refusaient de nourrir les femmes et les enfants. Le Protecteur des Indiens n'offrit pas la protection attendue; en réalité, les lois coloniales empêchaient les ouvriers de quitter la plantation, et donc d'obtenir de l'aide ou de corriger les plus graves injustices.

Les immigrants vivaient dans une misère sans nom : maisons délabrées, cabanes d'une saleté dégoûtante, aucune installation sanitaire, aucune intimité, aucune vie de famille. Ils manquaient de femmes indiennes; la loi ne reconnaissait pas le mariage traditionnel; les *sirdars* avaient le pouvoir d'utiliser les rapports sexuels des hommes avec leur épouse (ou, s'ils n'avaient pas d'épouse, avec une prostituée) comme forme de punition ou de récompense. Beaucoup d'Indiens se tournaient alors vers l'alcool ou la marijuana. Le suicide, pratique exceptionnelle en Inde, était courante au Natal.

Plusieurs Indiens, à la fin de leur contrat, demeurèrent au Natal, louant des terrains et s'adonnant aux travaux de la ferme. Souvent, les planteurs attendaient que les locataires aient nettoyé l'emplacement pour ensuite le vendre comme terre cultivable. Les Indiens continuaient à se battre; tels des pionniers un peu inconscients, ils développaient de nouveaux territoires pour la culture sucrière au nord et au sud.

Les planteurs du Natal reprirent à leur compte la vieille tactique raciale de diviser pour régner utilisée dans les autres colonies sucrières, et parvinrent avec succès à dresser les uns contre les autres Africains et

Indiens. Les tensions interraciales qui en résultaient éloignaient la perspective d'un rapprochement des deux groupes contre leur oppresseur. Cette politique avait aussi ceci de particulier qu'elle isolait les deux groupes l'un de l'autre, mais aussi des Blancs en général, ce qui fit du Natal un pionnier en matière de ségrégation raciale. Si on y ajoute le contrôle des déplacements et l'utilisation du laissez-passer, le Natal était clairement sur la voie de l'apartheid.

Autre privilège offert par la colonie aux planteurs : utiliser les taxes et les impôts prélevés sur les fermiers africains et sur l'équipement des fermes pour financer l'importation des Indiens mis sous contrat, les planteurs ayant cinq ans pour rembourser leur petite part des frais. En fait, c'est la colonie elle-même qui gérait tout le système et supervisait ses opérations.

Toutes ces facilités permirent à la plantocratie blanche de s'étendre, de se moderniser et de s'installer au tout premier rang des producteurs mondiaux du sucre. Après l'annexion du Zululand, en 1897, le bureau de Répartition des terres, très favorable aux gros intérêts sucriers, accorda plus de deux millions d'acres sous forme de bail emphytéotique à des planteurs à l'appétit féroce, tel ce Heaton Nicholls, l'un des tout premiers planteurs du Zululand, qui se vit offrir 73 313 acres. Le bureau de Répartition des terres mit aussi au point l'Accord sucrier du Zululand, qui prévoyait que les moulins répondraient comme il se doit aux besoins des grandes plantations, et ce à un prix fixé d'avance. La production sucrière devint une entreprise collective de type « corporatiste », rassemblant des représentants du gouvernement, l'Association des propriétaires des moulins sucriers et le Syndicat des planteurs du Zululand. Celle-ci s'appuyait sur la puissance militaire impériale britannique et sur les capitaux provenant des planteurs et des raffineurs, tels que Tate and Lyle, et s'inscrivait dans le cadre des colonies sucrières anglaises.

Le gouvernement du Natal devait aussi apaiser les craintes de tous les autres : Blancs pauvres, qui redoutaient que les Indiens en fin de contrat ou qui avaient payé leur billet pour venir au Natal ne finissent par les submerger, et marchands ou négociants blancs qui voyaient d'un mauvais œil la concurrence des Indiens, lesquels vendaient tout moins cher en étant plus performants. Le gouvernement réagit en imposant aux Indiens une réglementation encore plus dure, dont la lourde capitation de 1895, qui les obligeait en fin de contrat soit à le renouveler soit à rentrer chez eux. Une fois encore, des politiques conçues en haut lieu venaient légitimer des distinctions et des tensions interraciales, en pratiquant la ségrégation entre les Indiens et les Blancs ou en expulsant les Indiens de la colonie, autre exemple de la façon dont le Natal se servait de la ségrégation pour régler d'éventuels problèmes.

Les réglementations furent appliquées, tandis que les contrats d'apprentissage augmentaient en nombre, parallèlement aux décès des ouvriers indiens poussés au désespoir. Le Protecteur des immigrants soulignait les manquements aux lois en vigueur, mais sans poursuivre l'auteur des infractions, à savoir le géant du sucre, les frères Reynolds. Lewis Reynolds, membre du Bureau du trust chargé de l'immigration indienne, s'était, en effet, assuré que le responsable médical ne rende pas son témoignage sur la condition physique des ouvriers. « Le mécanisme institutionnel établi par l'État pour superviser le système du contrat de travail, nous dit l'historien Rick Halpern, épousait clairement les intérêts des planteurs, et était l'objet de leurs manipulations. En fait, les planteurs du Natal devaient leur prospérité [...] à leurs bons rapports avec l'empire[26]. »

En 1893, un jeune avocat indien de vingt-quatre ans, Mohandas Ghandi, arrive au Natal comme agent-conseil de Dada Abdullah Sheth, un commerçant indien musulman. Ce qu'il y vit le transforma complètement. Un Blanc s'était offusqué de sa présence en première classe d'un train, bien que son billet lui eût permis de s'y asseoir. Un responsable du chemin de fer lui intima l'ordre d'aller en troisième classe. Ghandi refusa, et fut expulsé du train. Indigné, il s'adresse alors à un groupe d'Indiens de Prétoria, clamant qu'il faut se révolter contre les discriminations. Plus il en apprend sur le genre de vie qu'on mène au Natal, plus il devient évident pour lui que les Indiens, toutes classes sociales confondues, doivent s'unir. Sinon, les commerçants, et même les professionnels, risqueront de se retrouver comme les coolies, classés parmi les inférieurs à cause de leur race.

En 1906, Gandhi met au point le concept de non-violence, « la grande force spirituelle » qui allait plus tard transformer l'Inde tout entière et la mener à son indépendance. Il lance un défi aux lois et règlements discriminatoires, et organise la résistance passive, qui prend la forme de défilés monstres et de grèves dans les plantations sucrières et ailleurs. En 1911, grâce à l'appui du gouvernement de l'Inde, l'immigration au Natal de travailleurs apprentis est interrompue. Le Natal réplique en multipliant les mesures discriminatoires à l'encontre des Indiens, mais

Gandhi prend la tête de la résistance. Sa popularité est immense. En 1913, sa femme, Kasturbai, ainsi que d'autres femmes qui protestaient contre une nouvelle loi anti-Indiens sont arrêtées, et Gandhi, jeté en prison. Il se couvre alors de l'espèce de sac grossier qui habillait alors l'ouvrier agricole apprenti et fait le vœu de ne plus manger qu'une fois par jour jusqu'à ce que les problèmes de fond soient réglés. Quand la Loi d'assistance aux Indiens eut aboli les impôts de capitation et eut reconnu les mariages non chrétiens, il mit un terme à sa contestation, et, après vingt ans passés au Natal, rentra en Inde.

Le surprenant catalyseur qui devait finalement entraîner l'effondrement de l'Empire britannique fut cette création impériale, injuste, raciste et cupide qu'était la société sucrière d'Afrique du Sud. C'est en tant que jeune avocat ambitieux que Gandhi s'était lancé au cœur de la tempête, c'est en fondateur d'un irrépressible mouvement de libération contre l'oppresseur qu'il en sortit.

Quand les Indiens affranchis abandonnaient les champs de canne pour aller travailler dans les moulins (dont ils constituaient 87 % de la main-d'œuvre), les planteurs les remplaçaient par des travailleurs migrants venus du Natal, du Zululand et du Mozambique. Les migrants étaient plus faciles à surveiller que la main-d'œuvre locale ; du reste, ils étaient trop éloignés de chez eux pour penser à s'enfuir. Mais les champs de canne étaient concurrencés par les chemins de fer et les mines d'or du Rand, qui tous deux offraient de meilleurs salaires. N'ayant pu tirer suffisamment de ficelles politiques pour limiter le recrutement des mines au Natal et au Zululand, les planteurs engagèrent les ouvriers que les mines avaient rejetés pour raison médicale, ou parce qu'ils avaient moins de seize ans. Ils recrutaient aussi les adultes qui détestaient travailler sous terre, ceux qui préféraient travailler six mois par année ou ceux qu'alléchaient des promesses d'avances sur les salaires. En 1934, un responsable constatait la différence : les travailleurs des mines étaient à l'aise et rondelets, tandis que les travailleurs du sucre étaient brisés, toussaient et étaient couverts de plaies.

Des responsables et des observateurs insensibles aux intérêts sucriers firent la découverte que des milliers d'enfants travaillaient dans les champs de canne. Plusieurs travaillaient avec leur famille, soit pour remplir les obligations du père, si par exemple ce dernier tombait malade, soit en vertu du nouveau système de «location du travail», où la besogne accomplie servait de garantie à une entente de location d'un terrain. Il y avait aussi de jeunes rebelles, qui voulaient fuir l'école ou échapper à la corvée du rassemblement du bétail. Un ancien fuyard se rappelait: «J'ai cru que si j'abandonnais l'école pour aller travailler, j'allais devenir riche en peu de temps[27]!»

Sur une photo de 1922, prise par E. J. Larsen, chef de gare à Izingolweni, on voit un adolescent africain de quatorze ans travailler dans la plantation sucrière des frères Reynolds. Émacié, tenant à peine sur ses jambes et habillé d'un sac en jute grossière, il devait mourir peu après. Il s'appelait Faka. «Une figure spectrale, dans un état de complet abandon», faisait remarquer Larsen le cœur brisé. Il courut rapporter le fait au juge le plus proche, qui l'ignora.

Faka était un cas parmi d'autres. «Les indigènes, faisait remarquer Larsen, débarquent sans cesse à la gare d'Izingolweni, en provenance de différentes propriétés. Ils sont dans un tel état de délabrement que certains meurent quelques heures après l'arrivée.» Le sergent Schwartz, policier, constatait tous ces décès. Plusieurs s'effondraient d'un seul coup dans le champ de canne ou sur les bords de la route, après s'être littéralement tués à la tâche. Pour l'historien William Beinart, le nombre effarant de morts à Izingolweni, était «symptomatique des tares d'une organisation du travail qui persista durant de longues années[28]».

Dix ans plus tard, les planteurs passaient de la canne UBA, utilisée depuis les années 1880, résistante au gel et à la maladie, mais faible en saccharose, à des croisements de la canne Coimbatore, venue du sud de l'Inde, qui poussait plus vite et dont le rendement était très supérieur. Ils eurent alors l'idée de payer des bonus chaque fois que les ouvriers coupaient 100 livres de canne au-delà du minimum de 3 000 à 3 500 livres de Coimbatore. À la suite d'épidémies de malaria qui décimèrent leurs ouvriers et firent fermer leurs plantations, les planteurs sollicitèrent l'avis du ministère de la Santé et décidèrent d'offrir une nourriture plus riche, ainsi que de meilleures conditions de travail. L'État leur apporta son soutien par des subventions et des lois sur le prix de la canne.

Fidji

En 1874, les îles Fidji, du Pacifique Sud, furent cédées à la reine Victoria. Le premier gouverneur britannique des Fidji, Sir Arthur Hamilton Gordon, précédemment gouverneur de la Trinité, puis de l'île Maurice, se donna comme mission de remettre à flot l'économie déplorable de la nouvelle colonie en créant de toutes pièces une industrie sucrière composée d'Indiens sous contrat de travail. Pour protéger les Fidjiens du sort réservé aux indigènes des autres colonies, Gordon conserva les us et coutumes traditionnels et la hiérarchie existante, et tâcha d'épargner à la colonie les rigueurs et les influences étrangères des colonies sucrières. Il décida que 80 % des terres seraient réservées à des propriétaires fidjiens.

Pour établir une industrie sucrière aux Fidji, Gordon ouvrit grandes les portes à la Compagnie coloniale de raffinage du sucre d'Australie, connue sous le sigle [anglais] CSR, à qui il accepta de vendre 1 000 acres de terres et à qui il permit d'importer de la main-d'œuvre indienne dès 1879. La CSR ouvrit ses portes en 1882, devenant la plus importante industrie productrice de sucre de l'archipel des Fidji. En 1902, ses exportations vers sa raffinerie de Nouvelle-Zélande représentaient 73 % de la production fidjienne.

Aux Fidji, l'expérience que faisaient les travailleurs indiens du sucre, connus sous le nom de *girmits*, était comparable à celle que connaissaient leurs compatriotes apprentis des Indes occidentales, tant en ce qui concerne les tentatives de recrutement que le caractère périlleux du voyage en mer. Les Blancs traitaient les nouveaux engagés comme des coolies de castes inférieures et méprisaient leurs religions et leurs cultures. Les surveillants imposaient des tâches pour la plupart irréalisables ; si un ouvrier ne terminait que sept étapes d'un processus de dix, il n'était pas payé du tout. Mal payés et donc mal nourris, les coolies étaient la proie de toutes les maladies, ce qui les rendait encore plus inaptes à beaucoup de tâches. De leur côté, les conducteurs indiens pouvaient amasser de grosses sommes d'argent, par exemple en ouvrant des magasins dans les plantations (voire, dans un cas, une hutte pour les jeux d'argent), dont les ouvriers étaient la clientèle obligée.

Les conditions de vie du *girmit* étaient « un des spectacles les plus tristes et les plus affligeants pour quiconque est animé d'un peu d'humanité[29] », se plaignait un missionnaire. Le manque de femmes et le peu d'intimité affectaient la qualité des relations conjugales ; chaque année, plusieurs femmes (prétendument) infidèles étaient assassinées à coups de couteau à canne. Les Indiens apprentis se suicidaient plus aux Fidji que partout ailleurs. Un surveillant repenti, Walter Gill, parlait du contrat de travail comme d'un « système pourri [...] digne rejeton du "*Big Business*" ». Pour lui, « le contrat de travail du *girmit*, c'était cinq ans d'esclavage dans les champs de canne de la colonie de sa Gracieuse Majesté britannique aux Fidji. Ce contrat contenait certaines des clauses les plus pernicieuses imaginées par des hommes.» Il ajoutait : «Ce contrat était typique d'une époque où les hommes blancs n'avaient aucunement conscience de mal agir[30].»

Diarrhées et dysenterie tuèrent encore plus de coolies que l'infidélité conjugale: environ 20 % des enfants furent emportés par une bronchite, une pneumonie et la sous-alimentation. Radines, les maternités gérées par le CSR laissaient partir les mères sans lait ni nourriture; ces dernières, insuffisamment alimentées, voyaient souvent leurs bébés faiblir, puis mourir. Quand les mères retournaient travailler, les intempéries et les insolations emportaient beaucoup de bébés laissés dans les champs de canne.

Les Indiens mis sous contrat de travail se considéraient comme des expatriés et rêvaient de faire des économies suffisantes pour retourner dans leur pays. Ils vivaient à l'heure indienne dans toute la mesure du possible. Pour protester contre les mauvais traitements et les agressions que leur faisaient subir les surveillants, ils feignaient la maladie et se mettaient en grève. Dans une plantation, où le gérant ne les considérait que comme «une bande de coquins et de vagabonds toujours impliqués dans des combines illégales», ils constituèrent un fonds destiné à payer les amendes constamment imposées pour des fautes liées au travail[31]. Une fois leur contrat terminé, très peu signaient un nouveau contrat. La plupart restait aux Fidji et louait une terre, beaucoup se mettant à la culture de la canne à sucre, dont ils avaient désormais l'expérience. En 1921, un an après l'abolition du contrat de travail, le recensement dénombrait 84 475 Fidjiens, 60 634 Indiens et 12 117 Européens, Chinois, etc.

Ce recensement permit de quantifier les conséquences du système du *girmit*, et de comprendre l'hostilité ouverte entre Fidjiens autochtones et Indo-Fidjiens, dont les îles étaient devenues le pays. Comme ils l'avaient fait partout ailleurs, les planteurs blancs et les magnats du sucre avaient utilisé toutes les techniques possibles pour diviser les groupes sur une base raciale, avec les mêmes résultats: la haine mutuelle. Les Fidjiens en voulaient à ces étrangers qui débarquaient par vagues, sous-payés et surmenés, et qui ne pensaient qu'à s'acheter des terres; les Indiens, de leur côté, en voulaient aux Fidjiens, propriétaires d'aussi vastes domaines, que les autorités britanniques protégeaient et favorisaient. Plus tard, les Fidjiens se mirent à détester les Indiens parce qu'ils

avaient commencé à s'emparer du commerce et des professions libéra-
les. Chrétiens, les Fidjiens craignaient que les flots migratoires indiens
ne viennent les submerger démographiquement et culturellement, et
remplacent le christianisme par l'hindouisme et l'islam. Depuis l'abolition du *girmit*, les deux principales composantes de la population
fidjienne cohabitent, mais une vieille animosité débouche parfois sur
des explosions de violence, conséquence devenue banale de la culture
sucrière.

Le « Commerce jaune »

La Chine vit des centaines de milliers de ses habitants s'engouffrer dans
les navires en partance vers les colonies sucrières. Entre 1853 et 1884, les
Indes occidentales britanniques accueillirent 17 904 coolies recrutés à
Hong Kong et Canton, où les autorités britanniques supervisaient
l'opération. La mise sous contrat de travailleurs chinois, politique qui
prit fin dans une large mesure en 1872, différait du recrutement des
ouvriers indiens sur deux points : les ouvriers ne se voyaient pas offrir
un billet de retour au terme de leur contrat ; les femmes chinoises
n'étaient admises que comme résidentes, et non pas comme travailleuses
apprenties.

L'expérience des Chinois aux Indes occidentales britanniques fut
semblable à celle des Indiens, avec les mêmes abus. Du reste, aussitôt
libérés, la plupart des Chinois fuyaient les plantations et se reconvertissaient dans le commerce ou le travail de la ferme. Les planteurs trouvaient les Chinois plus costauds que les Indiens et plus travailleurs que
les Noirs, mais ils les redoutaient, car ils les considéraient comme plus
intelligents et plus violents. Dans son roman de 1877, *Lutchmee and
Dilloo*, Edward Jenkins décrit Chin-a-foo, sans doute le seul personnage
chinois de la littérature de fiction des Antilles britanniques au XIXᵉ siècle,
comme « physiquement et moralement répugnant — un vrai fléau pour
sa communauté d'accueil ». Dans un univers tout entier marqué par le
racisme, les Chinois furent victimes, eux aussi, comme les Africains et
les Indiens, de tous les stéréotypes et entraînés dans des conflits avec
les autres groupes ethniques.

La traite des coolies chinois, organisée par les seigneurs de la guerre
chinois, les commerçants portugais et les marchands européens, envoya
138 000 ouvriers à Cuba et 117 000 au Pérou ; ces deux colonies leur

imposèrent des conditions de vie encore plus épuisantes que les Indes occidentales britanniques. Le contrat de travail était de huit ans; les femmes chinoises étaient exclues; par ailleurs, les planteurs essayaient de convertir les coolies au catholicisme. C'est à Macao, colonie portugaise, que les abus avaient commencé: dans les provinces surpeuplées du Guangdong et du Fujian, les entrepreneurs (les «frisés») recrutaient même des garçons de onze ans. À Cuba, une commission d'enquête chinoise apprit qu'au moins 80 % des ouvriers chinois avaient été kidnappés, vendus comme prisonniers de guerre ou leurrés, ayant signé des contrats qu'ils pouvaient à peine lire. Hsu A-fa se rappelait: «J'ai demandé où se trouvait La Havane; on m'a répondu que c'était le nom d'un bateau. J'ai donc pensé que j'étais engagé pour travailler à bord d'un navire et j'ai signé[32].» D'autres signatures étaient contrefaites.

En route vers Cuba ou le Pérou, les coolies étaient «rassemblés en grappes humaines [...], dans des endroits sans lumière, sans ventilation [...], où la nourriture était infecte [...]. C'étaient de véritables porcheries où plusieurs mouraient[33].» Ils étaient fouettés s'ils tentaient de se suicider ou commettaient d'autres infractions. Le taux de mortalité était de 20 %. Les survivants débarquaient tels «des morts vivants, émaciés, blêmes». Les planteurs et leurs seconds venaient alors leur pincer les biceps, puis les côtes et ils faisaient leur choix. Ils leur donnaient un nom espagnol et les regroupaient dans les plantations. Là, les immigrants travaillaient aux côtés des esclaves noirs, des groupes d'esclaves loués, des Noirs libres, des Blancs et des mulâtres payés à la tâche, tant par jour, tant par mois, tant par trimestre, tant par année.

Des responsables chinois venus vérifier sur place les conditions de vie de leurs compatriotes racontaient: «Presque chaque ouvrier que nous avons rencontré était maltraité ou l'avait été. Des fractures, des membres amputés, des éborgnements, des visages couverts de plaies, des peaux et des chairs lacérées, constituaient des preuves évidentes aux yeux de tous de la cruauté des planteurs[34].» Quand les Chinois exigeaient leurs salaires impayés ou plus de nourriture — leur contrat prévoyait 4 pesos par mois, plus la nourriture, le logement et deux nouveaux vêtements par année —, les Cubains les envoyaient enchaînés dans les champs de canne après leur avoir coupé la natte.

Les surveillants considéraient, malgré tout, les Chinois comme de bons travailleurs. Pendant que les esclaves blancs coupaient et empilaient la canne dans des charrettes, les Chinois faisaient fonctionner les machines. Comme l'écrivait un observateur satisfait de la situation, ils « étaient agiles dans leurs mouvements, telle une courroie de tapis roulant, et veillaient au bon fonctionnement des machines avec la régularité mathématique d'un pendule[35] ». Eliza Ripley, qui avait fui la Louisiane de l'après-guerre pour une plantation d'esclaves cubaine, trouvait les ouvriers chinois « dociles, travailleurs ; ils ne supportaient pas autant que les Noirs le travail à l'extérieur, mais ils étaient intelligents et habiles ; pour les travaux d'intérieur, dans l'usine, dans la boutique du menuisier, du tonnelier ou dans les équipes de chauffeurs, ils étaient supérieurs[36] ».

Les Chinois s'étaient acquis aussi une réputation de sournoiserie et de cruauté. Mais un Américain de passage les trouva, lui, « dans un état permanent de morosité[37] ». Certains étaient en très mauvais état. Plusieurs fumaient de l'opium, s'enfuyaient ou se suicidaient : 173 suicides rien qu'en 1862. « J'ai vu, racontait Lin A-pang, vingt personnes se suicider : elles se pendaient, sautaient dans un puits ou dans un chaudron de sucre[38]. » La mort par désespoir, la maladie et le surmenage emportaient, selon l'évaluation des planteurs, jusqu'à 10 % de la main-d'œuvre chaque année. La Commission Ch'en Lan Pin estimait que 50 % d'entre eux mouraient l'année de l'entrée en vigueur de leur contrat de travail.

Les relations entre Chinois et Noirs « n'étaient pas seulement hostiles, mais meurtrières ». Les Chinois refusaient d'être considérés comme des esclaves, et voyaient dans leurs salaires, si maigres fussent-ils, la preuve qu'ils jouissaient d'un statut supérieur. Ils conservaient également des liens culturels avec la Chine, et refusaient de renoncer au bouddhisme. Les patrons cubains jetaient de l'huile sur le feu, alimentant les difficiles relations entre Noirs et Chinois. Souvent, ils les faisaient habiter des quartiers séparés ; ils préféraient les charretiers blancs plutôt que les noirs, et — concession remarquée — ils ne fouettaient jamais un Chinois devant un Noir. La tension sexuelle était à son comble quand, d'aventure, les coolies chinois, privés de femmes, faisaient la cour à une femme noire.

Au terme des huit ans de contrat, la plupart des coolies, complètement désargentés, n'avaient plus rien pour vivre ni pour retourner en Chine. Ils en étaient réduits alors à signer un deuxième contrat d'un, six ou même neuf ans, ou de joindre les rangs d'une *cuadrilla,* qui était un groupe de journaliers avec à leur tête un Chinois, lui-même sans contrat, dont le rôle était de superviser le travail, la nourriture et le logement. Les opérateurs de moulins trouvaient les *cuadrillas* «particulièrement utiles dans les salles d'évaporation, où la chaleur ambiante rendait le travail très pénible».

Les conditions de vie des Chinois au Pérou étaient les mêmes, à ceci près que les plantations étaient encore plus vastes et plus isolées. La côte septentrionale du Pérou, où l'on cultivait le sucre, s'étendait sur des milliers d'acres. Comme à Cuba, les hommes travaillaient de l'aube jusqu'au crépuscule, une heure étant prévue pour cuisiner et prendre un repas; à l'appel, ils s'interrompaient pour s'occuper du feu et des casseroles. La nuit, on les entassait dans des baraques appelées *galpones* (hangars), construites à la va-vite, sans ventilation, sans sanitaires et la plupart du temps crasseuses, que de fortes pluies ou un coup de vent mettaient à terre. C'est là qu'ils entreposaient tout ce qu'ils possédaient au monde: une casserole, une couverture, quelques vêtements et une natte pour dormir. Il fallait un laissez-passer pour quitter la plantation; à la tombée de la nuit, les surveillants les enfermaient dans le *galpón*.

Soit par pingrerie soit par insensibilité culturelle, les planteurs donnaient aux coolies, friands de porc, une livre et demie (un «pannikin») de riz, d'ailleurs plein de petits cailloux, avec, parfois, un peu de viande de bœuf, de chèvre ou de poisson. Les coolies dépensaient leurs maigres salaires en achetant du porc, du lard, du thé, du pain ou du poisson au magasin de la plantation; certains cultivaient des légumes, des patates douces et du maïs. Ils mangeaient trop peu, buvaient de l'eau sale, et devaient se battre contre les moustiques et la maladie, surtout le typhus, la dysenterie, la typhoïde, la malaria et la grippe. Bien que certains aient eu des relations sexuelles avec des femmes noires autochtones et *mestizo* (le Pérou avait accepté 15 Chinoises pour 100 000 hommes), le désespoir et la frustration minaient la communauté.

Misérables et désespérés, la plupart des coolies jetaient leur dévolu sur l'opium, s'endettant pour en obtenir. D'autres s'adonnaient au jeu, de manière si insouciante que, pour les empêcher de perdre l'équivalent d'une semaine ou d'un mois de leurs réserves de nourriture, les planteurs ne leur accordaient chaque jour que de parcimonieuses rations de riz. Les coolies s'enfuyaient des plantations, se suicidaient; durant les années 1870, ils se rebellèrent, et tuèrent des surveillants. À Cayaltie, un coolie massacra son surveillant à coups de hache parce que celui-ci avait agrandi son lot de désherbage. Le journal *El Commercio* se plaignait du «climat d'insécurité au Pérou résultant de la présence d'un grand nombre d'êtres humains poussés au désespoir [...]. Tout le monde est armé, et chaque maison de ferme est une petite armurerie[39]. »

Un très petit nombre d'ouvriers, une fois leur contrat expiré, retournaient en Chine. Les autres s'installaient au Pérou comme cultivateurs ou comme commerçants. Plusieurs, écrasés par les dettes et complètement désespérés, continuaient à travailler dans les plantations de sucre. Contrairement aux Africains et aux Indiens, qui, par la suite, proliférèrent, les Chinois, privés presque totalement de femmes, ne jouèrent pas un rôle démographique important à Cuba et au Pérou.

Hawaï devient la « reine de l'univers sucrier »

L'histoire des travailleurs asiatiques mis sous contrat de travail à Hawaï (Chinois, Japonais, Coréens et Philippins) débute avec la prise du pouvoir par la plantocratie américaine. Au début du xixe siècle, Hawaï, une des îles polynésiennes, fut évangélisée par des missionnaires envoyés là-bas par le Bureau américain des Missions étrangères. Jusque-là, comme le reconnut le gouvernement américain dans un document de 1993 présentant des excuses officielles au peuple hawaïen, « le peuple hawaïen avait mis au point une économie de subsistance hautement organisée, autosuffisante, basée sur une propriété commune des terres, et dotée d'une langue, d'une culture et de pratiques religieuses raffinées[40] ».

En 1835, l'entreprise Ladd and Co, d'origine américaine, loua des terres sur Kauai pour y cultiver la canne à sucre, qui devint la culture principale d'Hawaï. Plusieurs missionnaires fondèrent des plantations, tels les Alexander, les Baldwin, les Castle, les Cooke, les Rice et les Wilcox. Le *Planter's Monthly* se montrait particulièrement prosélyte, « une plantation, écrivait-il, est un facteur de civilisation. Dans plusieurs cas, elle accomplit une mission de progrès dans une région barbare et laisse son empreinte sur les vastes espaces environnants[41]. »

Le *haole* d'origine hawaïenne ou d'origine étrangère, qui regroupait les magnats du sucre à Hawaï, avait pour base un immense domaine foncier prêté à bail, une main-d'œuvre à bon marché gérée par des lois favorables aux planteurs, des réseaux d'agents et de commerçants parfois reliés entre eux par des alliances matrimoniales, et des moulins centralisés. Les cinq grosses maisons de commerce (les *Big Five*) — Alexander Baldwin, American Factors, C. Brewer and Company, Castle

and Cook et Théo H. Davies and Co, dirigeaient, finançaient et contrôlaient la plupart des plantations.

La location de terres força les Hawaïens à quitter leurs terres traditionnelles. Même résultat, lorsque les plantations eurent recours à un
système d'irrigation intensif. Le détournement des rivières fit baisser le
niveau hydrostatique, réduisit, voire assécha, les arrivées d'eau dans les
petites fermes et les jardins, dessécha les sols et força les habitants à s'en
aller. Plutôt que de se résigner à la brutale situation imposée aux travailleurs sous-payés des plantations de sucre, plusieurs jeunes Hawaïens
émigrèrent en Californie, particulièrement après la ruée vers l'or de
1849. Pour les garder dans l'île, les planteurs firent pression sur la
monarchie, afin qu'elle impose un permis d'émigration.

Durant les années 1860, Hawaï possédait vingt-neuf plantations
sucrières très prospères, ce qui fit dire à Mark Twain : « Hawaï est la reine
du monde sucrier[42]. » Mais les habitants d'Hawaï, qui représentaient 85 %
de la main-d'œuvre de la plantation, ne répondaient pas aux besoins des
planteurs, car ceux-ci désiraient se procurer une réserve inépuisable de
main-d'œuvre à bon marché. Ils eurent donc l'idée de se tourner vers
les villages chinois sans ressources pour obtenir des ouvriers. En 1876,
quand Hawaï signa avec les États-Unis un traité de réciprocité qui
soustrayait le sucre hawaïen aux droits de douane (et faisait du coup
d'Hawaï une colonie américaine sur le plan économique), les planteurs
devinrent de gros demandeurs de travailleurs chinois. Comme ils
l'avaient fait ailleurs, ils firent payer le gros des dépenses par l'État, en
l'occurrence la monarchie, qui consentit à en couvrir les deux tiers.

À Hawaï, les coolies travaillaient dur, mais les conditions générales
étaient moins cruelles qu'ailleurs. Ils travaillaient dix heures par jour,
vingt-six jours pas mois, voire davantage durant la récolte ou la saison
du broyage de la canne. Ils avaient pour surveillants des *lunas*, le plus
souvent hawaïens, ou des non-Chinois. Les frictions entre ouvriers et
lunas étaient continuelles. Les Chinois n'aimaient pas non plus que les
planteurs utilisent presque toujours le savoir-faire des Hawaïens pour
faire fonctionner les chaudières, une tâche spécialisée. En 1882, quand
la main-d'œuvre chinoise atteignit 49,2 % et que la main-d'œuvre
hawaïenne fut tombée à 25,1 %, on ne comptait que trois Chinois sur les
5 007 ouvriers affectés aux chaudières.

Les plantations étaient isolées, et les coolies se voyaient interdire de
les quitter sans un laissez-passer. Laissés sans femmes dans la plantation,

les Chinois se consacraient à leur potager et élevaient des poules, jouaient et fumaient de l'opium. Dans une plantation, le cuisinier chinois bourrait d'opium les gamelles. Dans ses mémoires, la reine déposée d'Hawaï, Lili'uokalani, se souvenait des innombrables « scandales liés au trafic de l'opium ».

À l'expiration de leur contrat de travail, plusieurs Chinois quittaient Hawaï en quête de nouveaux emplois. Ceux qui restaient n'étaient pas bien vus. En 1883, le gouvernement restreignit l'importation de travailleurs chinois, puis l'interdit après 1898.

Les planteurs se tournèrent alors du côté du Japon pour se procurer de la main-d'œuvre. En 1900, Hawaï comptait 61 111 Japonais, le plus fort contingent de travailleurs étrangers. (Un nombre beaucoup plus restreint de Portugais, de Norvégiens, d'Allemands et d'habitants du Pacifique Sud avaient immigré.) Les Japonais devaient débourser le coût du billet et du logement. Ko Shigeta se rappelait avoir payé entre 7 et 8 dollars mensuellement pour « un modeste abri, un vestibule de dix pieds de long en clayonnage disposé le long des bords extérieurs, avec un plancher légèrement surélevé recouvert d'une moquette de gazon, et, pour dormir, deux *tatami* à partager à plusieurs […]. La vie de tous les Japonais travaillant dans la ferme était plus ou moins semblable à la mienne[43]. » Un rapport de l'année 1900 décrivait des conditions pires encore : accrochées aux murs des baraques, trois ou quatre rangées de couchettes superposées, seul lieu d'intimité possible pour les pensionnaires.

Tout comme les Chinois, les Japonais détestaient les *lunas* qui avaient le pouvoir de retenir leur salaire ou de l'amputer et de sévir contre eux. Les actes de résistance étaient les mêmes : fuir, agresser les *lunas* et les policiers de la plantation, mettre le feu aux champs de canne et aux moulins. À partir de 1893, les ouvriers du sucre pouvaient même être emprisonnés ou envoyés aux travaux forcés pour cause d'insubordination répétée.

Pendant que les Japonais cultivaient le sucre d'Hawaï, les dirigeants de l'industrie sucrière intriguaient contre le roi Kalakaua. En 1887, un groupe de planteurs en majorité américains qui avaient fondé une société quasi secrète, la Ligue hawaïenne, força le roi à accepter la « constitution baïonnette », qui transférait la plus grande partie des prérogatives royales à un cabinet *haole*, composé de membres de la Ligue qu'il ne pouvait révoquer. La « constitution baïonnette » accordait en plus le droit de vote aux étrangers non asiatiques, en d'autres termes aux Blancs américains et européens, tout en faisant payer d'imposants titres de propriété qui éliminaient la plupart des électeurs hawaïens.

Quatre ans plus tard, le roi Kalakaua mourait d'une maladie des reins et sa sœur, Lili'uokalani, qui était, elle aussi, une personne raffinée, élégante et très populaire, lui succéda. Elle voulut répondre à la colère de son peuple, tout entier dressé contre la « constitution baïonnette », en tentant, d'une part, de l'abolir et, d'autre part, de réclamer la restitution des prérogatives royales et la restauration des « anciens droits » du peuple hawaïen. Elle souhaitait également limiter l'emprise politique des Américains sur le pays, objet de discorde dans les couches populaires. Elle posa avec insistance la question suivante : « Y a-t-il un autre pays où un homme aurait la permission de voter, d'être candidat à un poste, d'occuper les plus hautes fonctions, sans être naturalisé, et de profiter du privilège d'une protection armée fournie à tout moment par n'importe quel étranger, aussitôt que survient une dispute entre lui et le gouvernement du pays où il s'est établi ? C'est pourtant là exactement la situation où se trouvent nos demi-Américains, qui se déclarent tantôt hawaïens tantôt américains, lorsque cela leur convient[44]. »

Pour toute récompense, Lili'uokalani fut renversée par les marines, à l'instigation des planteurs, et contrainte d'abdiquer. (Un siècle plus tard, le gouvernement des États-Unis présentait des excuses officielles à Hawaï, reconnaissant que « le ministre américain chargé de veiller à la souveraineté et à l'indépendance du royaume d'Hawaï a conspiré avec un petit groupe de résidents étrangers vivant dans le royaume d'Hawaï, parmi lesquels se trouvaient des citoyens des États-Unis, pour renverser le gouvernement local et légitime d'Hawaï ». La lettre d'excuses ajoutait que, presque un an après le renversement de Lili'uokalani, le président Grover Cleveland, dans une communication lue devant le Congrès, avait trouvé l'ambassadeur américain « pas exagérément scrupuleux » et sensible aux sirènes du « *Big Business* sucrier d'Hawaï ». Il décrivait le coup d'État comme « un acte de guerre » et dénonçait « les dommages incommensurables ainsi causés[45]… ».)

Même après avoir chassé la reine d'Hawaï et, comme l'avait écrit en rigolant un journal annexionniste américain, « mis un terme à "l'empire des Calabash"[46] », les patrons de l'industrie sucrière n'étaient pas satisfaits du statut d'Hawaï. À l'instar des planteurs cubains, ils ne voulaient rien de moins que le libre accès à l'énorme et vorace marché américain, et estimaient que seule l'annexion aux États-Unis le permettrait. En 1898, les États-Unis annexaient l'archipel, qui, en 1900, devint territoire américain. Les magnats du sucre avaient remporté une énorme victoire dans leur lutte pour obtenir toute l'aide fédérale souhaitée — et quelques avantages marginaux en plus.

Mais, au même moment, les planteurs nourrissaient deux nouvelles sources d'inquiétude. La première était que l'annexion mettrait fin au système du contrat de travail, qui, dans l'Amérique d'après-guerre, résonnait trop comme de la coercition. L'autre problème était que le sucre avait complètement transformé le visage d'Hawaï, laquelle, en 1900, était devenue extérieurement plus japonaise qu'hawaïenne. Par un étonnant paradoxe, les mêmes planteurs *haole* qui avaient importé des masses de travailleurs japonais se plaignaient amèrement des conséquences démographiques de leur propre action, d'autant plus qu'un nombre impressionnant d'ouvriers asiatiques quittaient la plantation aussitôt leur contrat expiré. Les Hawaïens de souche non asiatique ainsi que les États-Unis réagirent aussi vivement à cette situation. Grâce à un accord à l'amiable signé en 1907 entre le Japon et les États-Unis, on mit un frein à l'afflux d'immigrants, dont le nombre passa en 1909 de 14 742 à 1 310 (en tant que territoire américain, Hawaï était déjà astreinte à la réglementation de l'*American Chinese Exclusion Act*, de 1882). Quelques milliers de Coréens firent entre-temps leur entrée, la plupart à destination des plantations sucrières.

Il faut ici dire un mot de l'avènement de la photographie, qui devait imprimer à l'histoire un nouveau tournant. Contrairement à leurs prédécesseurs chinois laissés sans femmes, beaucoup de travailleurs japonais du sucre (et coréens, entre 1910 et 1924) se trouvèrent des épouses grâce aux « marieurs » qui organisaient des rencontres en se servant des photos de l'éventuel(le) époux(se). L'arrivée de milliers d'« épouses asiatiques » allait transformer l'image de l'univers sucrier à Hawaï. En 1910, on voyait fréquemment des bandes de femmes envoyées dans les champs de canne, sarclant, binant, nettoyant les tiges de la canne pour un salaire trois fois moins élevé que celui de leurs maris. Des femmes enceintes travaillaient jusqu'au jour de l'accouchement, puis retournaient aux champs, déposant leur bébé dans des abris.

Les femmes japonaises, cinq fois moins nombreuses que les hommes, manquaient de contacts féminins, et s'inquiétaient d'être entourées de célibataires frustrés qui les harcelaient et parfois les prenaient de force.

Il y avait cependant un avantage à ce déséquilibre des sexes : les femmes maltraitées pouvaient plus facilement quitter leur mari, ou, comme le racontait la chanson sensuelle japonaise composée puis chantée par les femmes envoyées aux champs, s'offrir un amant : « *Demain, c'est dimanche, non ? Passe faire un tour / Mon mari est dehors / en train d'arroser la canne / et moi, je serai à la maison, toute seule.* »

Les hommes mariés étaient plus fiables que les célibataires, mais il leur fallait des salaires plus élevés ; en tant que soutiens de famille, ils n'hésitaient pas à entamer une grève. Les planteurs brisèrent la grève de 1909 en n'utilisant que des travailleurs japonais (ou presque) ; pour casser leur solidarité, ils commencèrent à faire venir des Philippins — plus ou moins 100 000, des hommes pour la plupart. Pendant une dizaine d'années, les deux groupes cohabitèrent séparément, pour le plus grand profit des planteurs. Jusqu'en 1920. Les Philippins et les Japonais alors unirent leurs forces dans une grève qui coûta plus de 11,5 millions de dollars aux six grandes plantations. Furieux, les planteurs accusèrent les Japonais de vouloir « prendre le contrôle de l'industrie sucrière [...]. Bien sûr, ils ne se sont pas rendu compte que c'est une chose de bluffer, de bousculer et d'embobiner de chétifs Orientaux et que c'en est une autre de faire plier des Américains[47]. » La solution des planteurs ? Faire venir des Européens en remplacement des Asiatiques tapageurs. Mais quand les Portugais et les Allemands eurent refusé les salaires et les conditions de travail en usage dans les plantations, les planteurs eurent recours à leurs souvenirs très sélectifs des travailleurs chinois mis sous contrat (oh ! comme ils étaient dociles ! oh comme ils travaillaient dur !) et ils lorgnèrent de nouveau vers la Chine.

Comme dans beaucoup d'endroits où la canne à sucre a été cultivée, la population hawaïenne et son histoire politique reflètent bien son passé aigre-doux. Aujourd'hui, moins de 20 % des membres de cette communauté ont des origines hawaïennes ou insulaires, 41,6 % sont asiatiques et 44,3 % sont blancs. Le sucre a réduit la population hawaïenne à l'état de minorité sur son propre sol, et les planteurs l'ont presque totalement tenue à l'écart de la plus importante activité économique locale, sauf quand ils avaient besoin d'une main-d'œuvre sous-payée. Bien que le sucre ne soit plus la principale ressource du pays, les effets à long terme de cette histoire continuent à se faire sentir dans la vie sociale et politique d'Hawaï.

Le sucre australien et le contrat de travail
en Mélanésie

La Nouvelle-Galles-du-Sud et tout particulièrement le Queensland étaient d'importants producteurs de sucre bien avant 1901, date à laquelle ils décidèrent de se fédérer à quatre autres États pour constituer l'Australie d'aujourd'hui. Le sucre n'était qu'une culture parmi d'autres, faisant concurrence au secteur minier. Après l'échec d'une tentative d'importation de travailleurs indiens, le Queensland autorisa l'importation d'immigrants des îles mélanésiennes. Peu de temps après, ces « Canaques » — terme mélanésien signifiant « hommes », mais devenu péjoratif en anglais — étaient relégués aux champs de canne et aux moulins.

Contrairement aux ouvriers originaires de pays asiatiques très densément peuplés et particulièrement complexes, les Canaques étaient des hommes de clan, liés à la terre par des coutumes sociales et des contraintes économiques qui rendaient leurs communautés capables de résistance aux changements. Au point de départ, quitter sa maison pour aller travailler dans l'Australie blanche constituait un tout dernier recours que seuls la force brute ou des désastres naturels pouvaient favoriser. Les magnats du sucre fournirent la force brute ; la Mélanésie, de son côté, qui était un des habitats humains les plus inhospitaliers de la planète, fournit tous les désastres possibles : ouragans, sécheresses, déséquilibre écologique, malaria endémique et scorbut, cause très répandue de décès.

Au cours des premières années, les recruteurs enlevèrent ou leurrèrent les Canaques, les invitant à bord des navires pour signer des contrats qu'ils ne comprenaient même pas. Le terme même pour désigner familièrement ce type de recrutement — le « *blackbirding* » ou merlotage — illustre bien tout le mépris des recruteurs et des employeurs pour leurs victimes noires, la plupart célibataires. À bord d'un navire, le *Daphne*, réplique des navires négriers africains, on dénombrait 108 Mélanésiens, nus, entassés dans une cale qui pouvait en contenir 58[48]. Une commission royale d'enquête reconnut en 1885 que l'histoire du recrutement se ramenait à « une longue liste de duperies, de cruelles traîtrises, d'enlèvements organisés et de meurtres de sang-froid[49] », mais elle n'envoya que très sporadiquement son navire de guerre chargé d'intervenir.

Avec la croissance de l'industrie sucrière, les Mélanésiens prirent goût aux marchandises rapportées chez eux par les Canaques. Les armes, de même que tous les objets en acier, étaient très demandés ; il en allait de même pour les équipements de pêche et les instruments aratoires, les produits médicaux, qui amélioraient la productivité du clan, les tissus, les vêtements, et tous les biens d'usage domestique auxquels les missionnaires les avaient habitués, sans compter le tabac, véritable drogue, qui, à l'occasion, servait même de monnaie. Et puis il y avait les babioles en tous genres : bagues, parapluies, bijoux, sifflets métalliques, instruments de musique.

Un bien de consommation en particulier devint une véritable obsession pour les célibataires mélanésiens : la « boîte aux trésors ». Les premières boîtes de ce type étaient des boîtes en bois de dimension modeste, qu'on pouvait fermer à clef, et remplies de marchandises et de bibelots en tout genre. Au fur et à mesure qu'un nombre de plus en plus grand de Mélanésiens signaient des contrats d'apprentissage, leurs « boîtes aux trésors » se standardisaient : faites de pin ou d'imitation de chêne, elles avaient un mètre de long et 45 centimètres de large, avec des poignées et un cadenas dont les porteurs arboraient orgueilleusement la clef à la boucle de leur ceinture. En attendant le retour triomphal à la maison avec la précieuse boîte serrée très fort sur leur poitrine, les Canaques y déposaient leurs trésors. Un contemporain fit la remarque : « Voilà bien une boîte exceptionnelle, que tout le monde touche, sauf son propriétaire en titre[50] ! »

Adrian Graves, historien de l'économie écrit :

Le système de la boîte aux trésors fut un exemple de la manière dont le capitalisme colonial annexa à son profit les mécanismes de l'économie précapitaliste. Dans ce processus de transformation, la croissance et le développement de l'industrie sucrière du Queensland [dans laquelle il faut inclure la Mélanésie] eurent pour cadre le colonialisme [...]. Aussi longtemps que le troc [des marchandises] se transforma en cadeaux pour la région, la Mélanésie ne fut pas la bénéficiaire, ni même la partenaire, du développement économique, mais sa servante[51].

Une fois rentrés, les ouvriers confiaient la protection de leurs boîtes aux anciens, qui se servaient au passage, tout en utilisant leur contenu pour préparer le mariage de la brebis rentrée au bercail. Comme le mariage était la seule façon pour un homme d'améliorer son statut social, le désir de posséder une boîte aux trésors rendait malheureux les ouvriers qui travaillaient et jouait un « rôle crucial en liant l'ouvrier endetté à son employeur ».

La mise sous contrat des Mélanésiens parut si implacable dès le début que, en moins de cinq ans, c'est-à-dire en 1868, le Queensland fit voter la loi dite des Travailleurs polynésiens, de façon à mettre un peu d'ordre dans tout cela. La loi précisait la durée du contrat, à savoir trois ans, déterminait le nombre d'heures travaillées, les salaires minimum, les rations quotidiennes, les vêtements, le logement et les soins médicaux. Elle permettait aux ouvriers en fin de contrat soit de rentrer à la maison, soit de signer un nouveau contrat, mais avec la possibilité de choisir leur employeur et de négocier les salaires, les conditions de travail, et même la durée du contrat. D'autres lois permirent par la suite aux employeurs de transférer ou de louer leurs ouvriers à d'autres fermiers. L'État de la Nouvelle-Galles-du-Sud interdit ce genre de contrat, mais permit de louer les services de Canaques arrivant du Queensland dont le contrat avait expiré.

Les Canaques trouvaient les horaires exténuants et la discipline trop stricte, rien de comparable, disaient-ils, avec ce qu'ils avaient connu auparavant. À peine arrivés, les recrues inexpérimentées devaient dégager, sarcler puis biner les champs, abattre, couper et hisser la canne dans les charrettes. Pendant la saison prévue pour le broyage de la canne, plusieurs se tuaient littéralement à la tâche. À l'occasion d'un rapport déposé en 1880, et portant sur les conditions de vie des plantations sucrières, les docteurs Wray et Thomson concluaient : « Il doit être clair aux yeux de tous que de jeunes recrues sans expérience, et qui, dans beaucoup de cas, sont aussi fragiles que des femmes, ne peuvent pas tout d'un coup abattre la lourde tâche prévue dans les champs ou aux moulins [...] ; ces jeunes recrues y sont pourtant forcées, ce qui provoque de nombreuses morts[52]. » Les Canaques étaient appelés *boys* (« garçons ») par leurs surveillants blancs ; de leur côté, les surveillants canaques étaient appelés *head boys* (« garçons de tête »), *boss boys* (« garçons chefs »), *trustworthy* (« gars fiables ») ou *chiefs* (« chefs »). La loi du Queensland sur les maîtres et les serviteurs soulignait avec insistance les droits considérables des patrons et les obligations non moins considérables des ouvriers. La rémunération du travail se faisait sous forme d'un salaire versé à la fin du contrat et, très souvent, sous forme de marchandises surévaluées d'au moins 30 %.

Les inspecteurs du travail étaient peu nombreux, sous-payés, et objets de représailles s'ils s'avisaient de critiquer des planteurs qui, comme le constatait un observateur, « traitaient avec le plus grand mépris la loi et les règlements ; ils prenaient leurs grands airs, au point où l'on se demandait parfois si l'on vivait dans un pays libre[53] ». Tant que les insulaires ne purent apprendre une forme de pidgin, « mélange de canaque et d'anglais », ils n'eurent aucun moyen de formuler des plaintes.

La punition la plus répandue était la privation : privation des soins médicaux, privation de nourriture et de temps libre, privation des relations sexuelles, en éloignant les épouses des maris... Les punitions corporelles étaient aussi fréquentes. Le révérend James Fussell rapportait que les insulaires pris en flagrant délit de flânerie goûtaient au « fouet à bétail ». John Riley, un travailleur blanc, a raconté qu'un « conducteur noir du nom de Smith [...] battit sauvagement un des nègres à l'aide d'une binette, lui cassant trois côtes et lui brisant une épaule ». L'ouvrier mourut des suites de ses blessures, mais Smith demeura impuni[54].

L'une des conditions les plus éprouvantes auxquelles on soumettait les Canaques consistait à les incorporer dans des équipes de travail venant d'îles ou de clans ennemis. En Mélanésie, la guerre entre villages était endémique, et les Canaques la continuaient dans les plantations, tuant leurs ennemis traditionnels et violant les femmes « ennemies ». Les Canaques voyaient aussi d'un très mauvais œil les Chinois, ainsi que leurs fumeries d'opium, leurs boutiques d'alcool et de paris, et les bordels qu'ils fréquentaient. Il n'était pas rare qu'ils attaquent les propriétaires ou les employés des plantations sucrières chinoises.

Les planteurs logeaient leurs ouvriers de la façon la moins coûteuse possible, à savoir, au début, dans des baraques en bois. Mais les insulaires avaient très peur de dormir avec des membres de clans ennemis. Ils construisirent donc avec des branchages des petites huttes où ils se sentaient plus en sécurité. Plus tard, les planteurs fournirent des bicoques montées grossièrement avec des morceaux de bois et de fer-blanc ; ils les appelèrent *humpies*, par référence aux abris en forme de dôme constitués de trois branches et de quelques feuilles que les aborigène se construisaient pour dormir. La version sucrière des « *humpies* » était étouffante, bondée et sale, vecteur idéal de toutes les maladies rénales et intestinales. Elles symbolisaient aussi la vraie place des insulaires dans la hiérarchie sociale et économique, à savoir le dernier échelon, tout comme les belles résidences des planteurs symbolisaient la leur, le sommet. La nourriture des Canaques était aussi détestable que leur logement. Les planteurs les approvisionnaient de la manière la plus économique possible avec de grosses quantités de farine, de riz, de mélasse et d'ignames (ou pommes de terre). Comme viande, ils offraient aux Canaques du «bœuf canaque», en fait des abats de boucherie grouillants de parasites, que personne d'autre n'aurait voulu manger. Ils autorisaient également les Canaques à cultiver leur propre nourriture, à pêcher et à aller à la chasse; ils ne les confinaient pas dans les limites de leur plantation.

Les Canaques étaient en si mauvaise condition physique, qu'un sur quatre en mourait. Ils étaient affectés de surmenage, de stress psychologique et émotionnel, de malnutrition, et de toutes les maladies courantes dans leur pays, comme la tuberculose, la grippe, la pneumonie, la bronchite et la dysenterie, sans compter les nouvelles maladies européennes comme la rougeole et la variole. Certes, au cours des deux dernières décennies de mise sous contrat, le taux de mortalité baissa, mais il demeurait beaucoup plus élevé que celui des Européens. Les soins médicaux étaient parcimonieux ou simplement inexistants, car les Blancs n'acceptaient pas de partager les mêmes services avec les travailleurs noirs.

Comme c'était le cas partout ailleurs, les Canaques, pour protester contre leur exploitation, se déclaraient malades, désobéissaient aux ordres, volaient leur employeur ou se volaient entre eux, mettaient le feu aux champs de canne et agressaient parfois leurs surveillants. Un petit nombre d'entre eux choisissait de s'enfuir, tant était forte leur envie de posséder leur «boîte aux trésors».

Certains Canaques tentèrent de se marier avant de rentrer à la maison, mais la proportion hommes-femmes australienne — sept ou huit hommes pour une seule femme — ne permettait qu'à une poignée d'entre eux de le faire, contre 60% pour les femmes. Mais les partenaires étant souvent culturellement trop opposés, beaucoup de conjoints en prenaient à leur aise avec les règles matrimoniales rigides et complexes qui régissaient le mariage en Mélanésie. Ils épousaient des femmes qui n'étaient pas de leur clan: des insulaires, des Européennes, des Asiatiques ou des aborigènes. Parfois, pour ne pas avoir à payer le prix de la fiancée, on la kidnappait. Il leur arrivait même d'épouser une femme d'un clan ennemi.

Les femmes insulaires préféraient souvent l'Australie à leur pays natal, même si elles n'avaient pas la possibilité de se retirer dans leur hutte quand elles avaient leurs règles ou de suivre d'autres traditions, et qu'elles demeuraient vulnérables au viol commis par des insulaires ennemis et par des Européens. Contrairement aux hommes, elles étaient des cultivatrices expérimentées ; elles n'étaient pas impressionnées par le fait de travailler aux champs dans des équipes de travail féminines. Les femmes se sentaient plus libres en Australie que dans leur pays natal ; en se mariant, les femmes insulaires gagnaient à la fois un protecteur et un partenaire. Elles passaient plus de temps avec leur mari qu'ailleurs dans les îles du Pacifique. Elles se montraient ouvertes aux enseignements des missionnaires chrétiens, qui leur apprenaient à être plus autonomes, ce qui était très nouveau pour elles. Certaines apprirent même à lire et à écrire dans les écoles des missions, et encouragèrent leurs enfants à s'alphabétiser.

Au milieu des années 1880, les cours du sucre plongèrent, à la suite du dumping de la betterave sucrière sur les marchés américain et britannique, et ils demeurèrent bas pendant au moins deux décennies. Pour survivre, l'industrie sucrière du Queensland dut se restructurer. Ce processus, connu sous le nom de Reconstruction, transforma une industrie sucrière dépendant des travailleurs sous contrats en un réseau de petites fermes productrices fournissant la matière première aux moulins étatisés. La restructuration de l'industrie sucrière améliora grandement la productivité en s'appuyant sur des techniques de pointe ; elle devint « la seule industrie sucrière au monde à reposer sur une main-d'œuvre d'origine européenne [...] ; elle fut une pionnière dans la mécanisation du travail agricole[55] ».

La Reconstruction sucrière était aussi l'enfant naturel du racisme blanc ; elle s'accompagnait aussi du malaise grandissant des syndicalistes face au nombre croissant de Noirs mis sous contrat. Résultat : la main-d'œuvre non blanche fut exclue et, en 1890, l'importation des Mélanésiens interdite. Les remplaçants étaient souvent des mineurs sans travail, désireux de se dénicher un emploi dans l'industrie sucrière, même en tant qu'ouvriers agricoles, ou des immigrants européens attirés en Australie par d'habiles campagnes de publicité. Comme le nombre de Blancs coupeurs de canne augmentait, les Noirs devaient se résigner à entrer en concurrence avec eux. Les quelques Asiatiques (Chinois et Indiens) qui étaient présents dans l'industrie du sucre étaient, eux aussi, victimes du racisme blanc. Les Blancs redoutaient particulièrement les Chinois, en raison du statut international de leur pays, de sa proximité avec l'Australie, et de son énorme population. Ils pestaient contre « le désastre jaune ».

Toutefois, ce fut moins le racisme que la nouvelle façon de penser les procédés de production qui transforma l'industrie sucrière. Les statistiques montrent que pour exploiter une surface de cinq acres, les grandes plantations engageaient un Canaque, alors que pour une ferme de moins de cent acres, le rapport était d'un ouvrier par dix acres, souvent le fermier lui-même ou un membre de sa famille. La raison en était que les salariés européens ou les fermiers propriétaires de leur terre travaillaient plus fort, plus longtemps et mieux que les Mélanésiens beaucoup moins intéressés. Résultat : les petits fermiers purent diminuer le prix du sucre vendu aux moulins.

Cette nouvelle approche fut à l'origine de la Reconstruction. Les grands domaines furent morcelés et vendus à la pièce ; et l'industrie sucrière changea de nature. Le nombre des fermiers allant en augmentant, ils eurent l'oreille du Parti libéral, pour qui il était temps de remplacer les gros producteurs conservateurs par des fermiers plus libéraux. En 1915, 4 300 petites fermes, toutes appartenant à des Britanniques et à d'autres Européens, étaient nées des 140 grandes plantations d'autrefois. Dès 1901, l'année même où le Queensland rejoignit la fédération australienne, les grandes plantations sucrières étaient remplacées par des milliers de fermiers progressistes.

Pendant ce temps, les nouvelles techniques (filtres aspirants, double ou triple broyage, évaporateurs à effets multiples) étaient en train d'augmenter la production sucrière des moulins devenus des machines très complexes. En 1885, le gouvernement du Queensland accorda une somme de 50 000 £ à deux moulins coopératifs centraux ; ces moulins ne recevaient que du sucre produit par des Blancs. D'autres lois, par la suite, offrirent un rabais de 2 £ la tonne aux producteurs blancs. Au cours des dix années suivantes, plus de 500 000 £ furent consacrées à la construction de onze nouveaux moulins centraux, et la production sucrière doubla. Le raffinage demeurait toutefois la chasse gardée de la Raffinerie coloniale, qui, à l'invitation du gouverneur des îles Fidji, avait implanté l'industrie sucrière dans ce pays.

En 1901, lorsque le Queensland et la Nouvelle-Galles-du-Sud joignirent la Fédération australienne, le nouveau Parlement s'employa d'abord
à nettoyer le nouveau pays de ses résidents non blancs, ordonnant leur
expulsion en 1907. Une commission royale d'enquête recommanda
quelques mesures inspirées par la compassion, comme de permettre le
séjour en Australie de certaines catégories de personnes : celles avancées
en âge ou incapables de se déplacer, celles qui étaient résidentes depuis
plus de vingt ans, les propriétaires ou les locataires dont le bail n'était
pas expiré, les personne ayant enfreint la loi de la tribu ou s'étant vu
accuser de sorcellerie ou de vendettas personnelles[56].

Les insulaires se battirent pour rester. En dépit des brimades imposées, la vie en Australie offrait plus de perspectives que les rigueurs sans
espoir d'une existence passée en Mélanésie. Les insulaires rédigèrent
des pétitions, mirent sur pied l'Association des insulaires du Pacifique,
et lancèrent des appels aux Européens favorables à leur cause. Quelques-
uns, amers, mirent simplement le feu aux champs de canne de leur
plantation. D'autres s'enfuirent ou se réfugièrent chez des amis. Mais,
en définitive, ce furent plus de 4 000 insulaires qui eurent à subir la
déportation d'Australie.

Dans la foule des badauds venus assister au départ des exilés, on
entendit un groupe scander « Au revoir Queensland ! Au revoir, les
Blancs d'Australie ! Au revoir, les chrétiens[57] ! » Certains déportés avaient
l'air d'avoir cambriolé la caverne d'Ali Baba, emportant machines à
coudre, cuisinières, lampes à kérosène, phonographes, tout l'attirail du
jeu de cricket, des gants de boxe, des pelles, des binettes, et d'autres
trucs surréalistes. Les Canaques de la brousse, quant à eux, partaient
avec une boîte aux trésors bien modeste ou avec rien du tout. Hurlant
son amertume, un Canaque cria, montrant ses mains vides : « Homme
blanc plus vouloir homme noir, on prend lui, on chasse lui, beaucoup
Canaques sans argent, partir pauvres[58]. » Environ 2 500 Canaques restèrent en Australie, certains illégalement, regroupés dans de petites
communautés des grands domaines sucriers.

La campagne pour une « Australie blanche » avait été fructueuse. En
1910, les Blancs produisaient 92,8 % de la canne du Queensland. Le
racisme, abominable rejeton du commerce du sucre, était dorénavant
inscrit dans la loi elle-même. Le Queensland en fut un promoteur très
actif, et en empocha les bénéfices, à savoir le libre accès de la production
sucrière au marché australien, ainsi que des tarifs protectionnistes

contre la canne et la betterave sucrière des pays étrangers. Sans remords, le Parlement adopta de nouvelles lois obligeant tout étranger souhaitant louer une parcelle de plus de cinq acres de terre à écrire une dictée dans la langue choisie par le gouvernement : les Italiens, quelque peu regardés de haut à cause de leur teint bronzé, parurent tout de même assez blancs pour échapper au test. À partir de 1916, seuls les Blancs furent autorisés à cultiver le sucre dans le Queensland.

Les autres victimes furent ces centaines de milliers de Chinois qui, eux aussi, avaient planté de la canne, souvent sur des terres que les Européens considéraient comme peu cultivables. Aucune trace ne reste de leur contribution au développement de l'industrie sucrière australienne, mais un historien géographe, Peter Griggs, a vu dans ces Asiatiques « les vrais pionniers de la culture du sucre[59] ».

L'Australie et son sucre étaient devenus blancs, grâce à l'effort combiné du gouvernement et à la détermination des syndicats. Mais à la différence des autres producteurs inspirés par des conceptions raciales, l'Australie a plutôt mis un terme à l'exploitation de sa main-d'œuvre non blanche. Elle a fait travailler des hommes blancs dans ses champs de canne, engrangeant de gros bénéfices, ce qui déboulonnait le mythe de la prétendue incapacité génétique du Blanc d'abattre un dur boulot sous un soleil brûlant. La déportation des travailleurs canaques signifiait que l'industrie sucrière devait être réinventée, ne fût-ce que pour répondre aux très grands besoins des travailleurs blancs, qui ne toléreraient pas, eux, le niveau d'exploitation jusque-là imposé aux autres.

La détermination australienne à transformer sa lucrative industrie sucrière et à lui donner de l'expansion exigea en retour une protection juridique du travailleur et la modernisation de ses techniques. Le gouvernement se mit à la tâche, imposant une réglementation et certaines protections à une industrie dont tant de Blancs dépendaient dans leur vie quotidienne. Les grandes usines centrales, propriétés des planteurs ou coopératives, uniformisèrent leurs opérations en adoptant les nouvelles techniques et en construisant des chemins de fer. À la différence d'autres pays producteurs, l'Australie a exporté son sucre raffiné. Sa Raffinerie coloniale a entrepris d'importantes recherches sur la culture et les croisements de la canne. De nouvelles variétés de canne sont apparues, qui furent décisives pour l'expansion de l'industrie sucrière australienne.

CHAPITRE 11

Rendez-vous à Saint Louis

L'Exposition universelle
et une certaine révolution alimentaire

Le 30 avril 1904, l'Exposition universelle de Saint Louis, dans le Missouri, était déclarée ouverte. Lorsqu'elle ferma ses portes sept mois plus tard, la façon de manger et de casser la croûte avait changé dans le monde occidental. L'Exposition, qui voulait célébrer l'achat de la Louisiane, couvrait plus de 1 272 acres et comprenait plus de 1 500 pavillons. Des dizaines de pavillons — le pavillon des industries, le pavillon des arts, le pavillon de l'éducation et de l'économie sociale — y déversaient les merveilles du savoir humain. Les enfants pouvaient s'amuser dans un terrain de jeux idéal ; on pouvait communiquer d'une façade à l'autre d'un édifice à l'aide d'un tout nouveau téléphone qui émerveillait jeunes et vieux. Et la « fée électrique » illuminait le site toute la nuit, ce qui n'était pas évident, quand on sait que Thomas Edison en personne avait dû y mettre la main.

Le président Theodore Roosevelt inaugura l'Exposition par télégramme, et s'y rendit plus tard personnellement. Sa fille Alice, dix-sept ans à peine, très enjouée, y séjourna pendant deux pleines semaines qui alimentèrent par le menu les dépêches journalistiques — surtout qu'elle fumait et s'amusait énormément. (« Je ne peux pas faire les deux, disait le président : ou je dirige le pays ou j'essaie de surveiller ma fille. ») Scott Joplin, le grand compositeur de ragtime, composa spécialement pour l'Exposition sa pièce « The Cascades », mais, comme il était noir, il ne put figurer parmi les musiciens blancs invités. Il jeta alors son dévolu sur « Le Pike », une artère du centre où d'autres artistes noirs se produisaient, et qui a rendu populaire la ritournelle « En descendant le Pike ».

Vingt millions de visiteurs se promenèrent, bouche bée, devant les pavillons, dont plusieurs avaient pour thème la nourriture. Ainsi, on pouvait voir le pavillon du maïs, fait tout en maïs, du Missouri, la femme de Lot sculptée dans le sel, miss Louisiana taillée dans une masse de sucre de 5 pieds de haut, l'éléphant en amande de Californie, l'ours en pruneau du Missouri, la statue de beurre du président Roosevelt au Minnesota. Beaucoup de « curiosités » étaient là en chair et en os : Juliana de Kol, la vache la plus prolifique du monde ; Jim Key, le cheval qui pouvait épeler « Hires Root Beer », ainsi que quelques humains comme Geronimo, le célèbre guerrier apache, Nancy Columbia, un enfant inuit, des garçons Ogorots des Philippines, des pygmées africains et des géants de la Patagonie.

Faire le tour de l'Exposition était à la fois passionnant et épuisant. Plus de 130 restaurants offraient de calmer l'appétit et la soif des visiteurs avec des mets du monde entier. Un des plus populaires était celui de la concession nº 66, où l'auteure très populaire de livres de cuisine, Sarah Tyson Rorer, donnait des conseils pour une cuisine santé, dont l'on célébrait le bon goût et l'excellent café. Les comptoirs de rafraîchissement offraient thé, café, boissons non alcoolisées, thé glacé et autres boissons, sans oublier les amuse-gueule. Les visiteurs pouvaient manger tout en marchant ; ils avaient un faible pour les hot-dogs, les beignes, les cornets de crème glacée et la barbe à papa.

Le prêt-à-manger de l'Expo, enveloppé de manière à pouvoir être consommé tout en marchant, épargnait du temps et, en définitive, révolutionnait les habitudes alimentaires. Auparavant, manger en marchant était considéré comme vulgaire. L'Expo changea tout cela et, comme l'explique l'historienne de l'alimentation du Missouri Suzanne Corbett, posa « les bases de ce que l'on appelle le *fast food*, ou nourriture populaire, aujourd'hui un pilier de la culture américaine[1] ». Comme les hot-dogs de l'Expo, le fast food visait une consommation rapide, savoureuse et satisfaisante. Accompagné d'une boisson énergisante, il a donné naissance à une nouvelle cuisine extrêmement populaire.

Les plus populaires de ces boissons énergisantes aux fruits non alcoolisées furent l'orangeade, le jus de raisin, la limonade et le cidre. C'est l'Expo qui introduisit les marques Dr Pepper et Coke, ainsi que le *ginger ale* (bière de gingembre) et la Hires Root Beer. En fait, les Américains connaissaient depuis longtemps les boissons à la menthe maison, le sassafra ou thé au gingembre, les jus de canneberge, de framboise ou de sureau, ainsi que le jus de pomme. En 1807, Benjamin Silliman, professeur de chimie à l'Université Yale, avait mis sur le marché une nouvelle boisson au goût assez terne, le soda en bouteille.

Le coup de génie fut d'y ajouter des saveurs comme la vanille, la salsepareille, le chocolat, le gingembre et l'orange. Les ventes de «soda pop» (nom acquis en 1861, à cause du son qu'émettaient les bouteilles quand on les débouchait) explosèrent. Le soda à l'orange fut parmi les toutes premières et les plus populaires des boissons non alcoolisées. Même chose pour la bière de gingembre, conçue en Irlande et produite pour la première fois à Boston en 1861. En 1876, la *root beer* de Charles E. Hire fit son apparition à Philadelphie. En 1885, à Waco, au Texas, le pharmacien Charles Alderton créa le Dr Pepper, au nom impression-nant. Un an plus tard, John Stith Pemberton inventait le Coca-Cola, comme remède au mal de tête et à la gueule de bois; ce fut après sa mort, survenue en 1888, que l'Anglais John Matthews organisa la pro-duction industrielle de Coca-Cola et la popularisa en la faisant accom-pagner d'une astucieuse réclame disant: «La jeunesse goûtant son premier soda connaît des sensations, qui comme celles de l'amour, sont inoubliables.» Quand l'Expo ferma ses portes, les boissons sucrées sans alcool étaient partie intégrante du vocabulaire du fast food.

Le jour où elle fut servie dans un cornet, la crème glacée, vendue dans plus de cinquante kiosques, fit la renommée de l'Exposition uni-verselle. Un visiteur se rappelait: «La crème glacée fondait un peu, et des gouttes s'échappaient du fond du cornet, mais bon! c'était déli-cieux[2].» Le *ice cream soda*, avec sa fraîcheur, son goût riche et sucré, était, lui aussi, très demandé. Plusieurs en revendiquèrent la paternité: parmi eux, Robert Green, de Philadelphie, dont la pierre tombale portait ces mots: «Inventeur du *ice cream soda*[3]».

Au moment de l'ouverture des portes de l'Exposition universelle, on comptait aux États-Unis plus de 60 000 fontaines offrant des *soda pop* et du *ice cream soda* dans les drugstores, les restaurants, les magasins de bonbons et les stands installés au bord de la route. L'avènement de la réfrigération mécanique et de nouveaux types de congélateurs sti-mula fortement la production de crème glacée: au tournant du siècle, on parlait de cinq millions de gallons. Au même moment, l'immense popularité du *ice cream soda* faisait exploser la production industrielle des sodas en général.

Les visiteurs de l'Expo pouvaient aussi se délecter d'un liquide sucré aux fruits, gelé et conservé à l'intérieur d'un tube métallique, le précurseur du *popsicle* de notre époque ; il y avait aussi le thé glacé, variété rafraîchissante du thé chaud. Les astucieux propriétaires de Jell-O invitaient les gens à goûter gratuitement leur dessert, et les renvoyaient chez eux les mains pleines de recettes pour préparer chez eux la plus rapide des nourritures rapides. Les visiteurs enthousiastes en achetèrent 68 655 petites boîtes en carton au prix de 25 cents l'unité, le même prix que l'enfant chéri de tous, le pruneau confit, qui représentait la moitié du prix du billet d'entrée à l'Exposition. Autre nouveauté sucrée, légère : le *fairy floss candy*, du pur sucre granulé passé à la machine, tellement cotonneux, qu'il fut baptisé « barbe à papa ».

Le fast food et le slow food

L'Exposition universelle de 1904 constitua le point culminant d'un siècle d'imagination culinaire. Le fast food, presque toujours sucré ou gras, ou les deux, avait eu des prédécesseurs au XIXᵉ siècle. Le « *gobble, gulp and go* » (« on ouvre, on avale et on s'en va ») avait la faveur des travailleurs pressés, qui appréciaient le service de nourriture rapide, pour pouvoir travailler davantage. Au milieu du XIXᵉ siècle, à New York, un homme d'affaires « pouvait accrocher son enseigne "sorti pour manger", se gaver pour à peu près rien et revenir à son bureau un quart d'heure plus tard ». Le correspondant du *Herald Tribune*, George G. Foster, exultait : « Voilà, disait-il, le point culminant, le cœur, la quintessence de l'Amérique, avec toute l'excellence incomparable qu'elle implique : persévérance, énergie, sens pratique[4]. »

Les traits distinctifs de l'art culinaire américain avaient une tout autre origine. Les repas, peu élaborés, étaient confectionnés invariablement à partir des fruits de la terre, de la chasse et de la pêche. L'historien culinaire James E. McWilliams décrit une famille du XVIIᵉ siècle, les Cole, extrayant les os de la viande, puis les nettoyant avec du cidre, partageant entre eux l'argenterie. En 1744, un voyageur du nom d'Alexander Hamilton refusa poliment le repas maison que lui offraient le gardien du traversier et sa femme : « [...] du poisson sans sauce [...]. Il n'y avait pas de nappe sur la table ; en fait, la vaisselle consistait en un contenant creux en bois sale, nettoyé avec les mains. Pas de couteau, pas de four-chette, pas de cuillère, ni d'assiette ni de serviette — ils ne devaient pas en avoir, je présume[5].» La famille immigrante hollandaise type se con-tentait de repas interminables à base de *sappan*, une bouillie de maïs avec du lait. Quand ils en avaient les moyens, les colons sucraient leurs bois-sons et leur nourriture ; les fruits étaient conservés dans de la mélasse ou du sirop d'érable.

Vers la fin du XVIIIe siècle, le Nouveau Monde amorçait sa lente progression vers l'industrialisation et l'urbanisation. Les fourchettes et les cuillères remplacèrent les mains ; les cuisines furent équipées d'une batterie d'ustensiles, et les livres de recettes propagèrent les connais-sances culinaires. Le rhum, moins dangereux que l'eau non potable, devint une boisson appréciée ; même chose pour le café et le thé, agré-mentés de cassonade. Le mode de vie et les goûts nord-américains étaient de plus en plus anglais, même si, comme le note McWilliams, «la version américaine classique qu'on en donne ne reconnaît que dif-ficilement le pouvoir d'attraction[6]», que représentait l'anglophilie et l'agréable façon de vivre anglaise.

Les ménagères américaines achetèrent tellement d'exemplaires de *The Art of Cookery Made Plain* (*L'Art culinaire à la portée de tous*), de l'Anglaise Hannah Glass, qu'en 1805, on sortit une édition américaine. D'autres livres de recettes anglais se vendaient aussi très bien. En vedette, les puddings et les desserts à base de sucre ou de mélasse. Le livre *Seventy-Five Receipts for Pastry, Cakes and Sweetmeats* (*75 Recettes de pâtisseries, de gâteaux et de confiseries*), d'Eliza Leslie, de Philadelphie, donnait une recette de sucettes à la mélasse. Les haricots cuits à la «Boston» étaient imprégnés de grandes quantités de mélasse. Désormais, le sucre devenait un ingrédient de tous les jours. Le sucre était «mêlé aux gâteaux et au caramel, il était dissous dans les sauces, on en sau-poudrait les fruits et les légumes, on utilisait ses qualités adhésives dans les pâtes des pièces montées, on en faisait l'ingrédient principal des bonbons et une composante essentielle de la crème glacée[7]», écrit Wendy Woloson, dans *Refined Tastes*.

Au XIXe siècle, la prospérité permit aux colons, jadis autosuffisants, de disposer d'un plus grand choix de denrées et de voir les épiceries se multiplier. Un de leurs produits vedettes était un moulin portatif permettant de réduire les morceaux de sucre muscovado en petites particules (jusque dans les années 1880, le sucre muscovado était moins cher et largement plus utilisé que le sucre blanc). Mais le prix n'était pas le seul critère de consommation. Selon l'historien culinaire Waverly Root, « la rivalité entre le sucre blanc et la cassonade mériterait à elle seule tout un chapitre dans l'histoire du snobisme[8] ». Plus le sucre blanc devenait abordable, plus il devenait le symbole d'un statut social : c'était celui que l'on servait aux invités, la cassonade étant reléguée à la cuisine ou utilisée à des fins domestiques. Comme paramètre du snobisme, le sucre a joué un rôle remarquable : en bas la vulgaire mélasse, en haut le sucre blanc. Entre les deux, toutes les variétés de cassonade ou de sucre très ordinaire.

En 1858, l'invention du pot Mason provoqua une demande accrue pour le sucre blanc. Le pot Mason était un contenant en verre assez lourd qui se fermait hermétiquement et était réutilisable ; il permettait aux ménagères de conserver des fruits et des légumes pendant toute l'année. Comme la mise en conserve nécessitait du sucre blanc plutôt que de la cassonade ou de la mélasse, elle favorisa une forte augmentation de la consommation de sucre blanc.

Sodas et crèmes glacées

La crème glacée, elle aussi bourrée de sucre, était davantage un plaisir urbain. À New York, les vendeurs de rue annonçaient leur marchandise en criant « I scream ice cream » (« Je crie crème glacée »)[9]. Vendue dans des kiosques ou des voitures à bras, la crème glacée était relativement bon marché. En 1847, à Philadelphie, quelqu'un faisait remarquer : « Les étals du marché en sont pleins – on la voit partout dans les rues, et où que vous regardiez, il y en a à profusion – bon marché, mais néanmoins excellente[10]. » Les gens plus à l'aise et plus éduqués, eux aussi, appréciaient la crème glacée. Dans ce qu'on appelait « les jardins des plaisirs », comme la « Ville de la Crème Glacée » au Vauxhall Garden, à Philadelphie, ils se rassemblaient pour écouter de la musique et pour déguster des friandises comme les mélanges de fruits et de crème glacée – l'équivalent de deux cuillères à soupe – servis dans des verres élégants.

Peu à peu, on associa la crème glacée à la femme, comme on l'avait fait pour les bonbons. Les femmes pouvaient calmer leur boulimie de sucre dans des lieux pour dames appelés parfois salles ou salons ou bars à crème glacée. Les décorations de ces endroits étaient du pur rococo, d'aimables palais pour petits plaisirs rafraîchissants, convenables et sûrs. À New York, deux majestueux bars à crème glacée visaient la clientèle des « dames qui aimeraient plutôt se laisser mourir de faim que d'entrer seules dans un restaurant[11] ». Bien sûr, les hommes pouvaient, eux aussi, déguster de la crème glacée dans les lieux publics. Un des opéras de New York avait aménagé un comptoir à crème glacée à son rez-de-chaussée. Les confiseurs des hôtels inventaient d'incroyables plats de crème glacée. Au milieu du siècle à New York, « dans la chaleur suffocante du soir, chacun de ces salons à la mode était envahi par des foules d'hommes et de femmes bien habillés appartenant pour la plupart à la classe moyenne supérieure[12] ».

Les passionnés de crème glacée s'en faisaient aussi à la maison, mais le processus était à vrai dire complexe et laborieux : il fallait fouetter la crème avec une cuillère pour la rendre très ferme, puis refroidir les ingrédients dans un contenant plongé dans des glaçons mêlés à du sel. Plus tard, en 1846, Nancy Johnson, du New Jersey, inventa un congélateur à manivelle ; de son côté, William Young déposa un brevet d'invention pour [ce qu'on appelle de nos jours] la sorbetière Johnson. En remplaçant les bras humains et les réfrigérateurs mécaniques par des pales rotatives, ces sorbetières démocratisèrent la crème glacée, la mettant à la portée de tous. Plus on produisait de la crème glacée, plus la demande de sucre était forte.

En peu de temps, il y eut de la crème glacée partout. En 1850, le très populaire *Godey's Magazine and Lady's Book* la consacra « luxe nécessaire ». Une petite fête sans crème glacée, c'était « comme un petit-déjeuner sans pain ou un dîner sans rôti de bœuf[13] ». À cette époque, en raison de meilleures techniques, la crème glacée devint meilleur marché et put être consommée régulièrement par la classe moyenne. (Le poète et philosophe Ralph Waldo Emerson affirmait : « Nous n'osons pas nous fier à nos talents pour rendre la maison accueillante à nos amis, on achète donc de la crème glacée[14]. »)

L'apparition de nouveaux congélateurs permit aussi que la crème glacée ne soit pas nécessairement faite là où elle était consommée, mais puisse être produite là où il y avait des fruits et de la crème, puis expédiée vers des marchés éloignés. En 1851, le commerçant en lait Jacob Fussell, de Baltimore, ouvrit une usine de crème glacée utilisant tous les surplus de crème ; le prix était de 25 cents le litre au lieu des habituels 65 cents. Cela marcha si bien qu'en 1885, il ouvrait d'autres usines à Washington, Boston, New York, Cincinnati, Chicago et Saint Louis, d'où sa renommée de père de la crème glacée industrielle. En 1893, à Toronto, le producteur laitier William Neilson, sa femme et ses cinq enfants utilisaient trois congélateurs à manivelle, pour une production globale de 3 750 gallons de crème glacée. En 1900, les chaudières à vapeur et les moteurs à essence avaient pris le relais. En 1880, on vit apparaître une nouvelle variété de crème glacée encore plus sucrée : le *sundae*. De deux choses l'une : ou le nom vient du sirop versé sur un mélange de crèmes glacées servies uniquement le dimanche, ou du fait que lorsque les bars à crème glacée fermaient le dimanche, la clientèle frustrée jetait son dévolu sur la riche et moelleuse crème glacée du dimanche (*sunday*) (écrit « *sundae* »).

Ce n'était qu'un début. Bientôt les *sundaes* donnèrent naissance à de fabuleuses créations culinaires où crème glacée et sirop étaient recouverts de fruits, de noisettes, de guimauves, de crème fouettée et de sucre candi, puis baptisées d'appellations aussi grandioses que *heavenly twins* (« jumeaux célestes ») ou *buffalo tip* (« nez de buffle »). Même les enfants du président étaient atteints : « Maman est allée passer trois jours à New York. Mame et Quentin en ont profité pour tomber malades. La maladie de Quentin a certainement à voir avec une rude bataille impliquant bonbons et crème glacée accompagnée de sauce au chocolat[15] », écrivit un Théodore Roosevelt indulgent.

Le *ice cream soda*, heureux amalgame des préférences de chacun, devint encore plus populaire que le *sundae*, jugé trop riche. Il fut d'ailleurs à l'origine d'un nouveau lexique : un « noir et blanc » voulait dire désormais un soda au chocolat avec de la crème glacée à la vanille. Au fur et à mesure que s'élargissait l'éventail des crèmes glacées et des boissons non alcoolisées, le *ice cream soda* gagnait en diversité. La *root beer* mélangée à de la crème glacée à la vanille devint très populaire. Mais les jeunes gens pouvaient aussi affirmer leur personnalité avec des dizaines d'autres combinaisons : le Dr Pepper avec de la crème glacée au chocolat, le Coke avec de la crème glacée aux cerises, etc.

Toute une culture naquit du soda et autour du soda, pur ou accompagné de crème glacée, comme ce fut le cas avec les fontaines à soda. Jusqu'à ce que l'embouteillage soit vraiment au point et que les bouteilles individuelles de *pop* soient accessibles à tous, le *pop* était servi dans les fontaines. Comme les bars à crèmes glacées, les fontaines à soda attirèrent de plus en plus les femmes. De vraies fontaines à soda furent spécialement conçues à cette fin : le plus souvent en marbre, d'une propreté impeccable et décorées avec goût. C'était une fête pour les yeux. Les comptoirs proprement dits, les plans de travail, les robinets, les plateaux plaqués argent tout en ciselures, les miroirs polis, tout brillait, et, reine et roi du jour, la chatoyante crème glacée et le pétillant *pop*!

On installait parfois des fontaines à soda dans les centres commerciaux et les pharmacies, question de faire plaisir aux clients et afin qu'ils se sentent bien et en sécurité. En même temps, des sièges moins confortables, pour des arrêts plus courts, étaient disponibles. Les fontaines à soda faisaient la joie des femmes du monde, dont les goûts définissaient les standards et les aspirations des classes populaires. Le décor était particulièrement choisi pour mettre en évidence les bijoux et les bonnes manières de ces dames. Les serveurs étaient jeunes, sains, séduisants, et engageants. Certains «vous laissaient bouche bée». Ils avaient pour consigne d'être amicaux sans trop jouer la carte de la séduction. Un manuel d'instruction recommandait expressément de trouver «des préposés aux fontaines qui soient beaux. Ils feront faire de bonnes affaires s'ils savent s'occuper strictement de leur boulot, et s'habiller selon la mode mais sans extravagance[16]».

Les bonbons

Les enfants aussi adoraient la crème glacée et les sodas, et ils accompagnaient leurs mère et père (eux aussi d'anciens enfants) dans les bars à crème glacée et aux fontaines à soda. Mais il se faisait encore mieux que la crème glacée baignant dans le sucre et les sodas mi-sucrés mi-aigrelets: les bonbons. Le bonbon fait spécialement pour les petits, que l'enfant pouvait choisir et acheter, un bonbon qui le suivrait jusqu'à ce qu'il soit adulte, ce dernier se rappellant avec un brin de nostalgie ce geste tout simple d'acheter un bonbon. Comme le confiait, à Londres, au milieu du XIXe siècle, un fin renard de l'industrie à son interviewer Henry Mayhew, «les garçons et les filles en bas âge sont mes meilleurs clients, Monsieur, surtout les plus petits d'entre eux[17]».

Le bonbon allait aussi aider le petit à planifier ses dépenses, geste si utile dans la vie. Le bonbon devait avoir belle apparence et rester peu coûteux pour un enfant: un penny. Le bonbon à un sou bouleversa l'art du confiseur. La confiserie, au lieu d'être un commerce de sucreries de luxe où se vendaient des confiseries, des biscuits, des gâteaux, des sirops, des fruits confits, «devint un magasin de bonbons où se donnaient rendez-vous les enfants du capitalisme américain naissant[18]». Les bonbons à un sou ressemblaient à des bijoux: durs, colorés, délicieux, et de toutes les formes possibles. Ils étaient conçus pour les enfants, et les enfants ne pensaient qu'à ça.

Les images d'enfants le nez écrasé sur les vitrines des magasins, détaillant avec mélancolie l'étalage des marchandises à l'intérieur, reflètent bien la réalité. L'enfant ayant un sou pouvait entrer, les autres restaient dehors. L'espace bonbon, placé sous verre, et la vitrine somptueusement aménagée constituaient déjà un bon exemple d'une stratégie de marketing efficace. Après avoir fait un minutieux inventaire de toutes les marchandises, l'enfant pouvait échanger son sou contre un bonbon spécial. À l'époque de la guerre civile, les confiseurs comptaient plus sur les enfants que sur les adultes pour se faire une clientèle.

De nombreux enfants gagnaient leur propre argent de poche en vendant des journaux, des fleurs, des bonbons, ou en faisant des courses et, s'ils ne travaillaient pas, ils mendiaient. Le propriétaire du magasin accueillait les jeunes avec le sourire, et il ne les poussait pas à acheter. Quelqu'un se rappelait: «De gauche à droite et de droite à gauche, de l'entrée jusqu'au fond du magasin et même en diagonale, c'était un festin pour les yeux[19].» Le choix était vaste: boules amères, bâtons à la menthe, boules de gomme, *jellybeans* (bonbons à la gelée), sucettes, gâteaux au sucre d'érable à un sou, bonbons à sucer, guimauves, bonbons au citron et Tootsie Rolls, le tout premier bonbon à un penny ensaché individuellement, ne constituaient qu'une fraction des friandises offertes. Au Canada, les enfants partageaient les mêmes goûts, mais avec une préférence pour les bonbons sur bâtonnet et pour les *all-day suckers* de Ganong, un bonbon dur, lui aussi sur un bâtonnet.

Les adultes disposant de moins de moyens étaient aussi attirés par les magasins de bonbons. Un journal de la profession notait: «Nos vitrines, c'est en quelque sorte une garderie pour les plus âgés comme pour les plus jeunes[20].» Notre fin renard de Londres avait lui aussi des clients plus âgés: «Y'en avait qui faisaient [...] facile cinquante, bon Dieu, plus que cinquante! Comme le vieux-là, qui n'a plus que ses chicots — ben i va s'arrêter chez nous et acheter quelque chose [...] i va dire: "Faut pas croire! J'suis encore jeune, moi!"[21]» En Amérique du Nord comme en Angleterre, les techniques modernes de production, une augmentation du pouvoir d'achat et le goût pour le sucre stimulèrent la production du bonbon et démocratisèrent sa consommation. Tous les bonbons ne coûtaient pas un penny : certains étaient plus gros, plus travaillés. D'autres étaient empaquetés ensemble, comme c'était le cas, par exemple, des Life Savers, qui coûtaient plus cher, mais que les pauvres pouvaient à l'occasion s'offrir. Les bonbons prirent aussi un caractère régional. Les pralines — qui étaient des amandes ou des noisettes recouvertes d'un glaçage sucré caramélisé — étaient des spécialités du Sud. Elles étaient tellement populaires à la Nouvelle-Orléans que leurs vendeuses créoles se voyaient appeler *pralinières*. Dans le nord-est, c'était le bonbon à l'érable qui était populaire.

Au fur et à mesure que le commerce des friandises s'étendait en Amérique du Nord, les femmes étaient particulièrement ciblées comme acheteuses et comme consommatrices. « On savait » qu'elles avaient un penchant irréversible pour les bonbons en raison de leur délicieuse nature et de leur tendance à ne pas oublier de se prémunir contre leur propre plaisir. Les femmes achetaient des bonbons pour leur famille ; comme la tradition s'était implantée d'offrir des bonbons en cadeau, elles en recevaient elles aussi. À la fin du XIXe siècle, des catalogues de magasins destinés au monde rural firent leur apparition. Aux États-Unis, le premier catalogue de ce genre fut celui de Montgomery Ward, en 1872, suivi, au Canada, du catalogue T. Eaton, surnommé « la bible de la prairie », en 1884, et, en 1886, chez nos voisins du sud, du catalogue Sears and Roebuck, en 1886. Ces extraordinaires encyclopédies offraient une variété d'articles comprenant de la nourriture et des bonbons préconditionnés. Même les femmes dont les habitations ou les fermes étaient éloignées des grands magasins pouvaient désormais se laisser tenter.

Afin de stimuler les ventes et de varier les plaisirs, on imagina des bonbons pour chaque saison, de telle sorte qu'aucun congé ou jour férié ne se passe sans qu'un bonbon ne soit mis en valeur : Noël, l'Halloween, l'Action de grâces, l'anniversaire de Washington, la fête des Mères, la fête des Pères, la Saint-Valentin, Pâques, les anniversaires de naissance, les fiançailles, les mariages et les remises des diplômes eurent droit à leur bonbon, tout comme les fêtes enfantines, en particulier les anniversaires.

Dans toutes ces fêtes, les chocolats — et leur féminisation — jouèrent un rôle central. Jusqu'au milieu du XIXe siècle, le chocolat avait d'abord été perçu comme une boisson lourde, riche, bourrée de sucre et de saveurs épicées, et, par l'élite, comme un bonbon de gourmet. Puis, en 1828, le chimiste hollandais Coenraad Van Houten inventa une presse à cacao manuelle qui enlevait les deux tiers du beurre de cacao, laissant une masse compacte de chocolat qu'il pouvait réduire en une fine poudre qu'on appelle aujourd'hui cacao. En 1875, Daniel Peter, de la compagnie suisse General Chocolate, et Henri Nestlé s'unirent pour produire le chocolat au lait Nestlé, solution tant attendue au problème posé par l'extraordinaire amertume du chocolat pur.

Alors que le grand public découvrait les délices du chocolat au lait, les *chocolatiers* européens se faisaient concurrence et s'espionnaient discrètement. Ils se mirent alors à produire des chocolats aux goûts très différents. Les Anglais eurent le chocolat caramélisé Cadbury, les Suisses les chocolats au lait Toblerone et Lindt, et les Italiens le chocolat noir Baci. Beaucoup de snobisme et une touche de nationalisme convergèrent dans la lutte titanesque pour définir ce qu'était le «vrai» chocolat : pour beaucoup d'Européens, les chocolats britanniques et nord-américains étaient (et sont toujours) trop sucrés et trop mêlés de lait. En 1897, l'Angleterre consommait 15 millions de tonnes de chocolat, tandis que les autres pays européens en consommaient 40 millions de tonnes et les Américains 12 millions de tonnes.

Durant la plus grande partie du XIXe siècle, les Nord-Américains importèrent leur chocolat d'Angleterre, où les Fry, de Bristol, les Cadbury, de Birmingham, et les Rowntree, de York, tous quakers, étaient les géants de l'industrie. En 1761, le docteur en pharmacie Joseph Fry acquit la fabrique de chocolat du docteur Charles Churchman, de Bristol, et mit sur le marché les tablettes de chocolat au goût sucré qui, une fois traitées à l'eau bouillante et édulcorées avec du sucre fin humidifié et mélangées à un peu de lait ou de crème, allaient donner le cacao. En 1776, une livre de chocolat Fry valait presque le salaire hebdomadaire moyen d'un travailleur agricole. Mais le chocolat était devenu le «must» de l'élite de Bristol, et Fry fit en effet d'excellentes affaires.

Quand Joseph mourut en 1787, sa femme Anna rebaptisa l'entreprise Anna Fry et Fils, qu'elle dirigea avec leur troisième rejeton, Joseph Storrs Fry, qui à l'âge de vingt ans, épousa Elizabeth, plus tard connue comme militante de la réforme des établissements carcéraux. Une annonce publicitaire de 1800 montre que le chocolat était toujours vu comme une substance médicinale : «Ce chocolat est recommandé par un des plus éminents professeurs de la Faculté, comme pouvant remplacer

n'importe quel petit déjeuner pour les natures frêles, les santés déficientes, les reins fragiles ou pour enrayer les divers types de scorbuts. Facile
à digérer, assurant une alimentation légère et équilibrée, il constitue le
calmant idéal des humeurs fort contrastées de notre constitution.»
Mais, à moins d'être sucré à outrance, le chocolat demeurait intoléra-
blement amer, comme put le constater le vendeur du XIXe siècle, David
Jones, lorsqu'il offrit aux épiciers de goûter un échantillon de ses chocolats «juste pour voir leur visage se plisser, se ratatiner, comme si on
venait de leur faire ingurgiter du vinaigre ou un vermiceau[22]».

En 1789, Fry inaugure le premier broyeur à vapeur de fève de cacao,
une révolution, écrit l'historien de la confiserie Tim Richardson[23].
Quelques années plus tard, les trains allaient remplacer les attelages de
chevaux, et livrer le chocolat Fry dans toute l'Angleterre. La consommation de cacao dans ce pays progressa rapidement, passant de 122 tonnes
en 1822, à 176 tonnes en 1830, et à 915 tonnes en 1840[24].

En 1847, Fry crée le premier «chocolat à manger» (par opposition au
chocolat liquide) en modelant une pâte faite de différents cacaos en
poudre mélangés de sucre et de beurre de cacao fondu. Six ans plus tard,
le premier chocolat du monde produit en usine faisait son apparition,
sous forme de bâtonnets de crème trempés dans le chocolat. Mais faire
du chocolat demeurait un processus laborieux: il fallait d'abord mettre
(littéralement) les mains dans le chocolat, puis trouver une façon de le
refroidir. Une ouvrière du chocolat, Bertha Fackrell, se rappelait: «Oh!
là là, vous ne pouvez pas imaginer tout ce qu'il fallait faire pour le
refroidir [...]. Je me rappelle qu'un jour, les filles avaient placé le chocolat sur le rebord de la fenêtre pour le refroidir, lorsque quelqu'un
renversa accidentellement le bac de chocolat qui dégringola en bas dans
la cour[25].» Les premières tablettes de chocolat étaient beaucoup trop
amères, mais, en 1885, le chocolat au lait «Five Boys», de Fry, très goû-
teux et enrichi de lait, connut un grand succès.

Dès le début du XIXe siècle, Cadbury et Rowntree firent concurrence
à Fry. Après que les frères George et Richard Cadbury eurent repris
l'entreprise familiale laissée dans un piètre état par leur père, Richard
prit l'initiative de produire des chocolats où étaient dessinées de très
jolies scènes, comme cette mère et son petit garçon de six ans aux yeux
bleus tenant un chat dans ses bras. En 1868, Cadbury créait le première
boîte de chocolats fabriqués en série, et en 1875, l'œuf de Pâques en
chocolat, une coquille d'œuf chocolatée fourrée de noisettes enrobées

de sucre. À la fin du xixᵉ siècle, Cadbury distribuait une gamme de 200 boîtes de chocolats, employait 2 685 ouvriers et inondait le monde de ses produits. En 1905, la barre Dairy Milk connut un succès foudroyant : plus crémeuse et plus sucrée que le lait au chocolat noir (qu'elle «relégua aux oubliettes», pour reprendre les mots de Lawrence Cadbury), elle se présentait dans un bel emballage lavande aux lettres noires et or.

Troisième des grands producteurs anglais de chocolat, Rowntree fut lancé par les frères Henry Isaac et Joseph Rowntree. Leur produit vedette était le Rock Cocoa, mais ils produisaient aussi d'énormes quantités de Chocolate Drops et de Chocolate Creams, de boules à un penny ou à un demi-penny, et beaucoup d'autres produits chocolatés. Les sept employés échangeaient leurs tâches et s'employaient tour à tour «à moudre, faire rôtir, frotter, manipuler le sucre[26]». En 1881, les «pastilles de gomme cristallisées» de Rowntree, vendues un penny l'once, connurent un immense succès.

Les trois quakers avaient des concurrents britanniques, comme le chocolat Terry, lancé en 1886, mais également suisses, comme Lindt et Tobler, italiens comme Caffarel et d'autres compagnies européennes, qui se taillèrent de vastes marchés avec leurs propres variétés de chocolats. En 1879, Rudolph Lindt inventa une sorte de machine à broyer et à modeler le chocolat qui révolutionna l'industrie. Elle donnait un chocolat très riche et très fin ; c'est grâce à ce procédé que, vers la fin du xixᵉ siècle, la Suisse acquit sa réputation d'un des plus prestigieux producteurs de chocolat du monde. Le chocolat français conserva lui aussi une réputation d'excellente qualité.

La fabrication de bonbons devint vite une affaire internationale. Les Anglais en particulier inondèrent l'Amérique du Nord et tout l'empire de barres de chocolat. Ce n'est que vers la fin du xixᵉ siècle que les Américains entrèrent vraiment dans la course, lorsque le mennonite Milton Snavely Hershey, tout jeune encore, peu instruit mais apprenti confiseur, mit à profit ses connaissances du monde du bonbon pour offrir à sa mère et à sa sœur des caramels à base de lait enveloppés à la main dans du papier. Grâce à une très opportune rencontre avec un Anglais, qui importa ses caramels, et à un banquier, qui lui avança les fonds, Hershey fonda la Lancaster Caramel Co, dont les quatre usines engagèrent plus de 1 500 personnes.

En 1893, à l'Exposition colombienne de Chicago, l'attention de Hershey fut attirée par la machine de J. M. Lehmann, qui faisait rôtir, émondait et pulvérisait les fèves de chocolat et les réduisait en chocolat liquide. Une fois mélangée à de la vanille, du sucre et du beurre de cacao, puis malaxée, la préparation était versée dans des moules rectangulaires, puis durcie, pour obtenir des barres de chocolat. Hershey acheta cette machine, qui décida de son avenir dans l'industrie chocolatière. Il fit de son côté de nombreuses expériences, certaines très poussées, de façon à combiner lait et chocolat, comme il l'avait fait pour son caramel. Il se mit à observer ses vaches laitières, voulut constater comment se faisait la traite à quatre heures et demi du matin, échangea ses vaches Jersey contre des Holstein, et, comble de l'horreur pour les connaisseurs européens, fit légèrement surir le lait. Résultat spectaculaire et inattendu : le premier chocolat au lait nord-américain venait de naître − et son coût de production était insignifiant.

En 1900, Hershey vendit son usine de caramel pour se consacrer au chocolat. «C'est, déclara-t-il, beaucoup plus que du bonbon, c'est de la nourriture.» En 1915, il en produisait cinquante tonnes par jour, pour une centaine de variétés, la plupart vendues 5 cents. Introduits en 1907, les *Hershey kisses* firent fureur. Ses variétés les plus élégantes étaient baptisées d'un nom français, comme Le Chat noir ou Le Roi du chocolat, et superbement emballées. Comme l'écrit Joël Glenn Brenner dans *The Emperors of Chocolate*, « un joli petit ruban vous transformait tout ça en produit de luxe[27] ». Le chocolat laiteux et sucré de Hershey ne coûtait pas cher ; avec sa forme et son emballage des bonbons à un penny, il eut vite la faveur des enfants. Même les *kisses* montraient l'image d'un petit garçon et d'une petite fille échangeant un chaste baiser. Hershey et ses concurrents ciblaient les garçons avec des cigarettes et des cigares en chocolat ; ils étaient délicieux, faisaient très «homme», et permettaient de s'identifier à papa tout en anticipant sur les délices imaginés du fumeur.

Le jeune Frank Mars devint le plus puissant des milliers de concurrents de Hershey. Atteint de polio, empêché de jouer avec ses copains, Mars apprit à fabriquer des bonbons dans la cuisine de sa mère. Plus tard, il essaya de fabriquer des bonbons à un sou, mais fit faillite, son mariage subissant le même sort. Après de pénibles tentatives pour fabriquer des bonbons, Mars inventa la Milky Way. Son fils, Forrest en a décrit la confection : «Il s'agit d'une boisson au chocolat malté. Il ajoute un peu de caramel sur le tout, un peu de chocolat autour — pas très bon, son chocolat, il achetait du chocolat pas cher — mais l'argent qu'il a fait avec ce truc-là[28] !» À 5 cents l'unité, et une garniture intérieure qui la rendait plus volumineuse que les copieuses barres de chocolat Hershey, la Milky Way fut considérée comme un bon achat.

Les Canadiens, eux aussi, adoraient le chocolat, qu'il fût importé ou non. Les Chicken Bones des frères Ganong, du Nouveau-Brunswick, lancés en 1885, des bonbons roses à la cannelle en forme d'os de poulet avec en leur cœur un morceau de chocolat, connurent un grand succès. En 1900, Ganong introduit en Amérique du Nord les premiers bâtons de chocolat aux noix à 5 cents. Ses boîtes de chocolats étaient décorées d'une représentation de l'héroïne acadienne Évangéline, quintessence de la «pureté, de l'excellence, de la constance, de l'amour et de la douceur».

Moirs, Viau, Cowan, Walter M. Lowney et plusieurs autres fabricants de chocolat voulurent satisfaire les goûts des Canadiens pour les sucreries. À la suite du divorce de ses parents, Forrest Mars fut élevé par ses grands-parents maternels à North Brattleford, en Saskatchewan. C'est là qu'il résolut d'investir dans tout le Canada. Le fabricant de crème glacée William Neilson paria, lui, sur les chocolats en boîte : en 1914, il en vendait 270 tonnes par année. Son fils, Morden Neilson, prit le relais ; sa compagnie devint le tout premier fabricant de crème glacée de l'Empire britannique et le plus important fabricant de chocolat au Canada.

Mais le plus inventif des chocolatiers canadiens fut Frank O'Connor, qui baptisa sa compagnie Laura Secord Chocolates, nom inspiré par l'héroïque épouse d'un soldat de la guerre de 1812, qui, à travers brousses et marais, courut avertir les Anglais d'une attaque américaine imminente. Il offrait son chocolat dans un empaquetage unique : une boîte montrant une image embellie de Laura Secord, dans un camée. En 1919, O'Connor s'installa à New York, où il eut la prudence de rebaptiser sa marque de chocolat du nom d'une célèbre auteure de livre de cuisine, Fanny Farmer, dont le camée décorait aussi l'emballage américain.

Des deux côtés de la frontière, le chocolat au lait, un mélange d'extraits de cacao, de lait et de sucre liés par un émulsifiant, trouva tout de suite preneur. À la différence du chocolat Baker bien connu, prévu pour les cuissons au four, le chocolat au lait contient davantage de matière grasse extraite de la fève de cacao, et beaucoup plus de crème. Il est également plein de sucre − la moitié des calories viennent du sucre, l'autre moitié, de la crème. Cette combinaison, affirme un nutritionniste, est « un peu de paradis sur terre. Chimiquement parlant, le chocolat est réellement la plus parfaite de toutes les nourritures[29]. »

Le chocolat est une nourriture si délicieuse que des milliers de fanatiques s'en déclarent « accros ». Les femmes semblent particulièrement disposées à craquer pour le chocolat, même si la science n'a trouvé aucune preuve d'une quelconque prédisposition physiologique. Ce qui est certain par ailleurs, c'est que, depuis l'apparition du chocolat au lait, les femmes ont la réputation de lui succomber ; on a dit aussi que, en dépit − ou peut-être à cause − des vertus prétendument aphrodisiaques du chocolat, c'est pour elles qu'on l'avait commercialisé !

Des sucreries en tout temps

Dans la lutte pour vendre le plus de chocolat possible au plus grand nombre possible de clients, l'empaquetage et la présentation apparurent aussi importants que le chocolat lui-même. Aux premiers chocolats, plutôt chers, on avait accolé des images de France, de romance et de femmes. Bien que le chocolat Baker ait offert des chocolats sans sucre ou à demi sucrés, sa stratégie de marketing s'était inspirée de l'antique image du bonbon français. Puis, en 1877, Walter Baker fit sienne une image charmante : la Chocolate-Girl (La Belle Chocolatière), montrant le portrait de l'élégante Anna Baltauf, telle que l'avait aperçue le prince Dietrichstien, un après-midi de l'hiver 1745, jour où elle lui servit un délicieux gobelet de chocolat chaud, dans une boutique de Vienne. Le prince en tomba amoureux, épousa la jeune et charmante *chocolatière*, et passa commande d'un portrait de sa belle pour commémorer leur coup de foudre ou romance en chocolat. Les chocolatiers hollandais Droste, De Jong et Van Houten, de même que l'Anglais Rowntree, savaient reconnaître une bonne image et ne se privaient pas pour l'adapter à leurs propres cacaos.

Bien avant le chocolat, faire la cour avec des bonbons était une pratique bien connue, l'offre de friandises ayant un sens évident. Un jeune homme pouvait offrir à sa dulcinée des French Secrets, bonbons durs enveloppés dans du papier de luxe contenant quelques rimes romantiques, ou d'autres douceurs luxueusement présentées. Dans les années

1870, les mots doux purent s'échanger de plusieurs autres manières, le bonbon dur, selon le confiseur George Hazlitt, ayant perdu du terrain par rapport aux «noix trempées, aux caramels trempés, aux nougats, aux bonbons italiens à la crème, aux fourrés à la crème, aux bouchées au chocolat, etc. Presque la moitié de ce que l'ouvrier apporte avec lui est fait de délicats produits chocolatés[30].» Les chocolats étaient en train de remplacer les bonbons, moelleux ou durs, comme petits mots d'amour.

Contrairement au bonbon dur, les bonbons moelleux et les chocolats devaient être mis en boîte. Du reste, vous pouviez facilement *deviner* le type de bonbon à partir de son riche emballage. Bien sûr, offrir à sa bien-aimée une simple boîte JANE constituait «la gaffe sociale absolue». En 1861, Cadbury mit en vente la première boîte de bonbons de la Saint-Valentin en forme de cœur. Ce fut le début d'une course effrénée pour produire en masse des boîtes qui soient à la fois élégantes et uniques pour l'occasion.

Le jour de la Saint-Valentin voulait dire envoyer une carte de la Saint-Valentin. (Selon la légende, saint Valentin aurait été l'auteur du premier petit mot d'amour signé «De ton Valentin», envoyé depuis sa prison. Son crime, qui lui avait valu d'être décapité, avait été de défier l'empereur Claude II, en célébrant le mariage de soldats romains que l'empereur avait condamnés au célibat.) Grâce en bonne partie au dynamisme des fabricants de bonbons, le jour de la Saint-Valentin devint une occasion d'offrir des sucreries.

Noël aussi était devenu une occasion privilégiée d'offrir et de consommer des bonbons. Les cannes de Noël avaient d'abord pris la forme d'une tige droite et blanche; par la suite, on leur donna la forme d'une canne pour rappeler le bâton des bergers. La promesse de cannes en bonbon visait à calmer les enfants dissipés durant les fêtes de la Nativité. Cette coutume de la canne envahit l'Europe, puis l'Amérique du Nord. Sa plus récente variété, blanche rayée de rouge, veut peut-être rappeler la pureté du Christ et son sang versé.

Les œufs de Pâques et les lapins renvoient à des festivités païennes que les premiers chrétiens ont intégrées à leurs propres rituels. La traditionnelle course aux œufs cachés se faisait à l'époque avec de vrais œufs, souvent décorés et déposés un peu partout, disait-on, par le lapin de Pâques en personne. La participation des enfants à ce rituel donna l'idée de changer les œufs en bonbons, opération facile et devenue vite populaire. Cadbury fut le premier, en 1923, à faire des œufs en chocolat remplis de guimauve ou de fondant. On renforçait ainsi dans les esprits le lien entre Pâques et le fait d'offrir des bonbons ou du chocolat.

La fête des Mères telle qu'on la connaît aujourd'hui remonte au début du XXᵉ siècle. Elle devint si rapidement une fête commerciale que son inventeur, l'Américaine Anna Jarvis, la dénonça. « Je voulais en faire une fête du sentiment, pas du profit », déclara-t-elle. Mais la fête des Mères et ses produits dérivés — bonbons et chocolats en particulier — étaient lancés.

L'Action de grâces, la fête nationale des États-Unis le 4 juillet, les anniversaires et les myriades d'« occasions spéciales », depuis la remise des diplômes jusqu'à la simple visite à un ami, reçoivent de nos jours les mêmes marques d'attention. Au XXᵉ siècle, les bonbons, et plus particulièrement le chocolat, sont devenus les marques les plus fréquentes d'estime et de reconnaissance. En 1912, Whitman's Chocolate lança ses jolis Samplers jaunes, une boîte contenant un assortiment de chocolats fourrés. La boîte d'échantillons, de style traditionnel, évoquant des motifs brodés, se prêtait à toutes les occasions de réjouissances. À la fois élégante et connotant des valeurs d'intimité, on pouvait l'offrir autant à un amoureux qu'à une grand-mère, ou même à une famille.

Même la guerre fut une occasion en or pour les fabricants et les vendeurs de bonbons. Qui dit bonbon dit confort, maison, enfance ; c'est bon sur les papilles, ça fait plaisir et ça donne de l'énergie. Les bonbons qui arrivent sur les champs de bataille, ça rassure le soldat, qui pense « on ne m'oublie pas », et « je ne me bats pas pour rien ». La reine Victoria l'avait bien compris. Durant la guerre des Boers, elle demanda que des boîtes en fer blanc de chocolat Cadbury soient envoyées aux troupes britanniques pour Noël. George Cadbury, qui se disait pacifiste, tout d'abord refusa. La reine ne la trouva pas drôle ; sa demande devint un ordre. Cadbury et ses compétiteurs quakers, Fry et Rowntree, obtempérèrent, et, à eux trois, mirent sur le marché plus de 100 000 petites boîtes métalliques de leur produit, mais sans afficher leur marque. Pendant la Première Guerre mondiale, la compagnie canadienne Neilson exporta d'énormes quantités de barres de chocolat standard, dites « barres du soldat », aux troupes alliées stationnées outre-mer. Les familles des soldats envoyaient aussi des chocolats en cadeau. Un soldat canadien écrivit le jour de Noël 1917 : « Une boîte de chocolats Ganong m'a donné l'impression d'être de retour chez moi[31]. » Côté américain, les soldats entretenaient leur corps et leur esprit avec les Chocolates-Sweets with a Book [chocolats-bouquin] de Whitman, à savoir une livre de chocolat et un résumé d'une œuvre littéraire.

Plusieurs commandants regardaient tous ces bonbons et chocolats avec mépris («des truc de femmes», indignes de soldats envoyés au front) et recommandaient plutôt les alcool durs. Mais, durant la Seconde Guerre mondiale, lorsque le *Lexington* était en train de couler, les marins réussirent à sauver la cargaison de crème glacée placée dans la cale, et se firent un plaisir de l'avaler avant de se rendre aux chaloupes de sauvetage[32]. Pendant la guerre de Corée, le Pentagone envoyait de la crème glacée trois fois par semaine aux soldats. Les soldats américains — on a tous vu les photos — s'empressaient de les distribuer généreusement aux civils des pays conquis ou libérés.

Les mariages devinrent l'occasion rêvée d'offrir des quantités astronomiques de sucre sous forme de gâteaux de mariage aux glaçages très élaborés. Le gâteau de mariage est né pendant la Révolution française, lorsque les pâtissiers français qui fuyaient la France vers l'Angleterre eurent l'idée de mettre sur le marché des petits gâteaux recouverts de glaçage. La reine Victoria se vit offrir, à l'occasion de son mariage en 1840, un gâteau de dix pieds de circonférence, celui de ses enfants étant encore plus énorme. Celui de la princesse Vicky était une magnifique pièce montée faite de couches superposées de gâteaux ronds finement glacés, tous en pur sucre, sauf celui du bas; quant à celui du prince Léopold, toutes les couches étaient faites de gâteaux; celui de la princesse Louise était un temple miniature de la taille d'un être humain.

Les gâteaux de mariage plus «modernes» comportaient des piliers comme supports et séparations des couches de pâte; en Angleterre, le gâteau de mariage disposé en étages et richement décoré date de la fin du XIXe siècle. Leur complexité croissante avait un rapport direct avec la commercialisation des «occasions spéciales», où les pâtissiers remplacèrent les ménagères, qui étaient dépourvues des techniques nécessaires à la production de pâtisseries compliquées, alors devenues la nouvelle norme. Dans une Amérique débordante d'énergie et d'esprit d'entreprise, le livre *The Art of Confectionery*, publié en 1866 décréta que l'art de modeler le sucre «en formes originales et imaginatives [...] devait faire partie de l'éducation de base des jeunes filles[33]».

Aux États-Unis, les gâteaux de mariage décorés avec art étaient déjà fort répandus au début du XIXe siècle. Le *Godey's Lady's Book* faisait le rapprochement entre les glaçages et les ambivalences de la vie conjugale : « Le sucre ne sert qu'à camoufler la surface carbonisée ; quand on y goûte, c'est "oh ! mon amour ! oh ! mon chéri", où tout d'abord n'est que douceur, mais où bientôt l'on découvre en dessous un humour un peu grinçant[34]. » Dans les années 1870, les gâteaux étonnants, parfois monstrueux, furent à la mode, et devinrent la norme des cérémonies nuptiales. C'est aussi à ce moment-là qu'est née la tradition d'offrir une tranche du gâteau à chaque invité pour l'emporter à la maison.

Quant aux gâteaux ordinaires, sans rapport avec la cérémonie nuptiale, ils étaient vieux comme le monde. Au milieu du XVIIe siècle, les Européens qui avaient les moyens de se procurer du sucre faisaient des gâteaux recouverts de glaçage. Le gâteau d'anniversaire en tant qu'institution culturelle remonte au XIXe siècle, époque où de plus en plus de gens pouvaient se payer les ingrédients nécessaires, ainsi que le four et le combustible nécessaires à sa cuisson. Les Nord-Américains adoptèrent avec enthousiasme l'idée du gâteau d'anniversaire, tout particulièrement les enfants, qui pouvaient s'attendre à déguster un gâteau comme le « Angel » ou le « Sunshine Birthday Cake », de Fanny Farmer, recouvert d'un glaçage White Mountain, fait d'une tasse de sucre, de deux blancs d'œuf et d'un peu d'eau bouillante rehaussée de vanille ou de jus de citron. Le gâteau d'anniversaire devint par la suite un gâteau à étages, avec, entre chaque étage, de la confiture ou du glaçage, le tout bien sûr glacé à l'extérieur. Après la guerre civile, le sucre étant devenu un aliment de base plus qu'un article de luxe, le glaçage se raffina, et on ajouta des mots doux en lettres glacées du genre « Et on t'en souhaite beaucoup d'autres, Amélia ! ».

Ma maison, ma très douce maison

À la fin du XIXe siècle, le sucre faisait partie du quotidien et de toutes les occasions spéciales. La plupart des foyers avaient du sucre. Comme le disait le joyeux couplet d'une chanson folklorique du début du XXe siècle : « Du sucre dans la gourde et du miel dans la corne / je n'ai jamais été aussi heureux depuis ma naissance. » Les produits du sucre étaient de plus en plus nombreux, accessibles et populaires. Les nombreux magazines féminins et la publicité vantant les gâteaux, les biscuits, les bonbons, les confitures et la crème glacée devinrent la référence obligée des femmes d'intérieur. Les innovations, même de modestes progrès techniques sur le plan des casseroles et des instruments de cuisson, avaient rendu la tâche plus facile pour tous. Les auteures de livres de recettes — Sarah Tyson Rorer et Fanny Merritt Farmer — dictaient le quoi et le comment.

Fanny Farmer, auteure du *Boston Cooking School Cook Book*, remanié par la suite sous le titre de *The Fanny Farmer Cookbook*, exerça une immense et bienfaisante influence sur son époque. Elle révolutionna l'art culinaire domestique en fournissant les mesures exactes de chaque ingrédient: au lieu des expressions telles que «une pincée de» ou «une partie de» ou «une tasse pleine de» elle utilisa des expressions comme «une cuillère à thé» ou «un tiers de tasse» en précisant la signification de ces termes. Dans le long chapitre qu'elle consacre aux gâteaux, Farmer insiste aussi sur l'importance du sucre et demande à ses lectrices de ne pas lésiner sur cet ingrédient: «Celui-ci est capital pour l'équilibre des saveurs dans un bon gâteau. Si vous commencez à réduire la quantité de sucre, vous perdez une partie de sa texture essentielle; le résultat, vous pouvez en être sûre, va décevoir tout véritable amateur de gâteau [...] Tant qu'à faire un gâteau, faites-en donc un bon[35]!» Farmer avait aussi des trucs pour remédier aux désastres inévitables, comme un gâteau brûlé ou effondré. Les vraies femmes avec de vrais problèmes pouvaient s'en remettre en toute confiance à Farmer, à Rorer, et à toutes celles qui savaient comment «sucrer» le foyer. Woloson insiste pour dire combien il était important pour la femme d'intérieur de faire preuve de talent et d'y aller généreusement quand elle offrait de petites douceurs: «Les desserts maison n'étaient pas seulement des mets savoureux, mais, plus important encore, une épreuve décisive pour définir ou indiquer votre rang social et votre degré de raffinement: vos desserts, c'était vous[36]!»

Les gâteaux, les pâtisseries et les confiseries étaient une façon élégante de rendre le foyer plus accueillant, mais toutes les femmes n'avaient pas le loisir de s'y consacrer. Heureusement pour elles, il y eut le Jell-O. Durant la deuxième moitié du XIXe siècle, alors que faire de la crème glacée était devenu un rituel de la classe moyenne, les annonces pour le Jell-O vantèrent celui-ci comme étant une solution de remplacement facile et passe-partout, un plaisir que «les femmes entre elles, et même les plus critiques, n'allaient pas bouder». Le Jell-O, gélatine miracle, permettait à toutes les classes sociales de réaliser des desserts, chose autrefois réservée à l'élite. La campagne publicitaire de Jell-O le présentant comme un dessert chic correspondait aux conventions sociales qui introduisaient des distinctions entre les différents types de sucreries, à une époque où les gens « utilisaient le sucre comme un puissant facteur de communication sociale par le biais d'une innocente gélatine aromatisée[37] ».

Le sucre, c'était aussi le modeste protecteur des fruits en général, qui, tartinés sur du pain grillé, transformaient le petit-déjeuner en un repas agréable, substantiel et pas entièrement mauvais pour la santé (puisqu'il y avait des fruits). Auparavant, c'était le miel qui servait d'agent de conservation, ou la mélasse, ou le sirop d'érable et la pectine de pelure de pommes ; mais au fur et à mesure que progressaient les techniques de mise en conserve, la confiture et les gelées produites commercialement s'étaient généralisées. La confiture très sucrée mais subtile en fruits était déjà, durant les années 1870, un plat de base de la cuisine britannique ; jusqu'à la fin du siècle, l'Angleterre en exporta en Amérique du Nord. Après, les Nord-Américains commencèrent à produire la leur. Jerome M. Smucker inventa le beurre de pomme. Au Canada, E. D. Smith ouvrit une usine où l'on cuisinait dans des cuves ouvertes un mélange de confitures de prunes, de raisin et de pommes. En 1918, Paul Welch inventa Grapelade, une confiture aux raisins popularisée au cours de la Première Guerre mondiale : les États-Unis l'expédiaient par bateau aux soldats américains stationnés en France, lesquels l'apprécièrent au point de l'adopter à leur retour chez eux. C'était une énième variété de produits sucrés qui allait s'établir à demeure dans les foyers ordinaires.

Grâce à une forte demande et à l'accès désormais facile à des produits comme le thé, le café, le cacao, les gâteaux, les pâtisseries, les sodas, les bonbons, les chocolats et la confiture, grâce aussi aux progrès techniques qui rendirent possibles la production et la distribution de masse, grâce encore au goût pour des aliments plus sucrés inspirés par des recettes généreuses en sucre, même dans des plats déjà savoureux, tels que les soupes et les ragoûts, grâce également aux nouveaux barèmes sociaux, qui firent du sucre une mesure du statut social et de l'hospitalité, ainsi qu'à une plus grande prospérité, grâce enfin à cette anomalie économique qui voyait le prix du sucre s'envoler tout en demeurant une denrée de moins en moins chère, la consommation de sucre en Occident progressa régulièrement, et parfois de manière astronomique. Aux États-Unis, on passa d'une consommation de 4 kilos de sucre par personne par année en 1801 à 32 kilos par personne par année en 1905[38].

La féminisation du sucre

Comme Wendy Woloson le démontre si explicitement dans son *Refined Tastes*, lorsque le sucre était strictement un aliment de riches, on l'associait au pouvoir économique du mâle. Au fur et à mesure que son prix diminua et que les classes moins favorisées l'intégrèrent à leurs repas et à leurs petites fêtes, le sucre changea de statut. « Sa dévaluation économique, nous dit Woloson, fut parallèle à son déclin culturel.» À la fin du XIXᵉ siècle, lorsque le sucre raffiné fut reconnu comme aliment de base, «consommateur et consommé ne firent plus qu'un : les bonbons devinrent un attribut féminin et les femmes devinrent sucrées[39]!»

Une comptine, aujourd'hui classique, «De quoi sont faits les petits garçons?», résumait bien cette idée, en affirmant que les petits garçons sont faits de «grenouilles, d'escargots et de queues de chiots», alors que les petites filles sont faites «de sucre, d'épices et de tout plein de jolies choses». Comme le sucre, les filles furent déclarées douces dans leurs gènes; mais aussi, comme le sucre, qui n'avait pas de valeur nutritive, les filles étaient frivoles et manquaient de sens pratique. Alors que, pour accéder au cœur d'un homme, il fallait passer par son estomac, le chemin le plus court pour atteindre celui d'une femme, c'étaient les bonbons. La vente au détail des produits du sucre dépendait de l'acceptation par le grand public de ces connotations culturelles; soutenue fortement par la publicité, elle l'encourageait.

Les femmes furent aussi les premières cibles de Coca-Cola. En 1907, les annonces de Coke vantaient la «panacée du client», montrant Madame Sourire et son «merveilleux secret» pour faire des courses parfaites. «Quand je sors et que je prends un verre de Coca-Cola, ça me calme. Sur le chemin du retour, j'en prends un autre. Ça soulage mon début de migraine, et je rentre à la maison aussi fraîche que lorsque j'en étais partie.»

La féminisation du sucre fit de la femme un objet dévalorisé, comme le sucre abondant et bon marché.

> Elle était comme la saccharine, conclut Woloson. Non essentielle, décorative, douce, vaporeuse, et généralement sans substance. Ce qui incitait à la reléguer dans une sphère particulière, où on l'identifiait aux denrées qu'elle se procurait. Ce fut aussi une manière parfaitement structurée de la considérer comme essentiellement différente de l'homme et comme inférieure à lui[40].

Culturellement parlant, le sucre vu comme une denrée féminine eut de virulents détracteurs, qui le dénoncèrent comme sans substance, mais séducteur, un tentateur à fuir. En ce début de XIXᵉ siècle, où l'on voyait apparaître, en Amérique du Nord et en Europe, un mouvement pour la défense de la pureté morale, qui, un siècle plus tard, allait disparaître de l'horizon, le sucre et ses agréables variantes, les desserts et les gâteaux, furent décrits comme un ennemi qui vous vole votre courage et toutes vos forces. De plus, le sucre était mauvais pour la santé : il vous pourrissait les dents.

Même les enfants étaient menacés de succomber à la tentation du sucre vu comme un péché. Avec les bonbons, les enfants pauvres étaient particulièrement menacés « d'intempérance, de gloutonnerie et de débauche ». Le journal *The Friend* donna un avertissement à ce sujet. Le *Coloured American*, qui était le journal afro-américain le plus influent depuis sa fondation en 1836 et sa fermeture en 1841, dénonça les magasins de bonbons comme autant de « foyers de maladies », où sévissaient « pourritures et putrescence[41] ». La dépendance des enfants aux bonbons pouvait facilement, peut-être même de manière inévitable, déboucher sur l'alcoolisme de l'adulte. Même la raisonnable Madame Rorer mit tout son poids dans la campagne contre le sucre et contre ces femmes qui grapillent le sucre et en tombent malades. En en mettant partout, et trop, dans les céréales et dans tous les aliments, les mamans créaient chez leurs enfants le besoin de sucre.

Le philanthropique lait au chocolat

Après l'abolition de l'esclavage, les souffrances des travailleurs du sucre qui avaient remplacé les esclaves n'attirèrent pas l'attention de beaucoup de monde ; la production sucrière cessa d'être un enjeu de première importance pour les réformateurs. Mais le sucre ne se trouvait pas « blanchi » pour autant ; toutefois, les critiques s'attaquaient dorénavant au seul souci de bien-être des consommateurs et à ses terribles conséquences pour la santé. Par un étonnant paradoxe, les fabricants de chocolat, qui avaient compté sur le sucre pour donner du goût à leurs produits, échappèrent à la colère des militants anti-sucre ; certains d'entre eux furent même de réputés philanthropes, comme Milton Hershey, un de leurs plus illustres représentants.

La philanthropie des fabricants de chocolats ne venait pas d'un sentiment de culpabilité ou de malaise. Un commentaire d'Anna Vernon, biographe de Joseph Rowntree, pourrait s'appliquer à tous ses confrères : « Son père ne voyait aucune incongruité à invoquer dans le même paragraphe d'une lettre ses réserves de sucre et le Saint-Esprit ; jamais il ne serait venu à l'esprit de Joseph qu'un code moral pût s'appliquer aux seules activités commerciales[42]. »

En Angleterre, le trio Fry, Cadbury et Rowntree s'efforça d'appliquer dans la vie de tous les jours les préceptes quakers. Chaque jour, Joseph Fry ouvrait son usine avec une lecture de la Bible, un hymne et une prière. Les membres de la famille qui dirigeaient la compagnie inventèrent la formule « le bonheur par le travail », offrant de bonnes conditions de travail, des activités sportives, des clubs de jeunes, des pensions et une assurance maladie.

La femme de Joseph, Elizabeth contribua à imposer une réforme des institutions pénitentiaires britanniques. Elle fit aussi campagne en faveur des sans-logis, des malades mentaux et des pensionnaires des prisons, s'opposant vigoureusement à la peine capitale. La reine Victoria soutint financièrement ses causes, notant dans son journal : Madame Elizabeth Fry est une « personnalité de très haut niveau ». Ses engagements n'avaient pas de liens directs avec l'entreprise familiale, mais ils rehaussaient son image.

Les frères Cadbury étaient des employeurs éclairés. George Cadbury bâtit, dans le but d'en faire un modèle, « une usine dans un jardin », et un village pour les employés de sa compagnie, à Bournville, Birmingham : les ouvriers avaient de spacieuses résidences, une bibliothèque, un hôpital, et pouvaient pratiquer plusieurs activités sportives et récréatives. Un ex-employé se rappelait : « Je me sentais toujours en vacances ; l'usine sortait tout droit d'un conte de fées[43]. » En 1901, Cadbury fit don du village au holding Bournville Village ; de nos jours, 25 000 résidents y vivent.

Les Rowntree aussi furent de consciencieux employeurs. Voulant mettre un terme aux difficiles conditions de travail de leur vieille usine — bâtiment sinistre à peu près sans toilettes ni réfectoires —, ils en bâtirent une toute nouvelle. Sous la direction de Seebohm Rowntree, la compagnie instaura pour ses travailleurs un régime de retraite, une semaine de cinq jours de travail et d'autres avantages. Un autre projet de Rowntree fut New Earswick, qui comportait 150 acres de maisons

« bien construites, salubres, artistiquement conçues », et financièrement accessibles aux plus modestes.

Les Rowntree se distinguèrent par leurs enquêtes sur les causes profondes de la pauvreté et tout ce qui s'y rapportait. Joseph fonda trois sociétés fiduciaires Rowntree pour aider à financer la recherche sur les causes de la pauvreté. Il publia d'importantes études sur les liens entre l'alcoolisme et la pauvreté. L'ouvrage *Poverty: A Study of Town Life*, de son fils, Seebohm, demeure un classique.

Aux États-Unis, Milton Hershey utilisa sa fortune pour bâtir un village ouvrier idyllique, baptisé Hershey, en Pennsylvanie, dont certaines rues furent baptisées Chocolat et Cacao. Hershey était un village avec de belles résidences, des parcs, des écoles et des églises; il y avait un hôtel, un établissement universitaire gratuit, des installations sportives et récréatives, et un impressionnant centre communautaire équipé d'un théâtre. L'un des résidents confia : « On avait tout ce qu'ils ont, dans les grandes villes – peut-être plus[44] ! » Pour s'assurer que tout était partout impeccable, Hershey engagea des inspecteurs pour vérifier que les pelouses étaient bien taillées, qu'on ne trouvait ni ordures ni traces de boissons alcoolisées. Comme on le dit de la vertu, Hershey était sa propre récompense. Les gens faisaient la queue pour venir voir la merveille : dans leur esprit, Hershey signifiait joie de vivre et bonne éducation. Hershey offrait aussi à ses ouvriers des assurances maladie et accidents, un régime de retraite et une couverture sociale en cas de décès. Il avait fondé une école pour les orphelins sans ressources, disant : « Ben voyez-vous, je n'ai pas d'héritiers; j'ai donc décidé d'avoir comme héritiers les orphelins pauvres des États-Unis[45]. »

En 1916, Milton Hershey construisit un autre Hershey à Cuba, où il acheta 100 000 acres de canne à sucre pour assurer ses approvisionnements durant la Première Guerre mondiale. Il y érigea la plus grande raffinerie sucrière du monde, donnant du travail à plus de 12 000 ouvriers. (La Charles Hire Company, qui fabriquait la *root beer*, acheta, elle aussi, des usines sucrières cubaines.) Le centre-ville de Hershey (Cuba) avait l'électricité, un train électrique, l'eau courante, des médecins et des dentistes, des enseignants, un terrain de baseball, un golf, un champ de courses et un country club. Comme il l'avait fait aux États-Unis, Hershey fonda un orphelinat. Le « tsar du chocolat », comme on l'avait surnommé, était, pour reprendre les mots enthousiastes du président cubain, Gerardo Marchado, « un magnifique ambassadeur[46] ».

Le démon du rhum et les campagnes de tempérance

Dans une Amérique du Nord où l'alcool coulait à flots, l'habitant de l'époque coloniale consommait en moyenne plus du double de l'alcool de l'Américain moyen d'aujourd'hui, le plus souvent du rhum. Le rhum servait à tout : calmer les coliques du bébé de la Nouvelle-Angleterre, remonter le moral de l'élève terrorisé par ses examens, revigorer l'ouvrier durant la pause, soulager les souffrances des personnes âgées. Le rhum avait aussi un rôle à jouer à l'occasion des élections, les politiciens sachant leurs électeurs sensibles aux plaisirs de l'alcool : en 1758, George Washington utilisa pour sa campagne plus de 28 gallons de rhum et 50 gallons de punch au rhum.

Les Américains consommaient tellement de rhum, qu'en 1770, on comptait 141 distilleries et plus de 24 distilleries annexes, ces dernières fournissant la mélasse nécessaire à la production du rhum. Les distilleries de rhum et de sucre étaient si rentables, et constituaient un tel stimulus économique pour les colonies du nord-est, qu'aux dires de l'historien des aliments McWilliams, les marchands, « en utilisant le nom diabolique de Rhum [...] parvinrent à rassembler en un faisceau serré l'ensemble des régions coloniales américaines, autrefois si dispersées[47] ».

Pour dire aussi les choses comme elles sont, le sucre distillé était directement responsable d'une consommation immodérée d'alcool et de l'alcoolisme, mais, à vrai dire, les partisans de la tempérance préféraient souligner ses propriétés édulcorantes, grâce auxquelles le thé, le café, le cacao et, plus récemment, les sodas, étaient devenus d'agréables substituts aux alcools durs et à la bière : Coke, par exemple, avait mérité l'étonnant qualificatif de « boisson pour l'intelligence et boisson de la tempérance ». (Ses détracteurs affirmaient cependant que sa teneur en cocaïne transformait les Noirs, toujours une bouteille à la main, en diables fous qui terrorisaient les Blancs — en fait, pour avoir l'équivalent d'une ligne de coke, il aurait fallu ingurgiter trente verres de Coke, et à toute vitesse. Au début du XXe siècle, toute trace de cocaïne avait disparu du Coca-Cola.) Heureusement pour ses producteurs, les ventes de sucre demeurèrent excellentes quel qu'en fût l'usage : rhum ou édulcorant.

CHAPITRE 12

Héritage et perspectives
du sucre

Une aventure globale : ou comment le sucre
a bouclé la boucle

Au tournant du xxᵉ siècle, la canne à sucre avait envahi le monde : partie de la Nouvelle-Guinée, puis poussant une pointe au nord, puis à l'ouest, elle était finalement revenue dans le Pacifique. L'héritage de la canne à sucre est partout visible dans le monde, même là où on ne la cultive plus, et plus particulièrement dans les Antilles. Là (à l'exception de la Guyane, de Cuba et de la République dominicaine), sa majesté le Sucre vit ses dernières années comme industrie importante ; du reste, presque toutes les anciennes colonies ont acquis leur indépendance. Mais les accords commerciaux et politiques gardent des traces du passé. Dans ces pays, la culture sucrière est à l'origine de luttes politiques sans fin entre Afros et Indo-Trinidadiens et Guyanais ; elle est source également de conflits permanents entre autochtones et populations asiatiques d'Hawaï et des îles Fidji ; elle est aussi à l'origine de l'actuelle monnaie en cours à l'île Maurice, au large des côtes africaines, la roupie, et de sa population majoritairement indienne.

En Asie, où le sucre est devenu une puissante industrie, les traces de son passage demeurent tout aussi manifestes. Toutefois, en Inde, au Pakistan et en Chine, les plantations telles qu'on les trouvait dans les Antilles et qui étaient administrées à partir de la métropole, n'ont plus rien à voir avec ce qu'elles sont aujourd'hui. En Inde, le sucre est actuellement la deuxième industrie agroalimentaire en importance ; les usines modernes bâties au xxᵉ siècle ont été construites pour satisfaire aux besoins de sucre blanc raffiné de la population urbaine et des expatriés. Mais la majorité des Indiens préfèrent des variétés traditionnelles de sucre, comme le *khandsari*, plus « grossier », et le *gur* ou *jaggery*, qu'ils jugent plus nourrissants que le sucre raffiné, et mieux adaptés à la fabrication des bonbons. On a aussi assisté à une importante demande de mélasse moins raffinée, et même de canne brute, pour nourrir les chevaux, les vaches laitières et les majestueux éléphants qui sont la propriété de l'État.

L'aspect le plus intéressant de l'héritage sucrier en Inde, c'est que l'industrie *ne repose pas* sur la plantation. La plus grande partie de la canne provient des petits propriétaires paysans, et on la traite dans des moulins gérés soit par des intérêts capitalistes privés, soit, comme dans l'Inde occidentale, par des coopératives paysannes ; les fermiers producteurs de canne sont au nombre de 50 millions, et ils emploient des millions de travailleurs. À la différence de tant de colonies et de pays sucriers ayant opté pour le système des plantations, l'Inde n'était pas un nouveau territoire ouvert aux colons et offrant de vastes terres à bon marché. En outre, personne ne pouvait obliger les paysans à quitter leur terre pour devenir les ouvriers mal payés des nouvelles plantations, comme cela avait été le cas à Java et en Amérique latine. Le Comité indien du sucre, constitué en 1920 pour conseiller le gouvernement sur sa politique sucrière, dénonça la vente forcée des terres, ainsi que les autres mesures coercitives visant à créer une industrie sucrière indienne fondée sur le système des plantations. « Nous ne pouvons calmement envisager l'implantation d'usines au beau milieu de paysans affligés et mécontents [...] ; le résultat serait inéluctable[1]. »

En Chine, l'héritage sucrier est unique, car, à la différence des autres peuples, les Chinois n'ont jamais utilisé le sucre comme nourriture, tant et si bien que de nos jours, il ne fait toujours pas partie des produits de consommation de masse. Les Chinois mâchent la tige de la canne, boivent le jus de canne chaud, s'en servent comme médicament et comme condiment, ainsi que comme agent de préservation des fruits et des légumes ; ils en font des gâteaux en forme de lune et autres friandises comme de jolis bonbons aux formes animales ; ils font fermenter le jus de canne et la mélasse pour en faire du vin. Mais ils prennent leur thé sans sucre ; jusqu'à l'avènement des boissons non alcoolisées et des bonbons, ils ne sucraient presque pas, ou jamais, leur nourriture.

Comme l'Inde, la Chine a mis sur pied une culture sucrière sans plantations, ainsi que l'a si bien décrite le sinologue Christian Daniels dans son œuvre magistrale *Agro-Industries: Sugarcane Technology*. Les paysans cultivaient la canne, mais cette dernière n'était qu'une récolte parmi d'autres; pour broyer leur sucre, sauf s'ils avaient accès à l'une des importantes coopératives sucrières, ils engageaient des pâtissiers itinérants. Ces derniers utilisaient le système des tapis de bambou tapissant l'extérieur d'un gros chaudron de fer, un foyer et des rouleaux, «appareil tout simple, qui remplissait bien sa fonction, mais que le planteur de l'Inde occidentale jugerait inefficace, voire méprisable», notait un observateur britannique, en 1797. Il est vrai que le sucre ainsi traité était de qualité inégale – brun, argileux, en galets –, mais le marché local semblait satisfait. Les marchands ambulants et les négociants l'achetaient et l'envoyaient par bateau vers les villes de Chine. Les Chinois prenaient aussi soin d'écarter tous les étrangers de l'industrie sucrière. Aujourd'hui, la Chine est le quatrième producteur de sucre du monde; elle réussit à nourrir son milliard d'habitants avec sa modeste consommation annuelle de 9 kilos par tête.

Les effets de la culture de la canne sur l'environnement

La canne à sucre (contrairement à la betterave sucrière) a altéré l'environnement de manière irréversible. Selon un rapport du Fonds mondial pour la faune et la flore, elle a sans doute «causé une plus forte dégradation de la biodiversité que toute autre culture: destruction de l'habitat pour faire place aux plantations, utilisation intensive de l'eau pour l'irrigation, usage massif de produits chimiques industriels et rejets quotidiens d'énormes quantités d'eau polluée provenant de la production de sucre[2]».

Dans son œuvre monumentale, *The West Indies: Patterns of Development, Culture and Environmental Change Since 1492*, le géographe-historien David Watts décrit comment, à la Barbade, les planteurs ont presque totalement détruit «un écosystème naturel fermé», en y substituant la canne à sucre et d'autres espèces importées comme le cocotier, ce qui a donné «quelque chose de joli, mais aussi, un paysage écologiquement fragile[3]». Au XVIIe siècle, les forêts de l'île, y compris les forêts tropicales, furent rasées; le sol laissé sans protection a souffert de l'érosion, et s'est densifié, de sorte que sa fertilité a décru. L'absence de voûte arboricole a déséquilibré le processus d'évapotranspiration, qui rafraîchit l'air mais intensifie les effets des vents alizés et la quantité de sel déposée sur les terres. Les mauvaises herbes envahirent puis détruisirent le sol. Quelques planteurs tentèrent bien de pallier cette destruction et de redonner vie aux sols en ordonnant aux esclaves d'engraisser les champs et de rapporter des sédiments de terre arable sur les pentes mises à nu par la pluie. « Vers 1830, conclut Watts, la plupart des grandes modifications apportées à l'environnement par l'agriculture [...] peuvent se classer en deux catégories: davantage de déforestation, avec ses effets sur la biosphère, et davantage d'érosion des sols[4]. »

Là où l'eau se fait rare, la canne entre en concurrence avec les gens. Ainsi, dans la province indienne du Maharashtra, très exposée aux sécheresses, la canne ne représente que 4% des terres cultivées, mais elle avale plus de la moitié de l'eau d'irrigation, obligeant les gens à faire des kilomètres pour se trouver de l'eau potable.

La culture de la canne a aussi décimé des millions d'animaux et de plantes. Les singes et les oiseaux ont perdu leur habitat naturel dans les branches et le sommet des arbres. Au moins seize espèces de perroquets ont disparu, transformés en repas ou devenus animaux de compagnie, ou victimes des chats dont les ancêtres avaient été importés d'Europe. En Inde comme ailleurs, les déchets solides et liquides des moulins à sucre contaminent les rivières et les bords de mer, tuant toute vie marine. Une usine sucrière qui broie 1 250 tonnes de canne chaque jour utilise plus de 40 000 gallons d'eau à l'heure, et rejette un peu partout entre 8 000 et 20 000 gallons de déchets liquides, solides, gazeux, et beaucoup d'autres produits polluants[5].

En Australie, chaque année, 15 millions de tonnes de rejet industriel de canne contaminé par 7 700 tonnes d'azote et 11 000 tonnes de phosphore détruisent une partie importante de la Grande Barrière de Corail, site du patrimoine mondial couvrant plus de 2 000 kilomètres, et seul habitat vivant de la faune et de la flore visible depuis l'espace. Le récif de corail prend des siècles pour gagner quelques mètres, mais quelques années pourraient suffire à l'endommager irrémédiablement.

Les rats, espèce animale devenue le fléau des champs de canne, ont aussi eu un effet désastreux sur les espèces locales, dévorant ou tuant les animaux plus lents et les œufs des iguanes, qui contribuent à disséminer

les graines de la flore locale. Pour enrayer l'invasion des rats, les planteurs des Antilles britanniques, de la Guyane, du Surinam, de la Colombie,
d'Hawaï et des îles Fidji ont cru avoir une bonne idée : importer des
mangoustes de l'Inde. Mais ils ont découvert trop tard que la vorace et
prolifique mangouste, avec son étonnante faculté d'adaptation, chassait
les poules, les oiseaux sauvages, et encore plus des petits animaux traqués
par les rats. En Jamaïque, par exemple, la mangouste est responsable de
l'extinction du lézard géant des marais, de la couleuvre noire, des rats
des champs, de l'engoulevent, et du pétrel.

Cela n'empêcha pas, en 1934, les planteurs d'Hawaï et d'Australie,
insensibles aux dangers liés à l'importation d'espèces étrangères, d'introduire dans leurs plantations le tristement célèbre crapaud d'Amérique
centrale et d'Amérique du Sud. On s'attendait à ce qu'il élimine le
scarabée (et ses larves), qui tue ou retarde la croissance de la canne à
sucre en mâchouillant ses racines. Mais les planteurs ont vite appris
que, si le crapaud ne saute pas assez haut pour saisir les scarabées s'ac-
crochant au sommet des tiges, ses toxines tuent les grenouilles, les
iguanes, les crocodiles, les serpents-tigres, les serpents noirs au ventre
rouge, les serpents venimeux d'Australie, les dingos, les kangourous,
les chats tigrés, les chiens et les chats, et même les abeilles. Pire : ils n'ont
pas de prédateurs naturels, ils sont prolifiques et énormes (de la taille
d'une assiette). En Australie, où l'on en compte 100 millions, ils sont
maintenant considérés comme des ennemis.

Manœuvres politiques sucrières plus ou moins raffinées

Le lobbying considéré comme l'un des beaux-arts constitue un autre
legs attesté de l'implantation de l'industrie sucrière, et, pour les intérêts
privés, un modèle à suivre. De nos jours, le lobby du sucre de canne ou
de la betterave sucrière est extraordinairement puissant. En Europe,
quand les premiers pains de sucre napoléoniens bouleversèrent la donne
sucrière continentale, dressant les pays les uns contre les autres et
contre les pouvoirs coloniaux, les gouvernements répondirent aux
demandes des puissants lobbies en utilisant leur stratégie habituelle, à
savoir l'établissement de tarifs douaniers, l'adoption d'une politique
commerciale et l'octroi de subventions, qui permettaient à ces lobbies
d'assurer ou de maintenir leur « suprématie ». En fait, les magnats du

sucre profitèrent tout autant du « droit acquis » des citoyens de consommer de grandes quantités de sucre à bas prix, principe que même
Napoléon et Hitler reconnurent et adoptèrent.

Au sein de l'industrie sucrière, les raffineurs ont peu à peu remplacé
les producteurs comme détenteurs de pouvoir, plusieurs d'entre eux
influençant la production elle-même. Aux États-Unis, les raffineurs
traitent aussi bien la betterave sucrière que la canne à sucre. En Angleterre, les raffineurs se sont répartis le butin : aux six usines de la British
Sugar revient la tâche de traiter la betterave ; à la raffinerie Tate & Lyle
Silvertown, la plus grande du monde, située dans la partie est de Londres,
le soin de traiter environ 70 % du sucre de canne brut importé chaque
année au Royaume-Uni. Cette bénéfique répartition des produits donne
chaque année 1,4 million de tonnes de sucre dérivé de la betterave, et
1,1 million de tonnes de sucre dérivé de la canne. Qu'ils s'occupent de
canne, de betterave ou des deux, les décideurs d'aujourd'hui marchent
dans les pas de leurs puissants prédécesseurs.

Aux États-Unis, les gros intérêts du sucre donnent chaque année des
millions aux politiciens et à leur parti pour les inciter à maintenir le
système qui, depuis 1934, protège les producteurs de canne à sucre et de
betterave sucrière, les responsables des moulins et les raffineurs contre
les pertes d'exploitation. Dans le cas des autres programmes d'aide à
l'agriculture, le gouvernement accorde directement des subventions,
mais, dans le cas des programmes qui s'appliquent à l'industrie sucrière,
il procède différemment. Il maintient élevé le prix de base du sucre
domestique de trois façons : en vérifiant les quantités produites pour
chaque part de marché, en accordant des prêts à un tarif préférentiel et
en limitant les importations extérieures par un système de taxation et
de quotas. Dans le cadre de ce système, une taxe prohibitive est imposée
sur toute importation excédant les quotas prévus pour chaque pays, ce
qui a pour conséquence d'exclure en définitive les concurrents étrangers
du marché américain.

Les adversaires de cette politique rétorquent qu'en braquant les
producteurs de sucre comme l'Inde, le Brésil, le Chili, la Thaïlande, les
Philippines, la Colombie, le Costa Rica, le Salvador, le Guatemala, le
Honduras, le Nicaragua et Panama (d'après OXFAM, l'accès limité de
ces pays au marché américain leur coûte annuellement 1,68 milliards
de dollars), le décret de 1934 incite ces pays, en représailles, à imposer
des tarifs douaniers très élevés aux autres produits américains. Comme

l'affirme Ira S. Shapiro, membre de la coalition pour la réforme de l'industrie sucrière, « chaque pays a ses produits particulièrement vulnérables, le sucre étant effectivement pour nous un de ceux-ci[6] ».

Les gros intérêts sucriers ont trouvé des façons de ne pas transgresser la loi anti-trust américaine, en procédant notamment à la commercialisation par le biais de coopératives. Les producteurs ont également obtenu de se soustraire à certaines clauses des lois du travail, comme l'obligation de payer les heures supplémentaires. Quel que soit le nombre d'heures travaillées par jour, les travailleurs de la betterave gagnent en moyenne entre 5,15 $ et 7,50 $ l'heure, et les travailleurs de la canne environ 6 $ l'heure. Les lobbies ont aussi réussi à soustraire les ouvriers du sucre à l'amnistie temporaire accordée en 1986 par le président Reagan aux travailleurs agricoles saisonniers, ce qui les priva de la possibilité d'obtenir la carte verte et de légaliser leur séjour aux États-Unis.

La Floride a sa propre histoire des relations de travail dans les champs de canne à sucre. Jusqu'en 1942, les producteurs ont recruté — parfois kidnappé — les Afro-Américains des États voisins pour faire leur récolte, promettant le transport gratuit jusqu'au lieu de travail et 6 $ par jour travaillé. Une fois arrivés en Floride, les ouvriers découvraient le pot aux roses : leur salaire était de 1,80 $ par jour, sans gîte ni couvert ; ils devaient payer 8 $ pour le transport dans un bus bondé ou en camion, et débourser 90 cents pour se procurer un couteau à canne. S'ils tentaient de s'enfuir, raconta un vieux coupeur de canne au journaliste Alex Wilkinson, « ils arrivaient, vous empoignaient et vous enchaînaient au lit pendant la nuit. J'ai vu des gens recevoir une raclée. […] Ils vous tapaient avec le couteau à canne[7]. »

En 1942, les abus étaient tels et si répandus que le gouvernement fédéral, invoquant le treizième amendement, porta des accusations contre la Corporation sucrière des États-Unis pour abus de journaliers et esclavage *de facto* de journaliers ou de travailleurs endettés. Le procès tourna court, mais l'acte d'accusation établit clairement que l'on ne pouvait traiter les Américains comme des esclaves. Comme on pouvait s'y attendre, le *Big Business* sucrier eut alors recours aux ouvriers provenant des Antilles, faciles à contrôler puisque toujours susceptibles de déportation (les Portoricains, qui ne pouvaient pas être déportés, n'étaient pas les bienvenus). Le gouvernement fédéral offrit alors son aide pour la négociation des contrats, assumant le coût du transport aller-retour aux États-Unis.

En 1986, l'entente n'aboutit à rien, et les coupeurs de canne antillais engagés par la famille Fanjul, l'une des plus importantes du cartel sucrier, cessèrent le travail pour protester contre les salaires injustes. Les Fanjul envoyèrent alors la police anti-émeute du comté de Palm Beach, qui, avec une escouade de chiens d'attaque forcèrent les coupeurs de canne et tous les employés, en grève ou non, à monter dans un autobus à destination de Miami. Pendant cet épisode de la « guerre des chiens », les ouvriers antillais furent chassés sans pouvoir emporter quoi que ce soit, certains se voyant même « rapatriés » avec leur seul sous-vêtement. L'Okeelanta Corp., propriété des Fanjul, déboursa par la suite une somme de 1 000 $ par personne déportée pour perte de biens personnels. Finalement, Alfonso Fanjul reconnut devant la journaliste Marie Brenner : « Nous avons très mal géré la guerre des chiens, et je regrette que les choses se soient passées ainsi[8]. »

Alfonso (Alfy) Fanjul et ses frères, José Aka Pepe, Andres et Alexander, sont le Big Business sucrier incarné. Descendants de familles de planteurs cubains chassés par la Révolution, ils ont rebâti leur empire aux États-Unis, où Florida Crystals Inc. possède environ 180 000 acres de terres, cultive, broie et raffine le sucre. Alfy s'est un jour essayé à couper la canne : « Ce n'est pas possible [...], je n'ai pas tenu vingt minutes [...], j'ai cru avoir une attaque[9]. »

Les Fanjul versent de larges et stratégiques contributions aux partis politiques : Alfy finance les démocrates, José les républicains, tous deux rétribuant des lobbyistes pour maintenir ou améliorer leur position dominante. Les Fanjul ont des amis intimes à tous les paliers de l'administration, au sein du Congrès et de l'élite politique de la Floride. Ils invitent des célébrités dans leur luxueux domaine de Casa de Campo, en République dominicaine : parmi elles, Henry Kissinger, des membres de la famille Rothschild, Sean « Puff Daddy » Combs, et même Lisa Marie Presley et Michael Jackson, qui s'y sont mariés en 1994.

Témoignant devant la Commission Starr, Monica Lewinsky se rappelle qu'un jour, tandis qu'elle était dans le bureau du président Clinton et qu'elle venait d'apprendre la fin de leur relation, le téléphone a sonné : c'était Alfy Fanjul. Les relevés téléphoniques montrent que lui et Clinton ont parlé pendant vingt-deux minutes. Comme le fait remarquer le romancier et chroniqueur du *Miami Herald* Carl Hiassen, « cela dit tout sur l'influence de la famille Fanjul[10] ». D'où la blague : « Fanjul : première famille bénéficiaire de l'aide sociale aux riches», qui est une allusion aux juteux bénéfices que tire la famille Fanjul de l'accord sur le sucre.

En 1989, dans un procès en recours collectif représentant 20 000 coupeurs de canne jamaïcains, Bernard Bygrave poursuivit en justice l'Atlantic Sugar Association, la filiale Okeelanta de Florida Crystals, U.S. Sugar, les Fermes Osceola, ainsi que la Coopérative des producteurs de sucre de Floride pour des salaires impayés, entre 1987 et 1991, et évalués à des millions de dollars. Bien que travaillant entre dix et douze heures par jour, les coupeurs déclarèrent s'être fait un maximum de 40 ou 45 $ par jour, mais souvent 15 $, et que, par peur d'être mis sur la liste noire ou d'être tout simplement chassés, ils avaient refusé de porter plainte. Ils avaient appris de la «guerre des chiens».

Le procès intenté par Bygrave n'eut pas pour conséquence une amélioration des conditions de travail. Pire: la plupart des coupeurs perdirent leur emploi le jour où les Fanjul, U.S. Sugar et d'autres producteurs introduisirent des coupeuses de canne mécaniques. U.S. Sugar régla la poursuite en justice pour 5,7 millions de dollars. Les Fanjul préférèrent attendre le jugement de la cour, sachant bien que les coupeurs de canne disposent de peu de moyens. Résultat: on a aujourd'hui cinq procès séparés impliquant cinq gros producteurs. L'article publié en 2001 par Marie Brenner dans *Vanity Fair*, intitulé «In the Kindom of Big Sugar», a inspiré le film *Sugarland* ou *The Sugar Kings*, mettant en vedette Jodie Foster et Robert De Niro.

Nulle part ailleurs que dans les Everglades, en Floride, la politique sucrière n'a été aussi désastreuse. Autrefois, les Everglades étaient appelés «Rivière des herbes»; avec une superficie de 200 kilomètres de long et de 18 mètres de large, la rivière était assez profonde pour assurer la viabilité du marécage subtropical et constituait un écosystème complexe et fragile unique au monde. Des myriades de plantes, d'oiseaux et d'animaux vivaient là, dont le crocodile américain, la panthère de Floride et le lamantin des Caraïbes, espèces rares et aujourd'hui menacées d'extinction. Dès 1947, l'ouvrage *Everglades: River of Grass* de Marjory Stoneman Douglas attirait l'attention sur le fait que la progression implacable de l'habitat humain et de l'agriculture était un important facteur de destruction de l'écosystème et de l'assèchement et du détournement des eaux des Everglades. Le président américain, Harry Truman, répondit à l'appel de l'écrivaine en ordonnant la protection de deux millions d'acres du Parc national des Everglades, incluant vingt pour cent du marécage original.

Mais les magnats du sucre débarquèrent, et la dévastation de l'environnement reprit de plus belle. Depuis toujours, les cultures agricoles pompent l'eau des Everglades, détournent leur écoulement naturel, et y déversent du phosphore qui pollue les eaux de surface et les sols. Les grandes quantités de phosphore assèchent les terres arables, qui sont aussitôt emportées par les pluies. Le phosphore est par ailleurs la nourriture des quenouilles, qui étouffent toute la flore ambiante, détruisant des dizaines de milliers d'acres d'herbes marécageuses sous-marines. Des oiseaux comme la tantale d'Amérique, l'ibis blanc et la grande aigrette ne peuvent plus s'y poser, s'y nourrir ou y faire leur nid.

Les gros intérêts sucriers se moquent des critiques de l'environnement. Réplique classique de l'un d'entre eux, la U.S. Sugar, et son représentant auprès des médias, Otis Wragg III : «Il y a cent ans, on appelait ça un marécage, et on l'a drainé. On parle aujourd'hui d'un fragile écosystème[11].» Entre 1990 et 1998, les magnats ont dépensé treize millions de dollars pour les diverses campagnes électorales au Congrès et à la présidence, d'autres millions pour les élites locales, et au moins vingt-six millions en Floride pour couper l'herbe sous le pied à ceux qui exigeaient que les producteurs paient pour le nettoyage des Everglades. L'un des bénéficiaires fut Jeb Bush, élu gouverneur en 1998.

Ceci nous ramène au coup de fil donné au président Clinton par Alfy Fanjul, beaucoup plus désespéré que Monica Lewinsky, car il venait d'apprendre que le vice-président Al Gore voulait protéger les Everglades avec une «taxe au pollueur», et en reconvertissant 100 000 acres de canne à sucre en terre marécageuse. Commentaire d'un membre du lobby du sucre : «Alfy s'est senti trahi. Il avait fait campagne pour Clinton, il était allé lui chercher beaucoup de voix, et voilà que Gore le récompensait avec une taxe. Alfy était en furie contre Clinton, il hurlait[12]!»

Ce ne fut pas inutile. Clinton capitula devant l'urgente nécessité de garder la Floride dans le giron des démocrates. Le projet de «restauration» des Everglades qui a suivi l'élection a épargné l'industrie sucrière, même si des scientifiques installés au cœur du Parc national ont apporté des «preuves évidentes, crédibles et irréfutables» que la nouvelle «restauration[13]» n'allait *d'aucune façon* régénérer l'écosystème déjà atteint. Alfy Fanjul félicita Clinton : «Nous avons là un grand président.»

L'administration Bush a sabré un peu plus le projet de restauration et retardé de dix ans les premières mesures de nettoyage. Quand Jeb Bush a finalement transformé le projet en loi — ce fut la loi dite de restauration des Everglades —, Pepe Fanjul était à ses côtés. Les magnats du sucre avaient une puissance de feu — et de dollars — très supérieure à celle des amis des Everglades; ils distribuaient des millions là où c'était utile, engageaient des hordes d'avocats et de lobbyistes, parfois quelques scientifiques appelés à la rescousse comme « témoins experts », n'oubliant pas les réceptions bien arrosées pour manipuler et convaincre.

En République dominicaine, où les Fanjul font aussi la pluie et le beau temps, les politiques sucrières sont aussi peu raffinées que ne l'est la canne sur sa tige. L'histoire du pays aide à comprendre certaines de ses obsessions. Au XIXe siècle, la République dominicaine fut rattachée à la France, puis à l'Espagne, puis obtint son indépendance; de 1822 à 1844, elle fut occupée par Haïti, puis redevint indépendante, étant hélas dévastée par la dictature, l'anarchie, le chaos et la corruption. En 1865, les États-Unis déclinèrent l'invitation de l'annexer, comme ils l'avaient fait pour Cuba. Au début du XXe siècle, cependant, l'intérêt des Américains pour la République les amena à s'immiscer dans l'administration dominicaine. En 1916, ils envoyèrent les *marines*, déjà maîtres du voisin haïtien, l'occuper militairement.

La République dominicaine avait à ce moment-là un début d'industrie sucrière, qui était aussi le premier employeur du pays. C'étaient les Cubains fuyant la guerre de Dix Ans qui avaient mis sur pied cette industrie. Mais, dans les années 1870 et 1880, les Américains, les Européens et les Canadiens s'en emparèrent. Les nouveaux venus modernisèrent les moulins, bâtirent des chemins de fer pour le transport de la canne, augmentèrent la production et exportèrent le sucre en Angleterre, en France et au Canada. L'occupation américaine, qui dura jusqu'en 1924, renforça ces tendances lourdes, améliorant les infrastructures, dont les routes et les chemins de fer, et multipliant les investissements. Mais avec les progrès de l'industrie sucrière, les habitants des Antilles britanniques, ou *Cocolos*, préféraient les emplois plus spécialisés des moulins; ce sont les Haïtiens qui les remplacèrent dans les champs de canne. Situation potentiellement explosive: dans un pays pauvre tourné vers l'agriculture, les étrangers étaient propriétaires de la plus importante industrie, et n'engageaient que peu de Dominicains. Les Haïtiens, que l'on voyait partout dans les champs de canne, étaient haïs et redoutés à la fois:

c'étaient les anciens occupants, et c'étaient aussi des agitateurs qui luttaient férocement contre l'occupation américaine d'Haïti.

Les conditions de vie dans les *bateys* se dégradèrent. En 1926, le consul américain de Saint-Domingue les décrivait comme «primitives à l'extrême». La plupart des Haïtiens cherchaient du travail ailleurs; ceux qui restaient dans les plantations résistaient comme d'habitude, c'est-à-dire en mettant le feu aux champs de canne, en sabotant les résidences, l'équipement et les outils, en volant, en travaillant n'importe comment et avec lenteur. Ils protestèrent aussi contre la diminution de leurs salaires, réduits de moitié en 1930, et contre le fait qu'on les flouait lors des pesées de la canne. Le gouvernement haïtien n'intervint pas. Les revenus des licences que les recrues devaient acheter pour avoir le droit de couper la canne dominicaine constituaient la plus importante source de revenus d'Haïti.

En 1930, le dictateur dominicain Rafel Trujillo prit le pouvoir. Trujillo haïssait les Haïtiens, dont il fit des boucs émissaires, décrits par lui comme une menace à la «race» et à la culture dominicaine, à ses yeux hispanique, et non pas africaine, plus blanche que noire, et chrétienne plutôt que vaudoue. Il entretenait chez les Dominicains la peur que des armées d'Haïtiens viennent «haïtianiser» la République; il organisa des campagnes auprès des Européens pour les inviter à venir épouser des Dominicaines à la peau claire. Il constitua un système de cartes d'identité, toujours en usage, qui établit une distinction entre les Dominicains — les «Indios», ou «Blancs», d'ascendance taïno-espagnole (concept fictif, mais qui permet d'oublier les racines africaines) — et les Noirs, minorité honnie.

En octobre 1937, sur les ordres de Trujillo, la garde nationale rassembla une foule de 20 000 Haïtiens, hommes, femmes et enfants, les matraqua, les agressa à la baïonnette, puis les noya dans la «Rivière aux massacres», tragédie immortalisée dans le roman d'Edwidge Danticat, *The Farming of Bones*. Le massacre était à la fois l'expression d'une vieille haine raciale et un geste politique visant à faire oublier aux Dominicains la détresse de la crise économique. La plupart des victimes vivaient à la frontière dominico-haïtienne et au nord de la Cibao Valley, mais Trujillo épargna les Haïtiens des plantations. Depuis ce jour, les Haïtiens ont compris que la République dominicaine ne les tolérait qu'en tant que coupeurs de canne.

Plus tard, après avoir chassé les magnats du sucre étrangers, s'être emparé de leurs biens et être devenu le premier producteur de Saint-Domingue, Trujillo reconnut que même lui avait besoin des travailleurs haïtiens. Son gouvernement sut graisser la patte des différents présidents haïtiens, presque toujours des dictateurs, pour qu'ils laissent sortir les *braceros* haïtiens. «Papa Doc» Duvalier (1957-1971) reçut un million de dollars et mit à contribution sa milice civile, les redoutés tontons macoutes, pour honorer les quotas. Ce trafic honteux a pris fin en 1986, après que le dictateur Jean-Claude Duvalier («Baby Doc») eut été chassé d'Haïti. Depuis cette époque, quand il manque de main-d'œuvre haïtienne, des soldats soudoyés ou des fiers-à-bras kidnappent des gens dans les rues des villages frontaliers et vont les parquer dans des dépôts dominicains en attendant de les envoyer dans les *bateys*.

De nos jours, c'est par centaines de milliers que les Haïtiens coupent la canne dominicaine. Presque tous sont considérés comme «illégaux», y compris les 500 000 nés en République dominicaine; ils n'ont que peu, ou pas de droits civiques, et ils peuvent être déportés à tout moment au cours de raids qui font frémir les *bateys*, rappelant à leurs locataires qu'officiellement, ils ne sont rien. Les coupeurs de canne travaillent de l'aube au coucher du soleil; ils gagnent 55 pesos la tonne (1,20 $US), plus le logement gratuit dans des cabanes collectives sans eau ni toilettes ni ustensiles de cuisine. La plupart se voient refuser de faire du jardinage et doivent acheter leur nourriture à l'épicerie du *batey*. Malgré les rapports successifs des enquêteurs des organisations internationales et des organisations des droits de l'homme stigmatisant la situation dramatique des Haïtiens, le legs de l'empire sucrier perdure: racisme, brutalités, travail forcé.

En 1985, la famille Fanjul achète du conglomérat Gulf and Western 240 000 acres de terres verdoyantes dans la province de La Romana; depuis lors, elle produit la moitié du sucre de la République dominicaine (le Consejo Estatal de Azucar, étatisé, propriétaire des anciens domaines de Trujillo, et la Casa Vicini, entreprise familiale, produisent le reste). Son empire lui fait engranger d'énormes profits, grâce au régime américain des quotas, qui permet aux sièges sociaux, américains, d'importer la moitié de la production dominicaine sans s'exposer à des tarifs prohibitifs[14].

Les Fanjul emploient dans leurs champs de canne presque 20 000 Haïtiens, utilisés à outrance et sous-payés. Contrairement aux coupeurs de la Floride, les Haïtiens ne sont équipés ni de jambières ni de ⎯rds (métalliques), et ils ont le corps couvert de cicatrices liées à ⎯ur dangereux métier. Ils ont faim, et ils se plaignent de ce que dans les *bateys* des Fanjul, on leur interdit de garder des poules ou d'entretenir un potager, version moderne des politiques du temps de l'esclavage sur les lopins de provisions individuelles. Le documentaire canadien de 2005, intitulé *Les magnats du sucre*, montre en montage parallèle des extraits d'interview donné par des coupeurs de canne et des images de Pepe Fanjul en train de siroter son vin lors d'une réception donnée par le gratin de la haute société floridienne, niant que les conditions de travail des familles des *bateys* soient aussi terribles, les décrivant même comme «socialement progressistes». Le documentaire américain intitulé *The Sugar Babies : The Plight of the Children of Agricultural Workers in the Sugar Industry of the Dominican Republic*, commenté par Edwige Danticat, met l'accent sur la situation dramatique des enfants coupeurs de canne, tout particulièrement à La Romana. Des porte-parle en colère du gouvernement dominicain essayèrent d'acheter des journalistes dominicains pour faire une recension négative du film. Le documentaire *The Price of Sugar*, de Bill Haney, commenté par Paul Newman, insiste sur la situation critique des Haïtiens dans les champs de canne dominicains. Le film suit à la trace les ouvriers de la canne dans les *bateys*, qui sont la propriété de la dynastie des magnats du sucre, la famille Vicini.

Les Fanjul sont, au XXIe siècle, les parfaits homologues des planteurs des Indes occidentales que les Britanniques tout à la fois méprisaient et cherchaient comme gendres ou partenaires commerciaux. Les feuilles mondaines les prennent en photo, donnant tous les détails de leurs déboires et infidélités conjugales, de leurs échappatoires juridiques et de leurs diverses donations. Ces dernières sont plutôt modestes, car, comme leurs ancêtres des plantations sucrières, les Fanjul préfèrent plutôt étaler leurs plaisirs de bons vivants, que de passer pour des philanthropes.

Fidel Castro et ses camarades ont transformé la Révolution cubaine de 1959 en une fascinante saga sur le pouvoir du sucre. Premier défi du nouveau gouvernement : augmenter le salaire minimum des coupeurs de canne, et par le biais de la Loi sur la Réforme agraire, exproprier les plantations et les moulins. Les propriétaires américains de plus du quart des meilleures terres de Cuba furent frappés de plein fouet ; les États-

Unis répliquèrent en portant leurs quotas d'importation à 95 %. Comme le sucre représentait 82 % des exportations cubaines, dont la moitié allait aux États-Unis, la survie économique de l'île était menacée.

C'est alors que l'Union Soviétique entre en scène. En 1960, elle et Cuba signent le premier d'une longue série d'accords portant sur le sucre et les importations de pétrole. Cuba continue de nationaliser les avoirs américains et de harceler les propriétaires américains. En novembre 1960, les États-Unis décrètent un embargo économique. L'un des derniers gestes officiels du président américain Dwight Eisenhower fut de rompre les relations diplomatiques avec Cuba. Quelques mois plus tard, le fiasco de la baie des Cochons donnait le feu vert à Castro pour adhérer au bloc économique communiste.

Les Cubains décidèrent de mettre l'accent sur la production du sucre, et de ne pas démanteler les grandes sociétés sucrières. Comme devait l'expliqué Che Guevara, ministre de l'Industrie, «toute l'histoire économique de l'île le montre, aucune autre activité agricole ne peut être aussi rentable que celle de la canne à sucre. Au début de la Révolution, plusieurs parmi nous n'étaient pas au courant de cette donnée de base, à cause d'une idée bien ancrée liant le sucre à notre dépendance à l'égard de l'impérialisme et à la misère des masses rurales, sans analyser les vraies causes de cette situation, à savoir le déséquilibre de la balance commerciale[15].» Les prix du sucre étaient élevés; grâce à des ententes avantageuses avec les pays du bloc de l'Est, ils demeurèrent stables. Mais les révolutionnaires avaient hérité d'une industrie sucrière structurellement défaillante, qu'ils contribuèrent eux-mêmes à affaiblir, par ignorance et inexpérience.

En 1962, les plantations confisquées devinrent des fermes d'État. Leurs travailleurs se virent offrir un emploi permanent: c'était un des objectifs de la Révolution, mais, dans le monde du sucre, une anomalie. Pour libérer les travailleurs du «veau d'or appelé dollar», les incitatifs moraux remplacèrent les gains matériels. Mais les travailleurs assurés de leur emploi laissés sans récompense tangible n'avaient pas envie de travailler dur, pendant de longues heures, avec comme seul souci le rendement. Beaucoup s'éclipsèrent discrètement, choisissant des métiers tout aussi permanents, mais moins ardus. Une poignée d'idéalistes étrangers et des Cubains réticents les remplacèrent. Les résultats furent à ce point désastreux qu'en 1968, la récolte dut être militarisée. Castro lui-même se rendit dans les champs de canne: il faisait vigoureusement la coupe, puis tâchait de persuader les travailleurs, les encourageait, autographiait les machettes de ses camarades. Mais rien n'y fit : la productivité ne s'améliora pas.

On manquait de directeurs et de techniciens dans l'industrie. Beaucoup, en effet, avaient fui Cuba, et d'autres s'étaient vu disqualifier comme n'étant pas des révolutionnaires convaincus. Castro reconnut plus tard que « parfois, le premier imbécile du voisinage était nommé administrateur du moulin [...] lequel suppliait l'imbécile de lui accorder son pardon[16] ». Une organisation et une planification déficientes vinrent s'ajouter aux malheurs techniques, administratifs et personnels de l'industrie sucrière. Les efforts pour faire de l'industrie sucrière cubaine la plus automatisée du monde fut un échec, en raison tout d'abord de l'inexpérience de son personnel, mais aussi parce que les conseillers des Cubains, venus de l'Europe de l'Est, avaient des compétences en matière de betterave sucrière, et non en matière de canne à sucre.

Néanmoins, en 1970, Castro décida de jouer son va-tout en fixant un objectif de dix millions de tonnes de sucre, parlant du « premier défi économique de notre pays [...] qui va redonner aux pays étrangers la confiance en notre peuple[17] ». La récolte de cette année-là fut de 90 % supérieure à celle de l'année 1969, celle de « l'effort déterminant », et battit de 1,3 million de tonnes le précédent record de 7,2 tonnes en 1952. Mais les 8,5 millions de tonnes étaient bien en deçà de l'objectif : Castro offrit sa démission, mais on le persuada facilement de rester au pouvoir.

Quelque temps après la récolte, Castro promit : « Nous allons corriger courageusement toutes les erreurs commises, emportés que nous étions par notre idéalisme. » Le gouvernement laissa alors tomber les incitatifs moraux et offrit à la place des téléviseurs, de nouvelles maisons, des voitures et d'autres biens de consommation. Bientôt, les ouvriers du sucre, qui représentaient avec leur famille un sixième de la population cubaine, purent afficher un meilleur mode de vie. La direction fut décentralisée, ce qui entraîna des prises de décision plus avisées. À un coût considérable et au détriment d'autres industries, l'industrie du sucre fut modernisée. En 1971, 2,4 % seulement de la coupe de la canne était mécanisée ; quatre ans plus tard, on avait atteint 25 %, et puis 66 %. Grâce à des accords plus qu'amicaux avec l'Union Soviétique, les prix du sucre demeurèrent assez élevés pour que Cuba puisse payer ses autres importations. Comme Castro le claironnait, déjà en 1973, « échappant aux fluctuations du marché mondial, le sucre cubain a obtenu de l'Union

Soviétique et des autres pays socialistes la garantie de la demande. Mieux: cette industrie, toujours la plus importante au pays, est aussi celle qui nous coûte le moins cher[18]. »

Pendant vingt ans, Cuba a fait du sucre le moteur de sa révolution, donnant plus de pouvoirs aux travailleurs du sucre, hier encore exploités, puisant dans le savoir-faire technique des autres pays et s'appuyant sur les marchés étrangers afin d'obtenir le meilleur prix possible pour la canne cubaine. Puis l'Union Soviétique s'effondra, et, avec elle, l'économie cubaine fondée sur la monoculture, dépendante à plus de 85 % du marché soviétique. Cuba, par la suite, a mis tout en œuvre pour payer le carburant nécessaire au bon fonctionnement de son industrie sucrière, très fortement mécanisée. Mais la production s'est, elle aussi, effondrée. Le sucre cubain se vend aujourd'hui à des prix très bas, créant une situation de pénurie dans presque tous les secteurs. Des coupes dramatiques dans l'approvisionnement en pétrole ont forcé les Cubains à utiliser leurs vélos et des bœufs pour remplacer les voitures et les tracteurs, à se résigner à des interruptions de courant, à des files d'attente interminables dans les transports en commun, à un strict rationnement de la nourriture et à une rareté généralisée des médicaments étrangers, des pièces de rechange et des vêtements. (Au début des années 1990, dans la ville de Trinidad, l'auteure a visité un fabricant de crème glacée sans crème glacée et un magasin de vêtements étatisé où l'on ne trouvait que des soutiens-gorge à gros bonnets!)

Depuis plusieurs années, 71 des 116 moulins à sucre de Cuba ont fermé leurs portes, 60 % des champs de canne étant reconvertis en fermes pour la culture des légumes et en ranches à bétail. Quelque 100 000 travailleurs du sucre ont reçu une nouvelle formation. Avec l'arrivée de l'éthanol, l'industrie du sucre a soudain repris du poil de la bête. Les vieilles distilleries ont été modernisées, et, dans la ruée visant à multiplier par cinq la production d'éthanol, de nouvelles distilleries ont été ouvertes, fournissant de l'énergie douce au réseau électrique cubain fatigué.

Les grands défis du sucre

Comme aux beaux jours de l'Empire britannique, la mondialisation constitue un défi permanent pour les magnats de la canne à sucre et de la betterave sucrière. Cette inquiétude récurrente trouve son origine dans l'avantage des pays producteurs moins développés, qui jouissent de climats beaucoup plus favorables et qui s'appuient sur une culture d'exploitation du travail permettant de vendre le sucre encore moins cher. Même le travail forcé des enfants, par exemple, bien qu'officiellement interdit, existe à peu près partout dans les pays producteurs de sucre. Les adolescents haïtiens (voire certains jeunes) continuent à travailler dans les champs de canne dominicains, parfois aux côtés de leur père. Au Salvador, où la culture sucrière a pris de l'importance après la Deuxième Guerre mondiale, le travail des enfants est généralisé. Même chose à Bahia, dans le nord-est du Brésil, où l'héritage de quatre siècles de culture de la canne est constitué par l'analphabétisme, des normes sanitaires déficientes et un taux de mortalité élevé. À l'âge adulte, les ouvriers du sucre sont toujours mal payés, utilisés à outrance, et laissent tout le monde indifférent.

Des conditions de travail situées aux antipodes, mais d'autres raisons aussi, dressent l'un contre l'autre les producteurs de la canne et ceux de la betterave sucrière, les ex-colonies les unes contre les autres et l'ensemble du monde moins développé ou en voie de développement contre les anciens pays impérialistes. Des idéologies rivales, comme le libre-échange, la libéralisation du commerce et le protectionnisme se joignent à la mêlée, chacune en quête de reconnaissance, comme font les avocats des consommateurs réclamant à grands cris des prix plus bas, et les avocats partisans d'une plus grande justice sociale exigeant, eux, des échanges commerciaux plus équitables. De nombreux accords internationaux sont venus «encadrer» tous ces changements, remettant à l'ordre du jour les bonnes vieilles recettes commerciales d'antan. La CAFTA (Central American Free Trade Agreement – l'Accord centre-américain sur la libéralisation du commerce), par exemple, donne un coup de main aux producteurs américains en les mettant en concurrence avec cinq pays d'Amérique centrale et la République dominicaine, alors qu'à peine 1 % de la production américaine est en jeu.

Le sucre a de sérieux concurrents du côté des nouveaux édulcorants. Ces édulcorants de synthèse, créés de toutes pièces, comme l'aspartame, la saccharine, l'acesulfame et les cyclamates sont sans calorie ou presque, et ils rehaussent la saveur sans déclencher d'adrénaline et sans faire prendre du poids. Ils ont gagné le cœur de beaucoup de nouveaux fans des produits sucrés et vont sans doute continuer à grignoter des parts du marché du sucre. Face aux nouvelles normes vestimentaires qui idéalisent la minceur, beaucoup de gens ont abandonné le sucre, lui préférant l'eau du robinet, ou les boissons sucrées artificiellement. Les fabricants de sodas et d'aliments répliquent avec des produits à faible teneur en calories.

Le sirop de maïs à haute teneur en fructose de maïs, dit en anglais HFCS (high fructose corn syrup) et en français SGF (sirop de glucose fructose), résultat d'une opération de conversion du maïs en fructose, constitue un rival plus sérieux, car il a le même goût sucré que le sucre et coûte moins cher à produire et à transporter. Le SGF a soustrait l'énorme marché américain des boissons non alcoolisées à sa dépendance de la canne à sucre et de la betterave sucrière. Il sert d'édulcorant de base pour des produits aussi classiques que la limonade rose de Newman's Own et le jus de canneberge Ocean Spray, le Frappucino de Starbuck, la gamme des pains complets Pepperidge Farms, le bon pain complet Sara Lee Heart, Wonderbread, des dizaines de céréales Kellogg, les crêpes Eggo, les Life Savers, le ketchup Heinz, le ketchup et les produits Miracle Whip de Hunt, les Fig Newtons de Nabisco et les biscuits au beurre d'arachide Grandma's Homestyle, les sirops contre la toux Robitussin, Dimetapp et Vicks, les biscuits Ritz de Nabisco, la garniture fouettée Cool Whip, les cornichons Bread and Butter de Claussen, les crèmes glacées Ben& Jerry, les crèmes glacées Dreyer, les confitures, les gelées et les sirops, le dessert No-Bake Oreo de Jell-O et les Puff Pastry de Pepperidge Farm, les sauces à steak Cajun A-1, les marinades Chicago et teriyaki, le fromage à la crème Philadelphia de Kraft, et le bâton Strawberry Cheesecake, les collations Lunchables d'Oscar Mayer et enfin, et même, les soupes aux légumes Campbell pour micro-ondes.

Inquiets, les producteurs de sucre contre-attaquent durement, soulignant les différences entre le sucre et le SGF et rappelant aux consommateurs qu'une cuillerée de sucre ne compte que pour 15 calories et qu'« il est naturel et sans gras ». Ils s'appuient aussi sur les premières enquêtes scientifiques indiquant que le SGF ne calme pas la faim aussi bien que le sucre et peut, selon le directeur de l'exploitation de la betterave sucrière, Jim Horvath, « se transformer directement en gras sans être éliminé[19] ».

Ces nouveaux défis n'ont pas calmé les humeurs belliqueuses des adversaires traditionnels du sucre, inquiets pour la santé des gens. Le sucre est toujours montré du doigt pour les problèmes de carie dentaire, même si le fait de se brosser les dents et d'utiliser la soie dentaire peut contrecarrer ses effets. Il est aussi accusé d'aggraver les problèmes d'obésité, et, ainsi, de provoquer le diabète de type 2 et les problèmes cardiaques liés à l'obésité. Ce qui le rend dangereux, c'est sa délicieuse mais dangereuse combinaison avec les matières grasses, comme le beurre et les hydrates de carbone, la farine et les céréales, dont on fait les barres de chocolat, les céréales du petit-déjeuner et les autres aliments qui provoquent l'embonpoint. C'est aussi le fait qu'on le trouve dans toutes les boissons non alcoolisées, surnommées «sucre liquide», cible privilégiée des adversaires du sucre.

Les boissons non alcoolisées sont la plus importante source de calories sucrées du monde. Coca-Cola à lui seul représente 1 milliard de ventes sur les 47 milliards de boissons vendues quotidiennement, ce qui concrétise l'ambition du célèbre slogan de Coke, en 1971, «Acheter un Coke au monde entier, et lui tenir compagnie». Une histoire aussi connue que l'est le Coke raconte qu'en 1945, un gardien demanda à un groupe de prisonniers allemands qui venaient d'arriver à Hoboken, au New Jersey, pourquoi ils avaient l'air soudainement si excités. Un des prisonniers répondit: «On est surpris de voir que, vous aussi, vous avez du Coca-Cola!» De nos jours, la plupart des sodas d'Amérique du Nord sont sucrés au SGF, mais, pour tous les autres produits grossissants, c'est encore le sucre qu'on utilise.

Au fur et à mesure que l'obésité gagne du terrain, le diabète de type 2, très souvent, lui emboîte le pas. Les experts voient dans le sucre une cause supplémentaire d'obésité, mais, en lui-même, il n'est cause ni du diabète ni des maladies cardiaques. Ce qui complique davantage le tableau sur le plan social, c'est que l'obésité résultant de la consommation de sucre et d'aliments sans valeur nutritive touche plus gravement les familles à faibles revenus. Le très bas prix du sucre – aux États-Unis, par exemple, il suffit de travailler 1,4 minute pour s'acheter ½ kilo de sucre, alors que sa production en Inde prend plus de 45 minutes –, ajouté à son goût délicieux, sans parler de son omniprésence, fait qu'il est très difficile de persuader des consommateurs qui veulent se faire plaisir de diminuer leur dose de sucre quotidienne. Les enfants sont particulièrement attirés par les aliments sans valeur nutritive bourrés de sucre, et deviennent les nouvelles victimes du diabète.

En 1985, on estimait qu'il y avait dans le monde 30 millions de personnes atteintes du diabète; en 2000, elles sont 171 millions. L'OMS

(Organisation mondiale de la santé) prévoit que ce chiffre aura doublé en 2030 pour se fixer à 366 millions d'obèses. De nombreux spécialistes du diabète parlent même d'un chiffre plus élevé. Il est incurable, il ronge progressivement les membres et les organes s'il n'est pas pris en charge, et débouche sur une myriade de complications médicales qui vont de l'amputation à la cécité. À grande échelle, il va alourdir financièrement les régimes des soins de santé, réduire la main-d'œuvre, ralentir l'enrôlement dans les forces armées et bouleverser les familles aux prises avec des diabétiques handicapés. L'endocrinologue Daniel Lorber, de New York, n'y va pas par quatre chemins : « Dans cinquante ans, prédit-il, notre main-d'œuvre aura des kilos en trop, il y aura partout des aveugles, des unijambistes, et dans tous les secteurs d'activité, une diminution marquée du nombre de travailleurs en santé[20]. »

Les guerres menées contre le sucre

Les pro et les anti-sucre se livrent une guerre de tous les instants dans les organes de presse populaires : magazines, journaux, télévision et radio ont maintenant l'habitude des mises en garde liant une excessive consommation de sucre et les diverses maladies comme l'obésité, le diabète, les maladies cardiaques, ainsi que nos nombreuses « distractions » (tout en continuant à diffuser des annonces de bonbons et chocolats, biscuits et gâteaux, et offrant des recettes de plats à base de sucre). Michael Jacobson, qui a fondé en 1971 le Centre pour la science dans l'intérêt du public, organisme sans but lucratif voué à la promotion de la santé publique, est à l'origine des expressions *junk food* et *calories vides*. Il s'est attaqué de manière si efficace à l'industrie du bonbon que sa consommation a chuté de 25 %. Des dizaines de livres de cuisine ont alors relayé le message, proposant des recettes sans sucre ou à doses réduites de sucre.

Dans son livre à succès, *Sugar Blues*, publié en 1976 et de nouveau en 1993, William Dufty a dénoncé le sucre blanc raffiné et sa porte-parole attitrée Fanny Farmer, « dangereuse incitatrice à la consommation mortelle de sucre. Celle-ci, en effet, fut une des principales avocates du sucre, recommandant d'ajouter du sucre dans pratiquement tous les mets : dans le pain, les légumes, les salades et les vinaigrettes[21]. » En Angleterre, l'ouvrage *Sweet and Dangerous*, publié par John Yudkin, en 1978, véhiculait le même message.

L'industrie sucrière et ses alliés décidèrent de contre-attaquer, avec la plus convaincante des panoplies : les Snickers, les barres de chocolat, les gâteaux au chocolat, les *bubble gums*, les thés sucrés, les cafés doubles ! Bref, la totale. Comme le disait, songeuse, l'écrivaine américaine Hilary Liftin, dans *Candy and Me (A Love Story)* :

> Par certains côtés, un bonbon, c'est un péché. Il brille, il est joli, et doux, c'est l'amant qui vous entraîne dans des sables mouvants. Une fois qu'il vous tient, il ne vous lâche plus, et vous coulez, et vous vous retrouvez avec un gros problème. En revanche, il fait plaisir, un petit coupe-faim savoureux qui nous rappelle notre enfance. Pour moi, le bonbon, c'est à la fois le doute, la crainte, la culpabilité, l'espoir et l'amour, mêlés à de riches saveurs[22].

L'industrie sucrière ne s'embarrasse pas de pareils scrupules : elle contre-attaque. L'une de ses stratégies consiste à tâcher d'influencer l'OMS et d'amener les directives gouvernementales à mentionner qu'un menu équilibré peut contenir de bonnes quantités de sucre. Les enjeux sont importants. Les directives gouvernementales ont un effet sur le nom des marques alimentaires, sur les programmes d'éducation alimentaire gouvernementaux et même sur les menus des écoles. Des millions de personnes dans le monde dépendent pour leur nourriture des ONG, lesquelles consultent les directives de l'OMS pour établir leurs menus. Par ailleurs, les nutritionnistes les prennent comme référence.

Des échos nous parviennent de ce qui se passe en coulisse : compromis à la force du poignet, décideurs politiques influencés par les groupes de pression, producteurs de canne, de betterave sucrière et de SGF oubliant leurs différends pour travailler à leurs intérêts communs. Le docteur britannique Aubrey Sheiham, professeur de santé dentaire publique et auteur de la partie portant sur le sucre dans *Eurodiète 2000*, le guide alimentaire publié par la Communauté européenne, se rappelle le jour où la meute des magnats du sucre se jeta sur lui et ses collègues, menaçant de mettre leur veto « s'ils s'avisaient d'inscrire la limite des 10 % de consommation de sucre […]. On a aussitôt couru de tous les côtés pour discuter en petits groupes, parfois avec des diplomates ; on se rencontrait dans les Chambres des congressistes, et on se demandait : mais comment va-t-on se sortir de tout ça ? » Ils trouvèrent une solution astucieuse : celle de recommander d'éviter de manger du sucre plus de quatre fois par jour, solution qui correspondait en fait… aux 10 % incriminés[23].

Pour la première fois en vingt-cinq ans, aux États-Unis, les directives de 2005 du ministère de l'Agriculture ont fait disparaître la mise en garde contre « la consommation excessive de sucre », soulignant au contraire les bienfaits des hydrates de carbone et des sucres naturels, et ne retenant que la formule « les suppléments de sucre sont caloriques mais ne contiennent que peu ou pas d'éléments nutritifs. Il est donc important de choisir judicieusement ses hydrates de carbone ». Comme le faisait remarquer un éditorial du *New York Times*, « on arrive difficilement à croire qu'une fois encore, l'industrie sucrière n'a pas pesé de tout son poids dans la rédaction desdites directives. [Le gouvernement devrait] remplir sa mission, qui est de promouvoir la santé sans se laisser influencer par le lobby du sucre et réécrire sa notice sur le sucre[24]. »

Le lobby du sucre eut moins de succès avec les directives de l'OMS portant sur une saine alimentation. L'enjeu était énorme : pour l'OMS, un menu santé ne devrait pas comporter plus de 10 % de sucre, alors que l'Association des producteurs de sucre, dont faisaient partie les grandes compagnies américaines de sucre de canne et de betterave sucrière, exigeait un scandaleux 25 %, accusant l'OMS au passage de s'appuyer « sur des données tendancieuses, non scientifiques, qui n'améliorent pas la santé et le bien-être des Américains, et encore moins ceux du reste du monde[25] ». L'Association menaça de faire pression sur les États-Unis pour qu'ils coupent les fonds à l'OMS si elle ne retirait pas ses directives. Mais la directive des 10 % fut maintenue par le directeur général Gro Harlem Brundtland, affirmant que la politique des 10 % « était le cœur d'une réponse politique mondiale [...] au besoin urgent de contrer l'explosion récente des maladies chroniques[26] ».

Qu'il soit consommé dans des bonbons de qualité ou dans une boisson sucrée ou dans d'autres aliments, le sucre avec toute sa séduction de douceur constitue un signal d'alarme pour ceux qui s'inquiètent de la santé publique. La bataille de ces derniers avec le puissant lobby du sucre ressemble à s'y méprendre à la lutte des abolitionnistes contre les mêmes intérêts.

Retour en force du sucre

À la surprise de tous, un nouveau chapitre, qui peut s'avérer rempli d'espoir et de ressources, est en train de s'ajouter à l'inexorable et triste histoire du sucre. Le meilleur endroit pour commencer à le raconter est le Brésil, bricolage politique d'un pape lointain et d'une colonie exploi-tée depuis l'Europe. De nos jours, le Brésil est le plus gros producteur de sucre du monde; durant la crise pétrolière et la flambée des prix des années 1970, il a transformé ses immenses récoltes de canne en carbu-rant ou en sucre.

Véritable coup de génie, car la canne à sucre, plante pleine de res-sources et résistante, est la seule source d'hydrates de carbone renou-velable. Comme l'expliquent les experts en matière agricole, Pincas Jewetz et Georges Samuel, «la canne est le plus extraordinaire capteur de lumière solaire du monde, emmagasinant d'énormes quantités de biomasse sous forme de fibres (lignocellulose) et de sucres à fermenta-tion[27]». Par le biais de *Proalcool*, son programme national sur l'acohol, le gouvernement brésilien a établi une nouvelle politique concernant les mélanges d'éthanol dérivé de la canne avec de l'essence. (Cette pratique est en train de s'étendre. Aux États-Unis, au Canada, en Chine et en Australie, l'essence comprend à l'heure actuelle 10 à 15 % d'éthanol.) Des subventions gouvernementales ont encouragé les Brésiliens à acheter des voitures utilisant les carburants à base d'alcool. En 1988, plus de 90 % de toutes les voitures vendues au Brésil fonctionnaient à l'alcool.

L'histoire du Brésil est pourtant loin d'être un long fleuve tranquille débouchant sur un conte de fées : son histoire, bien réelle, est jalonnée de revers et d'obstacles. Ainsi, lorsque le prix de l'essence a chuté, la vente des voitures fonctionnant à l'alcool a subi le même sort. À la fin des années 1990, ces dernières ne comptaient plus que pour 1 % du total des ventes. Pour se protéger des fluctuations des prix du sucre et de l'essence, des taux de change et des politiques gouvernementales, les Brésiliens se sont alors tournés vers des voitures fonctionnant à deux sortes de car-burant, comme la Fiat, la Chevrolet, la Ford, la Renault et la Peugeot, la Golf TotalFlex de Volkswagen, et la Saab, alimentées en biocarburant. (Il y a un siècle, Henry Ford avait mis sur le marché le modèle T, la première voiture pouvant fonctionner à l'essence ou à l'éthanol.)

L'industrie sucrière brésilienne est à la fois efficace et techniquement rationalisée; en outre, elle utilise une main-d'œuvre sous-payée, ce qui lui permet de produire du sucre bon marché. Plus d'un million de Brésiliens travaillent dans la canne à sucre, soit 10 % de la main-d'œuvre agricole totale. La canne est moins chère à planter que d'autres cultures comme le citron ou les semences pour le pâturage, et, historiquement, elle est plus rentable. Parallèlement, la production pétrolière brésilienne constitue un nouvel atout pour la politique gouvernementale en matière de carburant. L'obligation de mélanger l'essence à l'éthanol dans une proportion de 25 % assure des réserves de carburant à prix abordable, tout en alimentant l'énorme industrie sucrière; la moitié du sucre brésilien environ est déjà transformée en éthanol, le reste étant presque entièrement exporté, ce qui fait du Brésil le premier exportateur de sucre, devant l'Union européenne.

Dans un monde où le terme «développement» implique le droit de posséder une voiture, l'industrie automobile et les producteurs de carburants ont trouvé le moyen de cohabiter. Au Brésil, leur rapprochement a été facilité par le fait qu'on a pu produire, pour des coûts identiques, des voitures utilisant un ou plusieurs carburants; de plus, le fait que le consommateur soit rassuré sur les réserves d'éthanol augmente le prix de revente des voitures hybrides. Bien que faire le plein exige beaucoup plus d'éthanol que d'essence, son faible prix en fait un meilleur achat.

Le succès brésilien dans l'usage des carburants dérivés de la canne ne s'appuie pas que sur des profits économiques. Alors que la production de canne est connue pour sa destruction de l'environnement, le carburant dérivé de la canne assure précisément le contraire. Il est beaucoup plus propre que les carburants fossiles et ne contient aucun contaminant comme le dioxyde de soufre. Il émet beaucoup moins de dioxyde de carbone et il protège le climat en réduisant énormément les émissions de carbone, et donc la pollution. En outre, il est renouvelable. Il libère 8,3 fois plus d'énergie que celle dont il a besoin pour sa production; de plus, au fur et à mesure que les recherches débouchent sur de nouveaux types de canne à sucre, une augmentation de ladite énergie est à prévoir. Même les dérivés de l'éthanol sont utilisés: les moulins brésiliens les transforment en électricité pour leurs propres besoins ou pour ceux du réseau national. Les autres pays qui produisent de l'éthanol et de l'électricité à partir de la canne à sucre sont l'Inde, l'Australie, l'île Maurice, la Réunion, la Guadeloupe, Hawaï, le Guatemala, la Colombie, la Thaïlande, le Venezuela, le Pérou et l'Équateur.

L'éthanol dérivé de la canne est le prochain miracle du XXIe siècle, l'élément naturel qui peut, de manière draconienne, bouleverser la donne internationale, économique et diplomatique, en mettant fin, ou au moins en réduisant la dépendance par rapport aux régimes fondamentalistes du Moyen-Orient, riches en pétrole, et qui sont à l'origine d'une grande partie des carburants à émission de carbone, lesquels perpétuent le réchauffement planétaire et multiplient les désastres naturels, du Golfe à l'océan Indien. L'existence d'une substance facile à transformer (il ne faut que trois jours pour changer la canne à sucre en éthanol), et supérieure à presque tous les points de vue, en tant que carburant de substitution, aura peut-être des conséquences diplomatiques et politiques aussi cruciales que celles du sucre au cours de son histoire. La plus évidente, c'est que l'accès facile à l'éthanol va encourager les nations autrefois dépendantes du pétrole à mettre un terme à leur complicité avec des régimes douteux, coupables d'atteintes aux droits de l'homme dans beaucoup de pays regorgeant de pétrole.

S'approvisionner en éthanol fera en sorte que beaucoup de pays émergents, et d'autres moins développés, mais affichant une solide production de canne à sucre, atteindront bientôt l'autosuffisance énergétique. L'une des toutes premières annonces faites par le président haïtien René Préval fut son projet de reconstruction de l'industrie sucrière haïtienne et, avec l'aide du Brésil, de production de l'éthanol nécessaire aux carburants des voitures et à la production d'électricité. Haïti n'est pas seule. Le Brésil conseille, entre autres pays producteurs de canne, la Jamaïque et le Guatemala ; d'ailleurs, la voisine d'Haïti, la République dominicaine, construit actuellement des distilleries d'éthanol. « Au cours des dix ou quinze prochaines années, prédit Antonio Japa, directeur général des Coopératives nationales du sucre dominicain, l'éthanol sera le roi des carburants[28]. »

L'éthanol, et l'électricité, l'un de ses sous-produits, peut se fabriquer à partir de la canne ou de la betterave sucrière, ainsi qu'à partir du blé et du maïs. En Angleterre, par exemple, British Sugar fabrique le bioéthanol afin de le mélanger à essence. L'intérêt des Européens pour l'éthanol dérivé de la betterave sucrière demeure toutefois relatif, car il coûte plus cher à produire que le blé, son rival bioénergétique ; aux États-Unis, c'est le maïs qui est meilleur marché que la betterave sucrière. En 2004, l'Union européenne n'a transformé en éthanol que 0,8 %, ou 1 million de tonnes, de ses 131 millions de tonnes de betterave sucrière (contre 0,4 % de ses 138 million de tonnes de blé).

Mais cette façon de voir n'est pas très juste, car on compare dans l'immédiat des économies de court terme avec des coûts environnementaux de long terme. Bien que le blé et le maïs coûtent moins cher à produire, leur rendement énergétique est beaucoup plus faible que celui de la canne et de la betterave sucrière. Cette dernière utilise 100,5 unités énergétiques pour en produire 150, alors que le blé n'en produit que 136,5, même si ce dernier est supérieur à l'essence, qui requiert 184,5 unités énergétiques. Traduites en émissions de gaz à effet de serre (EGES), la betterave sucrière et l'éthanol à base de blé créent respectivement des réductions d'EGES de 35 à 56 % et de 19 à 49 % par kilomètre, si on les compare aux EGES des véhicules à essence. Aux États-Unis, le maïs engendre un ratio énergie produite/énergie dépensée de 1,3 seulement, alors que le rendement de la betterave sucrière possède un impressionnant ratio de 8,3.

Du point de vue de l'histoire, ce sont les carburants dérivés et biologiques du sucre qui constituent l'élément « rédempteur ». Ils minent le pouvoir de séduction des régimes tyranniques riches en pétrole et encouragent des prises de position à la fois morales et politiques. Ils mettent les anciennes colonies dans le besoin sur la voie de l'autosuffisance. Ce sont des concurrents propres par rapport aux carburants fossiles qui empoisonnent littéralement l'atmosphère avec leur monoxyde de carbone, qui contribuent au réchauffement de la planète et qui amplifient la gravité des désastres naturels. Ils transforment la nature même de la canne, hier encore un produit de luxe et un aliment de choix, en une culture polyvalente devenue aujourd'hui source d'énergie et de nourriture. La fin heureuse, classique, de cette belle histoire serait que le biocarburant dérivé du sucre soit considéré dorénavant comme première source d'énergie du monde.

Mais cette question du sucre en tant que bioénergie comporte des intertextes complexes. Le premier d'entre eux est la tradition à courte vue qui autorise les considérations de coût immédiates et les intérêts particuliers à passer par-dessus les répercussions écologiques à long terme. Dans l'Europe de la betterave sucrière, une volonté politique pourrait vaincre les résistances à une production de masse et à une large diffusion des énergies issues de la betterave. Les décideurs européens pourraient changer les réglementations de leur marché sucrier de façon à faire de la betterave sucrière, pure ou mélangée, une source d'énergie abordable : l'Allemagne, la France, la Belgique et l'Autriche en seraient probablement les plus actifs producteurs et concurrents.

Un autre discours sous-jacent accompagnant le développement commercial de l'éthanol issu de la canne est celui du vieux mépris de l'environnement qui empoisonne la culture de la canne. Au Brésil, par exemple, au fur et à mesure qu'ils s'activent à étendre le champ de leurs juteuses opérations, les producteurs de canne font concurrence aux fermiers, tout en s'installant dans les anciens pâturages et les marais écologiquement fragiles. Déplacés, les propriétaires de bétail partent alors à la recherche de nouveaux pâturages, et la déforestation s'ensuit; de nos jours, même l'Amazonie est menacée. En Australie, en Floride et ailleurs, le déversement et l'émission de produits contaminés dans l'eau et dans l'air sont devenus un problème de tout premier plan. L'obsession du progrès au moindre coût laisse généralement de côté ce genre de considérations, les magnats du sucre étant par ailleurs suffisamment forts pour étouffer les protestations des écologistes.

Mais il existe des solutions. Les champs de canne à sucre en Chine ne détruisent pas leur environnement. Les plantations sucrières cubaines non plus, même si le modèle est peu exportable étant donné la tradition cubaine d'atteintes aux droits de l'homme et la planification économique changeante (à ceci près cependant que l'économie planifiée a quand même su remplacer son industrie sucrière en pagaille par le tourisme, voire l'écotourisme). Cuba a préconisé la reforestation et la conservation des ressources naturelles et créé d'impressionnantes réserves naturelles; elle enregistre de nos jours le plus bas taux de déforestation en Amérique Latine. Guillermo García Frías, directeur de l'Office national pour la protection de la flore et de la faune, un organisme géré par l'État, évoque avec passion «le combat mené pour la vie sur la planète», ajoutant que «la nature est reconnaissante et vous récompense en rendant le monde meilleur». Incapable de payer pour des pesticides, des herbicides et des fertilisants, Cuba a inventé sa propre version de la culture d'un sucre organique et du recyclage systématique, ce qui a fourni de l'électricité, du fourrage, et même des meubles construits avec la bagasse. Selon Mike Garvey, du Fonds mondial pour la nature section Canada, «Cuba, face aux défis économiques à relever, s'est fait une solide réputation dans ses efforts de protection de la nature[29]».

Tout comme la préservation de l'environnement a profité du déclin de l'industrie sucrière cubaine, elle pourrait aussi favoriser sa renaissance. L'écologiste en biodiversité Edouardo Santana explique comment les États-Unis pourraient recommencer à importer de vastes quantités de sucre cubain, organiquement produit, pour remplacer celui provenant des cannes que l'on fait pousser actuellement dans les Everglades, déjà très atteints, en Floride. Un accord commercial bilatéral inclurait des questions environnementales comme la protection des oiseaux migrateurs et la conservation de la diversité biologique de l'hémisphère[30].

Que l'industrie sucrière cubaine revive ou non, toute la canne à sucre devrait dorénavant être de la canne cultivée biologiquement et sur des terres appropriées, non pas à même les marais et les autres sols écologiquement fragiles. Il faut persuader le Brésil, coupable notoire, d'adhérer aux nouvelles normes internationales. Et tous les producteurs de betterave sucrière également. Les déchets du sucre biologique, bien que massivement réduits et moins toxiques, doivent être déposés loin des cours d'eau. Les normes environnementales internationales les plus exigeantes devraient devenir celles des producteurs sucriers et de ceux qui transforment le sucre en biocarburant, de façon à produire de l'énergie propre. La culture d'un sucre propre va sembler plus chère, mais c'est parce que les analyses économiques classiques du phénomène ne prennent jamais en compte les conséquences tout aussi économiques d'une dégradation de l'environnement. Qu'on en tienne compte, et l'on verra que le sucre propre et les biocarburants coûtent moins cher.

La supériorité du sucre de betterave demeure un problème sous-jacent dans la lutte que se font la betterave et la canne. Les études environnementales confirment que mêlée à des graines résistantes au froid, la betterave sucrière contribue indirectement à la survie de certaines espèces d'oiseaux menacées. Elle sert aussi de réserve alimentaire aux éperviers, aux chouettes, et à certaines espèces de reptiles en danger, en offrant un abri aux petits rongeurs qui leur servent de proie. Comme il s'agit là d'une culture par rotation, la betterave et les semis environnants exigent peu de fertilisants ou de pesticides. La betterave ne contamine pas les sols et n'engendre pratiquement pas d'érosion, la terre qui enrobe la betterave coupée pouvant être recyclée plutôt que rejetée. La *bagasse* de betterave sert à engraisser le bétail. Ce qui reste de mélasse est alors traité pour en faire un fertilisant « raffiné » riche en potassium. Le citron utilisé pour extraire le sucre de la betterave est réutilisé pour neutraliser et apprêter les terres arables.

Que ce soit dans les plantations de betterave sucrière ou dans celles de canne à sucre, la force de travail doit être traitée avec équité. Des travailleurs bien payés engagés dans des cultures d'origine biologique, respectueuses de l'environnement, vont assurer un développement durable, qui est l'un des plus extraordinaires bienfaits du sucre et de ses biocarburants.

Les magnats du sucre (même en s'améliorant) vont continuer à avoir des concurrents : le maïs dans le Nouveau Monde, le blé dans la Vieille Europe, sans oublier les nouveaux objectifs politiques prioritaires. Aux États-Unis, une répulsion grandissante se fait sentir face à notre dépendance, pour ne pas dire notre goût immodéré, du pétrole, et pour ses conséquences sur l'environnement. Cette situation provoque un vif intérêt pour l'éthanol et amène le gouvernement fédéral à encourager cette production en offrant des réductions d'impôts. L'urgence et un certain nombre d'incitatifs à la production de masse de l'éthanol ont fait surgir de nouveaux et graves problèmes. L'un d'entre eux réside dans les bas coûts de production du maïs et des autres semences, qui font oublier le rendement énergétique supérieur du sucre ; on a atteint l'auto-suffisance, mais une réduction significative des carburants fossiles se fait toujours attendre. Autre problème, que l'on a déjà éprouvé au Brésil : les récoltes destinées à la conversion du sucre en éthanol vont concurrencer les récoltes alimentaires classiques, et plusieurs producteurs vont succomber à la tentation d'étendre encore davantage leurs opérations agricoles à même des sols fragiles, excentrés, ou simplement non cultivables.

Tant qu'on n'aura pas trouvé une autre solution à l'éthanol dérivé du sucre (l'éthanol cellulosique provenant des résidus agricoles ou *bagasses* semble révéler des possibilités), on peut s'attendre à ce que le sucre de la canne et de la betterave sucrière, soumis au commerce équitable, écologiquement sain et renouvelable, constitue le fer de lance de la révolution de l'éthanol. Bien sûr, il continuera à nous faire plaisir, à nous réconforter, à être le cœur de toutes nos festivités, mais il ne dépendra plus pour être rentable d'une publicité vantant la surconsommation éhontée de produits mauvais pour la santé. Du reste, la recherche est déjà en train de mettre au point le potentiel du sucre dans d'autres domaines. Le sucre comme médicament, transformé par les laboratoires en plaques chirurgicales solubles, est l'une des plus récentes avenues ouvertes aux chercheurs. Un jour, peut-être, le sucre n'aura plus que des connotations agréables, aussi agréables que le sucre de la légende.

Notes

Introduction

1. J'emprunte ce scénario à Sidney Mintz, *Sweetness and Power*.

CHAPITRE 1

L'avènement du sucre

1. Henry Hobhaus, *Seeds of Change*, p. 45.
2. Judith Miller et Jeff Gerth, « Trade in Honey Is Said to Provide Money and Cover », *The New York Times*, 11 octobre 2001.
3. Mrs. Flannigan, *Antigua and the Antiguans*, vol. I, p. 173.
4. Cf. Sidney Mintz, *Sweetness and Power*, p. 41 (surtout) et p. 105.
5. Sidney Mintz, *Sweetness and Power*, p. 25.
6. Jock Galloway, *The Sugar Cane Industry*, p. 25.
7. Jock Galloway, *The Sugar Cane Industry*, p. 74.
8. Albert van Aachen, qui fait allusion à des expériences de participants de la première croisade, est cité dans Sidney Mintz, *Sweetness and Power*, p. 28.
9. Basil Davidson, *Black Mother: Africa and the Atlantic Slave Trade*, p. 54.
10. *Ibidem*, p. 57.
11. Jock Galloway, *The Sugar Cane Industry*, p. 42.
12. *Ibidem*, p. 37.
13. Noel Deerr, *The History of Sugar*, vol. I, p. 78.
14. Jock Galloway, *The Sugar Cane Industry*, p. 32.
15. Ivan Day, *Royal Sugar Sculpture: 600 Years of Splendour*, p. 7.
16. Sidney Mintz, *Sweetness and Power*, p. 89. Le livre d'Ivan Day, *Royal Sugar Sculptures*, est une étude excellente et approfondie des techniques et des modèles de sculpture en sucre. La publication *Suiker/Sugar* du Musée d'Amsterdam présente des reproductions de sculptures en sucre. En 1700, Amsterdam comptait près de cent pâtisseries fabriquant des sculptures en sucre très travaillées.
17. Sidney Mintz, *Sweetness and Power*, p. 243-244, note 52.
18. *Ibidem*, p. 90.
19. *Ibidem*. Mintz cite la réimpression de 1968 de l'ouvrage de 1587 de William Harrison, *The Description of England*, p. 129.
20. Jock Galloway, *The Sugar Cane Industry*, p. 42.
21. « Lettre du roi Ferdinand aux Indiens Taïnos/Arawaks », publiée par Bob Corbett, <http://www.hartford-hwp.com/archives/41/038.html>.
22. Noel Deerr, *The History of Sugar*, vol. I, p. 117.

23. Noel Deerr, *The History of Sugar*, vol. I, p. 122.

24. Kirkpatrick Sales, « What Columbus Discovered », p. 444-446.

25. James Hamilton, « New Report Slams Sugar Industry for Environmental Destruction », *Sunday Herald*, 14 novembre 2004.

26. Kirkpatrick Sale, *The Conquest of Paradise*, p. 96 et 197.

27. Kirkpatrick Sale, *The Conquest of Paradise*, p. 313-314.

28. Cette question continue de faire l'objet de vives discussions. Dans *The West Indies*, David Watts penche en faveur de l'estimation conservatrice de 3 millions. Dans *The Conquest of Paradise*, Sale apporte des arguments convaincants en faveur d'une estimation proche de 8 millions. David E. Stannard abonde dans le même sens dans *American Holocaust : Columbus and the Conquest of the New World*.

29. Eric Williams, *From Columbus to Castro*, p. 37.

30. Orlando Patterson, *The Sociology of Slavery*, p. 15.

31. Elizabeth Colbert, « The Lost Mariner », *The New Yorker*, 14 octobre 2002.

32. « The Legend of Hatuey », dans *History of Cuba.com*, écrit et compilé par J. A. Serra, disponible sur le site <www.historyofcuba.com/history/oriente/hatuey. htm>. Voir également Anton Allahar, *Class, Politics, and Sugar in Colonial Cuba*, p. 48 : « Encore une fois, permettez-moi de vous rappeler que le dieu que ces tyrans adorent est l'or que renferment nos terres. C'est là leur dieu. C'est lui qu'ils servent. »

33. Clifford Krauss, « A Historic Figure is Still Hated by Many in Mexico », *The New York Times*, 26 mars 1997.

34. *Ibidem.*

35. George Sanderlin (dir.), *Bartolomé de Las Casas : A Selection of His Writings*, p. 80-81.

36. Bonar Ludwig Hernandez, « The Las Casas-Sepúlveda Controversy, 1550-1551 », disponible sur le site <www.sfsu.edu/~epf/2001/hernandez.html>.

37. Paolo Carozza, « Bartolomé de Las Casas, the Midwife of Modern Human Rights Talk », <www.lascasas.org/carrozo.htm>.

38. *Ibidem.*

39. George Sanderlin, *Bartolomé de Las Casas*, p. 183-185.

40. Basil Davidson, *Black Mother*, p. 66.

41. George Sanderlin, *Bartolomé de Las Casas*, p. 102.

42. Eric Williams, *From Columbus to Castro*, p. 43.

43. Las Casas, *Obras Escogidas*, II, p. 487-488. Cité par George Sanderlin, *Bartolomé de Las Casas*, p. 100-102.

44. Eric Williams, *From Columbus to Castro*, p. 43.

45. Antonio de Herrara, *History of the Indies*. Cité par Eric Williams, *From Columbus to Castro*, p. 43.

46. Hilary Beckles, *White Servitude and Slavery in Barbados*, p. 5.

47. Eric Williams, *From Columbus to Castro*, p. 96.

48. William Dickson, *Mitigation of Slavery, In Two Parts. Part I: Letters and Papers of The Late Hon. Josua Steele*, <http://www.yale.edu/glc/archive/1162.htm>.

49. Eric Williams, *From Columbus to Castro*, p. 103.

50. *Ibidem.*

51. *Ibidem.*

52. *Ibidem*, p. 110.
53. David Watts, *The West Indies*, p. 119.
54. Eric Williams, *Capitalism and Slavery*, p. 24.

CHAPITRE 2

La prolétarisation du sucre

1. Roy Strong, *Feast: A History of Grand Eating*, p. 199. Les descriptions des collations sucrées sont tirées de cet ouvrage.
2. Kim F. Hall, «Culinary Spaces, Colonial Spaces», p. 173.
3. Kim F. Hall, «Culinary Spaces, Colonial Spaces», p. 178.
4. *Ibidem*, p. 175.
5. William B. Rye, historien britannique du xixe siècle, cité dans Sidney W. Mintz, *Sweetness and Power*, p. 135.
6. Elisabeth Ayrton, *The Cookery of England*, p. 429.
7. *Ibidem*, p. 430.
8. Elisabeth Ayrton, *The Cookery of England*, p. 463-464.
9. Marilyn Powell, *Cool: The History of Ice Cream*, p. xiii.
10. Waverley Lewis Root et Richard de Rochemont, *Eating in America: A History*, p. 425.
11. *Ibidem*.
12. *Ibidem*, p. 426.
13. Une excellente source de renseignement sur la crème glacée canadienne est le projet du professeur Douglas Goff, «Dairy Technology Education Series». Voir tout particulièrement «Ice Cream History and Folklore», sur le site <www.foodsci.uoguelph.ca/dairyedu/echist.html>.
14. Sidney W. Mintz, *Sweetness and Power*, p. 110.
15. Sidney W. Mintz, *Sweetness and Power*, p. 111.
16. «The Character of a Coffee-House, 1673». Voir le site <www.fordham.edu/halsall/mod/1670coffee.html>.
17. Tiré de Jay Barrett Botsford, *English Society in the Eighteenth Century*, p. 69.
18. Sidney W. Mintz, *Sweetness and Power*, p. 106.
19. Sidney W. Mintz, *Tasting Food, Tasting Freedom*, p. 71.
20. Wendy Woloson, *Refined Tastes*, p. 113.
21. P. Morton Shand, *A Book of Food*, 1927. Cité par Sidney W. Mintz, *Sweetness and Power*, p. 141.
22. Sidney W. Mintz, *Sweetness and Power*, p. 39.
23. Woodruff D. Smith, «From Coffeehouse to Parlour», p. 159.
24. *Ibidem*, p. 161.
25. P. Morton Shand, *A Book of Food*, p. 39. Cité par Mintz, *Sweetness and Power*, p. 141-142.
26. David Landes, *The Unbound Prometheus*, p. 41.
27. Peter Gaskell, *The Manufacturing Population of England*, p. 185.
28. Edward Royle, *Modern Britain: A Social History 1750-1797*, p. 169.
29. Carole Shammas, «Food Expenditures and Economic Well-Being in the Early Modern England», p. 90.
30. Ces statistiques sont tirées de Sidney W. Mintz, *Sweetness and Power*, p. 67.

31. Noel Deerr, *The History of Sugar*, vol. 2, p. 532.
32. Carole Shammas, «Food Expenditures and Economic Well-Being in the Early Modern England», p. 99.
33. Rev. David Davies, *The Case of Labourers in Husbandry Stated and Considered* (1795), p. 21. Cité par D. J. Oddy, «Food, Drink and Nutrition», p. 255.
34. James Phillips Kay-Shuttleworth, «The Moral and Physical Condition of the Working Classes of Manchester».
35. D. J. Oddy, «Food, Drink and Nutrition», p. 269-270.
36. J. Burnett, *Plenty and Want*, p. 14-15, présente un tableau de la consommation de sucre, de 1801 à 1850, montrant que la consommation annuelle par habitant «avait une relation directe avec le prix»: plus le prix était bas, plus la consommation était élevée.
37. *6th Report of the Medical Officer of the Privy Council, PP 1864*, XXVIII, p. 249. Cité par D. J. Oddy, «Food, Drink and Nutrition», p. 44.
38. E. P. Thompson, *The Making of the English Working Class*, p. 316.
39. D. J. Oddy, «Food, Drink and Nutrition», p. 271.
40. Seebohm Rowntree, *Poverty: A Study of Town Life*, p. 135, note 1. Cité par D. J. Oddy, «Food, Drink and Nutrition», p. 272-273.
41. Sidney W. Mintz, *Sweetness and Power*, p. 61 (surtout) et p. 64.
42. Rosamond Bayne-Powell, *English Country Life in the Eighteenth Century*, p. 207.
43. Jane Pettigrew, *A Social History of Tea*, p. 52, rapporte les propos de Duncan Forbes en 1744.
44. Woodruff D. Smith, «From Coffeehouse to Parlour», dans Goodman Jordan et al. (dir.), *Consuming Habits: Drugs in History and Anthropology*, p. 161.
45. Sidney W. Mintz, *Sweetness and Power*, p. 141.
46. *Ibidem*, p. 165.
47. Tim Richardson, *Sweets*, p. 316.
48. Sidney W. Mintz, *Sweetness and Power*, p. 172.
49. *Ibidem*, p. 186.
50. The Nepal Distilleries, <http://www.khukrirum.com/history.htm>.
51. Meryl Rutz, «Salt Horse and Ship's Biscuit».
52. Maguelonne Toussaint-Samat, *A History of Food*, p. 560.

CHAPITRE 3
L'africanisation des champs de canne à sucre

1. Le chapitre 10 traite de la main-d'œuvre mise sous contrat, une forme de servitude à laquelle les planteurs sont revenus après l'abolition de l'esclavage. Durant les premières années de cette forme de servitude, les Blancs engagés à long terme travaillaient aux côtés des esclaves noirs. Au Brésil, les autochtones faisaient de même.
2. Ces données ont fait l'objet de recherches et de débats intenses, qui sont résumés dans l'ouvrage de Hugh Thomas, *The Slave Trade*, p. 861-862. Les statistiques que j'ai utilisées sont généralement acceptées, sans être reconnues par tous; des chercheurs soutiennent qu'il serait plus juste de parler de quelques millions de plus, et d'autres, de quelques millions de moins.
3. Journal de Thistlewood, le 12 août 1776. Cité par Douglas Hall, *In Miserable Slavery*, p. 178.

4. Hugh Thomas, *The Slave Trade*, p. 395-396.
5. Olaudah Equiano, *The Life of Olaudah Equiano*, p. 33.
6. Niall Ferguson, dans *Empire*, p. 82, estime qu'entre 1662 et 1807, un Africain sur sept est mort sur les navires négriers britanniques; avant cette période, le taux de mortalité était d'un sur quatre.
7. F. R. Augier *et al.*, *The Making of the West Indies*, p. 73.
8. David Richardson, « Shipboard Revolts », p. 3.
9. Orlando Patterson, *The Sociology of Slavery*, p. 151.
10. Cet énoncé fut intégré à la loi antiguaise en 1788. Cité par Elsa Goveia, *Slave Society in the British Leeward Islands*, p. 121.
11. Edwin Lascelles, *Instructions for the Management of a Plantation in Barbados, and for the Treatment of Negroes etc*, 1786. Cité par B. W. Higman, *Slave Population and Economy in Jamaica 1807-1834*, p. 188.
12. « The Professional Planter » affirmait qu'un enfant de cinq ans qui travaillait pouvait gagner de quoi vivre. Cf. Orlando Patterson, *The Sociology of Slavery*, p. 156.
13. B. W. Higman, *Slave Population and Economy in Jamaica*, p. 192.
14. Hilary Beckles, *Natural Rebels*, p. 31.
15. Edward Braithwaite, *The Development of Creole Society in Jamaica*, p. 155.
16. Douglas Hall, *In Miserable Slavery*, p. 234.
17. Elsa Goveia, *Slave Society in the British Leeward Islands*, p. 131, citant la visiteuse écossaise Janet Schaw.
18. Dale W. Tomlich, *Slavery in the Circuit of Sugar*, p. 146, note qu'au XIXe siècle, dans les îles françaises, la morue avariée, le sang séché des bovins et les rejets d'entrailles de la pêche dans l'Atlantique Nord fournissaient un engrais excellent, bien que souvent onéreux.
19. *Ibidem.*
20. Herbert S. Klein, *African Slavery in Latin America and the Carribean*, p. 55.
21. Brian Dyde, *A History of Antigua*, p. 112.
22. Les deux citations sont tirées d'O. Patterson, *The Sociology of Slavery*, p. 255-257.
23. William Henry Hurlbert, *Gan-Eden; or, Picture of Cuba*. Cité par Louis A. Perez, *Slaves, Sugar, and Colonial Society*, p. 111.
24. Richard Henry Dana Jr., *To Cuba and Back: A Vacation Voyage*. Cité par Louis A. Perez, *Slaves, Sugar, and Colonial Society*, p. 62.
25. Carolyn Fick, *The Making of Haiti*, p. 28.
26. Matthew Lewis, *Journal of a West India Proprietor*, p. 65-66.
27. B. W. Higman, *Slave Population and Economy in Jamaica*, p. 124.
28. C. Williams, *Tour Through Jamaica*, 1826, p. 13-14. Cité par Orlando Patterson, *The Sociology of Slavery*, p. 155.
29. Hilary Beckles, *Natural Rebels*, p. 37.
30. Récit du XVIIe siècle par Richard Ligon. Cité par Hilary Beckles, *Afro-Caribbean Women and Resistance to Slavery in Barbados*, p. 23.
31. Julia M. Woodruff (sous le nom de W. M. L. Jay), *My Winter in Cuba*. Cité par Louis A. Perez, *Slaves, Sugar, and Colonial Society*, p. 72-73.
32. Samuel Hazard, *Cuba with Pen and Pencil*, 1871. Cité par Louis A. Perez, *Slaves, Sugar, and Colonial Society*, p. 76.

33. Hilary Beckles, *Natural Rebels*, p. 39.
34. William Drysdale, *In Sunny Lands*. Cité par Louis A. Perez, *Slaves, Sugar, and Colonial Society*, p. 92.
35. Douglas Hall, *In Miserable Slavery*, p. 125.
36. Francisco Scarano, *Sugar and Slavery in Puerto Rico*, p. 29.
37. Elborg Forster et Robert Forster (dir.), *Sugar and Slavery, Family and Race*, p. 17.
38. Fredrika Bremer, *The Homes of the New World: Impressions of America*, 1853. Cité par Louis A. Perez, *Slaves, Sugar, and Colonial Society*, p. 117.
39. Julia Ward Howe, *A Trip to Cuba*, 1860. Cité par Louis A. Perez, *Slaves, Sugar, and Colonial Society*, p. 122.
40. Carolyn E. Fick, *The Making of Haiti*, p. 34, cite le baron de Wimpffen, qui faisait cette remarque avec « un sentiment d'incrédulité ».
41. Elsa Goveia, *Slave Society in the British Leeward Islands*, p. 131.
42. Mary Prince, *The History of Mary Prince, a West Indian Slave*, p. 18 et 23.
43. James Walvin, *Black Ivory*, p. 241.
44. Elborg Forster et Robert Forster (dir.), *Sugar and Slavery, Family and Race*, p. 17.
45. Douglas Hall, *In Miserable Slavery*, p. 47.
46. Mary Prince, *The History of Mary Prince, a West Indian Slave*, p. 17.
47. Elsa Goveia, *Slave Society in the British Leeward Islands*, p. 117, rapporte le témoignage d'un auteur du XVIIIᵉ siècle, James Ramsay, dans son ouvrage intitulé *An Essay on the Treatment and Conversion of African Slaves in the British Sugar Colonies*, 1784, p. 69-70.
48. Cité par Elsa Goveia, *Slave Society in the British Leeward Islands*, p. 29.
49. *Ibidem*, p. 118.
50. *Ibidem*, p. 119.
51. *Ibidem*, p. 222.
52. H. T. de La Beche, *The Present Condition of the Negroes in Jamaica*, 1825, p. 7. Cité par Orlando Patterson, *The Sociology of Slavery*, p. 156.
53. Frederick T. Townshend, *Wild Life in Florida with a Visit to Cuba*, 1875. Cité par Louis A. Perez, *Slaves, Sugar, and Colonial Society*, p. 86.
54. Poyen de Sainte-Marie, cité par Bernard Moitt, *Women and Slavery in the French Antilles*, p. 43.
55. Douglas Hall, *In Miserable Slavery*, p. 154.
56. Cf. l'avocat noir jamaïcain anti-esclavagiste William Dickson, dans ses *Letters on Slavery*. Cité par Hilary Beckles, *Natural Rebels*, p. 51.
57. Orlando Patterson, *The Sociology of Slavery*, p. 164.
58. Douglas Hall, *In Miserable Slavery*, p. 50.
59. Orlando Patterson, *The Sociology of Slavery*, p. 58.
60. Elsa Goveia, *Slave Society in the British Leeward Islands*, p. 150.
61. *Ibidem*, p. 141.
62. Edward Braithwaite, *The Development of Creole Society in Jamaica*, p. 142.
63. Richard Pares, *A West India Fortune*, p. 58.
64. Elborg Forster et Robert Forster (dir.), *Sugar and Slavery, Family and Race*, p. 60 et 73.
65. Douglas Hall, *In Miserable Slavery*, p. 118 et 128.
66. Douglas Hall, *In Miserable Slavery*, p. 72.

67. *Ibidem*, respectivement p. 282, 283, 293 et 72-73.

68. Elborg Forster et Robert Forster (dir.), *Sugar and Slavery, Family and Race*, p. 167.

69. Douglas Hall, *In Miserable Slavery*, p. 46.

70. Elsa Goveia, *Slave Society in the British Leeward Islands*, p. 242.

71. Orlando Patterson, *The Sociology of Slavery*, p. 9.

72. Eddie Donoghue, *Black Women/White Men*, p. 134.

73. Miguel Barnet, *Biography of a Runaway Slave*. Cité par Aviva Chomsky *et al.*, *The Cuba Reader*, p. 58-59.

74. Julia M. Woodruff, *My Winter in Cuba*. Cité par Louis A. Perez, *Slaves, Sugar, and Colonial Society*, p. 71.

75. Stuart Schwartz, *Sugar Plantations in the Formation of Brazilian Society*, p. 137.

76. Carolyn Fick, *Haiti in the Making*, p. 33.

77. William Dickson. Cité par Hilary Beckles, *Natural Rebels*, p. 45.

78. Miguel Barnet, *Biography of a Runaway Slave*, p. 59.

79. Hilary Beckles, *Natural Rebels*, p. 79. Cela explique pourquoi les esclaves vendaient leur sorgho pour acheter d'autres aliments.

80. Eric Williams, *Capitalism and Slavery*, p. 59.

81. Hilary Beckles, *Natural Rebels*, p. 48.

82. Stuart B. Schwartz, *Sugar Plantations in the Formation of Brazilian Society*, p. 138.

83. Dale W. Tomich, *Slavery in the Circuit of Sugar*, p. 259-260.

84. Elsa Goveia, *Slave Society in the British Leeward Islands*, p. 238.

85. Barbara Bush, *Slave Women in Caribbean Society*, p. 93.

86. Carolyn E. Fick, *The Making of Haiti*, p. 31.

87. Voir Barry W. Higman, *Slave Population and Economy in Jamaica*, qui traite longuement de cette question des modalités d'habitation.

88. Julia Ward Howe, *A Trip to Cuba*. Cité par Louis A. Perez, *Slaves, Sugar, and Colonial Society*, p. 124.

89. Barbara Bush, *Slave Women in Caribbean Society*, p. 101.

90. Elborg Forster et Robert Forster (dir.), *Sugar and Slavery, Family and Race*, p. 46.

91. *Ibidem*, p. 47.

92. Bernard Moitt, *Women and Slavery in the French Antilles*, p. 80.

93. Stuart B. Schwartz, *Sugar Plantations in the Formation of Brazilian Society*, p. 384.

94. Douglas Hall, *In Miserable Slavery*, p. 77 et 189.

95. Hilary Beckles, *Natural Rebels*, p. 94.

96. Stuart B. Schwartz, *Sugar Plantations in the Formation of Brazilian Society*, p. 354.

97. Elborg Forster et Robert Forster (dir.), *Sugar and Slavery, Family and Race*, p. 117.

98. Douglas Hall, *In Miserable Slavery*, p. 184 et 186.

99. Stuart B. Schwartz, *Sugar Plantations in the Formation of Brazilian Society*, p. 370.

100. Julia M. Woodruff, *My Winter in Cuba*. Cité par Louis A. Peres, *Slaves, Sugar and Colonial Society*, p. 73.

101. Les décès dus à l'incompétence des médecins étaient si fréquents qu'en 1810, l'Assemblée d'Antigua décida que ces derniers devraient détenir «un certificat du Comité des chirurgiens ou un certificat d'une université de Grande-Bretagne faisant la preuve qu'ils y avaient effectué des études». Voir Brian Dyde, *A History of Antigua*, p. 112.

102. Carolyn E. Fick, *Haiti in the Making*, p. 39.

103. Elborg Forster et Robert Forster (dir.), *Sugar and Slavery, Family and Race*, p. 136.

104. Elsa Goveia, *Slave Society in the British Leeward Islands*, p. 139.

105. Bernard Moitt, *Women and Slavery in the French Antilles*, p. 74.

CHAPITRE 4

Un monde créé par les Blancs

1. Charles Leslie, *New History of Jamaica*, 1740. Cité par Matthew Mulcahy, «Weathering the Storms: Hurricanes and Plantation Agriculture in the British Greater Caribnean», <http://www.librarycompany.org/Economics/PDF%20 Files/C2002-mulcahy.pdf>.

2. *Ibidem.*

3. Matthew Lewis, *Journal of a West India Proprietor*, p. 43.

4. Mary Nugent, *Lady Nugent's Journal*, p. 103.

5. *Ibidem*, p. 98.

6. *Ibidem*, p. 108.

7. Barrington Braithwaite, *The Cultural Politics of Sugar*, p. 111.

8. John Shipman, missionnaire méthodiste. Cité par Barrington Braithwaite, *The Development of Creole Society in Jamaica*, p. 299.

9. Roderick A. McDonald, *Between Slavery and Freedom*, p. 104.

10. Mary Nugent, *Lady Nugent's Journal*, p. 66.

11. Matthew Gregory Lewis, *Journal of a West India Proprietor*, respectivement p. 81, 209 et 82.

12. *Ibidem*, p. 55.

13. Barrington Braithwaite, *The Development of Creole Society in Jamaica*, p. 105.

14. Instructions du planteur haïtien Stanislas Foäche à l'intention des gestionnaires de sa propriété. Cité par Carolyn E. Fick, *The Making of Haiti*, p. 37.

15. Elborg Forster et Robert Forster (dir.), *Sugar and Slavery, Family and Race*, p. 111.

16. *Ibidem*, p. 42.

17. Matthew Gregory Lewis, *Journal of a West India Proprietor*, p. 111.

18. Douglas Hall, *In Miserable Slavery*, p. 46.

19. Mary Nugent, *Lady Nugent's Journal*, p. 226.

20. Douglas Hall, *In Miserable Slavery*, p. 69.

21. Trevor Burnard, *Mastery, Tyranny, & Desire*, p. 237-238.

22. Hilary Beckles, *Natural Rebels*, p. 136.

23. Barrington Braithwaite, *The Development of Creole Society in Jamaica*, p. 191.

24. Douglas Hall, *In Miserable Slavery*, p. 19.

25. Elborg Forster et Robert Forster (dir.), *Sugar and Slavery, Family and Race*, p. 112.

26. Henry Koster, *Travels in Brazil*, p. 144.

27. Mary Nugent, *Lady Nugent's Journal*, p. 32 et 162.

28. Orlando Patterson, *The Sociology of Slavery*, p. 129.

29. Matthew Mulcahy, « Weathering the Storms ».

30. Hilary Beckles, *Natural Rebels*, p. 69.

31. *Ibidem*, p. 24.

32. Elborg Forster et Robert Forster (dir.), *Sugar and Slavery, Family and Race*, p. 189.

33. Richard Ligon, 1647. Cité par David W. Galenson, *Traders, Planters, and Slaves*, p. 137.

34. Trevor Burnard, *Mastery, Tyranny, & Desire*, p. 17 ; voir également A. Meredith John, *The Plantation Slaves of Trinidad*, p. 104.

35. Orlando Patterson, *The Sociology of Slavery*, p. 33.

36. Elsa Goveia, *Slave Society in the British Leeward Islands*, p. 208.

37. Henry Drax, 1680. Cité par David W. Galenson, *Traders, Planters and Slaves*, p. 139.

38. Richard Robert Madden, *The Island of Cuba*. Cité par Luis Perez, *Slaves, Sugar, and Colonial Society*, p. 50.

39. Douglas Hall, *In Miserable Slavery*, p. 72.

40. Mary Nugent, *Lady Nugent's Journal*, respectivement p. 118 et 46.

41. Elborg Forster et Robert Forster (dir.), *Sugar and Slavery, Family and Race*, p. 253.

42. Elizabweth Fenwick, citée par Hilary Beckles, *Natural Rebels*, p. 65.

43. Gilberto Freyre, *The Masters and the Slaves*, p. 305.

44. Trevor Burnard, *Mastery, Tyranny, & Desire*, p. 309.

45. Matthew Gregory Lewis, *Journal of a West India Proprietor*, p. 146.

46. Barrington Braithwaite, *The Development of Creole Society in Jamaica*, p. 158.

47. Matthew Gregory Lewis, *Journal of a West India Proprietor*, p. 105.

48. Edward Long, *History of Jamaica*, vol. 2, p. 332.

49. Matthew Gregory Lewis, *Journal of a West India Proprietor*, p. 52.

50. Elsa Goveia, *Slave Society in the British Leeward Islands*, p. 318.

51. Elsa Goveia, *Slave Society in the British Leeward Islands*, p. 232-233.

52. Mary Nugent, *Lady Nugent's Journal*, p. 118.

53. Orlando Patterson, *The Sociology of Slavery*, p. 171

54. Gilberto Freyre, *The Masters and the Slaves*, p. 347.

55. Mary Nugent, *Lady Nugent's Journal*, p. 107 et 193.

56. Hilary Beckles, *Black Rebellion in Barbados*, p. 121.

57. Douglas Hall, *In Miserable Slavery*, p. 94.

58. Trevor Burnard, *Mastery, Tyranny, & Desire*, p. 233.

59. Trevor Burnard a classé les journaux de Thistlewood et fait le décompte de ses relations sexuelles. Voir, par exemple, *Mastery, Tyranny, & Desire*, p. 238.

60. Douglas Hall, *In Miserable Slavery*, p. 67.

61. *Ibidem*, p. 79-80.

62. Trevor Burnard, *Mastery, Tyranny, & Desire*, p. 309.

63. Trevor Burnard, *Mastery, Tyranny, & Desire*, p. 237.

64. *Ibidem*, p. 238.

65. La source utilisée pour cette section est Alain Guédé, *Monsieur de Saint-George : Virtuoso, Swordsman, Revolutionary : A Legendary Life Rediscovered*, 2003.

66. La source utilisée pour cette section est Elborg Forster et Robert Forster (dir.), *Sugar and Slavery, Family and Race*, p. 11, 92-98 et 149.

67. Elborg Forster et Robert Forster (dir.), *Sugar and Slavery, Family and Race*, p. 11.

CHAPITRE 5
Le sucre bouleverse le monde

1. Michael Duffy, *Soldiers, Sugar, and Seapower*, p. 6.
2. Eric Willliams, *Capitalism and Slavery*, p. 65.
3. Eric Willliams, *Capitalism and Slavery*, p. 105.
4. *Ibidem*, p. 52-53.
5. L'excellent ouvrage de Kathleen Mary Butler, *The Economics of Emancipation, Jamaica and Barbados 1823-1843*, raconte en détail où est passé l'argent. «Une très petite partie des "sommes colossales" parvint jusqu'aux colonies des Indes occidentales. La plus grande part de l'argent servit à payer les hypothèques au petit cercle des privilégiés de Threadneedle Street», p. 141. Or, le siège de la Banque d'Angleterre se trouvait justement sur Threadneedle Street.
6. Eric Willliams, *Capitalism and Slavery*, p. 61.
7. Gomer Williams, *History of the Liverpool Privateers*, p. 477.
8. Eric Williams, *Capitalism and Slavery*, p. 37.
9. Gomer Williams, *History of the Liverpool Privateers*, p. 594.
10. Dalby Thomas, *Historical Account of the Rise of the West India Colonies* (1690). Cité dans Matthew Mulcahy, «Weathering the Storms».
11. Jock Galloway, *The Sugar Cane Industry*, p. 88-90.
12. Matthew Mulcahy, «Weathering the Storms».
13. Tiré de Richard Cumberland, *The West Indian*. Voir: <http://www.joensuu.fi/fld/english/meaney/playtexts/wi/west_indian_2v.html>.
14. James Boswell, *Life of Johnson*. Voir: <http://www.gutenberg.org/catalog/world/readfile?fk_files=232933>.
15. Gregson Davis, «Jane Austen's *Mansfield Park*: The Antigua Connection». Communication présentée au colloque sur Antigua et la Barbade, qui s'est tenu du 13 au 15 novembre 2003. Voir: <http://www.uwichill.edu.bb/bnccde/antigua/conference/paperdex.html>.
16. Eric Willliams, *Capitalism and Slavery*, p. 87.
17. Richard Pares, *A West India Fortune*, p. 65.
18. Richard Pares, *A West India Fortune*, p. 69.
19. *Ibidem*, p. 80.
20. *Ibidem*, p. 101 et 102.
21. Richard Pares, *A West India Fortune*, p. 196.
22. *Ibidem*.
23. *Ibidem*, p. 198.
24. *Ibidem*.
25. Eric Williams, *Capitalism and Slavery*, p. 95.
26. Eric Williams, *From Columbus to Castro*, p. 130.
27. Lowell J. Ragatz, *The Decline of the Planter Class*, p. 150.
28. Michael Duffy, *Soldiers, Sugar, and Seapower*, p. 385.

29. Lowell J. Ragatz, *The Fall of the Planter Class*, p. 206.
30. Michael Duffy, *Soldiers, Sugar, and Seapower*, p. 384. En 1787, la part britannique du commerce continental du sucre avait augmenté pour passer à 65,7 % ; entre 1800 et 1802, la part des États-Unis était passée de 0 à 18,2 %.
31. Michael Ragatz, *The Fall of the Planter Class*, p. 306.
32. *Ibidem*, p. 307.
33. Macall Medford, « Oil Without Vinegar, and Dignity Without Pride », Philadelphie, 1807. Ressource en ligne n° 392198, Bibliothèque de l'Université de Toronto.
34. Cité par Michael Ragatz, *The Fall of the Planter Class*, p. 375.
35. *Ibidem*, p. 383.
36. Ces valeurs sont données en sucre raffiné. Par conséquent, la quantité de sucre consommé par personne, dans le cas qui nous occupe, est inférieure à ce qu'elle aurait été si l'estimation avait été faite à partir de sucre non raffiné.
37. Michael Duffy, *Soldiers, Sugar, and Seapower*, p. 7 et p. 13.
38. Robert Louis Stein, *The French Sugar Business in the Eighteenth Century*, p. 78.
39. Louis Stein, *The French Sugar Business in the Eighteenth Century*, p. 108.
40. *Ibidem*, p. 120.
41. *Ibidem*, p. 126.
42. Heather Robertson, *Sugar Farmers of Manitoba*, p. 17.
43. Franklin-Stuart Harris, *The Sugar-Beet in America*, p. 11 et 12.
44. Joseph Inikori, *Forced Migration*, p. 54.

CHAPITRE 6

Racisme, résistance, rébellion et révolution

1. Eric Williams, *Capitalism and Slavery*, p. 7.
2. Elsa Goveia décrit comment l'esclavage s'est étendu à d'autres régions (cf. *Slave Society in the British Leeward Islands*).
3. Matthew Lewis, *Journal of a West India Proprietor*, p. 68.
4. Elsa Goveia, *Slave Society in the British Leeward Islands*, p. 319.
5. Henry Koster, *Travels in Brazil*, p. 174.
6. Richard R. Dunn, *Sugar and Slaves: the Rise of the Planter Class in the English West Indies*, p. 254-255.
7. Elsa Goveia, *Slave Society in the British Leeward Islands*, p. 167.
8. Richard R. Dunn, *Sugar and Slaves*, p. 256.
9. Alexander von Humboldt, *The Island of Cuba*. Cité par Louis A. Perez, *Slaves, Sugar, and Colonial Society*, p. 98.
10. Au cours de la dernière décennie d'esclavage, le Sud des États-Unis comptait en moyenne 20,6 esclaves par homme blanc. Voir Stuart Schwartz, *Sugar Plantations in the Formation of Brazilian Society*, p. 462.
11. Elsa Goveia, *Slave Society in the British Leeward Islands*, p. 174.
12. *Ibid.*, p. 191.
13. John A. Meredith, *The Plantation Slaves of Trinidad*, p. 122, citant un abolitionniste contemporain.
14. Elsa Goveia, *Slave Society in the British Leeward Islands*, p. 190-191.
15. Elborg Forster et Robert Forster (dir.), *Sugar and Slavery, Family and Race*, p. 66.

16. Carolyn E. Fick, *The Making of Haiti*, p. 46.
17. Elborg Forster et Robert Forster (dir.), *Sugar and Slavery, Family and Race*, p. 55, 143 et 145.
18. Matthew Lewis, *Journal of a West India Proprietor*, p. 77-78.
19. Stuart Schwartz, *Sugar Plantations in the Formation of Brazilian Society*, p. 403.
20. Matthew Lewis, *Journal of a West India Proprietor*, p. 72.
21. *Ibidem*, p. 87 et 89.
22. Hilary Beckles, *Black Rebellion in Barbados*, p. 157-158.
23. Valentine Morris, cité par David Barry Gaspar, *Bondsmen and Rebels*, p. 220.
24. Roderick A. McDonald, *Between Slavery and Freedom*, p. 119.
25. Hilary Beckles, *Natural Rebels*, p. 66, 68 et 159.
26. Hilary Beckles, *Black Rebellion in Barbados*, p. 75.
27. Mary Nugent, *Lady Nugent's Journal*, p. 161-162.
28. Nicole Phillip, «Producers, Reproducers, and Rebels».
29. Orlando Patterson, *Sociology of Slavery*, p. 178.
30. Henry Koster, *Travels in Brazil*, p. 182.
31. Matthew Lewis, *Journal of a West India Proprietor*, p. 127.
32. Mémoires de 1828 de Charles Campbell. Cité par Edward Braithwaite, *The Development of Creole Society in Jamaica*, p. 207-208.
33. Elsa Goveia, *Slave Society in the British Leeward Islands*, p. 180.
34. *Ibid.*, p. 163.
35. Douglas Hall, *In Miserable Slavery*, p. 176.
36. C. L. R. James, *The Black Jacobins*, p. 15.
37. Hilary Beckles, *Natural Rebels*, p. 159
38. Matthew Lewis, *Journal of a West India Proprietor*, p. 63.
39. A. Meredith John, *The Plantation Slaves of Trinidad*, p. 159.
40. Nicole Phillip, «Producers, Reproducers, and Rebels».
41. Hilary Beckles, *Natural Rebels*, p. 120.
42. Douglas Hall, *In Miserable Slavery*, p. 54-55. À la suite de cette histoire, Thistlewood intenta des poursuites contre Congo Sam pour agression, et l'envoya en prison en attendant son procès. Cependant, l'esclave London refusa de témoigner et Congo Sam fut acquitté. Voir Diana Paton, «Punishments, Crime, and the Bodies of Slaves».
43. Elsa Goveia, *Slave Society in the British Leeward Islands*, p. 154.
44. Dans *The Making of Haiti*, p. 7-8, Carolyn E. Fick étudie la signification et les répercussions du marronnage, notamment sa signification en tant que «composante essentielle de la dynamique de l'esclavage et de la résistance des esclaves, et en tant que forme de résistance ayant suscité d'autres réactions insurrectionnelles au sein de la révolution» (p. 10).
45. Mavis Christine Campbell, *The Maroons of Jamaica*, p. 3-4.
46. Milton C. McFarlane, *Cudjoe of Jamaica: Pioneer for Black Freedom in the New World*, p. 29.
47. Mavis Campbell, *The Maroons of Jamaica*, p. 80.
48. *Ibidem*, p. 6.
49. *Ibidem*, p. 46, et Douglas Hall, *In Miserable Slavery*, p. 110.
50. Douglas Hall, *In Miserable Slavery*, p. 14.
51. Mavis Christine Campbell, *The Maroons of Jamaica*, p. 115.

52. *Ibidem*, p. 229.

53. Miguel Barnet *et al.*, «Fleeing Slavery», dans Avira Chomsky *et al.* (dir.), *The Cuba Reader*, p. 67.

54. Hilary Beckles, *Black Rebellion in Barbados*, p. 75.

55. Essai anonyme. Cité par Trevor Burnard, *Mastery, Tyranny, & Desire*, p. 140.

56. Edward Long, *History*. Cité par Trevor Burnard, *Mastery, Tyranny, & Desire*, p. 171.

57. Douglas Hall, *In Miserable Slavery*, p. 97.

58. *Ibidem*, p. 107.

59. Diana Paton, «Punishments, Crime, and the Bodies of Slaves».

60. C. L. R. James, *The Black Jacobins*, p. 88.

61. Carolyn E. Fick, *The Making of Haiti*, p. 110.

62. *Ibidem*.

63. Carolyn E. Fick, *The Making of Haiti*, p. 201.

64. Mary Nugent, *Lady Nugent's Journal*, respectivement p. 82, 182, 222 et 175.

65. Laurent Dubois, *Avengers of the New World*, p. 277, rapporte les mots de l'officier sans le nommer.

66. C. L. R. James, *The Black Jacobins*, p. 364.

67. Laurent Dubois, *Avengers of the New World*, p. 298-299.

68. Remontant à Dessalines, le mot *neg*, en créole haïtien, signifie, encore de nos jours «homme», sans distinction; pour indiquer la race, le créole a besoin de *nwa* ou *blan*. Et comme *blan* signifie aussi «étranger», un visiteur noir américain devient un *blan nwa*.

CHAPITRE 7

Du sang dans le sucre. Abolition de la traite des esclaves

1. Pamphlet abolitionniste de 1826, *What Does Your Sugar Cost?*. Cité par Charlotte Sussman, «Women and the Politics of Sugar, 1792», *Representations*, n° 48 (automne 1994), p. 57.

2. Steven M. Wise, *Though the Heavens May Fall*, p. xiv (les italiques sont dans le texte original). On a là un compte rendu exhaustif aussi bien qu'une analyse émouvante des batailles judiciaires menées par Granville Sharp au nom des esclaves britanniques.

3. Steven M. Wise, *Though the Heavens May Fall*, p. 209.

4. *Ibidem*, p. 194.

5. Folarin Shyllon, *Black Slaves in Britain*, p. 188.

6. Roger T. Anstey, *The Atlantic Slave Trade and British Abolition*, p. 103.

7. *Ibidem*, p. 114-115.

8. *Ibidem*, p. 127.

9. Le collège Codrington de la Barbade abrite de nos jours le Département des religions de l'Université des Caraïbes, ainsi que l'Anglican Divinity School, de réputation internationale.

10. Elsa Goveia, *Slave Society in the British Leeward Islands*, p. 268.

11. Michael Craton, «Slave Culture, Resistance and the Achievement of Emancipation in the British West Indies, 1783-1838», dans James Walvin, *Slavery and British Society 1776-1846*, p. 109. Voir aussi Elsa Goveia, *Slave Society in the British Leeward Islands*, p. 284-285 et 305.

12. Cecil Northcott, *Slavery's Martyr*, p. 89 et 106.

13. Edith F. Hurwitz, *Politics and the Public Conscience*, p. 88.

14. «Ladies of Lyme Regis», pétition pour l'abolition de l'esclavage présentée à la Chambre des lords. Cité par Edith F. Hurwitz, *Politics and the Public Conscience*, p. 89.

15. Ellen Gibson Wilson, *Thomas Clarkson*, p. 24.

16. John Wesley, cité par Brycchan Carey, «British Abolitionists: John Wesley», <http://www.brycchancarey.com/abolition/wesley.htm>.

17. The Christian History Institute, <http://chi.gospelcom.net/DAILYF/2002/06/daily-06-30-2002.shhtml>.

18. Samuel Coleridge, ami de Clarkson. Cité dans Ellen Gibson Wilson, *Thomas Clarkson*, p. 1.

19. Ellen Gibson Wilson, *Thomas Clarkson*, respectivement p. 61 et 31.

20. Brycchan Carey *et al.* (dir.), *Discourses*, p. 85.

21. Adam Hochschild, «Against All Odds», p. 10.

22. Ottobah Cugoano, *Narrative of the Enslavement of a Native Africa*.

23. Cf. «Valuable Articles of the Slave Trade», s.d., <http://www.discoveringbristol.org.uk/showImageDetails.php?sit_id=1&img_id=716>.

24. James Gillray, Barbarities in the West Indies, 1792, <http://www.discoveringbristol.org.uk/showImageDetails.php?sit_id=1&img_id=2388>.

25. Roger T. Anstey, *The Atlantic Slave Trade and British Abolition*, p. 289.

26. Adam Hochschild, «Against All Odds», p. 10.

27. Anonyme, *Remarkable Extracts and Observations on the Slave Trade with some Considerations on the Consumption of West India Produce*, 1792. Cité par Eric Williams, *Capitalism and Slavery*, p. 183.

28. Peter J. Kitson, «The Eucharist of Hell».

29. Extrait de «London Dabates: 1792», dans *London Debating Societies 1776-1799* (1994), p. 318-321, <http://www.british-history.ac.uk/report.asp?compid=38856>.

30. Claire Midgley, *Women Against Slavery*, p. 39.

31. Le site Web de Brycchan Carey <http://www.brycchancarey.com/slavery/cowperpoems.htm> constitue une excellente source sur la poésie inspirée par l'abolitionnisme.

32. Oliver Warner, *William Wilberforce*, p. 55.

33. James Walvin, *Slavery and British Society*, 124.

34. Oliver Warner, *William Wilberforce*, p. 139.

35. Seymour Drescher, «Whose abolition?».

36. Lettre de Wilberforce à William Hey du 28 février 1807. Cité par Brycchan Carey, «William Willberforce», <http://www.brycchancarey.com/abolition/willberforce.htm>.

CHAPITRE 8

Venir à bout des monstres: esclavage et apprentissage

1. Seymour Drescher, «Whose abolition?».

2. Cecil Northcott, *Slavery's Martyr*, p. 27.

3. Galien Matthews, «The Rumour Syndrome».

4. Cecil Northcott, *Slavery's Martyr*, p. 32 et 46.

5. Cecil Northcott, *Slavery's Martyr*, p. 119.
6. Citation tirée de « Records Relating to the Birmingham Ladies' Society for the Relief of British Negro Slaves, 1825-1919, in the Birmingham Reference Library », <http:// dydo1.lib.unimelb.edu.au/index.php?view=html;docid=1837;groupid=>.
7. Elizabeth Heyrick, *Immediate, Not Gradual Abolition*, p. 9.
8. Charlotte Sussman, *Consuming Anxieties*, p. 139.
9. Elizabeth Herick, *Immediate, Not Gradual Abolition*, p. 4.
10. *Reasons for Using East India Sugar*, 1828, imprimé pour la Peckham Ladies' African and Anti-Slavery Association.
11. Charlotte Sussman, *Consuming Anxieties*, p. 122.
12. Elizabeth Heyrick, *Immediate, Not Gradual Abolition*, p. 24.
13. Clare Migley, *Women Against Slavery*, p. 62.
14. Cf. la troisième édition de *The History of Mary Prince*, <docsouth.unc.edu/neh/ prince/prince.html>.
15. Catherine Hall, *Civilising Subjects: Metropole and Colony in the English Imagination 1830-1867*, p. 116-117,
16. Alan Jackson, « William Knibb, 1803-1845, Jamaican Missionary and Slaves' Friend », <www.victorianweb.org/history/knibb/knibb.html>.
17. Eric Williams, *From Columbus to Castro*, p. 325.
18. Kathleen Mary Butler, *The Economics of Emancipation*, p. 19.
19. Charlotte Sussman, *Consuming Anxieties*, p. 191
20. Kathleen Mary Butler, *The Economics of Emancipation*, p. 141.
21. Madame A. C. Carmichael, 1834. Citée par Michael Craton, « Slave Culture, Resistance, and the Achievement of Emancipation in the British West Indies », p. 100.
22. Eric Williams, *Capitalism and Slavery*, p. 158.
23. Brian Dyde, *A History of Antigua*, p. 132.
24. Toutes les citations de James Williams sont tirées de son ouvrage, *A Narrative of Events*.
25. Sietske Altink, « To Wed or Not to Wed ? », p. 98.
26. Postface de Joseph Sturge pour le livre de James Williams, *A Narrative of Events*.
27. Sietske Altink, « To Wed or Not to Wed ? », p. 97.
28. Mimi Sheller, « Quasheba, Mother, Queen ».
29. Sheena Boa, « Experiences of Women Estate Workers ».
30. Catherine Hall, *Civilising Subjects*, p. 118.
31. *Ibidem*.
32. Catherine Hall, *Civilising Subjects*, p. 127.
33. William Knibb, cité par Catherine Hall, *Civilising Subjects*.
34. *Ibidem*, p. 165.

CHAPITRE 9

Cuba et la Louisiane : du sucre pour l'Amérique du Nord

1. Eric Williams, *From Columbus to Castro*, p. 319.
2. F. R. Augier *et al.*, *The Making of the West Indies*, p. 211.
3. Anton L. Allahar, *Class, Politics and Sugar in Colonial Cuba*, p. 63.

4. Anton L. Allahar, *Class, Politics and Sugar in Colonial Cuba*, p. 87

5. Rachel Wilson Moore, *The Journal of Rachel Wilson Moore*. Citée par Louis A. Perez, *Slaves, Sugar, and Colonial Society*, p. 127.

6. Robert L. Paquette, dans *Sugar Is Made With Blood*, examine l'hypothèse selon laquelle il n'y aurait jamais eu de conspiration; celle-ci aurait été inventée de toutes pièces par les autorités pour justifier la répression.

7. Frederika Bremer, *The Homes of the New World: Impressions of America*. Citée par Louis A. Perez, *Slaves, Sugar, and Colonial Society*, p. 117.

8. Jose Maria Calatrava, cité par Anton L. Allahar, *Class, Politics and Sugar in Colonial Cuba*, p. 87.

9. Moreno Fraginals, cité par Louis A. Perez, *Slaves, Sugar and Colonial Society*, p. 109.

10. Alan Dye aborde ces questions dans *Cuban Sugar in the Age of Mass Production*, p. 74-75, citant Laird Bergad, Rebecca Scott *et al.*

11. Anton L. Allahar, *Class, Politics and Sugar in Colonial Cuba*, p. 161.

12. Dans *Slaves, Sugar, and Colonial Society*, Louis A. Perez affirme que 207 moulins seulement, sur les 1 100 existants, échappèrent aux destructions. De son côté, l'historien Alan Dye, dans *Cuban Sugar in the Age of Mass Production*, soutient que plusieurs de ces moulins avaient vieilli, et que leur destruction avait au fond contribué au «sarclage» de l'industrie cubaine, dès lors revigorée et modernisée.

13. Anton L. Allahar, *Class, Politics and Sugar in Colonial Cuba*, p. 158.

14. Alan Dye, dans *Cuban Sugar in the Age of Mass Production*, p. 78-82, résume à grands traits la question des innovations techniques.

15. Le 28 décembre 1886, cité par Louis A. Perez, *Slaves, Sugar, and Colonial Society*, p. xvii.

16. Richard Follett, «On the Edge of Modernity: Louisiana's Landed Elites in the Nineteenth-Century Sugar Country», dans Enrico Del Lago et Rick Halpern (dir.), *The American South and Italian Mezzogiorno*, p. 76.

17. Richard Follett, «Heat, Sex, and Sugar», respectivement p. 511 et 510.

18. Harriet Martineau, *Society in America*.

19. Richard Follett, *The Sugar Masters*, p. 46.

20. Solomon Northup, *Twelve Years a Slave*, p. 213.

21. Richard Follett, *The Sugar Masters*, p. 46.

22. Richard Follett, *The Sugar Masters*, p. 140. Voir aussi Richard Follett, «On the Edge of Modernity», p. 88-89.

23. Richard Follett, *The Sugar Masters*, p. 50.

24. Richard Follett, «Heat, Sex, and Sugar», p. 528.

25. Richard Follett, *The Sugar Masters*, p. 180.

26. Solomon Northup, *Twelve Years a Slave*, p. 196.

27. Richard Follett, *The Sugar Masters*, p. 161.

28. Solomon Northup, *Twelve Years a Slave*, p. 200.

29. Solomon Northup, *Twelve Years a Slave*, p. 214, 196.

30. *Ibidem*, p. 215.

31. Ann Paton Malone, *Sweet Chariot*, p. 245.

32. Richard Follett, *The Sugar Masters*, p. 231.

33. Ann Paton Malone, *Sweet Chariot*, p. 246.

34. *Ibidem*, p. 149.

35. Richard Follett, «On the Edge of Modernity», p. 86.
36. Richard Follett, *The Sugar Masters*, p. 115.
37. Octavia Albert, *The House of Bondage*, p. 106.
38. Richard Follett, «On the Edge of Modernity», p. 80.
39. Wilma King, *A Northern Woman in the Plantation South*, p. 10.
40. Cité dans le Guide du tourisme de la Louisiane, <http://www.louisianatourguide.com/aariverroad.htm>.
41. Richard Follett, *The Sugar Masters*, p. 68.
42. *Ibidem*, p. 85.
43. John C. Rodrigue, *Reconstruction in the Cane Fields*, p. 36.
44. *Ibidem*, p. 48.
45. David R. Mayhew, sur le site HistoryNet.com, *America's Civil War*, juillet 2004.
46. *Ibidem*.
47. Michael Wade, *Sugar Dynasty*, p. 73.
48. Michael Wade, *Sugar Dynasty*, p. 88.
49. John C. Rodrigue, *Reconstruction in the Cane Fields*, p. 95.
50. John C. Rodrigue, *Reconstruction in the Cane Fields*, p. 64.
51. Le planteur William T. Palfrey, cité par John C. Rodrigue, *Reconstruction in the Cane Fields*, p. 81.
52. John C. Rodrigue, *Reconstruction in the Cane Fields*, p. 95.
53. *Ibidem*, p. 100.
54. *Ibidem*, p. 107.
55. Cité par John C. Rodrigue, *Reconstruction in the Cane Fields*, p. 183.
56. *Ibidem*, p. 191.
57. Heather Robertson, *Sugar Farmers of Manitoba*, p. 79.
58. Vera Bloom, «Oxnard: A Social History of the Early Years», *Ventura County Historical Society Quaterly*, n° 4 (février 1956), p. 19. Cité dans Tomás Almaguer, «Racial Domination and Class Conflict in Capitalist Agriculture: The Oxnard Sugar Beet Worker's Strike of 1903», dans Daniel Conford (dir.), *Working People of California*, Berkeley, University of California Press, 1995.
59. Communiqué de presse de la JMLA, cité dans le cours en ligne du professeur G. Amatsu, <http://www.sscenet.ucla.edu/aasc/classweb/winter02/aas197apaplabo_fp.html> (visité le 15 septembre 2003).
60. John Murray, «A Foretaste of the Orient».
61. Sur la situation des autochtones, on trouve un exposé savant de grande qualité dans Ron Laliberte et Vic Satzewich, «Native Migrant Labour in the Southern Alberta Sugar Beet Industry».
62. John Perkins, «Nazi Autarchic Aspirations and the Beet-Sugar Industry», p. 497-518.
63. Randall L. Bytwerk, *German Propaganda Archive*, <http://www.calvin.edu/academic/cas/gpa/zd3.htm>.

CHAPITRE 10

La diaspora sucrière

1. Titre d'une œuvre majeure sur le contrat de travail. Voir Tinker, *A New System of Slavery*. [Ne pas confondre l'«*apprenticeship*», l'apprentissage du chapitre 8, plus

culturel que technique, et l'« *indentureship* », mais que l'on traduit ici par « contrat de travail » pour le distinguer de l'autre. « *Indenture* », historiquement, est un contrat de location de services de quelqu'un pour un temps donné, en échange du billet de la traversée vers l'une ou l'autre des colonies anglaises. NDT]

2. Alan Adamson, « Immigration Into British Guiana », dans Kay Saunders, *Indentured Labour in the British Empire, 1834-1920*, p. 45.
3. Alan Adamson, *Sugar Without Slaves*, p. 51.
4. *Ibidem.*
5. Eric Williams, *History of the People of Trinidad and Tobago*, p. 108.
6. Hugh Tinker, *A New System of Slavery*, p. 119.
7. *Ibidem*, p. 52.
8. Edward Jenkins, *The Coolie: His Rights and Wrongs*, p. 194.
9. William Grant Sewell, *The Ordeal of Free Labour in the West Indies*, p. 123-124.
10. Edward Jenkins, *The Coolie: His Rights and Wrongs*, p. 538.
11. *Ibidem*, p. 424. Le passage en italique est tel quel dans l'original.
12. Alan Adamson, « The impact of Indentured Immigration on the Political Economy of British Guyana », dans Kay Saunders, *Indentured Labour in the British Empire*, p. 49.
13. Alan Adamson, *Sugar Without Slaves*, p. 147.
14. Les deux citations se trouvent dans Alan Adamson, « The Impact of Indentured Immigration », dans Kay Sanders, *Indentured Labour in the British Empire*, p. 49.
15. Hugh Tinker, *A New System of Slavery*, p. 182.
16. Hugh Tinker, *A New System of Slavery*, p. 187.
17. *Ibidem*, p. 184.
18. Alan Adamson, *Sugar Without Slaves*, p. 117.
19. Eric Williams, *History of the People of Trinidad and Tobago*, p. 121.
20. Hugh Tinker, *A New System of Slavery*, p. 215.
21. Eric Williams, *History of the People of Trinidad and Tobago*, p. 100.
22. Alan Adamson, « The Impact of Indentured Immigration », dans Kay Sanders, *Indentured Labour in the British Empire*, p. 50.
23. Jagan, « Indo-Caribbean Political Leadership », dans Frank Birbalsingh (dir.), *Indenture and Exile: The Indo-Caribbean Experience*, p. 24.
24. Alan Adamson, *Sugar Without Slaves*, p. 266.
25. Noel Deerr, *The History of Sugar*, p. 394.
26. Rick Halpern, « Solving the "Labour Problem" », p. 9-10.
27. William Beinart, « Transkeian Migrant Workers and Youth Labour on the Natal Sugars Estates 1918-1948 », p. 58.
28. William Beinart raconte l'histoire de Faka dans « Transkeian Migrant Workers », p. 44.
29. Brij V. Lal, *Bittersweet: the Indo-Fijian Experience*, p. 15.
30. Walter Gill, « Turn North-East at the Tombstone ». Cité par Ahmed Ali, « Girmit – The Indenture Experience in Fiji », *Bulletin of the Fiji Museum*, n° 5, 1979, p. 39.
31. William Mune, de la Rewa Sugar Company, au Secrétariat colonial, Fiji, 1887. Cité par Ahmed Ali, *loc. cit.*
32. *The Cuba Commission Report*, p. 42.

33. *The South Pacific Times*, du 11 septembre 1873, cité par Watt Stewart, *Chinese Bondage in Peru*, p. 68.
34. F. R. Augier *et al.*, *The Making of the West Indies*, p. 202.
35. De Sagra, cité par Louis A. Perez, *Slaves, Sugar, and Colonial Society*, p. 112.
36. Matthew Pratt Guterl, « After Slavery : Asian Labour, the American South, and the Age of Emancipation ».
37. Julia Woodruff, *My Winter in Cuba*. Cité par Louis A. Perez, *Slave, Sugar, and Colonial Society*, p. 69.
38. Matthew Pratt Guterl, « After Slavery ».
39. Michael Gonzalez, *Plantation Agriculture and Social Control in Northern Peru*, p. 121.
40. <http://wwwhawaii-nation.org/publawsum.html>, « Pour reconnaître le 100ᵉ anniversaire du renversement du royaume d'Hawaï, le 17 janvier 1893, et offrir des excuses au peuple hawaïen de la part des États-Unis. »
41. Gary Y. Okihiro, *Cane Fires : The Anti-Japanese Movement in Hawaï, 1865-1945*, p. 39.
42. Mark Twain, « The High Chief of Sugardom », dans *The Sacramento Daily Union*, du 26 septembre 1866, où il écrit concernant l'industrie sucrière hawaïenne : « Son importance pour l'Amérique est vitale, elle surpasse toutes les autres. Voici une terre qui produit six, huit, dix, douze, ouais ! parfois treize mille livres de sucre par acre dans une terre non engraissée ! [...] Si l'on parle de son extraordinaire rendement, cette partie du monde est la reine de l'univers sucrier. Jusqu'à tout récemment, l'honneur revenait à l'île Maurice. » Citation trouvée sur <www.twainquotes.com>.
43. Gary Y. Okihiro, *Cane Fires*, p. 28.
44. Liliuokalani, *Hawaii's Story by Hawaii's Queen*, p. 237-238.
45. Cleveland Grover, repris de <http://www.hawaii-nation.org/cleveland.html>.
46. Rob Wilson, « Exporting Christian Transcendentalism, Importing Hawaiian Sugar : The Trans-Americanization of Hawaii », p. 19.
47. *The Advertiser*, cité par Gary Y. Okihiro, *Cane Fires*, p. 79.
48. Edward Wybergh Docker, *The Blackbirders*, p. 61.
49. Raymond Evans, Kay Saunders et Kathryn Cronin, *Exclusion, Exploitation and Extermination*, p. 161.
50. Adrian Graves, « Truck and Gifts : Melanesian Immigrants and the Trade Box System in Colonial Queensland », *Past and Present*, nᵒ 101 de novembre 1983, p. 123-124.
51. H. I. Blake, « The Kanaka. A Character Sketch », dans *The Antipodean*, 1882. Cité par Raymond Evans, Kay Saunders et Kathryn Cronin, *Exclusion, Exploitation and Extermination*, p. 394 et p. 183.
52. *Ibidem*, p. 183.
53. *Ibidem*, p. 196.
54. *Ibidem*, p. 173.
55. Jock Galloway, *The Sugar Cane Industry*, p. 229.
56. Edward Wybergh Docker, *The Blackbirders*, p. 263-264.
57. Patricia Mercer, *White Australia Defied : Pacific Islander Settlement in North Queensland*, p. 98.
58. Edward Wybergh Docker, *The Blackbirders*, p. 165.

59. Peter Griggs, «Alien Agriculturalists: Non-European Small Farmers in the Australian Sugar Industry, 1880-1920», dans Pal Ahluwalia, Bill Ashcroft et Roger Knight (dir.), *White and Deadly: Sugar and Colonialism*, p. 155.

CHAPITRE 11
Rendez-vous à Saint Louis

1. Shawn McCarthy, «Hot Dog! A Century of Fast Food Is Relished», *The Globe and Mail* du 27 décembre 2003.
2. Pamela J. Vaccaro, *Beyond the Ice Cream Cone*, p. 127.
3. Marilyn Powell, *Cool: The Story of Ice Cream*, p. 202.
4. Michael Barterberry, *On the Town in New York*, p. 69-70.
5. James E. McWilliams, *A Revolution in Eating: How the Quest for Food Shaped America*, p. 179.
6. *Ibidem*, p. 211.
7. Wendy Woloson, *Refined Tastes: Sugar, Confectionary, and Consumers in Nineteenth-Century America*, p. 10.
8. Waverley Lewis Root, *Food: An Authoritative and Visual History and Dictionary of the Foods of the World*, p. 293.
9. Marilyn Powell, *Cool: The Story of Ice Cream*, p. 162.
10. Wendy Woloson, *Refined Tastes: Sugar, Confectionary, and Consumers in Nineteenth-Century America*, p. 102.
11. Michael Barterberry, *On the Town in New York*, p. 92.
12. Wendy Woloson, *Refined Tastes: Sugar, Confectionary, and Consumers in Nineteenth-Century America*, p. 83.
13. Waverley Lewis Root et Richard de Rochemont, *Eating in America: A History*, p. 427.
14. *Ibidem*.
15. Lettre de Theodore Roosevelt à son fils Kermit, le 7 février 1904. Cité dans Theodore Roosevelt, *Letters to His Children*, New York, Charles Scribner, 1919.
16. Wendy Woloson, *Refined Tastes: Sugar, Confectionary, and Consumers in Nineteenth-Century America*, p. 94.
17. Henry Mayhew, *London Labour and the London Poor*. Cité par Tim Richardson, *Sweets*, préface.
18. Wendy Woloson, *Refined Tastes: Sugar, Confectionary, and Consumers in Nineteenth-Century America*, p. 33.
19. *Ibidem*, p. 40.
20. *Ibidem*, p. 39.
21. Henry Mayhew, *London Labour and the London Poor*. Cité par Tim Richardson, *Sweets*, préface.
22. Carl Chinn, *The Cadbury Story*, p. 18.
23. Tim Richardson, *Sweets*, p. 225.
24. Carl Chinn, *The Cadbury Story*, p. 7.
25. Carl Chinn, *The Cadbury Story*, p. 16.
26. Anne Vernon, *A Quaker Business Man*, citant les propos d'un vieil employé.
27. Joël Glenn Brenner, *The Emperors of Chocolate: Inside the Secret World of Hershey and Mars*, p. 73.

28. *Ibidem*, p. 54
29. Michael Levine, cité par Joël Glenn Brenner, dans *The Emperors of Chocolate*, p. 97.
30. Wendy Woloson, *Refined Tastes: Sugar, Confectionary, and Consumers in Nineteenth-Century America*, p. 151-152.
31. David Folster, *The Chocolate Ganongs of St. Stephen, New Brunswick*, p. 78.
32. Margaret Visser, *Much Depends on Dinner*, p. 312.
33. Wendy Woloson, *Refined Tastes: Sugar, Confectionary, and Consumers in Nineteenth-Century America*, p. 211.
34. *Ibidem*, 169.
35. Fanny Farmer, *The Fanny Farmer* Cookbook, p. 784, Le livre a été intégralement réédité en 1990.
36. Wendy Woloson, *Refined Tastes: Sugar, Confectionary, and Consumers in Nineteenth-Century America*, p. 197.
37. *Ibidem*, p. 221.
38. *Ibidem*, p. 194.
39. Wendy Woloson, *Refined Tastes: Sugar, Confectionary, and Consumers in Nineteenth-Century America*, p. 3. Merci à l'auteure pour cette interprétation, que j'ai faite mienne.
40. *Ibidem*, p. 226.
41. *Ibidem*.
42. Anne Vernon, *A Quaker Business Man*, p. 197.
43. Tim Richardson, *Sweets*, p. 258.
44. Monroe Stover, cité par Joël Glenn Brenner, *The Emperor of Chocolate*, p. 117.
45. *Ibidem*, p. 117.
46. *Ibidem*, p. 138.
47. James E. McWilliams, *A Revolution in Eating*, p. 266.

CHAPITRE 12

Héritage et perspectives du sucre

1. Donald W. Attwood, *Raising Cane: The Political Economy of Sugar in Western India*, p. 71.
2. Le Fonds mondial pour la nature (WWF), «Sucre et environnement: comment développer une meilleure gestion des pratiques de production et de traitement du sucre», <http://www.panda.org>.
3. David Watts, *The West Indies*, p. 231.
4. *Ibidem*, p. 434.
5. G. B. Singh et S. Solomon (dir.), *Sugarcane: Agro-Industrial Alternatives*, p. 419.
6. Témoignage d'Ira S. Shapiro devant le Sénat des États-Unis, au nom de la Coalition pour la réforme de l'industrie sucrière, le 26 juillet 2000.
7. Un coupeur de canne inconnu, cité par Alec Wilkinson, *Big Sugar: Seasons in the Cane Fields of Florida*, p. 82.
8. Marie Brenner, «In the Kingdom of Big Sugar», *Vanity Fair*, de février 2001.
9. *Ibidem*.
10. Carl Hiassen, rapporté par Marie Brenner, «In the Kingdom of Big Sugar», *Vanity Fair* de février 2001.

11. Daniel Glick, « Big Sugar vs. The Everglades », *Rolling Stones* du 2 mai 1996.

12. Paul Roberts, « The Sweet Hereafter : Our Craving for Sugar Starves the Everglades and Fattens Politicians », *Harper's Magazine* de novembre 1999.

13. *Ibidem.*

14. Au moins 10 % du sucre consommé aux États-Unis provient de la République dominicaine.

15. Brian H. Pollitt et G. B. Hagelberg, « The Cuban Sugar Economy in the Soviet Era and After », *Cambridge Journal of Economics*, 1994 (décembre), vol. 18, p. 558.

16. Sergio Roca, *Cuban Economic Policy and Ideology : The Ten Million Ton Sugar Harvest*, p. 61.

17. *Ibidem*, p. 7.

18. Extraits de discours prononcés en 1979 et 1985. Tiré de Jorge F. Perez-Lopez, « Sugar and Structural Change in the Cuban Economy », *World Development*, 1989, vol. 17, n° 10 (1989), p. 1628.

19. James Horvath, « Changes and Challenges in the Sugar Industry Today », communication présentée à la North Dakota State University, le 7 avril 2004. Voir <www.ag.ndsu.nodak.edu/qbcc/BloomquistLectures/2004>.

20. N. R. Kleinfield, « Diabetes and Its Awful Tool Quietly Emerge as a Crisis », *The New York Times* du 9 janvier 2006.

21. William Dufty, *Sugar Blues*, p. 221.

22. Hilary Liftin, *Candy and Me (A Love Story)*, p. 186.

23. Sarah Bosely, « Sugar Industry Threatens to Scupper WHO », *The Guardian*, 21 avril, 2003.

24. « The Food Pyramid Scheme », *The New York Times* du 1er septembre 2004.

25. Voir « Sugar Lobbyists Sour on Study », *CBS News*, le 23 avril 2003.

26. Cf. « FAO/WHO Launch Expert Report on Diet, Nutrition and Prevention of Chronic Diseases », communiqué de presse, 23 avril 2003, <www.who.int/hpr/gs_comments/sugar_research.pdf>.

27. F. Joseph Demetrius, « Ethanol as Fuel : An Old Idea in New Tanks », dans Scott B. Macdonald et Georges A. Fauriol (dir.), *The Politics of the Caribbean Basin Sugar Trade*, p. 149.

28. Tiré de « Ethanol Fuels Hope for Sugar Industry », *Dominican Today* du 2 juin 2006.

29. Ralf Kircher, « The Changing Face of Cuba », *Naples Daily News* du 2 décembre 2003.

30. Edouardo Santana, « Saving Tax $$, the Everglades and Birds [...] Using Cuban Sugar », *Progreso Weekly* du 1er novembre 2003, <http://www.progresoweekly.com/2003/11Nov/04week/Santana.htm>.

Bibliographie

Adamson, Alan, *Sugar Without slaves. The Political Economy of British Guiana, 1838-1904*, New Haven, Yale University Press, 1972.

Ahluwalia, Pal, Bill Ashcroft et Roger Knight (dir.), *White and Deadly. Sugar and Colonialism*, Commack, N.Y., Nova Science Publishers, 1999.

Albert, Bill et Adrian Graves (dir.), *The World Sugar Economy in War and Depression, 1914-1940*, New York, Routledge, Chapman and Hall, 1988.

Rogers Albert, Octavia V., *The House of Bondage or Charlotte Brooks and Other Slave Life; Together with Pen-pictures of the Peculiar Institution, with Sights and Insights into Their new Relations as Freedmen, Freemen, and Citizens*, New York, 1890, <http://docsouth,unc.edu/neh/albert/albert.html>.

Allahar, Anton, *Class, Politics, and Sugar in Colonial Cuba*, Lewiston, N.Y., Edwin Mellon Press, 1990.

Anstey, Roger, *The Atlantic Slave Trade and British Abolition, 1760-1810*, Londres, Macmillan, 1975.

Attwood, Donald W., *Raising Cane: The Political Economy of Sugar in Western India*, Toronto, HarperCollins, 1991.

Augier, F. R. *et al.*, *The Making of the West Indies*, Londres/Trinidad et Tobago, Longman, 1976.

Ayrton, Elisabeth, *The Cookery of England*, Harmondsworth, Middlesex, Penguin, 1977.

Batterberry, Michaël et Ariane Ruskin Batterberry, *On the Town in New York*, New York, Scribner, 1973.

Bayne-Powell, Rosamond, *English Country Life in the Eighteenth Century*, Londres, J. Murray, 1935.

Beachey, R. W., *The British West Indies Sugar Industry in the Late 19th Century*, Oxford, Basil Blackwell, 1957.

Beckles, Hilary, *Afro-Caribbean Women and Resistance to Slavery in Barbados*, Londres, Karnak House, 1988.

—, *Black Rebellion in Bardados*, Bridgetown, Barbados, Carib Research and Publications, 1987.

—, *Natural Rebels: A Social History of Enslaved Black Women in Barbados*, New Brunswick, N.J., Rutgers University Press, 1989.

—, *White Servitude and Slavery in Barbados, 1627-1715*, Knoxville, University of Tennessee Press, 1989.

Birbalsingh, Frank (dir.), *Indenture and Exile: The Indo-Caribbean Experience*, Toronto, TSAR, 1989.

Botsford, Jay Barrett, *English Society in the Eighteenth Century as Influenced from Oversea*, New York, Macmillan, 1924.

Braithwaite, Kamau, *The Development of Creole Society in Jamaica, 1770-1820*, Oxford, Clarendon Press, 1971.

Brenner, Joel Glenn, *The Emperors of Chocolate: Inside the Secret World of Hershey and Mars*, New York, Random House, 1999.

Burnard, Trevor, *Mastery, Tyranny, & Desire: Thomas Thistlewood and His Slaves in the Anglo-Jamaican World*, Chapel Hill, University of North Carolina Press, 2004.

Burnett, John, *Plenty and Want: A Social History of Diet in England from 1815 to the Present Day*, Londres, Scholar Press, 1979.

Bush, Barbara, *Slave Women in Caribbean Society, 1650-1838*, Kingston, Jamaica, Heinemann; Bloomington, Indiana University Press, Londres, J. Currey, 1990.

Butler, Kathleen Mary, *The Economics of Emancipation: Jamaica and Barbados, 1823-1843*, Chapel Hill et Londres, University of North Carolina Press, 1995.

Campbell, Mavis Christine, *The Maroons of Jamaica, 1655-1796: A History of Resistance, Collaboration and Betrayal*, Granby, Mass., Bergin, Garvey, 1988.

Carey, Brycchan, Ellis Markman et Sarah Salih (dir.), *Discourses of Slavery and Abolition: Britain and Its Colonies, 1760-1838*, Basingstoke, Palgrave Macmillan, 2004.

Carrington, Selwyn H., *The Sugar Industry and the Abolition of the Slave Trade, 1775-1810*, Gainesville, University Press of Florida, 2002.

Chinn, Carl, *The Cadbury Story*, Studley, Warwickshire, Brewin Books, 1998.

Chomsky, Aviva, Barry Carr et Pamela Maria Smorkaloff (dir.), *The Cuba Reader: History, Culture, Politics*, Durham, N.C. et Londres, Duke University Press, 2003.

Coote, Belinda, *The Hunger Crop: Poverty and the Sugar Industry*, Londres, Oxfam, 1987.

The Cuba Commission Report, *A Hidden History of the Chinese in Cuba: The Original English-language Text of 1876*, Baltimore et Londres, Johns Hopkins University Press, 1994.

Cugoano, Ottobah, *Narrative of the Enslavement of a Native of Africa... 1787*, <docsouth.unc.edu/neh/cugoano/menu.html>.

Cumberland, Richard, *The West Indian*, <www.joensuu.fi/fld/english/meaney/playtexts/wi/west_indian_2v.html>.

Daniels, Christian, « Agro-Industries: Sugarcane Technology », dans Joseph Needham, *Science and Civilisation in China*, vol. 6, partie 3, Cambridge, Cambridge University Press, 1996.

Davidson, Basil, *Black Mother: Africa and the Atlantic Slave Trade*, Harmondsworth, Middlesex, Penguin Books, 1980.

Day, Ivan, *Royal Sugar Sculpture: 600 Years of Splendour*, Barnard Castle, The Bowes Museum, 2002.

Deerr, Noel, *The History of Sugar*, 2 vol., Londres, Chapman and Hall, 1949-1950.

Del Lago, Enrico et Rick Halpern (dir.), *The American South and the Italian Mezzogiorno: Essays in Comparative History*.

Denslow, David, *Sugar Production in Northeastern Brazil and Cuba*, New York, Garland, 1987.

Dickson, William et Joshua Steele, *Mitigation of Slavery, In Two Parts*, Westport, Conn., Negro Universities Press, 1970, <www.yale.edu/glc/archive/1162.htm>.

Docker, Edward Wybergh, *The Blackbirders*, Londres et Sydney, Angus and Robertson, 1981.

Donoghue, Eddie, *BlackWomen/White Men: The Sexual Exploitation of Female Slaves in the Danish West Indies*, Trenton, N.J., Africa World Press, 2002.

Dubois, Laurent, *Avengers of the New World*, Cambridge, Mass. et Londres, Harvard University Press, 2004.

Duffy, Michael, *Soldiers, Sugar, and Seapower: The British Expeditions to the West Indies and the War against Revolutionary France*, Oxford, Clarendon Press, New York, Oxford University Press, 1987.

Dufty, William, *Sugar Blues*, New York, Warner, 1993.

Dunn, Richard, *Sugar and Slaves: The Rise of the Planter Class in the English West Indies*, New York, Norton, 1973.

Dyde, Brian, *A History of Antigua: The Unsuspected Isle*, Londres, Macmillan Caribbean, 2000.

Dye, Alan, *Cuban Sugar in the Age of Mass Production: Technology and the Economics of the Sugar Central, 1899-1929*, Stanford, Stanford University Press, 1998.

Echevarría, Oscar A. (dir.), *Captains of Industry, Builders of Wealth: Miguel Angel Falla: The Cuban Sugar Industry*, Washington, D.C., New House Pub., 2002.

Emmer, P.C. (dir.), *Colonialism and Migration: Indentured Labour Before and After Slavery*, Higham, Mass., Dordrecht, Nijhoff, 1986.

Equiano, Olaudah, *The Life of Olaudah Equiano, or Gustavus Vassa, the African*, Mineloa, N.Y., Dover Publications, 1999.

Evans, Raymond, Kay Saunders et Kathryn Cronin, *Exclusion, Exploitation and Extermination: Race Relations in Colonial Queensland*, Sydney, Australia and New Zealand Book Co., 1975.

Farmer, Fanny, *Fanny Farmer Cookbook*, publié par Marion Cunningham, revu en 1990. Formerly *The Boston Cooking School Book*, New York, Toronto, Bantam Books, 1994.

Ferguson, Niall, *Empire: The Rise and Demise of the British World Order and the Lessons for Global Power*, New York, Basic Books, 2002.

Fermin, Jose D., *1904 World's Fair: The Filipino Experience*, Hawaii, University of Hawaii Press, 2005.

Fick, Carolyn, *The Making of Haiti: The Saint Domingue Revolution from Below*, Knoxville, University of Tennessee Press, 2000.

Flannigan, Mrs., *Antigua and the Antiguans*, 2 vol., Londres, 1884, réimprimé par Elibron Classics, s.d.

Follett, Richard J., *The Sugar Masters: Planters and Slaves in Louisiana's Cane World, 1820-1860*, Baton Rouge, Lousiana State University Press, 2005.

Folster, David, *The Chocolate Ganongs of St. Stephen, New Brunswick*, St. Stephen, N.B., Ganongs, 1999.

Forster, Elborg et Robert Forster (dir.), *Sugar and Slavery, Family and Race: The Letters and Diary of Pierre Dessalles, Planter in Martinique, 1808-1856*, Baltimore, Johns Hopkins University Press, 1996.

Fox, Tryphena Blanche Holder, *A Northern Woman in the Plantation South: Letters of Tryphena Blanche Holder, 1834-1912*, publié par Wilma King, Columbia, University of South Carolina Press, 1993.

Freyre, Gilberto, *The Masters and the Slaves: A Study in the Development of Brazilian Civilization*, New York, Alfred A. Knopf, 1967.

Galenson, David, *Traders, Planters, and Slaves*, Cambridge et New York, Cambridge University Press, 1986.

Galloway, Jock H., *The Sugar Cane Industry: An Historical Geography from Its Origins to 1914*, Cambridge, Cambridge University Press, 1989.

Gaskell, P., *The Manufacturing Population of England: Its Moral, Social, and Physical Conditions, and the Changes Which Have Arisen from the Use of Steam Machinery; with and Examination of Infant Labour*, Londres, 1833.

Gaspar, David Barry, *Bondsmen and Rebels: A Study of Master-Slave Relations in Antigua*, Durham, N.C., Duke University Press, 1993.

Gistitin, Carol, *Quite a Colony: South Sea Islanders in Central Queensland, 1867 to 1993*, Brisbane, AEBIS Publishing, 1995.

Gonzales, Michael, *Plantation Agriculture and Social Control in Northern Peru, 1875-1933*, Austin, University of Texas Press, 1985.

Goveia, Elsa V., *Slave Society in the British Leeward Islands at the End of the Eighteenth Century*, New Haven et Londres, Yale University Press, 1965.

Guédé, Alain, *Monsieur de Saint-George: Virtuoso, Swordsman, Revolutionary: A Legendary Life Rediscovered*, New York, Picador, 2003.

Hall, Catherine, *Civilising Subjects: Metropole and Colony in the English Imagination 1830-1867*, Chicago et Londres, University of Chicago Press et Polity Press, 2002.

Hall, Douglas, *In Miserable Slavery: Thomas Thistlewood in Jamaica, 1750-86*, Jamaica, University of the West Indies Press, 1999.

Hall, Kim F., « Culinary Spaces, Colonial Spaces : The Gendering of Sugar in the Seventeenth Century », dans Valerie Traub, M. Lindsay Kaplan et Dympna Callaghan (dir.), *Feminist Readings of Early Modern Culture : Emerging Subjects*, Cambridge, Cambridge University Press, 1996.

Harris, Franklin Stewart, *The Sugar-Beet in America*, New York, Macmillan, 1919.

Heyrick, Elizabeth, *Immediate, Not Gradual, Abolition; or, an Inquiry into the Shortest, Safest, and Most Effectual Means of Getting Rid of West Indian Slavery*, Londres, 1824, Cornell University Library, Division of Rare and Manuscript Collections, Samuel J. May Anti-Slavery Collections, <http://dlxs. library.cornell.edu/m/mayantislavery/index.htm>.

Higman, Barry, *Slave Population and Economy in Jamaica, 1807-1834*, Cambridge, Cambridge University Press, 1979.

Hobhouse, Henry, *Seeds of Change : Five Plants That Transformed Mankind*, New York, Harper and Row, 1986.

Hochschild, Adam, *Bury the Chains : Prophets and Rebels in the Fight to Free an Empire's Slaves*, Boston, Houghton Mifflin, 2005.

Hurwitz, Edith F., *Politics and the Public Conscience : Slave Emancipation and the Abolitionist Movement in Britain*, Londres, Allen and Unwin, New York, Barnes and Noble Books, 1973.

Inikori, Joseph, *Forced Migration : The Impact of the Export Slave Trade on African Societies*, New York, Africana Publishing, 1982.

James, C. L. R., *The Black Jacobins*, Londres, Alison and Busby, 1980.

Jenkins, John Edward, *The Coolie : His Rights and Wrongs*, New York, 1871.

John, Meredith, *The Plantation Slaves of Trinidad, 1783-1816*, Cambridge, Cambridge University Press, 1988.

Kay-Shuttleworth, Sir James, « The Moral and Physical Condition of the Working Classes of Manchester in 1832 », <www.historyhome.co.uk/peel/p-health/mterkay.htm>.

Klein, Herbert S., *African Slavery in Latin America and the Caribbean*, Oxford, Oxford University Press, 1986.

Koster, Henry, *Travels in Brazil, Carbondale*, Southern Illinois University Press, 1966.

Lal, Brij V., *Bittersweet : An Indo-Fijian Experience*, Canberra, Pandanus, 2004.

Landes, David S., *The Unbound Prometheus : Technological Change and Industrial Development in Western Europe from 1560 to the Present*, Cambridge, Cambridge University Press, 2003.

Lewis, Matthew, *Journal of a West India Proprietor : Kept during a Residence in the Island of Jamaica*, publié par Judith Terry, Oxford, Oxford University Press, 1999.

Liftin, Hilary, *Candy and Me (A Love Story)*, New York, Free Press, 2003.

Liliuokalani, Queen of Hawaii, *Hawaii's Story by Hawaii's Queen*, Rutland, Vt., Charles E. Tuttle, 1990.

Malone, Ann Patton, *Sweet Chariot: Slave Family and Household Structure in Nineteenth-century Louisiana*, Chapel Hill, University of North Carolina Press, 1992.

Martinez-Vergne, Teresita, *Capitalism in Colonial Puerto Rico: Central San Vincente in the Late Nineteenth Century*, Gainesville, University Press of Florida, 1992.

McDonald, Roderick A., *Between Slavery and Freedom: Special Magistrate John Anderson's Journal of St. Vincent during the Apprenticeship*, Philadelphia, University of Pennsylvania Press, 2001.

McFarlane, Milton, C., *Cudjoe of Jamaica: Pioneer for Black Freedom in the New World*, Short Hills, N.J., R. Enslow, 1977.

McWilliams, James E., *A Revolution in Eating: How the Quest for Food Shaped America*, New York , Columbia University Press, 2005.

Mercer, Patricia, *White Australia Defied: Pacific Islander Settlement in North Queensland*, Townsville, Queensland, Dept. of History and Politics, James Cook University, 1995.

Midgley, Clare, *Women Against Slavery: The British Campaigns, 1780-1870*, Londres, New York, Routledge, 1992.

Mintz, Sidney W., *Sweetness and Power: The Place of Sugar in Modern History*, New York, Penguin, 1986.

—, *Tasting Food, Tasting Freedom*, Boston, Beacon Press, 1996.

Moitt, Bernard, *Women and Slavery in the French Antilles, 1635-1848*, Bloomington, Indiana University Press, 2001.

Moxham, Roy, *Tea: Addiction, Exploitation, and Empire*, New York, Carroll and Graf, 2003.

Northcott, Cecil, *Slavery's Martyr: John Smith of Demerara and the Emancipation Movement, 1817-1824*, Londres, Epworth Press, 1976.

Northup, Solomon, *Twelve Years a Slave: Narrative of Solomon Northup, a Citizen of New-York, Kidnapped in Washington City in 1841, and Rescued in 1853*, Auburn, N.Y., 1853, <docsouth.unc.edu/fpn/northup/menu.html>.

Nugent, Maria, *Lady Nugent's Journal of her Residence in Jamaica from 1801 to 1805*, 4e éd., Kingston, Institute of Jamaica, 1966.

Oddy, D. J., « Food, Drink and Nutrition », dans *The Cambridge Social History of Britain 1750-1950*, vol. 2, publié par F. L. M. Thompson, Cambridge, Cambridge University Press, 1993.

Okihiro, Gary Y., *Cane Fires: The Anti-Japanese Movement in Hawaii, 1865-1945*, Philadelphie, Temple University Press, 1991.

Paquette, Robert L., *Sugar Is Made with Blood: The Conspiracy of La Escalera and the Conflict Between Empires over Slavery in Cuba*, Middletown, Conn., Wesleyan University Press, 1988.

Pares, Richard, *A West India Fortune*, Londres, Longmans, Green, 1950.

Patterson, Orlando, *The Sociology of Slavery*, Jamaica, Granada Publishing, 1973.

Pandergrast, Mark, *For God, Country and Coca-Cola: The Unauthorized History of the Great American Soft Drink and the Company That Makes It*, New York, Scribner, 1993.

Perez, Louis A., *Slaves, Sugar, and Colonial Society: Travel Accounts of Cuba, 1801-1899*, Wilmington, Del., Scolarly Resources, 1992.

Pettigrew, Jane, *A Social History of Tea*, Londres, National Trust, 2001.

Powell, Marilyn, *Cool: The Story of Ice Cream*, Toronto, Penguin, 2005.

Prince, Mary, *The History of Mary Prince, a West Indian Slave. Related by Herself*, Londres, 1831. Electronic edition, University of North Carolina at Chapel Hill, Academic Affairs Library, 2000, <docsouth.unc.edu/neh/prince/prince.html>.

Ragatz, Lowell, *The Fall of the Planter Class in the British Caribbean, 1763-1833: A Study in Social and Economic History*, New York, Octagon Books, 1963.

Ramdin, Ron, *Arising from Bondage: A History of the Indo-Caribbean People*, New York, New York University Press, 2000.

Richardson, Tim, *Sweets*, Bloomsbury, N.Y., Bloomsbury, 2002.

Robertson, Heather, *Sugar Farmers of Manitoba: The Manitoba Sugar Beet Industry in Story and Picture*, Altona, Manitoba Beet Growers Association, 1968.

Roca, Sergio, *Cuban Economic Policy and Ideology: The Ten Million Ton Sugar Harvest*, Beverly Hills, Calif., Sage Publications, 1976.

Rodrigue, John C., *Reconstruction in the Cane Fields: From Slavery to Free Labor in Louisiana's Sugar Parishes, 1862-1880*, Baton Rouge, Louisiana State University Press, 2001.

Root, Waverley Lewis, *Food: An Authoritative and Visual History and Dictionary of the Foods of the World*, New York, Simon and Schuster, 1980.

Root, Waverley Lewis et Richard de Rochemont, *Eating in America: A History*, New York, Morrow, 1976.

Royle, Edward, *Modern Britain: A Social History, 1750-1985*, Londres, Baltimore, Edward Arnold, 1987.

Sale, Kirkpatrick, *The Conquest of Paradise: Christopher Columbus and the Columbian Legacy*, New York, Plume, 1991.

Sanderlin, George (dir.), *Bartolomé de Las Casas: A Selection of His Writings*, New York, Alfred A. Knopf, 1975.

Sandiford, Keith Albert, *The Cultural Politics of Sugar: Caribbean Slavery and Narratives of Colonialism*, Cambridge, New York, Cambridge University Press, 2000.

Saunders, Kay, *Indentured Labour in the British Empire, 1834-1920*, Londres, Croom Helm, 1984.

Scarano, Francisco A., *Sugar and Slavery in Puerto Rico*, Madison, University of Wisconsin Press, 1984.

Schwartz, Stuart B., *Sugar Plantations in the Formation of Brazilian Society*, Cambridge, New York, Cambridge University Press, 1985.

Scott, Rebecca J., *Slave Emancipation in Cuba: The Transition to Free Labor, 1860-1899*, Princeton, Princeton University Press, 1985.

Sewell, William Grant, *The Ordeal of Free Labor in the West Indies*, New York, A.M. Kelley, 1968.

Shyllon, Folarin O., *Black Slaves in Britain, 1555-1833*, Oxford, Oxford University Press, 1977.

Shyllon, Folarin O. et James Ramsay, *The Unknown Abolitionist*, Edinburgh, Canongate, 1977.

Singh, G. B. et S. Solomon (dir.), *Sugarcane: Agro-Industrial Alternatives*, New Delhi, Oxford and IBH Publishing, 1995.

Smith, Woodruff D., « From Coffeehouse to Parlour: The Consumption of Coffee, Tea and Sugar in North-western Europe in the Seventeenth and Eighteenth Centuries », dans *Consuming Habits: Drugs in History and Anthropology*, publié par Jordan Goodman *et al.*, New York, Routledge, 1995.

Stannard, David E., *American Holocaust: Columbus and the Conquest of the New World*, Oxford, Oxford University Press, 1992.

Stein, Robert Louis, *The French Sugar Business in the Eighteenth Century*, Baton Rouge, Lousiana State University Press, 1988.

Stewart, Watt, *Chinese Bondage in Peru*, Durham, N.C., Duke University Press, 1951.

Strong, Roy C., *Feast: A History of Grand Eating*, Orlando, Fla., Harcourt, 2002.

Suiker/Sugar, Amsterdam, Amsterdams Historisch Museum, 2006.

Sussman, Charlotte, *Consuming Anxieties: Consumer Protest, Gender, and British Slavery, 1713-1833*, Stanford, Stanford University Press, 2000.

Taylor, Kit Sims, *Sugar and the Underdevelopment of Northeastern Brazil, 1500-1970*, Gainesville, University Press of Florida, 1978.

Thompson, E. P., *The Making of the English Working Class*, Londres, Gollancz, 1980.

Thurston, Mary Elizabeth, *The Lost History of the Canine Race*, Kansas City, Andrews and McMeel, 1996.

Tinker, Hugh, *A New System of Slavery*, Londres, New York, Institute of Race Relations, Oxford University Press, 1974.

Tomlich, Dale W., *Slavery in the Circuit of Sugar: Martinique and the World Economy, 1830-1848*, Baltimore, Johns Hopkins University Press, 1990.

Toussaint-Samat, Maguelonne, *A History of Food* (traduit par Anthea Bell), Cambridge, Mass., Blackwell, 1992. [Édition originale: *Histoire naturelle et morale de la nourriture*, Paris, Bordas, 1987.]

Vaccaro, Pamela J., *Beyond the Ice Cream Cone: The Whole Scoop on Food at the 1904 World's Fair*, St. Louis, Enid Press, 2004.

Vernon, Anne, *A Quaker Business Man: The Life of Joseph Rowntree, 1836-1925*, Londres, Allen and Unwin, 1958.

Visser, Margaret, *Much Depends on Dinner*, Toronto, McClelland and Stewart, 1987.

Wade, Michael G., *Sugar Dynasty: M.A. Patout & Son, 1791-1993*, Lafayette, Center for Lousiana Studies, University of Southwestern Louisiana, 1995.

Walvin, James, *Black Ivory: Slavery in the British Empire*, Oxford, Blackwell, 2001.

—, *Slavery and British Society, 1776-1846*, Baton Rouge, Louisiana State University Press, 1982.

Warner, Oliver, *William Wilberforce and His Times*, Londres, Batsford, 1962.

Watts, David, *The West Indies; Patterns of Development, Culture and Environmental Change Since 1492*, Cambridge, Cambridge University Press, 1987.

Wilkinson, Alec, *Big Sugar: Seasons in the Cane Fields of Florida*, New York, Alfred A. Knopf, 1989.

Williams, Eric, *Capitalism and Slavery*, Londres, Andre Deutsch, 1964.

—, *From Columbus to Castro: The History of the Caribbean, 1492-1969*, Londres, Andre Deutsch, 1983.

—, *History of the People of Trinidad and Tobago*, Londres, Andre Deutsch, 1982.

Williams, Gomer, *History of the Liverpool Privateers and Letters of Marque, with an Account of the Liverpool Slave Trade*, New York, A.M. Kelley, 1966.

Wilson, Andrew R., *The Chinese in the Caribbean*, Princeton, N.J., M. Wiener Publishers, 2004.

Wilson, Ellen Gibson, *Thomas Clarkson: A Biography*, New York, St. Martin's Press, 1990.

Wise, Stephen M., *Though the Heavens May Fall*, Cambridge, Mass., Da Capo Press, 2005.

Woloson, Wendy, *Refined Tastes: Sugar, Confectionery, and Consumers in Nineteenth-century America*, Baltimore, Johns Hopkins University Press, 2002.

Table des matières

Ce livre a été imprimé au Québec en septembre 2008
sur du papier entièrement recyclé
sur les presses de Transcontinental impression.